D0717289

Mary Anne

Van dezelfde auteur:

De vlucht van de valk
Het huis aan het strand
Het luchtkasteel
Jamaica Inn
Lady Dona
Rachel
Rebecca

17-11.

Daphne du Maurier

Mary Anne

1998 – De Boekerij – Amsterdam

Oorspronkelijke titel: Mary Anne
Vertaling: Mary Vreeland
Omslagontwerp: Hesseling Design, Ede

ISBN 90 225 2505 8

DEEL 1

1

Jaren later, toen ze was heengegaan en niet langer deel uitmaakte van hun levens, herinnerden ze zich nog haar glimlach. Haar teint, haar trekken waren slechts vaag in hun geheugen blijven hangen. De ogen, ja, dat wisten ze zeker, die waren blauw geweest – maar ze hadden ook groen of grijs kunnen zijn. En het haar dat ze op Griekse wijze had samengebonden of hoog op het hoofd in krullen opgemaakt, kon evengoed kastanjebruin als lichtbruin zijn geweest. De neus was – dat stond vast – allesbehalve Grieks, want hij wipte en de vorm van haar mond scheen er eigenlijk nooit zo heel erg op aan te zijn gekomen, toen niet en nu ook niet.

De kern van heel haar wezen had in haar glimlach gescholen. Hij begon in haar linkermondhoek, bleef daar even zweven en bespotte zowel hen die ze het meest liefhad – haar eigen gezin inbegrepen – als hen die ze verachtte. En terwijl men onrustig wachtte op een uitbarsting van sarcasme of een snauw, breidde die glimlach zich uit tot haar ogen, veranderde haar hele gezicht en deed het stralen van vrolijkheid. Dan – opgelucht – koesterde men zich in de warmte van die lach en deelde in de pret, en er was niets aanstellerigs of gewilds in de uitbundige lach die volgde, lawaaiig, bijna ordinair, diep uit haar binnenste.

Die lach herinnerde men zich jaren later nog. De rest was vergeten. Vergeten waren de leugens, het bedrog, de plotselinge driftbuien. Vergeten waren de overdadige verkwisting, de absurde edelmoedigheid, de vlijmscherpe tong. Alleen de warmte bleef en de levensblijheid.

Ieder afzonderlijk herinnerde zich die glimlach. En hoewel sommigen elkaar wel eens ontmoet hadden, was er geen vriendschap tussen hen; de band tussen hen was willekeurig.

Het wonderlijke was dat de drie mensen die ze het meest had liefgehad binnen een jaar na elkaar stierven, terwijl de vierde kort daarop volgde; en elk van hen herinnerde zich voor hij stierf haar lach. Ze hoorden die lach, helder en sterk, met niets spookachtigs erin, ergens in hun hoofd schaterend opklinken en de herinneringen overweldigden hen.

Haar broer, Charles Thompson, was de eerste die stierf en dat kwam omdat hij geen geduld had en ook nooit had bezeten, al niet toen hij als kleine jongen zijn handen naar haar uitstrekte en zei: 'Neem me mee, laat me niet achter.' Hij had zich daarmee voorgoed aan haar zorgen toevertrouwd zodat hij nooit meer, ook niet toen hij volwassen was, van haar kon loskomen of zij van hem, hetgeen hun beider noodlot was geworden.

Het einde kwam voor hem na een ruzie in een kroeg, waar hij zoals gewoonlijk had zitten opsnijden over zichzelf in de goede oude tijd toen hij regimentscommandant was geweest en op het punt stond promotie te maken. En dan kwam weer het verhaal over zijn slechte gezondheid, de jaloezie van de kolonel, de animositeit van zijn medeofficieren, de onrechtvaardigheid van de krijgsraad en, als klap op de vuurpijl, de kleinzielige wraakneming van de opperbevelhebber die zich op de zuster trachtte te wreken door de broer ten val te brengen.

Hij keek, sympathie verwachtend, rond, maar niemand trok er zich iets van aan of nam de moeite om te luisteren. Het was ook al zo lang geleden gebeurd, wat deed het er nog toe? Ze keerden hem de rug toe en begonnen hun glazen te vullen, en Charles Thompson sloeg met het zijne op de tafel, een rode plek van boosheid op zijn wangen en riep: 'Luister naar me, verdomme! Ik kan jullie dingen over het koninklijk huis vertellen die je niet zult willen geloven. Als jullie alles wisten zouden jullie het hele huis Brunswijk het Kanaal over jagen.'

En toen fluisterde een van hen die zich nog dingen van een jaar of zestien geleden kon herinneren, een gemeen versje dat in die tijd in de straten van Londen gezongen werd, een liedje dat al heel weinig vleiend was voor Charles' zuster. De man bedoelde er geen kwaad mee, hij wou alleen maar leuk zijn. Charles Thompson dacht er anders over. Hij stond op en sloeg de man op de mond en de tafel viel om en Charles sloeg iemand anders en alles werd lawaai en verwarring en gevloek tot hij op straat tot zichzelf kwam, terwijl het bloed over zijn wang stroomde en het hoongelach van zijn gewezen makkers in zijn oren naklonk.

De maan scheen en de koepel van de St. Pauls kerk stak duidelijk af tegen de hemel; zonder dat hij het zich bewust was, bracht een lang verloren gevoel voor richting hem door de doolhof van straten naar het oude huis van hun kinderjaren, het huis waarvan hij het bestaan geloochend zou hebben tegenover zijn vrienden in de kroeg; of, zoals zijn zuster zo vaak deed, het ergens anders zou hebben geplaatst, in Oxfordshire misschien, of zelfs in Schotland. Maar daar stond het, donker en smal, tussen de andere huizen van Bowling Inn Alley, de steeg waar zelfs een schuin vallende maanstraal de vensters niet kon verlichten waarvoor zij als kinderen plannen hadden gemaakt voor de toekomst. Of beter gezegd: zij had die plannen gemaakt en hij had geluisterd. Er woonden nog mensen. Hij hoorde een kind huilen en een kribbige vrouwenstem nijdig iets roepen, toen ging de deur van het donkere huis open en iemand gooide, over zijn schouder heen vloekend, een emmer vuil water over de straatkeien.

Charles Thompson keerde zich om en de geesten van het verleden volgden hem. Ze volgden hem door de straten naar de rivier, waar het getij hoog stond en het water snel voorbij stroomde in de Pool van Londen,* en hij realiseerde zich plotseling dat hij geen geld en geen toekomst had en dat zij niet meer bij hem was en dat het bloed, dat ze van zijn gezicht zou hebben gewist, in zijn mond liep.

Een paar spelende kinderen vonden hem in de modder, maar dat was pas veel later.

Het was William Dowler, die haar vijfentwintig jaar trouw was geweest, die het lijk van Charles Thompson identificeerde. Hoewel hij op dat tijdstip een ziek man was, kwam hij van Brighton naar Londen nadat een brief van haar advocaten hem van de ontdekking in de Londense rivier op de hoogte had gebracht. Bepaalde details klopten met de beschrijving van de vermiste broer en Dowler, in zijn hoedanigheid van gevolmachtigde, vatte moed voor zijn zware taak. Hij had nooit sympathie gevoeld voor Thompson en toen hij in het lijkenhuisje neerkeek op wat er van hem was overgebleven, moest hij eraan denken hoe anders

* Deel van de Theems, vlak beneden London Bridge.

het leven voor haar had kunnen worden als haar broer zich verdronken had in de nacht toen hij, zeventien jaar geleden, als officier was afgedankt. Ook voor Dowler zou het anders gelopen zijn. Ze zou zich dan met een gebroken hart tot hem hebben gewend en hij had haar kunnen meenemen om alles te vergeten, terwijl nu bitterheid en woede haar tot wraak hadden aangezet. En daar lag hij nu, de oorzaak van zoveel ellende. Haar 'dierbare broer' zoals ze hem placht te noemen, haar 'lieve jongen'.

Terug in Brighton vroeg Dowler zich af of zijn afkeer van Thompson eigenlijk niet altijd jaloezie was geweest. Hij had haar vele vrienden geaccepteerd, ze hadden nooit veel betekend – vleiers en pluimstrijkers die haar het hof maakten om wat ze er door zouden kunnen verkrijgen. Misschien waren er een of twee meer intiemen bij geweest, maar daar had hij zijn ogen voor gesloten. Wat de hertog betreft, na de eerste schok had hij die relatie beschouwd als een noodzakelijk kwaad, een zuiver zakelijke kwestie. Niets dat hij had kunnen zeggen, zou haar trouwens hebben tegengehouden.

'Ik heb je gezegd dat ik hoog mikte,' had ze tegen hem gezegd, 'en de pijl heeft doel getroffen. Ik zal jou altijd op de achtergrond nodig hebben.'

En hij wàs op de achtergrond gebleven. Hij stond altijd voor haar klaar als ze hem riep. Hij gaf haar raad, die ze nooit opvolgde. Hij betaalde haar rekeningen als de hertog dat vergat. Hij haalde zelfs haar diamanten uit de lommerd en ook de laatste vernedering werd hem opgedragen: het terugbrengen van haar kinderen naar school, terwijl zij Zijne Koninklijke Hoogheid naar Weybridge volgde.

Waarom had hij dat gedaan? Wat voor voordeel had hij ervan gehad?

Starend naar de zee, die zo vredig klotste tegen de kust van Brighton, dacht William Dowler terug aan de weken die ze daar samen hadden doorgebracht voor de hertog op het toneel was verschenen. Natuurlijk had ze ook toen al naar een prooi uitgekeken, maar hij was veel te verliefd geweest om dat op te merken of zich erom te bekommeren.

Die tijd in Hampstead was de gelukkigste geweest, toen had ze hem nodig gehad, was impulsief uit de ziekenkamer van haar kind naar hem toegesneld. Later, toen de hertog haar verlaten had, had ze hem nog harder nodig gehad. Terug in Hampstead had hij geloofd dat ze aan niemand anders dacht dan aan hem, maar bij haar rusteloze geest kon je daar nooit helemaal zeker van zijn.

Was het ten slotte liefde geweest die haar die nacht naar hem toe had gedreven, nauwelijks een uur nadat hij, verreisd en moe, uit Lissabon in Reids hotel was aangekomen? Ze had een mantel om haar schouders geslagen – zonder enige poging tot vermomming.

'Je bent te lang weggebleven,' zei ze,' ik heb je hulp zo nodig gehad.'

Of had ze het tijdstip van haar bezoek zorgvuldig uitgerekend om hem, zijn zwakheid waar het haar betrof kennend, onverwacht te overvallen, intuïtief ervan overtuigd dat hij een waardevolle getuige voor haar zou zijn voor de balie in het Lagerhuis?

Er was geen antwoord op die vraag, noch op zovele andere vragen. Hoe dan ook: de glimlach bleef. William Dowler keerde zijn rug naar de zee toe en bleef een ogenblik met andere wandelaars staan, zijn hoed in de hand, toen, als een echo uit het verleden, een rijtuig voorbijreed waarin een dikke, oude heer en een klein meisje zaten.

Het was de hertog van York met zijn nichtje, prinses Victoria. De hertog was de laatste tijd oud geworden, hij zag er veel ouder uit dan tweeënzestig. Maar hij had nog wel dezelfde hoge kleur, dezelfde stram-militaire houding, en met half opgeheven hand beantwoordde hij de groeten der voorbijgangers. Toen zag Dowler hoe hij zich glimlachend naar het kind toeboog dat lachend naar hem opkeek, en voor het eerst in zijn leven ging er een steek van medelijden door hem heen voor de man die hij eens benijd had.

Er was iets pathetisch in het zien van de oude baas daar in dat rijtuig in gezelschap van het kind en Dowler vroeg zich af of hij zich erg eenzaam zou voelen.

'Men' zei wel dat hij niet over de dood van zijn laatste liefde, de hertogin van Rutland, heen kon komen, maar 'men' beweerde zoveel, dat wist Dowler bij ondervinding. Het gerucht dat hij binnen enkele maanden aan waterzucht zou sterven, leek waarschijnlijker; als dat gebeurde zouden de schendblaadjes weer oude koeien uit de sloot gaan halen, en naast de zwart omrande necrologie zou Dowler haar naam weer tegenkomen.

Dat oordeel werd hem bespaard, want hij stierf vier maanden voor de hertog, en het was de hertog die Dowlers necrologie las ergens in een oud nummer van het *Gentleman's Magazine*. Hij zat in de bibliotheek van het huis in Arlington Street, gewikkeld in een grijze kamerjas, zijn gezwollen, verbonden benen op de stoel voor hem. Hij moest in slaap zijn gevallen – hij werd in die tijd gauw moe, al zei hij daar zelden iets over, zelfs niet tegen Herbert Taylor, zijn privé-secretaris; maar iedereen vertelde hem dat hij hard ziek was en rust moest nemen, van zijn broer, de koning, af, tot de altijd hinderlijk om hem heen zwermende doktoren, die hem elke morgen kwamen bezoeken.

Dowler... Wat schreef het blad over hem? Zeven september is te Brighton overleden William Dowler Esq., voormalig gevolmachtigde bij de koninklijke weermacht.

En plotseling zat de hertog niet meer kreupel en machteloos in Rutlands huis aan Arlington Street, maar stond hij in de hal van het huis op Gloucester Place, deed zijn sabelkoppel af, wierp die Ludovick toe en rende met drie treden tegelijk de trappen op toen zij hem van boven toeriep: 'Meneer de hertog, ik heb u al uren geleden verwacht.' Het korte rituele ceremonieel had niets te betekenen – dat was alleen maar voor het geval het personeel het zou horen, en terwijl zij haar absurde buiging maakte (dat vond ze heerlijk om te doen, onverschillig of ze in avondtoilet was of in nachtgewaad) schopte hij met zijn laars de deur open, sloeg die achter zich dicht, en een ogenblik later lag ze in zijn armen en maakte de bovenste knoop van zijn tuniek los.

'Waar ben je zo lang gebleven? In het hoofdkwartier of bij St. James?'

'Allebei, lieveling. Probeer eens te onthouden dat we in oorlog zijn.'

'Dat vergeet ik geen ogenblik. Maar je zou veel vlugger klaar zijn geweest als je Clinton als adjudant had aangehouden in plaats van Gordon.'

'Waarom behartig jij mijn zaken eigenlijk niet?'

'Dat heb ik al zes maanden gedaan, achter de schermen. Je moet je kleermaker eens zeggen dat hij deze knoopsgaten te klein maakt, ik heb net mijn nagel gebroken.'

Dowler... William Dowler... ja, zo heette die vent. Hij had hem een baantje bezorgd bij de afdeling magazijnen en bevoorrading. Hij kon zich zelfs nog de datum herinneren, in juni of juli 1805.

'Bill Dowler is een heel oude vriend van me,' had ze gezegd, 'als hij die benoeming krijgt zal hij mij zijn dankbaarheid tonen.' Hij was op dat moment half in slaap geweest – dat kwam van dat laatste glas port, dat was altijd funest. En bovendien had haar hoofd op zijn schouder gelegen.'

'Hoe zal hij dat tonen?'

'Door alles te doen wat ik zeg. Hij zou bijvoorbeeld mijn slagersrekening kunnen betalen – die loopt al drie maanden. Daarom heb je vandaag ook vis gehad aan het diner.'

Mijn God, hoe die lach uit het verleden hem nog achtervolgde, hier in het huis aan Arlington Street, dat toch geen herinneringen aan haar bevatte. Hij dacht dat die allang begraven waren, bedolven onder het stof en de spinnenwebben van het lege huis aan Gloucester Place.

Bij het proces bleek dat Dowler haar duizend guinjes had gegeven voor haar bemoeiingen en dat hij, bij tussenpozen, jarenlang haar minnaar was geweest. Zo werd er tenminste gezegd. Waarschijnlijk waren het allemaal leugens. Och, wat kwam het er nu nog op aan? De verwoesting die ze in zijn leven had aangericht was maar van tijdelijke aard geweest. Hij was eroverheen gekomen. En er was nooit meer een andere vrouw geweest die het bij haar kon halen, al wist de hemel dat hij genoeg zijn best had gedaan die te vinden. Allen hadden die niet te definiëren eigenschap gemist die zij bezat en die die korte jaren op Gloucester Place zo onvergetelijk had gemaakt. Hij placht daar 's avonds, na een eindeloze dag op het hoofdkwartier, terug te keren en ze deed hem dan alle teleurstellingen vergeten, al de tegenwerkingen en de ergernissen die onvermijdelijk ten deel vielen aan de opperbevelhebber van een leger, vijftig maal kleiner dan dat van de vijand. (Hij kreeg alle standjes en aanmerkingen en niets van de lof, en het was allesbehalve makkelijk geweest om op te trekken met een stelletje uilskuikens en te ploeteren om het thuisleger behoorlijk te organiseren, terwijl de vijand zich aan de overzijde van het Kanaal samenpakte en wachtte op het meest geschikte moment voor een invasie.) Maar als hij eenmaal in dat huis was viel alle prikkelbaarheid van hem af en kon hij zich ontspannen.

Zij voedde hem zo verdraaid goed. Ze kende zijn afkeer van uitgebreide diners. Alles was altijd precies zoals het wezen moest. En dan kon hij zich lekker languit voor een laaiend vuur uitstrekken en zijn brandy drinken, terwijl zij hem aan het lachen maakte met haar dwaze invallen! Hij kon zich nog precies de geur van de kamer herinneren, de lichte wanorde overal, die het zo huiselijk maakte, haar schilderpogingen op de tafel – ze nam altijd les in het een of ander – de harp in de hoek, de belachelijke pop, die ze eens van een bal masqué had meegebracht en die nu in de kroonluchter hing waar ze hem in had gegooid.

Waarom was er een eind aan gekomen? Was het te vurig om lang te kunnen duren of had die bemoeial Adam er zijn neus in gestoken en alles in de war geschopt? Of die dronkelap van een man van haar met zijn dreigementen? Die zou wel in de goot geëindigd zijn, dood waarschijnlijk. Iedereen was dood of stervende. Hij was zelf ook stervende. Hij trok aan de bel voor zijn persoonlijke bediende Batchelor.

'Wat is dat voor drukte op straat?'

'Ze spreiden stro uit op Piccadilly, Uwe Koninklijke Hoogheid, opdat u niet gehinderd wordt door het verkeer. Op bevel van Sir Herbert Taylor.'

'Vervloekte nonsens. Zeg dat ze er dadelijk mee stoppen. Ik houd van het rumoer van het verkeer. Ik haat stilte.'

Er was vroeger een kazerne geweest achter Gloucester Place en ze plachten uit het raam van de kleedkamer neer te zien op de lijfwacht. Er was altijd leven in dat huis, leven en gelach, er was altijd iets gaande – gezang terwijl ze haar haar opmaakte, geroep van haar kinderen die de hele bovenverdieping ter beschikking hadden als ze haar bezochten, een scheldpartij tegen de kamenier als die een verkeerd paar schoenen had klaargezet. Het was nooit stil, zoals hier, nooit doods.

Die verdomde ouwe idioot Taylor, om te bevelen dat ze stro op Piccadilly moesten leggen...

De echtgenoot, die door de hertog van York een dronkelap was genoemd, prefereerde stilte boven het rumoer van het verkeer.

Je viel zoveel zachter in de hei dan in de goot. Niet dat hij dikwijls viel. Sutherland, de boer bij wie hij inwoonde en die goed op hem paste, zorgde daar wel voor. Hij hield de whisky achter slot en grendel. Maar Joseph Clarke had een voorraadje ergens verstopt onder de vloerplanken van zijn slaapkamer en zo nu en dan, als hij zich erg melancholiek voelde – en de winters in Caithness waren zeer lang, hield hij, zoals hij dat noemde, een 'feestje' met zichzelf en als hij flink aangeschoten was, maar nog in het eerste stadium, dronk hij plechtig op de gezondheid van Zijne Koninklijke Hoogheid, de opperbevelhebber.

'Lang niet iedereen kan zeggen dat zijn vrouw hem met een prins van den bloede bedrogen heeft,' zei hij dan luid, tegen niemand.

Jammer genoeg duurde die stemming niet lang en werd gevolgd door zelfmedelijden. Hij had zoveel kunnen bereiken, maar het noodlot was tegen hem geweest. Hij had vanaf het begin tegenslag gehad. Hij wist zo goed welk soort werk hij had kunnen doen, maar hij had nooit de kans gekregen om te tonen wat hij waard was, hij kon maar niet aan de slag komen, altijd was er iets dat het hem belette. Als ze hem nu een hamer en beitel in handen gaven en ze zetten hem voor een brok graniet van één meter tachtig of misschien van één meter negentig, de lengte van de opperbevelhebber, dan zou hij nou, dan zou hij een meesterwerk maken, het beeld dat zij hem altijd gevraagd had te scheppen. En anders zou hij de steen tot gruzelementen slaan en de whisky opdrinken.

Er was toch al veel te veel graniet in Caithness. Er was overal in het land graniet. Daarom was hij hierheen gezonden.

'Je was toch steenhouwer, hè? Nou, ga je gang dan maar.' Steenhouwer? Nee, een artiest, een beeldhouwer, een dromer van dromen. Alle drie tegelijk, na een fles whisky.

Toch had ze de brutaliteit gehad in het Lagerhuis op te staan en tegen de procureur-generaal en alle toehoorders te zeggen dat hij niets was.

'Leeft uw echtgenoot nog?'

'Ik weet niet of hij leeft of dood is. Hij betekent niets voor me.'

'Was hij in zaken?'

'Hij was niets, alleen maar een man.'

En ze hadden allemaal gelachen toen ze dat zei. Het was in de krant gekomen. Hij had die gekocht en het gelezen. Ze lachten erom. Alleen maar een man.

Hij vergat de belediging bij zijn derde glas whisky. Hij gooide het raam wijd open zodat de Schotse mist de koude slaapkamer vulde, ging op het bed liggen en staarde naar de zoldering. En in plaats van de hoofden van heiligen die hij had kunnen houwen, verheven, streng, met blinde ogen opstarend naar de hemel, zag hij de glimlach en hoorde hij de lach, en ze stak haar hand naar hem uit zoals ze die ochtend gedaan had toen ze samen op het kleine kerhof van St. Pancras stonden.

'Er is iets vreselijks gebeurd,' zei hij. 'Ik heb de vergunning tot trouwen vergeten.'

'Die heb ik,' antwoordde zij, 'en er moet een tweede getuige zijn. Daar heb ik ook aan gedacht.'

'Wie is het?'

'De doodgraver van de Pancraskerk. Ik heb hem twee shilling gegeven voor zijn moeite. Kom, ze wachten.'

Ze was zo opgewonden dat ze haar naam voor de zijne in het register zette.

Het was haar zestiende verjaardag.

Alleen maar een man. Maar ook hij kreeg zijn necrologie. Niet in de Times of in het *Gentleman's Magazine*, doch in *John O'Groats Journal.*

'Negen februari 1836 is ten huize van de heer Sutherland te Bylbster, gemeente Wattin, in dit graafschap, de heer J. Clarke overleden, die naar algemeen wordt aangenomen, de echtgenoot is van de bekende Mary Anne Clarke, die een verdachte rol heeft gespeeld in het proces tegen Zijne Koninklijke Hoogheid, wijlen de hertog van York. Hij was al geruime tijd verslaafd aan de drank hetgeen, gevoegd bij de ernstige tegenslagen die hem getroffen hadden, zijn geest duidelijk had aangetast. Men zegt dat in zijn bezit verscheidene boeken zijn aangetroffen waarin de naam van Mary Anne Clarke geschreven staat.'

Zo werd de laatste schakel verbroken, meegenomen naar de eeuwigheid in een nevel van alcohol, en niets was ervan overgebleven, alleen pakken brieven en schunnige pamfletten en oude krantenknipsels, vuil van het stof. Maar de eigenares van de glimlach lachte tot het einde toe. Ze was geen geest, noch een herinnering, noch een lang vervlogen droombeeld dat de harten had gebroken van hen die haar onverstandig en te innig hadden liefgehad. Op haar zesenzeventigste jaar zat ze voor het venster van haar huis in Boulogne en keek over het Kanaal naar een Engeland dat haar totaal vergeten was. Haar meest geliefde dochter was dood, de andere woonde in Londen en de kleinkinderen, die ze als baby's vertroeteld had, schaamden zich voor haar en schreven nooit. De zoon die ze aanbad, leidde zijn eigen leven. De mannen en vrouwen die ze gekend had, waren in het vergeetboek geraakt.

Maar ze had haar dromen nog.

2

Mary Annes eerste herinnering was de lucht van drukinkt. Haar stiefvader, Bob Farquhar, bracht die lucht mee in zijn kleren, en het kostte haar en haar moeder heel wat inspanning om die eruit te wassen. Hoe hard ze ook boenden, de vlekken bleven en de manchetten van zijn hemdsmouwen werden nooit helemaal schoon. Wat dat betreft: hij zag er zelf ook nooit schoon uit en haar moeder, die zelf smetteloos was en zeer verfjnd, mopperde altijd op hem. Hij kwam 's avonds met handen vol inktvlekken aan tafel – dat goedje zette zich zelfs onder zijn nagels vast en maakte ze zwart. Mary Anne, die vlug van opmerken was, zag dan de pijnlijke uitdrukking op haar moeders gezicht, het zachte martelaarsgezicht van iemand die altijd lijdt, en dan, omdat ze dol was op haar stiefvader en het naar vond als er altijd en eeuwig op hem werd gevit, kneep Mary Anne een van haar broertjes onder de tafel zodat hij begon te schreeuwen en de aandacht was afgeleid.

'Houd je mond,' zei Bob Farquhar, 'ik kan mezelf niet horen eten.' Hij werkte luidruchtig zijn voedsel naar binnen, viste met zijn linkerhand een stompje potlood en een rol kopij uit zijn zak en corrigeerde onder het eten, terwijl de lucht van drukinkt zich vermengde met de wasem van de saus.

Op die manier leerde Mary Anne zichzelf lezen. Woorden boeiden haar, de vorm van de letters en dat sommige letters, die vaker terugkwamen, meer betekenis hadden. Ze waren ook van verschillend geslacht: de a's, de e's en de u's waren vrouwen, de harde g's, de b's en de q's waren mannen en schenen van de andere letters afhankelijk te zijn.

'Wat betekent dat? Spel het eens?' vroeg ze Bob Farquhar en haar stiefvader, een gemoedelijk, makkelijk mens, sloeg zijn arm om het kind heen en legde haar uit hoe letters woorden vormen en wat je ermee kon doen. Dat was de enige leesstof die ze ooit in handen kreeg, want de boeken van haar moeder waren met haar andere bezittingen al lang geleden verkocht om het karige loon aan te vullen dat Bob Farquhar verdiende bij meneer Hughes, de eigenaar van de drukkerij waar hij werkte. Die drukte voor bepaalde anonieme prulschrijvers een stroom pamfletten tegen een halve penny per bladzijde.

En zo zat Mary Anne op de leeftijd waarop de meeste kinderen hun catechismus of spreuken spelden, op de drempel van het kleine huis in Bowling Inn Alley gebogen over aanvallen op de regering, ontboezemingen over buitenlandse politiek, hysterische bewieroking van of even hysterische scheldpartijen op populaire leiders, dit alles vermengd met een profusie van vuil, schandaaltjes en insinuaties.

'Let op de jongens, Mary Anne, en was de vaat af,' riep haar moeder dan moe en kribbig. En haar kleine dochter legde de vuile vellen krantenpapier, die haar stiefvader had achtergelaten, opzij en ging de boel afwassen of zorgde voor het eten dat haar moeder, die alweer zwanger was, niet meer in staat was klaar te maken; terwijl Charley, haar eigen broertje, zichzelf van jam bediende en haar twee halfbroertjes, George en Eddie, voor haar voeten op de grond rondkropen.

'Als jullie zoet zijn neem ik jullie straks mee,' zei ze zachtjes, opdat haar moeder in de slaapkamer boven het niet zou horen. Als de vaat dan aan kant was, de tafel voor het volgende maal gedekt en de moeder naar bed was gegaan om een uurtje te rusten, zette Mary Anne een van de jongetjes schrijlings op haar heup, nam het andere aan de hand en liet de derde aan haar rokken hangen. En dan gingen ze eropuit, de donkere steeg door waar de zon nooit scheen, door de doolhof van smalle aangrenzende straatjes naar Chancery Lane en verder naar Fleet Street.

Dit was een andere wereld, een wereld die ze liefhad, vol kleuren en geuren en rare luchtjes, maar niet de lucht van de steeg. Hier verdrongen de mensen zich op het plaveisel, hier dreunde het verkeer naar Ludgate Hill en St. Paul, de slepers klapten met hun zwepen en trokken schreeuwend hun paarden naar de kant van de weg als een koets, modder spattend, voorbijreed. Hier stapte een deftige heer uit zijn draagstoel om een boekwinkel binnen te gaan, terwijl een vrouw die lavendel verkocht hem een bosje onder de neus duwde; aan de overkant was een kar omgevallen waardoor alle appelen en sinaasappelen over de straat rolden en een blinde straatmuzikant en een oude stoelenmatter in de goot belandden.

De geluiden en geuren van Londen kwamen in vlagen tot haar en ze voelde zich een deel ervan, werd opgenomen in het gewoel, de voortdurende opwinding die beslist tot iets moest leiden, ergens heen – niet alleen naar de treden van de St. Paulskerk, waar de jongens veilig buiten de drukte konden spelen en waar zij kon staan uitkijken.

Hier was het avontuur. Het was een avontuur om een boeketje dat een dame had laten vallen, op te rapen en aan te bieden aan een oude heer, die haar op het hoofd tikte en twee pennies gaf. Er school avontuur in om te kijken door de vensters van de lommerd, om mee te rijden op een sleperskar als de voerman lachte, om te bakkeleien met leerjongens, om rond te hangen voor boekwinkels en, als de boekverkoper binnen was, gauw de middelste bladzijden uit een boek te scheuren om thuis te lezen, want toekomstige kopers keken altijd alleen naar het begin en het eind.

Van al zulke dingen hield ze, waarom wist ze niet. Daarom hield ze ze ook geheim voor haar moeder, die haar stellig een uitbrander zou hebben gegeven en het zou hebben verboden.

De straat was vóor haar een leerschool en een speelplaats. Op straat werden door dieven zakken gerold, kregen bedelaars aalmoezen, werd van alles gekocht, werd rommel verkocht, lachten en vloekten mannen, jammerden en glimlachten vrouwen, en stierven kinderen onder de wielen. Sommige mannen en vrouwen droegen mooie kleren, andere lompen. De eersten aten lekker, de anderen leden honger. Om lompen en honger te vermijden moest je goed uitkijken, je moest een gevallen geldstuk oprapen voor een ander het deed, je moest hard lopen, je gauw kunnen verstoppen, glimlachen op het juiste moment, houden wat je had en voor jezelf zorgen. En ze moest vooral onthouden dat ze nooit moest opgroeien zoals haar moeder, die zwak was, zonder weerstand, die verloren ging in deze Londense wereld die haar vreemd was, en wier enige troost lag in het praten over het verleden, toen ze betere dagen had gekend.

Betere dagen... Hoe waren die geweest? Betere dagen betekenden: slapen tussen linnen lakens, een dienstbode houden, nieuwe kleren, dineren om vier uur; dingen die het kind nooit gekend had maar die door de verhalen van haar moeder realiteit werden. Mary Anne zag die betere dagen. Ze zag de dienstmeid, ze zag de kleren, ze at het vieruurs diner. Het enige dat ze niet begreep was, waarom haar moeder dat alles had opgegeven.

'Ik had geen andere keus. Ik was weduwe. Ik moest voor jou en Charley zorgen.'

'Hoe bedoelt u: geen andere keus?'

'Je stiefvader vroeg me ten huwelijk. Ik kon niets anders doen. Bovendien was hij goed en vriendelijk.'

Dus dan waren mannen tenslotte toch niet afhankelijk van vrouwen, zoals ze gedacht had – vrouwen waren afhankelijk van mannen. Jongens waren zwak, jongens huilden, jongens waren hulpeloos. Mary Anne wist dat, omdat ze het oudste meisje was tussen drie jongere broers, en baby Isobel telde nog niet mee. Mannen waren ook zwak, mannen huilden ook, mannen waren ook hulpeloos. Dat wist Mary Anne omdat haar stiefvader om beurten al die dingen deed en was. Toch gingen de mannen naar hun werk. Mannen verdienden het geld of ze verkwistten het, zoals haar stiefvader, zodat er nooit genoeg was om kleren te kopen voor de kinderen en haar moeder schraapte en spaarde en naaide bij kaarslicht en zag er dikwijls doodmoe en afgejakkerd uit. Daar stak iets onrechtvaardigs in.

'Als ik groot ben trouw ik met een rijke man,' zei ze. Ze verkondigde dat op een dag toen ze allemaal voor het avondeten om de tafel zaten. Het was midden in de zomer en de benauwde lucht van de steeg kwam door de open deur naar binnen, de lucht van rottende groenten en riolen. Haar stiefvader had zijn jas over de stoelleuning gehangen en zat in zijn hemdsmouwen. Hij had grote zweetplekken onder zijn oksels en, als gewoonlijk, inkt aan zijn handen. Haar moeder probeerde Isobel, die jengelig was van de warmte, over te halen te eten, maar het kind wendde het hoofd af en begon te huilen. George en Eddie zaten elkaar onder de tafel tegen de schenen te schoppen. Charley had net jus op het tafellaken gemorst.

Mary Anne keek ze allemaal om de beurt aan en kwam toen met haar besluit voor de dag. Ze was dertien jaar. Bob Farquhar lachte en gaf haar een knipoogje.

'Die zul je dan eerst moeten vinden,' zei hij. 'Hoe wil je dat aanleggen?'

Stellig niet zoals moeder hem heeft gevonden, dacht het kind. Niet geduldig wachten tot iemand je vraagt. Niet een sloof worden die aldoor op kinderen moet passen en vaten wassen. Dat nam ze zich in stilte voor, maar omdat ze veel van Bob Farquhar hield, lachte ze terug en gaf hem ook een knipoogje.

'Door iemand voor de gek te houden,' zei ze, 'voor hij mij voor de gek houdt.'

Dat vond haar stiefvader leuk gezegd. Hij stak zijn pijp op en grinnikte, maar haar moeder vond het niet grappig.

'Ik weet waar ze die gezegden opdoet,' zei ze. 'Door jou elke avond na te lopen en te luisteren naar jou en je vrienden.'

Bob Farquhar haalde zijn schouders op, geeuwde en schoof zijn stoel achteruit. 'Wat steekt daar voor kwaad in?' vroeg hij. 'Ze is zo slim als een aap en dat weet ze. Er is nog nooit een meisje op die manier in moeilijkheden geraakt.'

Hij smeet de rol kopij over de tafel naar zijn stiefdochter die haar opving.

'Wat gebeurt er als je de aap aan zijn staart trekt?' vroeg hij.

'Dan bijt-ie,' zei Mary Anne.

Ze liet haar ogen over de kopij gaan. Sommige woorden waren lang en ze begreep de betekenis ervan niet goed, maar ze wist dat haar stiefvader wilde dat zij de drukproeven zou corrigeren, want hij schoot zijn jas aan en liep naar de deur. In het voorbijgaan trok hij aan haar wilde krullen.

'Je hebt ons nog niet verteld hoe je die rijke man van jou denkt te vangen,' plaagde hij.

'Vertelt ú me dat maar,' antwoordde ze. 'Nou, je gaat gewoon op de stoep staan en fluit naar de eerste de beste vent die je aanstaat. Je kunt met die ogen iedereen krijgen.'

'Jawel,' zei Mary Anne, 'maar als die man nu eens niet rijk is?'

Ze hoorde hem lachen toen hij door de steeg slenterde naar zijn vrienden. Ze was vaak met hem meegegaan en wist precies wat hij ging doen. Eerst de stegen en zijlaantjes doorslenteren om zijn makkers op te pikken, dan de straten door, lachend, gekheid makend en naar de mensen kijkend; daarna zouden ze in een groepje van zes of zeven naar een kroeg gaan, waar ze druk en opgewonden de gebeurtenissen van de dag bespraken.

Mannenpraat was beter dan vrouwenpraat. Ze hadden het nooit over baby's of ziekten of schoenen die verzoold moesten worden, maar over mensen en wat er gebeurd was en waarom. Niet over de toestand van het huis, maar over de toestand van het leger. Niet over de kinderen van de buren, maar over de rebellen in Frankrijk. Nooit over wie een bord gebroken had, maar over wie een verdrag had gebroken. Een Whig was een patriot, een Frog een Fransman, een Tory een verrader en een vrouw een hoer. Sommige dingen die ze zeiden, begreep ze niet en soms vond ze het allemaal onzin, maar het was beter dan Charleys kousen stoppen.

'Dorstig weertje?'

'Dorstig weertje!'

En dan klonken ze plechtig met hun glazen en dronken deze even plechtig leeg en dan werden er met veel lawaai reputaties aan stukken gescheurd en enkele van die stukken vielen in de schoot van een luisterend kind. Maar dat gebeurde die avond niet. Die avond moesten er kousen gestopt en hemden gewassen worden, moest er op de jongens gepast en moeder getroost worden en zelfs tegen bedtijd, toen ze een ogenblik tijd had om bij het raam te gaan zitten en de kopij door te kijken die de volgende morgen naar de drukkerij moest, kwam Charley binnen en vroeg: 'Vertel me een verhaaltje, Mary Anne.'

'Je kunt een draai om je oren krijgen.'

'Hè toe, vertel een verhaaltje!'

Alles kon voor een verhaaltje dienen. Het geroffel van een trom. De klokken van St. Paul. Het gelal van een dronkaard. Het geroep van een venter. Het geschreeuw van de armoedige ketellapper die aan de deur kwam kloppen: 'Potten en pannen! Zijn er nog potten en pannen te repareren?' en die struikelde over Eddie en George die een papieren bootje in het open riool lieten varen. Zelfs die vuile, bekende gedaante van de ketellapper, die door hun moeder van de deur werd gejaagd, kon voor Charley veranderd worden in een verblindend schone prins.

'Vertel van de '45 en de zilveren knoop.' Prins Charles had de strijd verloren en de hertog van Cumberland had overwonnen. Ze noemde dat feit nooit in bijzijn van haar moeder, die een geboren Mackenzie was. En een van die Mackenzies bezat de zilveren knoop die door de prins gedragen was. Dat was voldoende.

'Wat is er met die knoop gebeurd?' had ze gevraagd toen ze vijf jaar was. Haar moeder wist het niet. Haar tak van de Mackenzies was al naar het zuiden gekomen voor zij geboren werd. Ze hadden alle contact met het geslacht Mackenzie verloren. Daarom verzon Mary Anne maar een verhaal voor Charley en voor zichzelf. Ze hoefden alleen maar die knoop te vinden en dan zou het familiefortuin hersteld worden.

'Wat gaan we doen als we die knoop gevonden hebben?'

'Overal kaarsen neerzetten.'

Kaarsen die de kamer met licht vulden en niet met vetvlekken. Kaarsen die je niet zover hoefde te laten opbranden dat ze spatten en uitgingen.

Mary Anne vertelde Charley de geschiedenis van de zilveren knoop. Daarna stak ze de kaars aan, nam de rol kopij en ging er hardop uit voorlezen, staande naast de kleine wandspiegel en luisterend naar haar uitspraak. Haar moeder had gezegd dat ze slecht sprak en dat kon Mary Anne maar niet vergeten.

'Wat bedoelt u met dat ik slecht spreek?' had ze verontwaardigd gevraagd.

'Het is niet je stem, maar de klank ervan. Je praat zoals ze hier in de steeg praten. Je hebt het accent overgenomen van de kinderen daar. Je stiefvader heeft daar geen erg in, hij spreekt zelf net zo.'

Ze werd weer vereenzelvigd met haar stiefvader en de steeg. De Mackenzies van Schotland waren anders geweest en ook haar vader, meneer Thompson uit Aberdeen.

'Was hij een gentleman?' Ze greep naar de strohalm van romantiek, de schakel met 'betere dagen'.

'Hij bewoog zich in de kringen van gentlemen,' was het antwoord.

Dat was niet genoeg. Die betere dagen en dat dineren om vier uur en gewoon meneer Thompson uit Aberdeen waren niet genoeg. En ook niet dat hij zijn leven had verloren in de Amerikaanse oorlog.

'Bedoelt u dat hij het commando voerde?'

'Nee, dat niet bepaald, maar hij was wel verbonden aan het leger.'

Als raadsman misschien? Als iemand die plannen ontwierp? Of als tussenpersoon? In de pamfletten werd dikwijls op zulke mensen gezinspeeld. Ze werden soms spionnen genoemd. Meneer Thompson die haar moeder die 'betere dagen' had bezorgd, was niet langer saai en onbeduidend. Hij glimlachte fijntjes, hij boog, hij luisterde, hij fluisterde achter zijn hand strategische geheimen, hij was knap en geslepen. En bovenal was hij een gentleman, die met beschaafde stem sprak; niet plat, zoals de kinderen in de steeg.

'Charley, luister eens goed naar mijn stem.'

'Wat mankeert er aan je stem?'

'Doet er niet toe, luister nu maar.'

De 'h' was het allerbelangrijkste. Dan de 'o' en de 'u', en de 'o' en 'i' samen. Haar moeder had haar dat verteld.

'Wij vernemen uit de allerbeste bron dat Zijne Majesteits regering, die altijd zoekt naar een stok om de oppositie-hond te slaan en gedurende de tegenwoordige zitting te verlammen en die, niet tevreden met de stok, ook nog met modder gooit...'

'Wat lees je, Mary Anne?'

'De kopij voor morgen.'

'Ik begrijp er niets van.'

'Ik ook niet, maar dat doet er niet toe. Vader zegt dat de lezers er ook niets van begrijpen. Val me nou niet in de rede. We vernemen uit de allerbeste bron...' Ze nam haar potlood – de 'r' van bron was gebroken.

'Er wordt beneden geklopt.'

'Laten kloppen.'

Maar de jongen was zijn bed al uit en stak zijn hoofd buiten het raam.

'Het zijn mannen... ze dragen vader... hij is gewond.'

En plotseling hoorden ze haar moeder het uitschreeuwen van schrik en Isobel huilen. George en Eddie kwamen de trap ophollen.

'Voorzichtig! Kalm aan! Geen reden om zo te schrikken.'

Ze legden hem op twee stoelen in de woonkamer, zijn gezicht zag er raar en vlekkerig uit.

'Het is de warmte.'

'De dokter zal hem aderlaten.'

'Hij is op de hoek in elkaar gezakt.'

'Hij zal dadelijk wel weer bijkomen.'

Haar moeder stond er hulpeloos bij. Mary Anne stuurde Charley op een drafje naar de dokter, bracht beide andere jongens en Isobel naar boven en deed de deur van de kamer op slot.

Daarna haalde ze een kom koud water en sponsde het hoofd van haar stiefvader af, terwijl zijn vrienden nog eens omstandig het hele verhaal aan haar moeder opdisten.

Weldra kwam Charley met de dokter terug. Deze keek ernstig, mompelde iets over een beroerte en stuurde Mary Anne en Charley de kamer uit – kinderen liepen bij ziekte maar in de weg.

Ten slotte werd Bob Farquhar naar bed gedragen, en na het aderlaten en purgeren vernamen de kinderen dat het geen beroerte was geweest, dat hij niet dood zou gaan, maar dat hij rust moest houden. Hij mocht in geen geval de eerste weken weer aan het werk gaan. Terwijl de dokter haar bedroefde moeder uitvoerig uitlegde hoe hij verpleegd en gevoed moest worden, glipte Mary Anne de slaapkamer binnen en greep de hand van haar stiefvader, die was bijgekomen.

'Wat moet er nu gebeuren?' vroeg hij. 'Ze zullen in de drukkerij iemand anders nemen in mijn plaats, aan een zieke man hebben ze niets.'

'Tob er nu maar niet over.'

'Je moet er een boodschap heenbrengen. Vraag dan naar meneer Day, de voorman.' Hij sloot zijn ogen – het spreken vermoeide hem.

Mary Anne ging naar beneden. Haar moeder keek haar hulpeloos aan.

'Dit is het eind,' zei ze. 'Ze zullen hem deze week nog uitbetalen en dan is het afgelopen. Het kan maanden duren voor hij weer beter is en dan is zijn plaats allang ingenomen. Waar moeten we in die tijd van leven?'

'Ik ga morgenochtend naar de drukkerij.'

'Je moet hun de waarheid vertellen, dat je vader ziek is.'

'Ja, dat zal ik.'

Mary Anne rolde de kopij zorgvuldig open. Ze moest zorgen dat elk woord foutloos was. Ze kende nu alle tekens die je in de marge moest aanbrengen, maar er was nog nooit kopij aan de drukkerij afgeleverd die niet eerst door haar stiefvader was doorgekeken. Ze kende zijn handschrift goed. Die liggende R en de krul aan de F. Ze tekende onder aan de kopij 'Gecorrigeerd. Robt Farquhar'.

De volgende morgen vroeg waste ze haar gezicht en handen en trok haar zondagse jurk aan. De wilde krullen hingen wat slap en maakten dat ze er kinderlijk uitzag. Ze knipte er een beetje aan en ging een paar stappen achteruit om het effect in de spiegel te bestuderen. Het was wel wat beter, maar er ontbrak toch nog iets aan, wat kleur. Ze sloop naar de aangrenzende slaapkamer. Haar stiefvader sliep. Ze deed de kleerkast van haar moeder open. Daarin hing een japon die ze nooit in Bowling Inn Alley droeg en die uit de betere dagen stamde. Er zat een strik van rood lint op het lijfje. Ze nam die eraf en bond het lint om haar haar. Ze keek weer in de spiegel. Ja, nu was het goed, dat lint deed het 'm.

Ze glipte het huis uit vóór haar moeder of de jongens haar zagen en liep met de kopij onder haar arm naar Fleet Street.

3

De deuren stonden open, ze kon gaan waarheen ze wilde. Niemand nam notitie van haar. De drukpers was in werking en ze ving een glimp op van een groot houten toestel in een lange, smalle kamer met twee mannen ernaast en een jongen die rollen papier aan de mannen gaf. Twee andere mannen stonden er dichtbij te praten en er liep nog een jongen die telkens een smalle trap oprende naar een bovenkamer en met nieuwe papiervoorraad terugkwam. De mannen moesten hun stemmen verheffen om verstaan te worden boven het rammelend geluid dat de walsen maakten als de vellen papier door de pers draaiden.

Aan de overkant van de gang, tegenover de drukkerij, was een deur waarop 'privé' stond. Mary Anne klopte daar aan en ging, toen een gemelijke stem 'binnen' had geroepen, de kamer in.

'Wat wil je?'

De eigenaar van de knorrige stem was een deftig man. Hij droeg een keurige jas en zijden kousen en zijn gepoederde krulpruik was met zwart lint samengebonden. De andere man in de kamer had geen pruik en droeg gebreide kousen.

'Ik kom met een boodschap van mijn vader. Hij is ziek.'

'Wie is je vader?'

'Robert Farquhar.'

De heer keerde zich schouderophalend om. De eenvoudiger geklede man met de gebreide kousen lichtte de ander in: 'Bob Farquhar, meneer Hughes. Een van onze beste krachten. Zetter en corrector. Dat is een tegenvaller.'

'Wat mankeert je vader?' vroeg hij aan het kind.

'Hij is gisteravond ziek geworden. De dokter zegt dat hij de eerste weken niet mag werken.'

'Schrap zijn naam,' zei de prikkelbare heer. Hij stond bij het raam zijn nagels schoon te maken.

'Gemakkelijk te vervangen. Geef het kind een week loon en

laat haar gaan.' De andere man keek bezorgd.

'Ik zou hem niet graag voorgoed missen, meneer. Hij is al jaren bij ons.'

'Niets aan te doen. We kunnen ons niet veroorloven een zieke man aan te houden.'

'Nee, meneer.' De man zuchtte, trok een la open en haalde er wat geld uit.

'Zeg je vader dat het ons spijt en als hij weer beter is moet hij maar eens aan komen, misschien kunnen we dan iets voor hem vinden, maar we beloven niets. Hier is zijn loon voor deze week.'

'Bent u meneer Day?'

'Ja.'

'Ik moet u de kopij geven.'

Ze overhandigde hem de dierbare rol en bleef staan wachten terwijl hij die nauwkeurig doorlas. Ze zag dat hij keek naar de handtekening aan het eind.

'Heeft je vader dit gisteravond nog gedaan voor hij ziek werd?'

'Ja, meneer.'

'Daarom is het ook zo jammer, meneer Hughes. Farquhar neemt altijd kopij mee naar huis om te corrigeren. Dat spaart het loon voor een tweede man uit.'

'Dan moet die kopij voortaan maar hier door een van de anderen gecorrigeerd worden, die moet dan wat langer werken. Geef het kind het geld en laat haar weggaan.'

Meneer Day gaf Mary Anne het geld.

'Het spijt me,' zei hij.

Mary Anne verliet de kamer, maar ging niet naar huis. Ze bleef een eindje van het gebouw af staan wachten tot ze meneer Hughes eruit zag komen en Fleet Street inlopen. Toen keerde ze terug en klopte weer op de deur van het privé-kantoor. De voorman stond aan zijn lessenaar te schrijven en keek verbaasd op.

'Ben je daar weer?' vroeg hij. 'Ik heb je het geld toch gegeven?'

Mary Anne sloot de deur achter zich.

'Is de kopij goed?' vroeg ze. 'Wat bedoel je met "goed"? Ze was niet vuil. Had je ze op straat laten vallen?'

'Nee, ik bedoel, was ze goed verbeterd?'

'Ja, ze is al doorgegeven naar de drukkerij.'

'Zaten er geen fouten in?'

'Nee. Je vader werkt secuur. Daarom spijt het me dat ik hem kwijt ben.

Maar meneer Hughes is een streng man, zoals je gemerkt hebt.'

'Als een van de mannen hier de kopij moet nazien, zal hij moeten overwerken en om extra betaling vragen.'

'Ja. Maar dat zal niet zoveel zijn als wanneer we je vader zijn volle loon moeten uitbetalen.'

'Dat extra zou mijn zieke vader en ons allemaal voor verhongeren behoeden tot hij weer beter is.'

De voorman staarde het kind aan.

'Moet je dit van je vader zeggen?'

'Nee, dat heb ik zelf bedacht. Als ik elke avond de kopij hier kom halen en mee naar huis neem zodat vader ze kan corrigeren en als ik ze dan 's morgens weer terugbreng, dat zou u toch wel goed vinden, of niet? En meneer Hughes hoeft er niets van te weten.'

Meneer Day glimlachte. Het kind lachte terug. Dat rode lint was inderdaad flatteus.

'Waarom heb je dit niet voorgesteld toen meneer Hughes nog hier was?'

'Meneer Hughes zou gezegd hebben dat ik moest ophoepelen.'

'Hoe oud ben je?'

'Dertien.'

'Ga je naar school?'

'Nee, vader verdient niet genoeg om ons naar school te laten gaan.'

'Je zou naar de armenschool kunnen gaan.'

'Moeder zegt dat de kinderen die daar op gaan ordinair zijn.'

Meneer Day schudde afkeurend het hoofd.

'Je zult erg dom opgroeien als je niet naar school gaat. Elk kind behoort lezen en schrijven te leren.'

'Ik kan lezen en schrijven, dat heb ik mezelf geleerd. Mag ik nu naar huis gaan en vader zeggen dat u hem zult betalen voor het correctiewerk tot hij weer beter is?'

Meneer Day aarzelde. Zijn blik werd weer geboeid door dat rode lint, die grote ogen, die wonderlijke zelfverzekerdheid.

'Nou, goed dan, we zullen het een week proberen,' zei hij. 'Maar ik begrijp niet hoe een zieke kopij kan corrigeren. Dat is een zeer nauwlettend werkje.'

'Nee, meneer, dat weet ik wel en dat weet vader ook.'

'Denk je dat hij wel goed genoeg zal zijn om het te doen? Hij heeft toch geen zonnesteek of koorts of zoiets?'

'O nee.'

'Wat scheelt hem dan eigenlijk?'

'Hij... hij heeft zijn been gebroken. Hij is van een ladder gevallen.'

'O, zo. Nou, als je vanavond terugkomt zal ik je kopij voor hem meegeven. Goeiemorgen.'

Toen Mary Anne thuiskwam lag haar stiefvader nog in bed met de ramen en de luiken gesloten om alle lawaai en de stank uit de steeg buiten te sluiten.

'De dokter is geweest,' zei haar moeder. 'Hij zegt dat vader alleen rust en stilte nodig heeft. Heb je meneer Day gesproken?'

'Ja. Hij zei dat u niet ongerust hoeft te zijn. Hij zal vijf shilling per week betalen zolang vader ziek is.'

'Vijf shilling per week voor niets? Dat is mooi.'

'Hij zei dat vader een van zijn beste werkkrachten was.'

Het kind ging naar boven en verstopte het rode lint.

Gedurende de volgende drie weken corrigeerde Mary Anne de kopij en haalde en bracht die zonder dat de huisgenoten er iets van wisten naar de voorman. In het begin van de vierde week, toen ze op een middag met haar broertjes op straat had gespeeld, riep haar stiefvader haar in zijn bedompte, onfrisse slaapkamer.

'Meneer Day is net hier geweest.'

'O!'

'Hij keek erg verbaasd, want hij dacht dat ik mijn been gebroken had.'

'Dat heb ik hem verteld. Dat klonk beter dan een beroerte.'

'Ik heb geen beroerte gehad, maar een zonnesteek.'

'Met een zonnesteek kunt u ook geen kopij corrigeren.'

'Nee, precies.'

Mary Anne zweeg. Bob Farquhar was dus achter het bedrog gekomen.

'Meneer Day bedankte me voor het corrigeren van de kopij.

Ik zei dat ik geen kopij had nagekeken en begreep meteen wat jij had uitgehaald. Heb je wel gedacht aan het risico dat je liep toen je dat deed? Een paar fouten kunnen ze wel door de vingers zien, maar niet een half dozijn...'

'Ik heb alles altijd vier keer doorgelezen en dan nog eens bij daglicht voor ik het naar de drukkerij bracht.'

'Geen fouten?'

'Nee. Meneer Day zou het me wel gezegd hebben als die er nog in hadden gezeten.'

'Hij weet nu dat jij de kopij gecorrigeerd hebt.'

'Wat zei hij? Wat doet hij nu? Raak ik het werk kwijt?'

'Je moet bij hem komen, op de drukkerij.'

Ze trok haar zondagse jurk aan en bond het rode lint om haar haar. Charley, haar schaduw, sloeg haar bezorgd gade.

'Meneer Day is erachter gekomen wat je gedaan hebt. Hij zal je vast slaan.'

'Welnee, ik ben te oud om geslagen te worden.'

'Hij zal je toch straffen.'

Ze gaf geen antwoord en holde met bonzend hart de steeg uit, Chancer Lane door en Fleet Street in. Als meneer Hughes er eens was! Meneer Hughes zou vast bevelen dat ze haar een pak slaag moesten geven. Misschien zou hij haar zelf wel slaan.

Meneer Hughes was er niet. Alleen meneer Day, de voorman, was in het kantoor.

Mary Anne bleef onderdanig staan, de handen op de rug. Meneer Day had de drukproeven in zijn hand. Misschien waren er toch fouten in gebleven.

'Wel, Mary Anne,' zei hij, 'ik heb gemerkt dat je ons hier voor de gek hebt gehouden.'

'Nee, meneer.'

'Waarom heb je me bedrogen?'

'We hadden het geld nodig.'

'Je vader vertelde me dat je al een poos de kopij hebt gecorrigeerd, ook voor hij ziek werd. Waarom deed je dat?'

'Dan had ik wat te lezen.'

'Deze dingen worden niet geschreven voor kleine meisjes.'

'Daarom lees ik ze juist zo graag.' Meneer Day kuchte eens en legde de kopij neer. Mary Anne vroeg zich af wat hij nu zou gaan doen. Hij was klaarblijkelijk van plan haar te straffen.'

Hoeveel begrijp je ervan?' vroeg hij. 'Dat weet ik niet.'

'Wat hebben we verleden week over de eerste minister geschreven?'

'Dat Billy Pitt de teugels te vast in handen heeft om uit het zadel geworpen te worden en dat Charlie Fox er beter aan zou doen in St. James Street te gaan tennissen met de prins van Wales en met meneer Mucklow, van wie de tennisbaan is. Ik denk dat dat twee betekenissen heeft, maar daar ben ik niet zeker van.

Meneer Day keek afkeurend en verbouwereerd tegelijk.

'Ik heb een lang gesprek met je vader gehad,' zei hij, 'en ik heb hem gezegd dat we hem terug zullen nemen zodra hij beter is. Maar jij mag de kopij niet meer corrigeren.

Althans voorlopig niet. Je moet eerst naar school.'

'Naar school?'

'Ja. Niet naar de armenschool, maar naar een kostschool voor jongedames in Ham, in Essex.'

Mary Anne staarde meneer Day verbijsterd aan. Was hij gek geworden? 'Daar kan ik niet naartoe gaan,' zei ze. 'Vader heeft er geen geld voor en moeder kan me thuis niet missen.'

'Ik heb aangeboden je schoolgeld te betalen,' zei hij. 'Ik geloof dat je een betere opvoeding waard bent. Ik heb een dochter van jouw leeftijd op die school in Ham en ik weet zeker dat je het er prettig zult vinden.'

'Weet meneer Hughes hiervan?'

'Dit is een persoonlijke aangelegenheid en daar heeft meneer Hughes niets mee te maken.' De voorman fronste zijn voorhoofd. Merkwaardig dat het kind daaraan dacht. Hij zou er beslist geen woord van zeggen tegen meneer Hughes, want dat was een onaangenaam mens die hem stellig zou vertellen dat hij zich had laten inpalmen door een jong nest dat er eerder uitzag als vijftien dan als dertien jaar en dat, met bekoorlijk effect, een rood lint in het haar droeg.

'Het is erg vriendelijk van u,' zei Mary Anne, 'maar wat verwacht u eigenlijk hiervoor terug te krijgen?'

'Daar praten we over twee jaar nog wel eens over,' zei hij. Hij vergezelde haar naar de deur en schudde haar ernstig de hand.

'Als die kostschool in Ham voor jongedames is, betekent dat dan dat ik ook een jongedame zal worden?' vroeg ze. 'Ja, als je goed je best doet met leren.'

'Zal ik netjes leren praten, niet plat?'

'Natuurlijk.'

Het kind was een en al opwinding. Dit was het begin van iets! Het begin van het avontuur! Weg van huis, weg uit de steeg, een jongedame worden en dat allemaal doordat ze iets had gedaan dat ze niet had mogen doen. Ze had meneer Day bedrogen en nu ging hij haar opvoeden. Dan was bedrog dus winstgevend!

'Ik zal in de loop van de week je ouders weer komen bezoeken,' zei hij. 'En, apropos, ik heb gehoord dat Bob Farquhar niet je echte vader is, maar je stiefvader. Je echte vader heette Thompson. Onder welke naam wil je naar die school gaan?'

Mary Anne dacht snel na. De gentleman van Aberdeen die iets met het leger te maken had gehad; de heer die moeder betere dagen had bezorgd, dat zou ze allemaal aan die jongedames in Ham kunnen verklaren. Als de naam maar niet Thompson was. Er waren zoveel Thompsons. Mary Anne Thompson, dat klonk niet. Mary Anne Farquhar klonk veel beter, terwijl op de achtergrond het geslacht Mackenzie opdoemde.

'Mary Anne Farquhar, alstublieft,' zei ze.

4

Toen Mary Anne vijftieneneenhalfjaar was deelde de goede vrouw die aan het hoofd stond van de jongedameskostschool in Ham, meneer Day mede dat zijn protegée haar opvoeding had voltooid en dat men haar niets meer kon leren. Ze las goed, sprak goed en schreef een behoorlijke hand. Ze was bekwaam in geschiedenis en Engelse literatuur. Ze kon naaien en borduren, tekenen en op de harp spelen.

Ze was echter wat rijp voor haar leeftijd en dat had degenen die verantwoordelijk waren voor de jongedames, zekere bezorgdheid gebaard. Juffrouw Farquhars verschijning trok sterk de aandacht buiten het schoolterrein. Ze werd in de kerk aangestaard en er werden briefjes voor haar over de muur gegooid. Iemand die wijzer had moeten zijn, had haar uit een venster aan de overkant toegewuifd en men zei dat juffrouw Farquhar had teruggewuifd. Dit soort dingen verwekte onrust op een kostschool. Meneer Day zou dit ongetwijfeld begrijpen en zijn protégee weer toevertrouwen aan de zorgen van haar ouders, die dan verder zelf op haar konden passen. Meneer Day die per postkoets naar Ham reed om Mary Anne op te halen, was niet verbaasd te horen dat de mensen in de kerk haar aangaapten, want het kostte hem ook moeite haar niet voortdurend aan te staren. Ze was geen schoonheid, maar er was iets in haar ogen, in de telkens wisselende uitdrukking ervan en in het pikante wipneusje, dat een grote levendigheid en charme aan haar gezichtje verleende. Ingetogenheid behoorde niet bepaald tot haar sterkste eigenschappen. In de postkoets ratelde ze maar door, zonder enige verlegenheid, en ze vroeg hem uit naar zijn journalistieke vorderingen.

'We mochten de *Morning Post* lezen,' vertelde ze, 'maar dat vind ik zo'n saaie krant, in de *Public Advertiser* staat altijd het laatste nieuws. Ik kocht die als we in de stad waren en verstopte hem onder mijn kussen. Maar ik heb uw pamfletten wel gemist en de hofpraatjes. Ik hoorde dat de hertog van York met de Duitse prinses met vlashaar gaat trouwen. Dan zal het wel uit zijn met zijn duels. En de koning is lang niet meer zo op meneer Pitt gesteld als vroeger, en de Tories zijn van streek over het feit dat de Fransen zoveel hoofden afhakken, want die gewoonte kon wel eens aanstekelijk zijn, zodat ze er ook hier mee beginnen.'

Meneer Day kreeg de indruk dat zijn beschermelinge het leven thuis wel erg benepen zou vinden en hij kon onmogelijk het risico nemen haar naar de drukkerij te laten komen om kopij te corrigeren, want dan zou de pers stilstaan en de kranten zouden nooit gedrukt worden. Het beste zou zijn als de jonge vrouw – want hij kon haar werkelijk geen kind meer noemen – zijn huishoudster werd. Hij was weduwnaar en zijn eigen dochter was nog op de kostschool in Ham. Mary Anne zou een zeer presentabele huishoudster zijn en het was niet uitgesloten dat hij later, als zijn gevoelens warmer werden, over verdere stappen zou gaan denken. Hij zou haar echter nog niet met zijn plannen overrompelen, ze moest eerst naar huis gaan, naar haar ouders. Maar hij was overtuigd dat ze al heel gauw genoeg zou krijgen van het leven daar.

Drie jaar hadden veranderingen gebracht in de Farquhar-huishouding. Ze hadden het benauwde oude huis in Bowling Inn Alley verwisseld voor een ruimer huis in Black Raven Passage; de eigenaar was meneer Thomas Burnell, een bekend steenhouwer en meester van het Steenhouwersgilde, die een kamer gelijkvloers als kantoor gebruikte en de rest verhuurde. De drie jongens waren de hele dag op school en alleen Isobel bleef nog bij haar moeder, terwijl haar stiefvader, Bob Farquhar, hoewel hartelijk en goed gehumeurd, nu dikker, grover en luier dan ooit was en dikwijls dronken.

Mary Anne probeerde daarover met haar moeder te praten, maar deze, trots en gereserveerd, liet zich niet uit haar tent lokken.

'Mannen hebben hun fouten,' was al wat ze zei.

'Is het het ene niet dan is het het andere.'

'Het andere', dat zouden wel vrouwen zijn, veronderstelde Mary Anne. Soms kwam haar stiefvader heel laat in de nacht thuis en als hij dan, schaapachtig grinnikend en aangeschoten, binnensloop en haar een knipoogje gaf zoals hij deed toen ze nog een kind was, kreeg ze grote zin hem om zijn oren te slaan. Haar moeder had steeds dat martelaarsgezicht en klaagde zonder woorden. Mary Anne werd heen en weer geslingerd tussen die twee en had met allebei medelijden. Ze was jong en vrolijk, vol opborrelende levenslust en wilde iedereen om zich heen gelukkig zien. Intussen bracht ze haar dagen door met kamers doen voor haar moeder, Isobel vermenigvuldigen leren en heen en weer lopen in Holborn om etalages te bekijken. De goede opvoeding scheen aan haar verspild te zijn. Charley was nog steeds haar trouwe kameraad en favoriet, maar zelfs hij leek jong in haar volwassen ogen en als hij nu om verhalen vroeg, namen de romantische episoden in Ham de plaats in van de zilveren knoop.

'En wat gebeurde er toen?'

'Ik beantwoordde zijn brief natuurlijk niet. Ik heb hem weggegooid.'

'Heb je hem nog in de kerk gezien?'

'Hem niet, maar wel die andere.'

'Wie vond je het aardigst?'

'Ik vond ze geen van beiden aardig. Het waren nog maar jongens.'

Toch was het al leuk geweest om uit een venster te wuiven. In Black Raven Passage was er niemand die wuifde.

Na Kerstmis kwam Bob Farquhar, die wekenlang niet voor drie uur in de ochtend was thuisgekomen, helemaal niet meer opdagen. Niemand had hem gezien. Hij was niet in de drukkerij verschenen, noch in het koffiehuis of in de kroegen. Men vreesde een ongeluk en er werd een onderzoek ingesteld, echter zonder resultaat. Eindelijk kwam er acht dagen later, toen zijn bedroefde vrouw op het punt stond zich in rouwgewaad te hullen, een laconiek briefje van de schuldige, waarin hij kort en bondig schreef dat hij zijn huis en de drukkerij voorgoed verlaten had, en was gaan samenwonen met een vrouw in Deptford.

Mevrouw Farquhar was er kapot van, al bekende ze dat ze al jaren vermoed had dat iets dergelijks gaande was. Daarom had ze geschraapt en bezuinigd om een klein sommetje opzij te leggen dat hen zou helpen als gebeurde wat nu gebeurd was. Maar met dat geld zouden ze het maar enkele maanden kunnen uitzingen. Er moest iets gedaan worden.

'Maar hij *moet* u toch onderhouden,' zei Mary Anne. 'De wet zal hem ertoe dwingen.'

'Geen enkele wet zal hem kunnen dwingen te doen wat hij niet wil.'

'Dan moeten die wetten veranderd worden,' zei Mary Anne.

Onrechtvaardigheid – altijd was er onrechtvaardigheid tussen mannen en vrouwen. Mannen maakten de wetten in hun eigen belang. Mannen deden wat ze wilden en de vrouwen leden eronder. Er was maar één manier om hen te verslaan en dat was ze de baas te worden en te zorgen dat je hen te slim af was. Maar wanneer en hoe en waar?

'Als ik een rijke man kon vinden ging ik morgen meteen naar hem toe,' zei ze tegen meneer Day.

Hij gaf geen antwoord. Ze zag er bijzonder bekoorlijk uit toen ze dat zei. Hij kwam in de verleiding om onmiddellijk een voorstel te doen, maar hij was voorzichtig. Hij moest tactvol te werk gaan. Hij wilde mevrouw Farquhar en een nest lastige kinderen niet onder zijn dak hebben. Dat was allerminst de bedoeling.

'Natuurlijk kan je moeder, als getrouwde vrouw, de schuldeisers met de rekeningen naar haar man verwijzen, want die is aansprakelijk voor alle betalingen.'

Dat was tenminste iets. Maar het hielp niet veel, want zodra de leveranciers wisten dat haar stiefvader haar moeder in de steek had gelaten, wilden ze haar geen goederen meer leveren. En als ze geen huur meer betaalden, zou meneer Burnell hen het huis uitzetten. Ze zou maar eens met meneer Burnell gaan praten, misschien kon ze bij hem iets bereiken.

'Wilt u me intussen weer de kopij laten corrigeren?' smeekte ze. 'Ik heb het vroeger gedaan en kan het nu ook doen.'

Ze bezat veel overredingskracht en meneer Day stemde toe, doch onder beding dat Charley de kopij zou halen en terugbrengen. Het paste niet voor een jongedame om in Fleet Street rond te hangen.

Mary Annes volgende zet was meneer Burnell te vragen of ze in Black Raven Passage mochten blijven wonen.

Meneer Burnell bezat een mooi huis in een ander deel van de stad; hij gebruikte het kantoor alleen, omdat het zo dicht bij zijn steenhouwerij in Cursitor Street lag. Hij had bekendheid verworven door zijn mooi beeldhouwwerk in verschillende kerken en was juist benoemd tot steenhouwer van de Inner Temple. Hij had allang het oog gehad op dat vette baantje en wist dat hij er door zijn collega's om benijd werd. Zijn benoeming was al bekend geworden en hij nam de gelukwensen van verschillende bezoekers in ontvangst toen Mary Anne de trap van de bovenverdieping afdaalde. Als bezig man had hij nooit veel notitie genomen van de Farquhars; het leken nette mensen, ze bezorgden hem geen last en ze betaalden hun huur op tijd, meer was niet nodig. Hij had een keer geknikt tegen de dochter, die pas van kostschool terug was, toen hij haar in de gang voorbijliep, maar hij had niet goed op haar gelet. Zo, dus dat was de dochter, het meisje dat hem nu feliciteerde en zo enthousiast sprak over zijn benoeming.

'Bent u juffrouw Farquhar? Ja, inderdaad, ik was er eerst niet zeker van. Dank u wel, heel vriendelijk.'

Bepaald een jongedame. Merkwaardig, want die vader leek zo'n gewone kerel. Zo, wist ze alles af van de monumenten te Culworth en die in Marston St. Lawrence? O, had ze erover in de krant gelezen? Knap dat ze dat onthouden had. Ja, dat werk in Culworth had het meeste succes gehad.

Voor hij wist hoe dat zo gekomen was, waren de andere bezoekers verdwenen en vertelde juffrouw Farquhar hem over die schooier van een stiefvader van haar, die verdwenen was zonder adres achter te laten, zodat het onmogelijk was hem voor de huur aan te spreken.

'En nu heb ik me afgevraagd, meneer Burnell, of u niet meer leerlingen zult krijgen, nu u zoveel werk heeft voor de Inner Temple. En die leerlingen zullen dan toch ergens onder dak moeten. Ik weet zeker dat mijn moeder ze graag als commensalen zal opnemen en het is zo dicht bij uw werkplaats in Cursitor Street. Als we mensen in de kost nemen zouden we u de huur kunnen blijven betalen en u zoudt u geen zorgen behoeven te maken over het huis.'

Ze sprak snel, met een ontwapenende glimlach en hij ging met alles akkoord. Zeker, hij zou meer leerlingen in dienst moeten nemen. Hoeveel kamers konden ze missen? Niet meer dan twee, bekende ze, maar twee mensen zouden het dan ook veel comfortabeler hebben. Meer commensalen zouden maar te druk worden, dat begreep meneer Burnell zeker wel – ze zouden lawaai maken en natuurlijk zou dat niet mogen, want dan zou meneer Burnell er maar last van hebben.

Meneer Thomas Burnell kreeg de tijd niet om toe te stemmen, zij had al beslist, had hem een kwartaal huur vooruit betaald (geleend van meneer Day) om de nieuwe overeenkomst te bezegelen en was al naar boven gesneld om haar moeder op de hoogte te brengen van de transactie voor hij twee minuten rustig over de zaak had kunnen nadenken. Ten slotte vond hij het zo'n gek plannetje niet en het was ook eigenlijk van weinig belang. Wat er in de Inner Temple gebeurde, betekende heel wat meer voor hem dan zo'n bagatel als huisvesting van een paar leerlingen in Black Raven Passage.

Mary Anne had meer moeite met haar familie. Haar moeder keek, zoals altijd bij elk nieuw voorstel, erg bezorgd.

'Commensalen?' riep ze uit, 'die met vuile laarzen binnenkomen en overal hun boel laten rondslingeren?'

'Dat doen de jongens ook. Twee meer zal geen verschil maken.'

'En welke kamers zouden we ze moeten geven?'

'Er zijn twee goeie kamers op zolder.'

'Ik weet niet hoe ik ze te eten zal moeten geven. Ze zullen grote eters zijn.'

'Daar betalen ze dan ook voor, vergeet dat niet.'

'Ik weet niet wat ik zeggen moet, Mary Anne. Commensalen! Dat is niet deftig.'

'Het is ook niet deftig om op straat te verhongeren. En als we geen kostgangers nemen zal dat vast gebeuren.'

'Ik vind dat je eerst meneer Day eens om raad moet vragen.'

'Meneer Day heeft hier niets mee te maken.'

Mevrouw Farquhar protesteerde, de jongens mopperden, maar Mary Anne kreeg haar zin. De zolderkamers werden geschrobd, er werden gordijnen voor de kleine vensters gehangen en, voor rekening van meneer Burnell, matten besteld in een winkel in Holborn.

'Heel aardig, heel netjes,' zei meneer Burnell, na een vluchtige inspectie van de beide zolderkamers en zonder enig vermoeden dat van hem werd verwacht dat hij die vloerbedekking zou betalen. 'Het is natuurlijk maar een experiment. James Burton, die goeie zaken doet in het bouwvak, heeft tijdelijk onderdak nodig

– hij is een Schot, net als u, mevrouw Farquhar. Ik heb hem voorgesteld hier zijn intrek te nemen. En dan is er nog een jonge leerling, Joseph Clarke, zoon van een oude vriend van me – u hebt misschien wel eens gehoord van Thomas Clarke, de bouwer van Snow Hill? Beiden zeer respectabele mannen; u zult geen last van hen hebben.'

Hij haastte zich terug naar zijn werk in de Inner Temple, mevrouw Farquhar ten prooi aan haar zenuwen achterlatend.

'Die heren zullen geen zolderkamers verwachten,' zei ze. 'Als ze de kamers zien gaan ze zo weer weg.'

'Nonsens,' zei Mary Anne. 'Die Schot zal alleen aan zijn portemonnee denken en bij ons goedkoper uit zijn dan ergens anders. En als die andere nog jong is, zal hij slapen als een mol en hoe harder het bed des te zachter zijn dromen. Maar praat alsjeblieft niet over zolderkamers. De kamers liggen op de derde verdieping.'

Er werd de laatste hand aan de kamers gelegd, een paar schilderijtjes opgehangen, een spiegel – de huurders konden komen!

Ongelukkig genoeg was Mary Anne niet thuis op het moment dat meneer Burton en meneer Clarke verkozen hun intrek te nemen. Ze had alles zo mooi uitgerekend en afgesproken, zij en haar moeder zouden hen in de salon (nu niet meer woonkamer genoemd – niemand in Ham had ooit over een woonkamer gesproken) ontvangen en na een paar minuten van beleefde conversatie de huurders naar de derde verdieping geleiden en daar alleen laten om uit te pakken. Waarna om zes uur het diner – niet het avondeten – zou worden opgediend.

Het noodlot wilde het anders. Mary Anne – die naar meneer Day was gegaan om nog wat te lenen, daar geld schaars was zolang de commensalen hun eerste termijn nog niet betaald hadden – kwam later thuis dan ze gedacht had en trof haar moeder in een staat van hevige opwinding aan.

'Ze zijn er al,' zei ze. 'Ik wist niet wat ik beginnen moest en heb ze maar meteen naar hun kamers gebracht. De een kwam bijna direct weer beneden en zei dat hij buitenshuis ging eten; de ander is nog boven en heeft me al tweemaal geroepen. De eerste keer om te zeggen dat er geen geschikte kast was voor zijn kleren en de tweede keer wou hij weten wie zijn schoenen kon poetsen. Het was natuurlijk laf van me, maar ik heb gezegd dat hij moest wachten tot mijn dochter thuiskwam, dat die alles wel zou regelen.'

Mevrouw Farquhar was nog rood van het trappen lopen.

'U had groot gelijk,' zei Mary Anne, 'als hij ons last gaat bezorgen, zal ik wel eens een woordje met hem spreken.' Ze bleef met de hand op de trapleuning staan. 'Hoe zien ze eruit?' fluisterde ze. 'Die ene, die uit is gegaan, heb ik niet zo goed gezien,' zei mevrouw Farquhar, 'maar die boven is lang en donker.'

Van boven kwam een bonzend geluid. De kostganger stampte op de vloer. Mevrouw Farquhar keek angstig. 'Dat betekent dat hij iets wil,' zei ze. 'Dat heeft hij al tweemaal gedaan.'

Mary Anne ging naar boven, er blonk strijdlust in haar ogen. Voor ze op de derde verdieping was aangekomen, ging de deur van een der zolderkamers open en een jongeman zonder jas, in een fijn linnen overhemd en druk bezig zijn das te strikken, keek op haar neer.

'Aha,' zei hij, 'juist op tijd. Ik was al bang dat ik op mijn sokken al die trappen af zou moeten. Mijn laarzen zijn stoffig. Wilt u ze poetsen?'

Mary Anne keek hem recht aan. Het liefst zou ze hem een klap in zijn gezicht gegeven hebben, en een flinke ook. Het feit dat hij de knapste jongen was die ze ooit gezien had, deed er weinig toe. Eerst de zaken en haar positie in huis.

'Ik kan uw laarzen natuurlijk wel voor u laten poetsen,' zei ze koeltjes, 'maar dat is niet bij de pensionprijs inbegrepen. Dat moet u extra betalen.' Ze zou Charley of Eddie of George wel omkopen om het om beurten te doen en ze zouden het in de bijkeuken kunnen doen, uit het oog.

'Het kan me niet schelen wie het doet,' zei de jongeman, 'als het maar goed gedaan wordt. Ik ben erg precies.' Haar koele blik bracht hem een beetje van de wijs. Hij had een dienstmeid verwacht. Dit was iets heel anders en bij uitzondering kon hij geen woorden vinden.

'Pardon, maar wie bent u?' vroeg hij. 'Mijn naam is Joseph Clarke.'

'Ik ben Mary Anne Farquhar, ik regel alles hier in huis. Ik hoorde dat uw vriend buitenshuis dineert. Gaat u ook uit?' Hij aarzelde even en wierp over zijn schouder een blik op de wanorde in zijn kamer, de kostuums en dassen die hij al had klaargelegd om er voor een avond in de stad keus uit te maken. Toen keek hij nog eens naar Mary Anne.

'Nee,' zei hij toen, 'als het u schikt, wil ik liever hier eten.'

5

Joseph Clarke maakte het hun allen die eerste avond goed duidelijk dat het voor hem helemaal niet nodig was zijn brood te verdienen. Zijn vader was een rijk man en hij zou, als hij dat verkoos, een lui leventje kunnen leiden. Maar hij had talent en zijn vader zag niet graag dat dat talent verloren ging. Daarom was hij nu leerling geworden van Thomas Burnell.

'Maar ik ben natuurlijk in geen enkel opzicht gebonden,' zei hij nonchalant. 'Niet zoals een gewone leerling. Ik kan bij Burnell weggaan wanneer ik wil en voor mezelf beginnen. Ik heb nog geen besluit genomen.'

De Farquhars luisterden aandachtig. De jongens, bij uitzondering met schoon geboende handen en keurige scheidingen in hun haar, waren stil van eerbied, kleine Isobel van ontzag. Hun moeder, helemaal van de kook nu ze na jaren plotseling moest ontvangen, probeerde zich te herinneren wanneer ze de wijn moest inschenken en of het onbehoorlijk was kaas op tafel te zetten. Gelukkig werden fouten tegen de etiquette door haar dochter tijdig voorkomen of gecamoufleerd. Een jongen die zijn hand over de tafel uitstak werd met een boze blik tot de orde geroepen. Een andere jongen die plotseling hikte kreeg onder tafel een schop tegen zijn scheenbeen. Isobel die zich een tweede keer wilde bedienen, zag de schaal onder haar neus weggetrokken en met een glimlach aan de commensaal gepresenteerd worden.

De commensaal merkte niets, hij had het veel te druk met over zichzelf te praten.

'Mijn vader heeft zich teruggetrokken,' vertelde hij, 'en mijn broers zetten de zaken in Snow Hill voort; het gaat uitstekend. Mijn jongste broer is juist naar Cambridge gegaan, hij wil dominee worden. Hebt u mijn oom, schepen Clarke, wel eens ontmoet? Hij zal binnenkort wel burgemeester van Londen worden.'

De kostganger dronk van de wijn; hij sprak er zijn goedkeuring over uit. Hij weigerde de kaas: hij was kieskeurig. Ja, inderdaad (dit in antwoord op een vraag van mevrouw Farquhar), hij gebruikte nooit vet in welke vorm dan ook, daar kon zijn maag niet tegen. Het tere kind was opgegroeid tot een delicate jongeman.

Dat was ook de reden waarom hij niet in staat was lang achter elkaar te werken – hij werd gauw moe. Maar zou het dan niet beter voor hem zijn om buiten te wonen? De commensaal trok vol walging zijn neus op. Nooit, hij zou zich dood vervelen buiten. Wat hij voor liefhebberijen had? Hij bekende dat hij dol was op kansspelen, maar alleen met ervaren spelers en tegen hoge inzet. Hij interesseerde zich ook wel voor de paardensport. Het vorige seizoen had hij zijn oudste broer overgehaald een rijtuigje te kopen en daarmee waren ze, voor een weddenschap, naar Brighton gereden; ze hadden er tweehonderd guinjes mee gewonnen. Hij hield van muziek en zang en van de schouwburg. Politiek lag hem niet, hij vond de gebeurtenissen van de dag de moeite van discussie niet waard.

'We zijn op de wereld om ons te amuseren,' zei hij, 'en te doen wat we het prettigst vinden. Bent u het daarmee niet eens, juffrouw Farquhar?'

Juffrouw Farquhar wás het ermee eens. Voor de maaltijd was afgelopen was zijn verzoek om zijn laarzen te poetsen totaal vergeten. Deze jongeman met zijn droevige ogen, zijn Romeinse neus, zijn kwijnende manieren, zijn aristocratisch optreden was heel wat anders dan die puisterige lummel die haar, toen ze in Ham was, in de kerk had aangestaard, of die opgeschoten knaap die haar zo opgewonden had toegewuifd vanuit het huis tegenover de kostschool.

Dit was het type man dat in Frankrijk onthoofd werd. Hij kon zo van het schavot zijn afgestapt. Er zat romantiek in elk van zijn gebaren. Later op de avond, toen haar moeder zich met de kinderen discreet in de keuken had teruggetrokken en ze alleen samen waren in de woonkamer, bekende hij haar dat hij zich na de dood van zijn moeder erg ongelukkig had gevoeld onder zijn vaders dak.

'Mijn vader begrijpt niets van mijn temperament, dat het ene ogenblik vrolijk kan zijn en het volgende wanhopig. Het enige wat voor hem telt is succes in zaken en hard werken. Soms als ik bijna uitgeput was van vermoeidheid, noemde hij dat luiheid. Ik heb de stimulans van goed gezelschap nodig. Hij noemt dat nonsens. Kortom, ik word niet begrepen.'

Mary Anne luisterde verrukt. Drie jaar lang had ze niets anders gehoord dan vrouwengeklets, de enige mannenstem was die van de rector van Ham geweest als die zondags de school bezocht. De kroegpraatjes van haar stiefvader en zijn kornuiten had ze vroeger wel aardig gevonden, maar dit was toch heel anders. Voor het eerst in haar leven had ze een knappe jongeman voor zich alleen en was die jongeman maar al te graag bereid zijn hart bij haar uit te storten. Het hoofd kon vergeten worden, de ziel was alles.

'Toen ik u vanavond op de trap zag, voelde ik direct dat er sympathie tussen ons bestond, dat we elkaar herkenden als zielsverwanten. Hebt u dat ook gevoeld?'

Ze had alleen het verlangen gevoeld om hem een klap in zijn gezicht te geven, maar dat was voorbij. De wijn, waaraan ze niet gewend was, maakte haar tong los.

'Om u de waarheid te zeggen, geef ik om niemand in deze buurt,' antwoordde ze. 'Huishouden voor mijn moeder is maar een vervelend baantje, ik verlang méér van het leven.'

Wat verlangde ze? Ze wist het zelf niet. Maar toen hij haar vol bewondering aanstaarde, begon er iets in haar te ontwaken. De combinatie van artiest en jonge gentleman die niets hoefde uit te voeren, was bedwelmend voor een meisje dat zo van school kwam. De beschaafde omgeving van Ham had tijdelijk het scherpe waarnemingsvermogen van het achterbuurtkind in slaap gesust. Op haar vijftiende jaar waren de emoties gerijpt, stroomde het bloed sneller, maar was de intuïtie verslapt.

Mary Anne was klaar voor haar eerste amourette. Op dit tijdstip zou bijna iedereen daar goed genoeg voor zijn geweest. Een drukker van meneer Hughes, een slagersjongen met levendige ogen, een vreemdeling die uit de postkoets in Holborn stapte en zijn hoed voor haar had afgenomen – zij allen hadden de fundamenten gelegd voor de droom die nu werkelijkheid was geworden in de persoon van de eenentwintigjarige Joseph Clarke.

Nabijheid was al wat nodig was, het samen onder één dak zijn. Black Raven Passage was niet zoveel breder dan Bowling Inn Alley, maar je kon er de volle maan beter zien vanaf de drempel, de hemel was wijder, de riolen discreter. Je kon uit een zolderraampje naar de sterren kijken, ook al bonsde een jaloerse jongere broer in de kamer beneden tegen het plafond.

James Burton, de andere commensaal, bezorgde geen last. Hij was een man van dertig jaar, die hard werkte en veel vrienden had. Hij kwam alleen thuis om te slapen. Joseph en Mary Anne waren op elkaar aangewezen.

De eerste kus overrompelde en verschrikte haar. Ze had wel eens gestoeid met kameraadjes in Bowling Inn Alley, ze hadden gegrinnikt en elkaar geknepen en gestompt, kwajongensspel. Maar nu stond ze voor de realiteit. Joseph Clarke, de leerling, moest zijn waarde als steenhouwer nog bewijzen; als minnaar had hij geen getuigschriften nodig. Hij kuste met vastberadenheid, niet ruw en niet bruusk. Een verontschuldigend, vluchtig zoentje was niets voor hem, evenmin als het gemompelde: 'Vergeef me.'

Mary Anne onderging ten volle de marteling en de extase van die eerste omhelzing. Ze ging verward en gelukkig naar haar kamer, maar haar instinct waarschuwde haar: 'Dit moet je voor moeder verzwijgen.'

Ook voor Charley, die achterdochtig achter half open deuren op de loer lag en merkte dat Josephs sokken wel werden gestopt en de zijne niet en dat die kostganger het witte vlees van de kip kreeg en hij een poot.

Mary Anne was verliefd. Ze had voor niemand anders gedachten dan voor Joseph. De dag leek eindeloos eer hij van de steenhouwerij terugkwam, zo eindeloos dat ze genoodzaakt was er twee- of driemaal per dag met een gefingeerde boodschap heen te lopen. Dan hield hij met zijn werk op om met die langzame, luchtige stap die ze zo onweerstaanbaar vond, naar haar toe te komen, en terwijl ze bij de muur stonden te praten wist ze dat de andere leerlingen haar bewonderend aanstaarden en hun namen aan elkaar koppelden, hetgeen haar opwinding verhoogde.

Maar de wereld der volwassenen stond vijandig tegenover jonge liefde, keurde die, voorhoofd fronsend, af. Eerste liefde moest je verbergen voor spiedende ogen.

'Wat ging je gisteravond laat naar bed. Ik hoorde je deur. Wat deed je?'

'Ik praatte wat met Joseph Clarke.'

'Was meneer Burton er ook bij?'
'Nee... die was uit.'
Er volgde een stilte, de sfeer was kil. Er werd verder niets over gezegd, maar Mary Anne herinnerde zich plotseling andere stilten, een andere kilte, en dan had Bob Farquhar zijn stok opgenomen en was de steeg uit gewandeld om een luchtje te scheppen. Nu kon ze met hem meevoelen en begreep ze hem. Je *moest* wel geheimzinnig zijn.
'Mevrouw Farquhar, zoudt u juffrouw Mary Anne willen toestaan vanavond na tafel een wandeling met me te maken? Het is jammer om met zulk mooi weer binnen te blijven.'
'Een wandeling? Ik had verwacht dat ze thuis zou blijven. Er is zoveel naaiwerk en ze weet dat mijn ogen slecht zijn.'
'Moeder, dat naaiwerk kan morgenochtend wel gedaan worden als het licht beter is.'
'Ik begrijp niet waarom een mens wil gaan wandelen als het thuis veel gezelliger is.'
Dat zwijgende verwijt, die zucht, dat vermoeid een hand uitstrekken naar de verstelmand! Hoe kon haar moeder ook weten wat het betekende om aan de arm van Joseph Clarke Ludgate Hill op te wandelen en de koepel van St. Paul in het maanlicht te zien? Ze gaf haar minnaar een wenk met haar ogen en toen haar moeder een poosje later ingespannen bezig was met haar naaiwerk, glipte Mary Anne de kamer uit en voegde zich bij hem.
'Mag ik met jullie mee?' vroeg Charley, een beetje verwijtend.
'Nee.'
'Waarom niet?'
'Omdat we jou er niet bij willen hebben,' en toen, medelijden krijgend: 'Nou goed dan, tot Fleet Street, maar niet verder.'
De wandeling, verwarrend en opwindend, tussen de menigte die naar de kroegen en koffiehuizen ging, diende als excuus voor hun late terugkeer. De nauwe steegjes en binnenpleintjes verschaften hun bescherming, donkere portieken een schuilplaats voor een regenbui. De klok van St. Paul die het middernachtelijk uur sloeg, vormde een echo voor de gestamelde woorden: 'Mary Anne, ik kan niet zonder je leven.'
'Maar wat kunnen we doen? Waar kunnen we heengaan?'
De eerste extase, de vrees voor ontdekking gingen over in bedrog en al de gecompliceerdheid van geheimhouding – de schrik

als een deur kraakte, het sluipen langs een donkere trap, een te luide voetstap, een onhandig struikelen. Deze dingen maakten een slapend huis wakker. Ogenblikken die gerekt hadden moeten worden, werden door vrees gekort, verfijning en tedere toenadering bleven achterwege om het einddoel te bereiken.

Jammer genoeg werden de mogelijkheden er niet beter op naarmate de begeerte toenam. Er zat niets anders op dan de salon, heel laat in de nacht. En daar werden ze op een morgen in april gesnapt door mevrouw Farquhar, die, allang achterdochtig, onder het voorwendsel dat ze ratten achter het beschot hoorde, eindelijk de krakende trap afdaalde.

Ontsnappen was onmogelijk, van uitvluchten kon geen sprake zijn. Ze waren betrapt. Het directe gevolg was tranen – niet van Mary Anne, maar van haar moeder.

'Hoe *kon* je je zo gedragen? Na al wat ik je geleerd en op je hart gedrukt heb. In het donker naar beneden sluipen als een kleine slet uit de steeg. En jij, Joseph Clarke, jij noemt je de zoon van een gentleman en woont onder mijn dak, terwijl je heel goed weet dat Mary Anne geen vader heeft om haar te beschermen.'

Het hele huis was gealarmeerd. De jongens kwamen hun bed uit.

'Wat is er gebeurd? Wat hebben ze gedaan?'

James Burton, die met één blik de situatie door had, trok zich met opgetrokken wenkbrauwen in zijn kamer terug.

Dit was dus schande. Dit was iets dat nooit mocht gebeuren. Ze was gesnapt en behoorde zich schuldig te voelen en dwaas en jong.

'Het kan me niets schelen,' zei Mary Anne luid. 'Ik houd van hem en hij van mij. We gaan trouwen, is 't niet, Joseph?'

Waarom gaf hij nu niet dadelijk antwoord? Waarom bleef hij daar nou maar staan met die rare, schaapachtige uitdrukking op zijn gezicht? Waarom stamelde hij iets over dat hij nog niet wist hoe zijn vooruitzichten waren, dat hij niet wist of zijn vader wel zijn toestemming zou geven, dat ze allebei nog wel erg jong waren om te trouwen, dat het hem speet dat mevrouw Farquhar boos was, en dat zij die ratten ook hadden gehoord en geen kwaad deden?

'Maar dat is niet waar. We hebben helemaal geen ratten gehoord. We houden van elkaar. En natuurlijk zijn we van plan te trouwen.'

Mary Anne wendde zich hartstochtelijk verontwaardigd tot haar moeder, terwijl Joseph er zwijgend bij stond en een slap, hulpeloos glimlachje zijn knap gezicht ontsierde.

Plotseling kwam een sluimerende kracht mevrouw Farquhar te hulp, misschien de herinnering aan meneer Thompson en de betere dagen. Ze richtte zich vol waardigheid op: 'Er is geen sprake van een huwelijk. Joseph Clarke verlaat morgenochtend mijn huis met een brief voor meneer Burnell. Mary Anne, je bent nog geen zestien en staat onder mijn toezicht. Ga naar je kamer.'

De storm was gaan liggen. Mary Anne ging naar haar kamer en deed de deur op slot en nu was zij het die huilde en niet haar moeder. Ze huilde niet omdat ze ontdekt waren, maar bij de gedachte aan Joseph die er zo bang en onhandig bij had gestaan en met geen woord hun liefde had verdedigd.

Ze bleef de hele dag op haar kamer. Ze hoorde het geluid van de bagage die beneden werd neergezet. Isobel bracht haar met een verschrikt gezichtje wat eten dat ze niet aanraakte.

Ze was niet langer juffrouw Farquhar die alles in huis regelde. Ze was een kind van vijftien, onteerd, gekwetst en heel erg verliefd.

Het leek wel een sterfhuis. Men sprak zacht. Er kwam bezoek. Eerst meneer Burnell. Daarna meneer Day. Zou de derde het hoofd van de kostschool in Ham zijn? Zou ze weer daarheen worden gestuurd?

'Dat doe ik niet,' zei ze tot zichzelf, 'dan loop ik weg!'

Ze verlangde plotseling naar haar stiefvader, Bob Farquhar. Hij zou niet hebben opgespeeld. Hij zou hebben begrepen. Hij zou haar op de schouder hebben geklopt met een tinteling in zijn ogen en gezegd hebben: 'Zo, heeft het aapje zich vergist? Waar is nu de rijke echtgenoot?'

Er was maar één antwoord op haar verwarde gedachten; ze moest Joseph vinden en als hij alleen met haar was, zou ze wel maken dat hij beloofde met haar te trouwen. De toestemming van zijn vader deed er niet toe, want Joseph was meerderjarig. Hij had haar meermalen verteld dat geld maar een kleine rol speelde in zijn leven. Zijn vader was rijk. Joseph kon wel of niet werken, precies zoals hij wilde. Hij kon bij meneer Burnell weggaan en zelfstandig beginnen, of niets doen. Het kwam er niet op aan. Als zij en Joseph eenmaal getrouwd waren, zou alles wel in orde komen. Een getrouwde vrouw kon geen verkeerd doen. Haar moeder zou niet boos meer zijn.

Mary Annes aangeboren optimisme keerde terug. Ze hoefde alleen maar de toestemming van haar moeder te verkrijgen en Joseph vinden, dan was de toekomst verzekerd.

Maar mevrouw Farquhar dacht niet aan dit soort toekomst, ze had andere plannen.

'Ik zal niet meer spreken over wat gebeurd is,' zei ze die avond tegen haar dochter. 'Ik had geen kostgangers in huis moeten nemen. Ik heb aldoor een afkeer van dat idee gehad, en met reden. Joseph Clarke is voorgoed vertrokken en hij is ook niet meer bij meneer Burnell. Meneer Burnell was, als echte gentleman, ontdaan over zijn gedrag en heeft zijn vader geschreven. We zijn allemaal blij dat we hem kwijt zijn.'

'Waar is Joseph naartoe gegaan?'

'Daar heb ik niet naar gevraagd en als ik het wist, zou ik het jou toch niet vertellen. Het gaat je niet aan waar hij is, omdat jij zelf ook weggaat.'

'Als u bedoelt dat ik naar Ham terug moet, dan weiger ik. Ik ben volwassen en te oud voor de school.'

'Ik heb het niet over een school, daar is geen sprake van. Je wordt huishoudster bij meneer Day.'

Mary Anne barstte in lachen uit.

'U bent gek. Ik denk er niet over. Ik heb zijn huis gezien, een muf, somber huis in Islington en meneer Day is een pietluttige, prekerige man.'

Haar moeder keek haar afkeurend aan. Was dat het antwoord van haar dochter na al wat haar weldoener voor haar had gedaan? Een pietluttige, prekerige man!

'Meneer Day heeft zich heel edelmoedig gedragen. Ik heb hem verteld wat er gebeurd is en hij was het met me eens dat jij bescherming nodig hebt, de bescherming van een vader. Als je zijn huishoudster wordt, kan hij je die bescherming geven. Na wat er gisternacht gebeurd is, is de verantwoordelijkheid mij te groot.'

'Goed.'

Die plotselinge ommezwaai had mevrouw Farquhar moeten waarschuwen, maar ze was te verlangend haar dochter buiten gevaar te weten om verder te vragen.

Voor Mary Anne was de oplossing eenvoudig. Ze zou bij meneer Day kunnen doen wat ze wilde en zodra hij 's morgens naar de drukkerij was gegaan, kon ze naar Joseph gaan zoeken. Niets was gemakkelijker.

De rouwstemming in huis verdween. De jongens floten weer, allemaal, behalve Charley, die huilde en zich niet wilde laten troosten.

De volgende dag reed Mary Anne in een huurrijtuigje naar Islington. Ze werd ontvangen door meneer Day, die eerst een beetje ernstiger was dan gewoonlijk, maar later vriendelijker werd en ten slotte, toen hij haar de sleutels van de provisiekast overhandigde, bepaald opgewekt.

'Ik denk dat we het best met elkaar zullen kunnen vinden,' zei hij. 'Geen heimwee, hoop ik, en geen spijt?'

Ze vroeg hem hoe laat hij wilde ontbijten voor hij 's morgens naar de drukkerij ging.

Hij keek haar verbaasd aan.

'Heeft je moeder je dat niet verteld?' vroeg hij. 'Ik heb mijn ontslag genomen, dat was ik allang van plan. Ik blijf voortaan thuis met mijn boeken en andere dingen. Straks, als mijn dochter van school komt, zul je haar ook als gezelschap hebben, maar tot zo lang moet je het met mij alleen doen.'

Hij glimlachte en boog; zijn houding was zeer galant. Het was gewoon belachelijk, vond Mary Anne, ze had er helemaal niet op gerekend dat meneer Day thuis zou blijven. Ze had gehoopt dat ze om halfnegen 's morgens de deur achter hem zou sluiten. Haar moeder en hij hadden dat alles dus samen bekokstoofd, opdat zij altijd onder toezicht zou blijven.

Mary Anne deed haar moeder onrecht. Het was allemaal een bedenksel van meneer Day. Het was waar dat hij zijn ontslag bij de drukkerij had genomen en er goed van kon leven, maar wat mevrouw Farquhar hem verteld had over haar dochters escapade had zijn verbeelding in vlam gezet. De jonge vrouw had discipline nodig, maar een soort discipline waar ze allebei van zouden kunnen genieten.

In plaats dat Mary Anne om halfnegen 's morgens de deur achter hem kon sluiten, moest ze om halfelf 's avonds haar deur voor hem op slot doen. Ze was vroeg naar bed gegaan, moe van alle emoties van de voorafgaande dagen en toen ze hem hoorde kloppen, dacht ze dat er iets niet in orde was, dat hij ziek was of dat er brand was. Ze zag hem voor de deur staan met een blaker in de hand, een slaapmuts op het hoofd; een dwaze, hoopvolle, onaantrekkelijke gedaante.

'Eenzaam?' vroeg hij.

Toen begreep ze het. Ze smeet de deur voor zijn neus dicht en draaide de sleutel om. Ze gunde zich geen tijd om haar kleren mee te nemen. Een regenpijp dicht bij het raam diende als uitgang. Dus daarom had hij haar in Ham laten opvoeden. Maar hij had buiten Joseph gerekend.

6

Ze had genoeg geld voor een huurrijtuigje. Ze zou Islington in dezelfde stijl verlaten als ze gekomen was – ze bedankte ervoor om 's nachts door de straten te lopen, terwijl elke voorbijganger een tweede meneer Day zou kunnen zijn. Ze had haar les geleerd. De moeilijkheid was alleen dat niemand haar verhaal zou geloven, allerminst haar moeder. De respectabele meneer Day een wolf in schaapskleren? Onmogelijk! Dat moest Mary Anne zich maar verbeeld hebben. Meneer Day zou natuurlijk zijn eigen versie van de zaak geven. Een man van over de veertig kon je bij een meisje van vijftien vertrouwen.

Terwijl ze in het rijtuig terughobbelde naar Holborn, nam Mary Anne twee besluiten. Ten eerste: dat ze voortaan altijd zou onthouden dat je nooit op het uiterlijk kon afgaan, dat achter elke daad van schijnbare edelmoedigheid een bijbedoeling school en dat die bijbedoeling altijd dezelfde was wanneer de weldoener een man was. En ten tweede: dat ze niet naar huis zou terugkeren voor ze getrouwd was en ze met een ring en haar trouwakte haar moeder zou overtroeven. Dan zou Mary Anne de weldoenster zijn. De schoondochter van de rijke meneer Clarke van Snow Hill zou een heel andere positie innemen dan juffrouw Farquhar uit Black Raven Passage. Dan zouden ze geen commensalen meer behoeven te nemen. Haar moeder, Isobel en de jongens zouden eindelijk betere dagen krijgen, mevrouw Joseph Clarke zou ze allemaal onderhouden.

Ze had niets anders bij zich dan de kleren die ze aan had en een paar shilling in een klein beursje, maar ze was jong en hoopvol.

Ze stapte waardig uit het rijtuig en betaalde de koetsier. Toen ging ze James Burton in de Inner Temple opzoeken. Ja, het was waar. Joseph was bij meneer Burnell weg. Er was een hevige ruzie geweest. Joseph had zijn contract verscheurd en meneer Burnell voor de voeten gegooid. Meneer Burnell had Joseph een mislukkeling genoemd, een vrouwenverleider en Joseph had meneer Burnell uitgescholden voor vrek en bullebak.

'Ja,' zei Mary Anne ongeduldig, 'maar waar is Joseph nu?'

'In een logement in Clerkenwell,' zei Burton. 'Ik kan je zijn adres wel geven. Hij zit vol dwaze plannen om naar Amerika te gaan. Ik heb hem gisteravond mee naar de stad genomen en hij is stomdronken geworden. We zijn om drie uur geëindigd in de "Ring o'Bells". Joseph had het geluk tien guinjes te winnen met hazard. Als je nu naar zijn kosthuis gaat, zul je hem wel slapend aantreffen.'

Hoewel het logement in een straat en niet in een nauwe steeg lag, verschilde het toch zeer van de keurige nette woning van mevrouw Farquhar. De voordeur stond wijd open. Iedereen kon zo naar binnen lopen. Een mager kind lag op haar knieën de vuile gang te schrobben, onder de ogen van een slordige, geverfde vrouw. De hele omgeving droeg het stempel van armoedige, muffe verwaarlozing.

'Clarke? Tweede verdieping achter, eerste deur,' zei de vrouw met een ruk van haar hoofd.

Mary Anne liep de smalle trap op, haar opgewektheid tijdelijk getemperd. Als Joseph te trots was om naar het huis van zijn vader terug te keren, had hij toch in elk geval wel een beetje beter logies kunnen uitkiezen.

Hij lag te slapen, zoals James Burton al verondersteld had. Zo hij al de afgelopen nacht dronken was geweest, was daàr toch weinig van te zien. Misschien was zijn gezicht alleen wat roder, maar die blos stond hem goed. Hij had het kinderlijk-onschuldige uiterlijk dat Charley had als hij sliep en Mary Anne voelde dat ze hem meer dan ooit liefhad. Ze liep op haar tenen door de kamer en ruimde de kleren op die over de vloer verspreid lagen. Daarna ging ze naast hem op het bed liggen.

Toen Joseph wakker werd en Mary Anne op zijn kussen vond, stierven alle plannen om naar Amerika te gaan een natuurlijke dood. Haar nabijheid had onmiddellijk een noodlottig effect. En ze waren niet meer onder het ouderlijk dak. Krakende trappen vormden geen gevaar in het kosthuis waar geen vragen werden gesteld.

Tegen de middag kwam niets in de hele wereld er meer op aan

dan dat zij weer bij elkaar waren. De toekomst was van hen. Ze konden ermee doen wat ze wilden.

'Alleen maar dit,' zei Joseph dromerig, 'dag aan dag, nacht aan nacht. Niet vroeg opstaan, geen Tommy Burnell, geen plannen.'

'We moeten eten,' zei Mary Anne, 'en ik vind dit maar een nare kamer. Er zijn geen luiken voor het raam en het bed is te smal.'

Hij zei dat ze geen temperament had en zij vertelde hem dat hij geen gezond verstand bezat. Om halfacht gingen ze uit om te eten.

Josephs opvatting over een kosthuis was dan beneden zijn stand, maar zijn idee van eten was daar beslist boven. Hij moest niets hebben van een eethuisje ergens in een afgelegen straatje. Ze moesten glorieus dineren op de Strand. En ze zouden ook niet te voet gaan maar per draagstoel.

Schapenbout en bier? Goeie hemel, hoe haalde ze het in haar hoofd? Zwezerik en een licht Frans wijntje. En dan een mals kippetje. Zijn manier van bestellen was vorstelijk, zijn manier van betalen nog beter. Kelners bogen diep voor hem. Hij mocht dan een beetje onvast ter been zijn toen hij opstond, in de buitenlucht kwam dat er niet meer op aan – hij zag er zo knap uit en je kon zo gemakkelijk weer een draagstoel aanroepen.

'Wat nu? De opera?' stelde hij voor, met het geld in zijn zak rammelend. Het idee was verleidelijk, maar hoeveel was er nog over van de tien guinjes die hij met gokken gewonnen had? Mary Anne schudde haar hoofd. 'Vanavond niet,' zei ze en ze greep hem juist op tijd om hem voor een val te behoeden. Het was tenslotte maar heel goed dat er in het logement in Clerkenwell geen vragen werden gesteld.

Gedurende de dagen die volgden besefte Mary Anne dat zij de praktische van hun tweeën moest zijn. Zij moest de teugels in handen nemen. Joseph genoot van zijn vrijheid en verlangde niets anders dan tot de middag in bed te liggen en dan rond te slenteren.

'Waarom vooruitkijken?' zei hij steeds.

'Waarom plannen maken?' en dan begon hij te praten over waar ze die avond zouden dineren. Geld? Poeh! Geen nood. Hij had voorlopig meer dan genoeg. En later, als hij krap begon te zitten, kon hij altijd met hazardspelen weer tien guinjes winnen en als de nood aan de man kwam, zou hij zijn trots wel overboord gooien en erin toestemmen naar zijn vader te gaan. Maar voorlopig was het heerlijk niets te doen en alleen maar lief te hebben.

Terwijl Joseph tegen haar schouder sliep, maakte Mary Anne plannen. Allereerst moest ze Charley op de hoogte brengen van wat er gebeurd was, zodat de jongen als tussenpersoon zou kunnen optreden en kleren, noodzakelijke dingen, en zo mogelijk zelfs voedsel uit het huis in Black Raven Passage halen. Dat ging makkelijk. Charley onderdrukte zijn jaloezie en gaf zich over aan avontuur en romantiek. Als een afstammeling van het geslacht Mackenzie door de hei kon kruipen met een dolk tussen zijn tanden, kon hij ten minste uit het huis van zijn moeder sluipen met broden in een mand en een shilling krijgen voor zijn moeite.

Hij vertelde van de schrik en onrust thuis. Meneer Day had, na zijn verhaal over die nacht in Islington, verklaard dat Mary Anne een slet was. Mevrouw Farquhar had haar dochter als vermist aangegeven. Signalementen van Mary Anne en Joseph waren naar alle kranten gezonden en dezelfde signalementen waren op de deuren van winkels, kroegen en eethuizen gespijkerd.

'Jullie zullen weer een ander logement moeten zoeken, anders worden jullie gepakt,' waarschuwde Charley.

'En dan komen jullie allebei in de gevangenis.'

'Ze kunnen ons niet naar de gevangenis sturen omdat we van elkaar houden,' zei Mary Anne.

'Dat kan wel als je niet getrouwd bent,' antwoordde Charley. 'Ik heb het meneer Day horen zeggen. Dat noemen ze "in zonde leven" en hij kan het weten.'

Inderdaad, dat kon hij.

'We zullen moeten trouwen, er zit niets anders op. Joseph, hoor je het?' Joseph was bezig zijn nagels te manicuren, voeten over de rand van het bed, hoofd in de kussens. Een prettig, slaapverwekkend werkje. Hij geeuwde. 'Ik weet niets van rechtszaken af en ze interesseren me geen zier. Maar jij bent minderjarig, je bent pas vijftien. Wat moeten we daarmee aan?'

Ja, dat was de kwestie. Haar moeder had nog altijd de troefkaart in handen... Maar als ze Bob Farquhar nu eens konden vinden? En als ze die eenmaal gevonden hadden hem met omkoperij, gevlei, dreigementen bewegen als wettige voogd zijn toestemming te geven? Dat was een idee en nu dat eenmaal in haar hoofd was opgekomen liet het haar niet meer los.

Er was nooit stelselmatig naar Bob Farquhar gezocht. Men had het geheel aan meneer Day overgelaten en nu ze meneer Day beter kende, begreep Mary Anne dat zijn belang in tegenovergestelde richting had gelegen. Het zou niet in de kraam van meneer Day te pas zijn gekomen om haar stiefvader te vinden. Ze kon zich diens bekende knipoogje en gegrinnik goed voorstellen.

'Huishoudster? Kletskoek!' zou hij gezegd hebben.

Mary Anne haalde de kussens onder Josephs hoofd weg en trok hem overeind. Hij keek geeuwend, tegenstribbelend, maar verbazend aantrekkelijk, op haar neer.

'Wat zullen we nou hebben?'

'Kleed je gauw aan, we gaan naar Deptford.'

Bob Farquhar was onvindbaar. Hij was slim. Hij had niet voor niets twintig jaar lang schandaalblaadjes gedrukt. Hij kende het klappen van de zweep – hij wist hoe je moest verdwijnen, waar je je moest verbergen, hoe een behaaglijk nest in te richten met een aardige metgezellin en de verantwoordelijkheid en een verwijtende vrouw te ontvluchten.

Ja, hij was gezien in 'De Kroon en het Anker', maar dat was al drie weken geleden. Een stevige, gezette kerel met vrolijke ogen? Ja, maar die was in 'Het Witte Hart' geweest. Een dag of acht geleden. Vergeefs informeerden ze in het ene logement na het andere. Eindelijk kregen ze in de laatste herberg op de weg naar Londen wat waardevoller inlichtingen.

'Farquhar? Ja, twee dagen geleden hadden een man en vrouw met die naam hier gelogeerd. Kamer nummer vier. Ze hadden met hun dochter de koets naar Londen genomen.'

Vrouw en dochter. Dat was niet 'leven in zonde', dat was 'bigamie'. Als ze ontdekten dat je bigamie pleegde, werd je gestraft.

'Hebben ze gezegd waar ze heen gingen?'

'Nee, maar ik hoorde de dochter praten over Pancras Fields.'

Terug naar Londen, naar de andere kant van de stad. En zou het niet verstandig zijn als zij en Joseph ook verhuisden, nu ze hier toch waren?

De geverfde slons die het logement in Clerkenwell hield, had hen die morgen zo achterdochtig nagekeken met een nummer van de *Advertiser* in haar hand. Charley moest weer als tussenpersoon optreden en hun weinige bezittingen naar het nieuwe adres brengen. Dat adres was Pancras aan de rand van de stad. Als haar stiefvader in dit district woonde, zou hij makkelijk te vinden zijn. Het was nauwelijks meer dan een dorp en er waren maar twee kroegen.

'Maar het is hier het eind van de wereld,' protesteerde Joseph. 'Ik kan aan de overkant van de weg een boerderij zien en grazende koeien. We zullen ons hier dood vervelen.'

Een kus, een liefkozend woord, even door zijn haar woelen en hij was even gemakkelijk te hanteren als Charley. Ze liet hem achter; hij was bezig zijn dassen van muur tot muur in een rij op te hangen.

Bob Farquhar was in geen van beide kroegen. In de tweede kreeg ze echter zijn adres en ze vond hem in een klein huis aan de andere kant van Pancras Fields achter een huiselijk maal van spek, brood en kaas. Tegenover hem zat een dikke, gezellige vrouw van zijn eigen leeftijd die nooit betere dagen kon hebben gekend en een alledaags meisje dat, wonderlijk genoeg, verbazend veel leek op Bob Farquhar.

Wie het hardst slaat wint altijd, dacht Mary Anne en ze bereidde haar slag voor.

'Zo, eindelijk hebben we u gevonden,' zei ze. 'De hele familie zit buiten in een rijtuig met twee advocaten. Wat denkt u te doen?'

Tot haar ergernis scheen haar stiefvader er zich niets van aan te trekken. Hij leunde achterover in zijn stoel en haalde een krant uit zijn zak.

'Ik kan hun altijd de *Advertiser* voorlezen,' zei hij. 'Vermist uit haar woning sedert de zeventiende april: Mary Anne Thompson, alias Farquhar, dochter van Elizabeth Mackenzie Farquhar van 2 Black Raven Passage, Cursitor Street. Leeftijd vijftien jaar en negen maanden, blauwe ogen, lichtbruin haar, frisse gelaatskleur, enz. enz. Of heb je het ook al gelezen?'

Hij gooide haar het blad toe en ze ving het uit gewoonte op, zoals ze dat ook gedaan had met de kopij, vroeger in Bowling Inn Alley.

'Laten we maar zeggen dat we quitte zijn nu we allebei je moeder in de steek hebben gelaten,' zei Bob Farquhar. 'Dit is mevrouw Farquhar nummer twee of mevrouw Favoury, zoals ze vroeger genoemd werd en dat is Martha, de hoop van onze oude dag.'

Er kon geen sprake meer zijn van waardig optreden en doen alsof. Even later zat Mary Anne gezellig met hen brood en kaas te eten. 'De kwestie is dat als ik u verraad, u het mij doet. Daar hebben we niks aan,' zei Mary Anne. 'We hangen van elkaar af.'

'Dat is gezonde taal,' vond hij.

'U bent een bigamist.'

'En jij moet een pak slaag hebben!'

'Ik ken Joseph pas acht weken, maar hij is de enige man voor me.'

'Ik ken mevrouw Favoury al zeventien jaar en ik heb al die tijd nodig gehad om te kiezen tussen haar en je moeder.'

'Ging u aldoor heen en weer tussen die twee?'

'Ik kon moeilijk met allebei tegelijk samen zijn.'

Mevrouw Favoury was niet in het minst van haar stuk gebracht, dronk rustig haar thee en keek hem stralend aan. Mary Anne vond het, terugdenkend aan de stille verwijten van haar moeder, raar dat haar stiefvader zeventien jaar nodig had gehad om tot dit besluit te komen. En het was niet vreemd meer dat Martha zijn neus en ogen had.

'Dus je hebt je zinnen op die vent gezet?'

'We hebben onze zinnen op elkaar gezet.'

'Goede vooruitzichten?'

'Hij heeft een rijke vader.'

'Dat is meer dan jij hebt. Zal zijn vader het goed vinden?'

'Ik denk het wel als hij mij heeft ontmoet.'

'Hm. Snel getrouwd, lang berouwd!'

'Als je laat trouwt, heb je geen jeugd samen.'

Ze was niet van plan zeventien jaar op Joseph Clarke te wachten, zoals haar stiefvader op mevrouw Favoury had gedaan.

'Wat wil je dat ik doe?'

'Uw toestemming geven, als mijn vader.'

'Wie betaalt de vergunning?'

'Joseph. Hij doet wat hem gezegd wordt, dat regel ik wel. We kunnen hier in Pancras trouwen. Ik heb de kerk gezien.'

Bob Farquhar zuchtte. 'We zullen daarna weer moeten verhuizen,' zei hij. 'Als ik mijn naam onder jouw trouwakte heb gezet, zullen ze me vinden. Je moeder zal een toelage eisen.'

'Ik zal wel voor moeder zorgen.'

'Nou, laten we dan maar eens die vrijer van jou gaan bekijken.'

Achterdocht van weerskanten maakte beiden op hun hoede. Het contrast tussen hen was groot. De een lang, elegant, hautain; de ander klein, gezet en luidruchtig. Ze namen elkaar op als twee honden voor een vechtpartij. Het was geen geschikt moment voor mooie praatjes, voor beleefdheden, voor het uitwisselen van meningen. De situatie eiste een onmiddellijk bezoek aan de dichtstbijzijnde kroeg. Daar bleven ze twee uur en kwamen eruit als broeders.

'Onthoud altijd, lieve kind,' zei mevrouw Favoury tegen Mary Anne, toen ze de beiden mannen gearmd naar hen toe zagen komen, 'dat er niets is dat niet bij een glaasje kan worden geregeld. Of misschien bij twee glazen. Dat opent het hart en versuft het brein, en dat is juist wat wij vrouwen verlangen van onze mannen. Je kunt er zeker van zijn dat het in orde is met dat huwelijk van je.'

Ze had gelijk De toestemming was gegeven. De volgende dag, terwijl de beide mannen de gevolgen van hun pas gesloten vriendschap uitsliepen, kochten mevrouw Favoury en Mary Anne de vergunning en gingen praten met de dominee van de St. Pancraskerk. Mevrouw Favoury noch Martha met het ronde gezichtje en ogen uitpuilend van opwinding, zou bij de ceremonie aanwezig zijn uit vrees ontdekt te worden. Mary Anne liet twee shilling in de hand van de doodgraver glijden die die dag als getuige zou optreden. Nu behoefde alleen nog maar de bruidegom naar het altaar te worden gebracht.

'Joseph, word wakker, het is onze trouwdag.'

'Regent het of is het mooi weer?'

'Mooi weer. Geen wolkje aan de lucht.'

'Des te meer reden om in bed te blijven. De dag is nog lang.

Hij geeuwde, rekte zich uit en stond toen toe dat hij werd aangekleed. Dat hemd, dat batisten, dat nog nooit gedragen was. Nee, nee, het satijnen vest. Welke das? O, maar het zou hem een halve dag kosten om de das te vinden die bij dat vest paste. Hij had juist de geschikte das in een winkel op de Strand gezien. Konden ze niet even een rijtuig nemen en daarheen rijden vóór ze naar de kerk gingen? Onmogelijk, het uur was afgesproken. De dominee wachtte.

'Bevalt mijn japon je? Heb ik gisteren gekocht. Mevrouw Favoury is erg royaal geweest.'

‘Heel mooi, maar waarom roze? Roze zal vloeken bij de zalmkleur van mijn das.’

‘Daar zal niemand op letten zo vroeg in de morgen. Toe, maak nu wat voort.’

Het was negentien mei 1792 en het was niet alleen Mary Annes trouwdag, maar ook haar zestiende verjaardag. Ze liepen hand in hand door de warme zonneschijn naar de kleine kerk van Pancras.

Halverwege sloeg Joseph verschrikt met zijn hand op zijn jaszak. ‘Er is iets vreselijks gebeurd, ik heb de vergunning tot trouwen vergeten.’

‘Die heb ik. En er moet een tweede getuige zijn. Daar heb ik ook aan gedacht.’

‘Wie is het?’

‘De doodgraver van de kerk. Ik heb hem twee shilling gegeven voor zijn moeite. Kom, ze wachten!’

Bob Farquhar stond met een bloem in zijn knoopsgat naast de dominee in de kerkdeur.

‘We dachten dat jullie toch nog van idee waren veranderd,’ zei hij.

Mary Anne hield Josephs arm vast en glimlachte. ‘Nooit,’ antwoordde ze.

Haar stiefvader nam hen weifelend op. Die jonge dandy met zijn hooghartig air en Mary Anne, blozend, opgewonden, stralend in haar nieuwe roze japon.

‘Laten we hopen dat je over tien jaar nog net zo over hem denkt,’ zei hij.

De weleerwaarde Sawyer ging hen voor de kerk in. De dienst was zeer eenvoudig. Een zonnestraal viel door het gebrandschilderde venster op de witgekalkte muren. Buiten konden ze de vogels horen zingen in het groepje olmen naast de kerk en in de verte hoorden ze de schapen blaten op de weiden van Pancras.

Mary Anne gaf haar antwoorden met heldere, besliste stem. Joseph was onverstaanbaar. Daarna in de consistoriekamer zette ze haar handtekening vóór de zijne in het register.

‘En de huwelijksreis?’ vroeg de predikant, bekoord door dit onschuldige jonge paar dat hij had mogen trouwen. ‘Waar gaat u die doorbrengen?’ Hij overhandigde Joseph de trouwakte en wachtte op antwoord. Joseph wendde zich vragend tot zijn bruid.

Ze hadden een verrukkelijke huwelijksreis gehad deze laatste vijf weken, daar zou toch zeker geen verandering in komen? Ze zouden net zo blijven leven, rijden, dineren, geld uitgeven in de maalstroom van Londen, lang na middernacht naar bed en pas opstaan na twaalf uur.

Mary Anne glimlachte. Ze maakte een buiging voor de dominee en nam de trouwakte uit Josephs hand.

'We gaan naar Hampstead,' zei ze. 'Mijn man heeft rust, verse melk en landlucht nodig.' Ze keek Joseph strak aan en Joseph staarde terug. Bob Farquhar grinnikte en porde de doodgraver in zijn ribben.

Het was de eerste uitdaging.

7

Ze hadden telkens en telkens over het onderwerp gepraat maar kwamen nooit verder. Argumenteren was zinloos: ze waren in een impasse geraakt.

'Dus je hebt me aldoor voorgelogen?'

'Ik lieg nooit, dat is me veel te veel moeite.'

'Je hebt ons allemaal die eerste avond in Black Raven Passage verteld dat je hopen geld had.'

'Dat had ik toen ook. Maar het is gauw opgeraakt. Ik kan altijd meer krijgen.'

'Hoe denk je dat te doen?'

'Met kaarten, speculeren, wedden op paarden. Er doet zich altijd wel iets voor.'

'Maar je vader. Je vertelde me dat je vader rijk was, dat je altijd van hem geld zou kunnen krijgen.'

'Dat is een beetje ingewikkeld geworden.'

'Wat bedoel je met ingewikkeld?'

Ze legde haar handen op zijn schouders en draaide zijn gezicht naar zich toe. Waarom altijd dat onverschillige lachje, dat verontschuldigende schouderophalen?

'Joseph, je moet me de waarheid vertellen. Nu, op dit ogenblik. Ik houd van je en ik beloof je dat ik niet boos zal worden.'

Ze waren nu zes weken getrouwd en hoewel ze haar zin had doorgedreven – ze woonden rustig op kamers en de buitenlucht had hem wat kleur op de wangen gebracht zodat hij er minder verlopen uitzag – weigerde hij nog altijd over de toekomst te praten en als ze hem vroeg of hij aan zijn vader had geschreven, begon hij dadelijk over iets anders.

De rust van Hampstead begon te vervelen. Ze verlangde naar de stad terug, haar moeder en de kinderen weer te zien, te paraderen als mevrouw Joseph Clarke, schoondochter van de bekende architect, ten volle te genieten van haar staat als gehuwde vrouw.

Ze waren al twee weken pension schuldig en het was belachelijk om op deze heimelijke, armoedige manier te leven als één woord van Josephs vader hun positie zou verzekeren en zou maken dat ze overal waar ze naar toe wilden met respect zouden worden ontvangen. Mary Anne begeerde de gewone voorrechten van een bruid: de huwelijksgeschenken, de gelukwensen, de giften van linnen en zilver, het zich vestigen in een huis voor hen zelf (het hoefde in het begin niet zo groot te zijn). Wat had je er aan om getrouwd te zijn als je nog niets van dat alles had?

Er zou in het najaar een baby komen – daar was ze nu zeker van. Dan zou het beste niet goed genoeg zijn; dat moest Joseph toch begrijpen. Ze keek hem nog eens strak aan. De donkere ogen ontweken de hare.

'Wat is er, Joseph?' Plotseling stak hij zijn hand in zijn zak en haalde er een brief uit. 'Nou goed, jij je zin,' zei hij. 'Ik zag er het nut niet van in je plezier te bederven. Lees dan maar.'

Er stond geen aanhef boven de brief. Hij was de drieëntwintigste mei gedateerd, vier dagen na hun huwelijk, en hij luidde:

"Angel Court, Snow Hill

Daar je van je vroegste jeugd af een voortdurende bron van teleurstelling voor me bent geweest, verbaasde het me niet van Thomas Burnell over je wangedrag te horen. Ik hoefje er niet aan te herinneren dat dit niet de eerste, noch de tweede keer is dat je je op een dergelijke manier hebt misdragen en ik heb je, in de hoop je buiten moeilijkheden te houden, als leerling bij Burnell ondergebracht. Ik heb nooit geloofd dat je enig talent bezat, en Burnell bevestigt die mening. Voorzover ik het kan beoordelen kun je alleen hopen een eerlijk, klein loon te verdienen als stukwerker bij een steenhouwer en dan onder toezicht. Ik verneem dat je getrouwd bent met het meisje dat je verleid hebt, hetgeen me, je karakter kennend, zeer verbaast; maar deze zaak interesseert me weinig daar ik niet van plan ben een van jullie te ontvangen. Ter wille van je moeder zal ik je levenslang de som van één guinje per week of tweeënvijftig guinjes per jaar uitkeren, maar verder kun je niets van me verwachten en bij mijn dood zal het geld dat ik bezit en de zaak overgaan aan je broers.

Je vader, Thomas Clarke."

Joseph sloeg zijn vrouw gade terwijl ze de brief las. Zou ze haar belofte houden en niet boos worden? Ze was driftig, dat wist hij. Er waren al scènes voorgevallen, heftige woorden gewisseld, maar hij had die tot nu toe nog altijd kunnen bezweren met liefkozingen.

Maar wat zou ze zeggen van die toespeling van zijn vader op 'wangedrag'? Van dat 'niet de eerste, noch de tweede keer'? Moest hij haar die ongelukkige affaire met de zuster van de herbergier vertellen? Of die nog beroerder geschiedenis met de vrouw van de vrachtrijder? Zou hij verwijten naar zijn hoofd geslingerd krijgen, zou ze in tranen de kamer uitstormen, de deur dichtsmijten en naar haar moeder terugkeren?

Joseph kende zijn vrouw niet zo goed als hij dacht. De toespelingen op zijn vroegere gedrag lieten haar koud. De manier waarop hij haar die eerste week in Black Raven Passage genaderd was, had haar zonder woorden alles verteld wat ze van zijn verleden wenste te weten. Eén zin in de brief echter trof haar hard. 'Ik heb nooit geloofd dat je enig talent bezat, en Burnell bevestigt die mening.' Dat was alles wat erop aankwam. En die raad voor de toekomst: 'stukwerker onder toezicht'. Was dit het enige vooruitzicht voor de toekomst?

Ze scheurde de brief in stukken en glimlachte tegen haar man.

'Dat is dat, wat je vader betreft,' zei ze. 'En hoe staat het met je broers?'

Hij haalde de schouders op. 'John is de oudste, de zoon uit vaders eerste huwelijk en jaren ouder dan de rest van ons. Hij is getrouwd, heeft een gezin en woont in Charles Square, Hoxton. We kunnen goed met elkaar opschieten. Thomas is precies mijn vader, werkt hard, is zuinig en heeft me nooit vertrouwd. James heeft niets met de zaak te maken – hij studeert theologie in Cambridge – en verder heb ik nog een zuster. Maar wat heeft het voor zin over hen te praten? Ik ben nu eenmaal het zwarte schaap – dat is altijd zo geweest.' Afgeven op zijn familie hielp hem in een beter humeur te komen. Door hun de schuld te geven, sprak hij zichzelf vrij. Hij had nooit ergens schuld aan.

'Hoe staat het met je oom?'

'Welke oom?'

'Je hebt ons verteld dat je oom schepen Clarke is en dat hij binnenkort wel burgemeester van Londen zal worden.'

'O die.' Joseph haalde weer zijn schouders op. 'Die is eigenlijk maar een heel ver familielid van me, ik ken hem helemaal niet.'

Elk woord van hem bevestigde haar ergste vrees. Ze besefte nu dat hij haar aldoor voorgelogen had. De Clarkes waren niet de rijke familie die zij zich had voorgesteld. Het waren handwerkslieden als honderden anderen, zonder belangrijke connecties, mensen die eenvoudig leefden. Ze was zo verliefd geweest op Joseph, zo verblind door zijn charme, dat het nooit in haar hoofd was opgekomen hem verder te ondervragen. Was verliefd geweest. Dacht ze al in de verleden tijd? Nee... nooit... nooit... Ze drong die gedachte weg.

'We kunnen maar één ding doen,' zei ze, 'en dat is contact zoeken met je broer John. Laat het maar liever aan mij over.'

Haar aangeboren optimisme keerde terug, zoals altijd wanneer ze iets moest uitdenken, een plan maken. Ze zou broer John wel te slim af zijn, zoals ze ook meneer Day te slim af was geweest toen hij haar had toegestaan de kopij mee naar huis te nemen. En er zou een heleboel afhangen van Johns vrouw.

Ze ging alleen naar Hoxton. Ze koos er een zondagmiddag voor uit, als broer John, mild gestemd door zijn ochtendkerkgang en zijn zondagse maal, gezellig met zijn gezin thuis zou zitten.

Charles Square, een vriendelijk, rustig pleintje met nog vrij nieuwe huizen, gaf de indruk van degelijk fatsoen.

We zouden de bovenste etage kunnen bewonen, dacht Mary Anne. Daar moeten twee kamers aan de voorkant zijn en één achter. Geen huur te betalen.

Ze droeg haar trouwjapon van roze mousseline. Ze zag er heel onschuldig en heel jong uit. De deur werd door broer John zelf geopend. Ze herkende hem onmiddellijk. Hij was een oudere, pafferige, minder elegante editie van Joseph en, concludeerde ze, nog makkelijker naar haar hand te zetten.

'Vergeef me,' begon ze, 'ik ben de vrouw van Joseph,' en ze barstte prompt in tranen uit. Het effect was magisch. Ze werd broederlijk ondersteund en naar de salon geleid, hij riep bezorgd om zijn vrouw (gelukkig een moederlijk gezicht); en de kinderen, die haar nieuwsgierig aangaapten, werden snel de kamer uitgestuurd. Toen de rust was weergekeerd en ze een hartversterking had, vertelde ze alles.

'Als Joseph wist dat ik hier was, zou hij het me nooit vergeven.

Ik heb hem gezegd dat ik naar mijn moeder ging. Maar ik wist, door de manier waarop hij over u beiden gesproken heeft, dat u me niet van uw deur zou wegsturen. Hij houdt veel van u, maar u kent zijn trots.'

Ze betwijfelden die genegenheid en die trots, maar toen ze door haar tranen heen glimlachte, veranderde hun twijfel in geloof.

'De brief van zijn vader heeft bijna zijn hart gebroken. U bent er natuurlijk van op de hoogte?'
Inderdaad, ze wisten er alles van. Het was jammer, maar er was niets aan te doen.

'Het huwelijk was helemaal mijn schuld. Ik haalde hem over om met me weg te lopen. Ik was thuis ongelukkig en mijn moeder zond me als huishoudster naar een zekere meneer Day.'

Ze deed het verhaal over meneer Day. Het forceren – ze repte niet over zijn bescheiden klopje – van haar deur om tien uur 's avonds en haar vlucht naar Joseph.

'Wat zou u in mijn plaats gedaan hebben?' vroeg ze mevrouw John.

Mevrouw John gaf haar afschuw en medelijden te kennen. Arm kind, wat had ze moeten doormaken!

'Ik wist dat moeder me niet kon beschermen en mijn broer Charley was nog te jong. Ik moest wel naar Joseph gaan, hem kon ik vertrouwen. Het paste niet om te gaan samenwonen en dus waren we wel genoodzaakt te trouwen. Mijn stiefvader gaf zijn toestemming.'

Ze realiseerde zich met toenemende verbazing dat haar verhaal werkelijk waar was ook. Alleen het forceren van die deur was haar eigen fabrikaat, maar toch maakte dat het hele verschil.

'En waar is je stiefvader nu?'

'Hij is naar Schotland gegaan. We zijn twee weken huur schuldig in ons logement in Hampstead en ze zullen er ons zaterdag uitzetten. Wisten we maar waar we heen konden gaan. Ziet u, in het najaar...' Ze keek mevrouw John aan en mevrouw John begreep.

Binnen een week waren meneer en mevrouw Joseph Clarke verhuisd naar Charles Square. Ze hadden de hele bovenverdieping tot hun beschikking. Het was niet wat ze had verwacht toen ze in de kerk van Pancras voor het altaar stond, maar dat hoefde niemand dan zijzelf ooit te weten. En de buurt was heel wat beter dan Black Raven Passage. Ze bezat distinctie. Mary Anne was in staat een beetje neerbuigend te doen toen ze haar moeder voor het eerst ging bezoeken.

'Het bevalt ons uitstekend. De twee huishoudens leven geheel afzonderlijk, maar als ze gezelschap wensen zijn we er. Joseph heeft natuurlijk zijn toelage van zijn vader en is geheel onafhankelijk.'

Het was een heel ander verhaal dan mevrouw Farquhar van Thomas Burnell had gehoord, maar ze liet het maar zo. Ze had haar dochter gemist. Het enige dat ze niet begreep was dat haar eigen man zo plotseling weer verschenen was en na het huwelijk weer even prompt was verdwenen.

'Waar moet ik van leven? Wat moet er van Isobel en de jongens terechtkomen?'

'U moet commensalen blijven houden.'

'Maar hoe kon je je stiefvader weer laten gaan? Je had hem dat toch kunnen beletten, zodat ik hem wettelijk had kunnen aanspreken voor ondersteuning.'

'Daar zou u niets mee gewonnen hebben, hij heeft geen cent.'

Bob Farquhar had voor haar afgedaan. Hij had gedaan wat ze van hem verlangde, ze kon hem nu vergeten. Noch de John Clarkes, noch Joseph Clarke zaten in hemdsmouwen aan tafel; bij hen gingen uiterlijk en goede manieren vóór alles. Mary Anne nam zich voor haar stiefvader voor altijd uit haar hoofd te zetten, maar ze had buiten de dochter Martha gerekend.

Martha stond op een ochtend op de drempel van het huis in Charles Square, in antwoord op een advertentie voor een kindermeisje voor de nog ongeboren baby. Mary Anne nam haar haastig mee naar boven vóór mevrouw John haar zag.

'Wat doe je hier? Wie heeft je hierheen gestuurd?'

'Ik zag de advertentie in de krant en ik vermoedde dat u het was.'

Het schepseltje staarde haar met een uitdrukking van stomme aanbidding aan. Zou ze een beetje achterlijk zijn? Stonden die ogen niet een beetje wezenloos?

'Weet mijn stiefvader dat je hier bent?'

'Ze wilden me niet meer thuis houden, ze zeiden dat ik mijn eigen brood moest verdienen. En daarom ben ik hier gekomen om bij u als kindermeisje te dienen.'

'Hoeveel loon vraag je?'

'Weet ik niet. Kost en inwoning, denk ik.'

Ja, ze kon koken. Ja, ze kon wassen. Ja, ze kon naaien en verstellen. Ze kon inkopen doen op de markt.

'Als ik je aanneem, mag je dat nooit aan mijn stiefvader of je moeder vertellen en ook niet dat je me in Pancras hebt gezien. Je bent hier gewoon Martha Favoury, mijn dienstmeid, begrepen?'

'Ja.'

'Als je iets doet dat me niet bevalt, zend ik je dadelijk weg.'

'Ik zal niets doen dat u niet bevalt. Ik zal alles doen wat u zegt.'

Een ogenblik later had Martha een schort voorgebonden en was ze bezig de kachel te poetsen. Een knikje en een glimlach die keer in Pancras hadden haar voor altijd tot Mary Annes slavin gemaakt. Ja, mevrouw. Nee, mevrouw. Geen loon, alleen kost en inwoning.

Mevrouw Joseph Clarke had een dienstbode. Mevrouw Joseph Clarke kon tegen mevrouw John zeggen: 'Als je wilt, kan ik Martha vanmiddag wel aan jou afstaan.' Zoiets wiste het gevoel van verplichting uit. Mevrouw Joseph en mevrouw John waren nu gelijken.

Mary Anne en Joseph woonden twee jaar in Charles Sqaure en in die tijd werden hun twee kinderen geboren. Het eerste stierf kort na de geboorte; het tweede, een meisje, bleef in leven en werd Mary Anne gedoopt, naar haar moeder. Toen het derde op komst was, verklaarde Mary Anne dat de bovenste verdieping in Charles Square te klein werd. Ze moesten een eigen huis hebben, maar wie zou dat betalen? Josephs vader was intussen gestorven, doch hij had zijn woord gehouden. Joseph kreeg geen cent meer dan de jaarlijkse toelage van tweeënvijftig guinjes. De zaken in Snow Hill bloeiden, maar zonder de tweede zoon. De tweede zoon haalde de schouders op. Hij had een guinje per week, gratis onderdak en hoefde zelfs geen loon te betalen aan zijn dienstbode. Waarom dan tobben? Ze konden tot het oneindige bij broerJohn blijven wonen.

'Wil jij dan niet onafhankelijk zijn?'

'Ik noem dit onafhankelijkheid.'

'Wil jij dan niet gerespecteerd worden, dat ze tegen je opzien en je beschouwen als een knap vakman, net als Thomas Burnell? Zou jij het niet prettig vinden je eigen naam boven je eigen zaak te zien?'

'Ik geef er de voorkeur aan om als een gentleman te leven.'

Maar was dat leven als een gentleman: rondlummelen op de derde verdieping van je broers huis en meestal bij je broer eten? Was dit niet de eerste stap in de richting van zielige, beklaagde 'arme bloedverwant'? Had hij maar een greintje energie en ambitie!

'Broer John, we dringen jou je eigen huis uit. Nu jouw gezin groter wordt, heb je onze kamers nodig.'

'Nonsens, lieve kind, er is ruimte genoeg voor ons allemaal.'

'Maar Joseph heeft werk nodig, bezigheid. Hij heeft talent, als hij maar de kans kreeg het te ontplooien.

Het testament was niet rechtvaardig. Joseph heeft het recht op zijn aandeel in de zaak.'

Broer John was bezorgd en van streek. De dood van zijn vader had voor hen allen verschil gemaakt. Hij lag al overhoop met zijn broer Thomas die de hersens en het grootste deel van het kapitaal had geërfd. John was uit de gratie omdat hij Joseph had geholpen. Soms vroeg hij zich af of hij er niet beter aan zou doen zich uit de zaak terug te trekken en Thomas zijn eigen gang te laten gaan.

'Joseph vraagt niets,' zei Mary Anne, Johns onzekerheid opmerkend. 'Ik vraag het. Er zou maar zo'n klein beetje kapitaal voor nodig zijn om hem in zijn eigen zaak te zetten en natuurlijk zou hij je, zodra hij winst maakte, het geleende geld terugbetalen. Heb je gehoord dat Brewers in Golden Lane hun zaak willen verkopen? Het huis is in goede staat en de werkplaats ligt erachter. Als Joseph daar een leerling had om hem te helpen...'

Charley zou daar geschikt voor zijn. Geen buitenstaanders. Alle winst zou in de familie blijven. Er hoefde geen loon te worden uitbetaald aan vreemden.

'Het zou voorlopig een filiaal van de zaak in Snow Hill kunnen zijn, vind je niet? Maar Thomas zou er niets over te zeggen hebben, alles zou in de handen van jou en Joseph blijven, daar jullie zo goed samen kunt opschieten.'

Met Kerstmis 1794 verhuisden de Joseph Clarkes naar Golden Lane... Eindelijk had Mary Anne haar eigen voordeur, haar eigen trap. Je struikelde met meer op de trap over de kinderen van broer John. Haar eigen nieuwe gordijnen hingen voor de ramen, haar eigen nieuwe tapijten bedekten de vloer. Martha, in een gedrukt katoentje met muts en schort, gaf bestellingen op aan de slagersjongen. Er was een kinderwagen voor Mary Anne de tweede, een mandenwieg voor de aanstaande baby, betaald van het geld dat in de zaak was gestoken door broer John, die met broer Thomas had gebroken.

'Hoe de zaken gaan? Uitstekend. Een bestelling voor een monument in St. Lucas. En een van St. Leonard. Joseph heeft al meer werk dan hij aan kan.'

Bezoekers boven laten komen. Ze de keurig ingerichte kamers, het goed geklede dochtertje en de eerbiedige dienstbode in de keuken laten zien. Allemaal tekenen van welvaart, van succes. Maar de deur naar de werkplaats bleef angstvallig gesloten, opdat ze de onaangeroerde brokken graniet, de verwaarloosde gereedschappen en de afwezigheid van de eigenaar niet zouden zien.

'Is meneer Clarke niet thuis?'

'Hij is voor zaken op reis, een belangrijke opdracht.'

En later, veel later, fluisterde Martha vanuit de keuken: 'Meneer is thuis.'

Joseph placht met zijn handen in de zakken tegen de brokken graniet te schoppen. Je hoefde niet te vragen waar hij geweest was: zijn rood gezicht, de onvaste handen, de poging om haar in zijn armen te nemen en haar beschuldigende blik weg te kussen, vertelden hun eigen geschiedenis.

'Ik zal morgen werken, vandaag niet. Vandaag gaan we fuiven. Het werk kan opvliegen.'

Ze moest vooral niet zaniken of dreigen en hem niets verwijten. Die dingen hadden Bob Farquhar van haar moeder doen weglopen. Dus glimlachen en met een air van vrolijke zekerheid door de stad rijden. Die uitdagende houding moest ze volhouden tegenover mevrouw John, die haar gedurende die zomer vaak kwam opzoeken, telkens met een ander probleem om te bespreken en ten slotte in tranen.

'John heeft een grote fout begaan door met Thomas te breken – dat ziet hij nu in. Hij is in geldzaken net een kind en zijn aandeel van het kapitaal vermindert snel. Tot de werkplaats hier in Golden Lane winst afwerpt, moeten we leven van speculaties en John weet niets van financieren af. Kun jij er niet op aandringen dat Joseph wat harder werkt?'

'Hij werkt hard, maar de zaken zijn slap, veel ziekten deze winter, de oorlog, de onzekere tijden.' Mary Anne greep elk excuus aan om het figuur van haar man te redden. 'En speculeren hoeft niet riskant te zijn als je de juiste mensen maar kent. Een vriend van Joseph heeft laatst een fortuin gemaakt; ik geloof dat hij hem aan broer John heeft voorgesteld. Als hij diens raad opvolgt, zullen we allemaal op een goeie morgen rijk wakker worden.'

Vooral nooit bezorgd zijn. Nooit vrezen voor de toekomst. Een hoopvol hart heeft de strijd al voor driekwart gewonnen en sluwheid doet de rest. Ze moesten niet meer van broer John lenen vóór hij met zijn speculaties succes had gehad en in die tussentijd was meneer Field, de zilversmid, bereid geld te lenen op door haar zelf gestelde voorwaarden. 'Mijn man is een neef van schepen Clarke en als de zaak van mijn echtgenoot nog niet direct winst afwerpt, is de schepen bereid ons later te helpen. Maar misschien wilt u ons tijdelijk wat lenen?' Er waren weinig zilversmeden die niet tijdelijk die dienst wilden bewijzen bij het zien van de elegante, nieuw gemeubileerde woning een paar deuren verder in de straat, met op de achtergrond een aanstaande burgemeester van Londen.

James Burton kon ook aangeklampt worden – nog niet om geld, maar om raad. Hij was nu een succesvol bouwer en zag met één oogopslag de fouten en tekortkomingen die de steenhouwerij in Golden Lane aankleefden.

'Een woordje van u, meneer Burton, zou zo veel betekenen. Joseph is gereserveerd en verlegen. Hij doet geen moeite om opdrachten te krijgen. Wilt u terwille van vroeger...?'

Vroeger? Ze glimlachte hem toe. Hij had allang de kamer bij haar moeder verlaten en woonde in een huis dat hij zelf in Bloomsbury had gebouwd, maar te oordelen naar haar manier van spreken, half plagend, half vol heimwee, leek het of ze drie jaar geleden met hem en niet met Joseph had geminnekoosd.

'Ik had wijzer moeten zijn,' liet ze doorschemeren, al zei ze het nooit met zoveel woorden.

Ter wille dus van dat 'vroeger', gaf hij Joseph enkele orders, maar het werk werd slecht uitgevoerd, was onvoldoende of bleef ongedaan. Geleidelijk trok hij zijn gunsten terug. Waarom zou hij een onbekwame steenhouwer werk geven die zelden nuchter was en werkte of hij je een dienst bewees?

'De moeilijkheid is, mevrouw Clarke, dat uw Joseph drinkt.'

'Het is erger, meneer Burton, hij heeft geen talent.'

Dat wat zijn vader had verklaard, bleek nu de waarheid te zijn. Zijn aanleg was niet alleen gering, maar bestond zelfs niet. Toch hield ze van hem. Hij was jong, hij was van haar, hij was knap. Op een warme zomeravond hield ze haar eerste zoon Edward in haar armen – met ogen als de hare, dezelfde mond, dezelfde trekken. Ze liet hem zien aan zijn zusje van anderhalf jaar, aan de trouwe Martha, aan de glimlachende vroedvrouw; maar Joseph, die bij haar had behoren te zijn, was er niet.

Het was achtentwintig juli 1795. In Golden Lane was een zoon en erfgenaam geboren. Ze lag alleen en staarde naar de zoldering van haar slaapkamer. Als hij vanavond dronken was, zou ze haar mond niet houden. Je kon ook té lang zwijgen. Ze had zijn medeleven meer dan ooit nodig. Morgen zou ze weer sterk zijn, bereid om de toekomst onder ogen te zien en aan te durven. Maar – in 's hemelsnaam – vanavond rust en tederheid. Toen hij thuiskwam was hij niet dronken, maar erg bleek en hij keek niet naar het kind in de wieg, maar naar haar.

'De speculatie is mislukt,' zei hij.

Ze richtte zich in bed op en keek hem aan, terwijl hij daar in de deuropening stond.

'Welke speculatie? Wat bedoel je?'

'De speculatie, de inzet. Ik ben zodra ik het nieuws hoorde naar Charles Square gegaan, maar ik kwam te laat.'

Hij liet zich naast het bed op de grond vallen en begon te snikken. Ze hield hem vast zoals ze een uur geleden haar zoon had vastgehouden.

'Het is nooit te laat. Ik zal wel een plan verzinnen. Ik zal wel een uitweg vinden,' zei ze.

Joseph schudde zijn hoofd, zijn gezicht was verwrongen van het huilen. Al wat ze zou kunnen bedenken, alle plannen die ze zou kunnen beramen, zouden zijn onbekwaamheid niet kunnen maskeren. Hij had de raad gegeven; een vertrouwende broer had hem als adviseur aanvaard.

'Hoeveel heeft John verloren?' vroeg ze.

'Al wat hij bezat. Hij hoorde het vanmorgen in de city en is niet meer naar huis gegaan. Hij heeft zich voor zijn hoofd geschoten. Ze hebben zijn lijk in een draagstoel in Pentonville gevonden.'

8

Het belangrijkste was je goed te houden, een vrolijk gezicht te zetten, nooit te verraden dat je vlak voor een bankroet stond. John had zelfmoord gepleegd; zij leefden. Daarom overvloed, geschilderde panelen, geboende vloeren, zijden gordijnen, vrolijke kleding. Gebloemd mousseline voor de kinderen. Een per maand gehuurd spinet dat niet betaald werd, boeken met leren banden, zilveren kandelaars. Modeplaten uitgespreid op een tafel, theaterprogramma's en het laatste pamflet, vers van de pers. Een jong hondje met lange oren en een grote strik om zijn hals, twee parkietjes in een kooi. Alles opgedirkt om welstand uit te drukken om aan te tonen dat Golden Lane in niets leek op Bowling Inn Alley.

Als je de opsmuk wegdacht, werd het kale geraamte zichtbaar. Het skelet der armoede grijnsde je dan tegen. Bedek het afbrokkelende pleister met een damasten laken – de buren zagen de versiering, niet de ondergrond.

Alleen, in bed naast een dronken echtgenoot, zag ze hoe haar leven net werd als dat van haar moeder, dat het verliep volgens hetzelfde patroon. Elk jaar een kind. Malaise, prikkelbaarheid. De vier gezichtjes om de tafel weerspiegelden het verleden – Mary Anne, Edward, Ellen, baby George – afhankelijk van haar, nooit van Joseph. Joseph die werd als een nachtmerrie van haar stiefvader, met slaperige ogen, vlekkerig, altijd een verontschuldiging klaar. Hoe kon ze hier ooit aan ontsnappen! Hoe kon ze voorkomen dat ze een evenbeeld van haar moeder zou worden?

Mevrouw Farquhar kwam elke zondag haar dochter bezoeken en dan praatten ze zoals vrouwen samen praten, zeurderig, langdradig – over de prijs van vis, de grillen van een nieuwe commensaal, Isobel die nu zo aardig hielp in huis, een kuur tegen reumatiek. Maar ergens achter dat gebabbel, die klachten, school onuitgesproken, een zwijgend verwijt dat dit huwelijk uit liefde, zo vurig begeerd door Mary Anne, geen overvloed had gebracht. Het vreselijke 'ik heb het je wel gezegd' was een spookbeeld dat tussen hen hing. Er was zoveel verwacht van een verbintenis met de Clarkes, niets was er van waar gemaakt. Mary Annes halfbroertjes waren naar zee gegaan, als scheepsjongens (maar dat werd er nooit bij verteld) en beiden waren verdronken in de slag om Kaap St. Vincent. Charley woonde in Golden Lane als leerling van Joseph, maar voelde wel dat het tot niets zou leiden en dreigde er weg te gaan en dienst te nemen.

'Je hebt geloofd dat we allemaal rijk zouden worden. Dat is niet gebeurd.'

De opdrachten die binnenkwamen waren vernederend. Een eenvoudige grafsteen voor een kaashandelaar in de Lane of een gewoon naambord voor een slager in Old Street.

Altijd maar weer intrigeren, doen alsof, gebrek verdoezelen. Maar als dat zo jaren bleef doorgaan, wat dan? Er moest toch een uitweg zijn! Ze herinnerde zich de oude schendblaadjes tegen een halve penny per stuk, die in de kroegen met vuile vingers werden betast. Niet langer dan een paar avonden interessant gevonden, besproken, begrinnikt, dan gebruikt om een vissenkop voor de kat in te wikkelen. En later teruggevonden in de goot. Wie schreef die smerige roddels? De een of andere derderangs prulschrijver met een ziekelijke echtgenote. Waarom zou een vrouw het niet kunnen doen? Makkelijk genoeg om Joseph te bewegen haar mee te nemen naar eethuizen waar uitgevers bij elkaar kwamen. Makkelijk genoeg om zich tussen hen te begeven, te praten en toespelingen te maken, hun smerige namen en adressen te weten te komen. En terwijl Joseph de dobbelstenen liet rammelen, opsneed en de gentleman uithing, kwam zij achter de kletspraatjes die ze nodig had, de kopij waarop geaasd werd.

Sydney in Northumberland Street, Hildyard in Fetter Lane, Hunt in Beaufort Buildings kenden het klappen van de zweep. Hun sluwe pen begon met de lezer te vleien, zette een klassiek citaat boven aan de bladzijde, een kennis veronderstellend die noch degeen die het schreef, noch degeen die het las, bezat. Het begon rustig en nuchter, met weloverwogen zinnen, en dan: pats! kwam de insinuatie, de por tussen de ribben. En daarvoor werd een halve penny betaald, werd het papier bevuild. Hoe hoger in rang, hoe meer aandacht er aan besteed werd.

'Waar heeft u dat allemaal geleerd, mevrouw Clarke?'
'In de wieg. Ik kreeg een vinnig pamflet als rammelaar.'
Ze krabbelde in bed de kletspraatjes op papier, terwijl Joseph snurkte en niemand vermoedde de waarheid, zelfs Charley niet. Het beantwoordde aan het doel: vijf rekeningen werden betaald – vijf van de vijf dozijn. Bovendien leidde het haar gedachten af van huishoudelijke zorgen. Kroep en stuipen, koorts, gaten in de tapijten. Martha's chagrijnige buien, aangebrand eten en Josephs omhelzingen die ze niet meer begeerde. Hoe kon zij ze vermijden? Dat was een drukkend probleem. Ziekte en vermoeidheid voorwenden, tot het uiterste liegen, koelheid veinzen. Maar vooral geen kinderen meer! Vier was genoeg. Maar wat had ze hen lief als ze hen voor het eerst in de armen hield, zo hulpeloos met hun veel te grote hoofdjes op de slappe halsjes, de gesloten oogjes, de tere handjes; haar kinderen, nooit die van Joseph. Als ze in goede omstandigheden had verkeerd, zou ze er wel twaalf willen hebben, maar niet zoals de toestand nu was. Geen armlastigen voor de gemeente.
Hoe moest het nu met Golden Lane? Hoe moest ze de deurwaarder op een afstand houden? Schotschriften krabbelen bij kaarslicht zou hen nooit weghouden, noch haar moeder sparen, noch een man van Charley maken. Er waren te veel mensen afhankelijk van de scherpzinnigheid van één vrouw en die vrouw was pas drieëntwintig jaar.
Ze vocht een verloren strijd. De deurwaarders kwamen en namen de tafel en stoelen, de parkieten en de bedden weg. Joseph ging failliet en de werkplaats werd verkocht. Zelfs Martha moest onder tranen en onder protest weggestuurd worden en een betrekking als kindermeid aannemen in Cheapside.
Dit gebeurde in de zomer van 1800 en er moest haastig een voorlopig plan worden gemaakt. Er viel niets te verwachten van broer Thomas van Snow Hill, maar hoe stond het met de jongere broer, de dominee James Samuel, die in Cambridge had gestudeerd? Hij had een huis in Bayswater dat veel te groot voor hem was en hij verleende al onderdak aan mevrouw John. Er zouden er nog meer bij kunnen als ze maar dicht op elkaar werden gepakt. En zo verhuisden de Joseph Clarkes naar Craven Place. Mettertijd zou de dominee misschien bisschop worden, maar intussen hadden de kinderen een dak boven het hoofd, dat was het

voornaamste. En Joseph werd gedwongen zich goed te houden – wat er om de hoek gebeurde deed er niet toe, zolang hij maar nuchter genoeg was om om vijf uur te komen dineren.

Ze hadden er aardige buren. Craven Place was een voorstad, de dominee was gastvrij en Mary Anne hunkerde naar nieuwe gezichten. De Taylors op nummer zes bleken een vondst te zijn. Drie broers in het leger, twee bij de marine en de oudste dochter een naamgenoot, ook een Mary Anne.

'Er moeten geen twee Mary Annes zijn, ik noem je May.'

Nu had ze weer, net als op school in Ham, een vriendin, iemand om gekheid mee te maken, om mee te giechelen, om hoeden en japonnen en linten mee te ruilen en elke mannelijke kennis onbarmhartig voor de gek te houden. Nonsens was balsem, een antidotum voor het huwelijk. En May Taylor had connecties die wel eens te pas zouden kunnen komen, want als Mary Anne haar kinderen in de kleren wilde houden, moest ze de uitgevers in Fleet Street kopij leveren. Er was een grootmoeder Taylor in Berkeley Street, wier kweekschool voor jongedames bekend was. In het prospectus stond: 'Het instituut van mevrouw Western beoogt de godvruchtige opvoeding van jonge meisjes en het aanvullen der kennis van meer ervaren dames.'

Als de meisjes naar bed waren, kwamen de dames bijeen en dan liet mevrouw Western zich wel eens een indiscretie ontvallen.

'Ik kan u precies vertellen wat er in de high society omgaat. De beste families zenden mij haar dochters.'

De jonge mevrouw Clarke die gekomen was om haar Frans op te frissen, maakte in steno heel andere aantekeningen. Die liet ze niet zien aan de dominee of aan de Taylors, maar ze vonden haar weg naar Paternoster Row. Resultaat: een manteltje voor Ellen en een kinderwagen voor George.

Verder woonde er een oom van de Taylors in Bond Street, oud-oom Thomas. Als schoenmaker van het hof was hij nog meer waard. Er was niets dat hij niet na twee glazen port wilde onthullen. Maar alleen aan vrienden en familieleden, en binnen vier muren.

'Als de beste vriendin van mijn nichtje zal ik u iets vertellen, mevrouw Clarke.' En dat deed hij dan, tot vreugde van de Grub Street-aasgieren. Rond, blozend, met een kaal hoofd en een neus als een papegaai, deed hij niets liever dan met een welgevulde maag bij het vuur zitten dammen.

'Uw zet, mevrouw Clarke.'

'Nee, de uwe, meneer Taylor.'

'Ik blaas u. Maar wat zei ik ook weer?'

'Prinses Augusta...'

'O ja, in haar boudoir. Het gebeurde in Windsor.'

'En is niemand erachter gekomen?'

'De hofdame. Ze is nu het land uit, ontslagen en gepensioneerd.'

'Maar wie was die minnaar?'

'Sst. Kom wat dichterbij met uw oor.'

Oud-oom Thomas, zo achter het dambord, wrijvend langs zijn monsterlijke neus, was er een uit duizenden, maar soms kreeg ze de indruk dat hij iets vermoedde.

'Hebt u dat berichtje in *Personalities* van verleden week gelezen?'

'Nee, meneer Taylor. Mijn zwager, de dominee, koopt geen pamfletten.'

'Het is zo merkwaardig dat daar die anecdote over de koningin in staat. Ik heb me afgevraagd wie dat verraden kan hebben.'

Ja, inderdaad, wie? Ze zette de schijven op en liet hem het spel winnen om zijn achterdocht in slaap te sussen. Hij vertelde haar terloops dat ze haar schoenen bij hem moest kopen. Bond Street nummer 9, dicht bij Piccadilly.

'U bent te duur, ik kan uw prijzen niet betalen. Mijn man heeft er het geld niet voor, meneer Taylor.'

'Ik meende van mijn nicht te hebben begrepen dat hij van zijn fortuin leeft.'

Een kleine jaarlijkse toelage die zijn vader hem heeft nagelaten.'

'Dan zal het u wel moeite kosten rond te komen met vier kinderen.'

'Makkelijk is het niet.'

'Bent u dol op uw man?'

'We zijn al acht jaar getrouwd.'

Hij speelde met de damschijven en wreef langs zijn neus. Door het lawaai in de salon van de Taylors konden ze veilig praten zonder afgeluisterd te worden. Ze vroeg zich af waar hij met zijn vragen op aan stuurde. Hij verschoof een damschijf, neuriede zachtjes en zei toen fluisterend: 'Er bestaat altijd een mogelijkheid om uw inkomen te vergroten. Een jonge vrouw als u, knap en elegant. Ik heb er verscheidenen geholpen die in een dergelijke situatie verkeerden als u. Spreek er niet met mijn nicht over, die weet er niets van.'

Wàt wist ze niet? Waarom fluisterde de oude man? Bedoelde hij dat hij haar geld wilde lenen tegen drie procent?

'Heel vriendelijk van u,' zei Mary Anne, 'maar ik haat schulden maken.'

Weer dat geneurie. Weer dat spelen met de damschijven en een blik over zijn schouder, om te zien of er niemand in de buurt was.

'Daar is geen sprake van, de heren betalen alle kosten. Het is slechts een kwestie van gelegenheid. Ik heb twee of drie ontvangkamers boven mijn zaak in Bond Street. Discreet en rustig, geen kans op ontdekking. Alleen de deftigste heren hebben het adres. De prins van Wales behoort tot mijn cliënten.'

Nu begreep ze het. Goeie hemel, wie zou dát gedacht hebben? De oude oom Tom en een *maison de rendez-vous*. Ze zou er al heel erg slecht aan toe moeten zijn voor ze daartoe kwam, maar wat amusant – geen wonder dat hij alle praatjes hoorde. Er viel een schaduw tussen hen en het dambord. De kleine May Taylor stond met een hand op Mary Annes schouder tussen hen in.

'Waar zitten jullie zo druk over te discussiëren?'

'De prijs van leer. Je oom zegt dat als mijn schoenen knellen, hij ze graag passend voor me zal maken.'

Ze stond op en boog, terwijl ze de oude man veelzeggend aankeek. Het kon geen kwaad dat hij wist dat ze hem begrepen had.

'Ik meen het, lieve kind,' zei hij. 'Je kunt nooit weten, je schoenen kunnen elk ogenblik gaan knellen.'

Hij overhandigde haar met een buiging zijn kaartje.

Thomas Taylor
Hofleverancier-schoenmaker van het Koninklijk Huis
9 Bond Street – Londen

'U hebt het verkeerd laten drukken,' zei ze. 'Moest er niet staan: Thomas Taylor, afgezant van Marokko aan het Engelse hof?

Apropos, maakt u schoenen naar maat of moet ik maar nemen wat u hebt?' Zijn kleine oogjes glommen, zijn dikke wangen rimpelden. 'Mijn lieve jongedame, ik garandeer u een volmaakte pasvorm.'

Zijn nicht draaide zich lachend om en riep tegen haar vriendinnen: 'Mary Anne gaat haar schoenen bij oom Tom kopen.'

Ze applaudisseerden allemaal en lachten en namen deel aan het gesprek.

'Pas maar op, dat zal je wel wat gaan kosten!'

'Ze zijn ontzettend duur!'

'U heb zeker speciale condities voor de familie, hè, oom Tom?'

De oude man lachte en gaf geen antwoord. Er was niets onbehoorlijks gezegd en geen kwaad gesticht. Hij bracht het onderwerp op muziek en zingen. Schoenen waren vergeten en de avond liep op zijn eind. Mary Anne werd naar huis gebracht, twee deuren verder, door een zekere kapitein Sutton van de grenadiers, een vriend van een van de broers Taylor. Toen hij haar goedenacht wenste en haar hand een ogenblik vasthield, vroeg hij met een eigenaardige uitdrukking in zijn ogen: 'Waar en wanneer zullen we elkaar terugzien, mevrouw Clarke? In Craven Place of in Bond Street?'

Was dat een proefballonnetje? Ze sloeg de deur voor zijn neus dicht en vloog de trap op, langs de weduwe mevrouw John, langs het heiligdom van de dominee, langs de gebedenboeken die al in rijen gereedlagen voor de morgendienst, door de slaapkamer van de kinderen, waar het viertal lag te slapen, zo lief, zo onschuldig, een deel van haarzelf, afhankelijk van haar; haar kamer in, naar een Joseph, die languit op de vloer lag. Hij was naast het bed gevallen. Ze was verbaasd dat de dominee hem niet gehoord had. Hij had haar tenminste de schande bespaard haar bij de Taylors te komen halen; zijn plotseling wankelend binnenkomen, de stilte, gevolg door druk gepraat om de verlegenheid te maskeren en een goedhartige Taylor die hem dan bij de elleboog zou ondersteunen.

Ze bukte zich om zijn zakken binnenstebuiten te keren en vond een shilling – hij had drie guinjes bij zich gehad toen hij uitging. Morgen zou hij weer aankomen met de gewone excuses en uitvluchten: een paar hazardspelletjes, wat gedronken met een stelletje vrienden. Ze schoof een kussen onder zijn hoofd en liet hem liggen.

Waar waren haar papier en haar pen? Waarmee kon ze de gieren vanavond voeden? Ze had al dagenlang niets van mevrouw Western gehoord. Het laatste nieuwtje was geweest dat er een babylijkje, gewikkeld in een tafellaken, in een kast in het Devonshire-huis was gevonden. Men beweerde dat het van de keukenmeid was, maar het gerucht ging dat… Nog iets nieuws over meneer Pitt? Ze pijnigde haar hersens. Premier komt wankelend de lounge binnen. Een couplet van Pope om er een dubbelzinnige betekenis aan te geven. Nooit vergeten dat de angel in de staart zit. Ze schreef twintig minuten, sloot toen haar ogen.

Geen geluid van de slapende Joseph, behalve zijn ademhaling. Een kind huilde even, werd weer in slaap gesust en ingestopt. Geen rust voor haar actieve brein, alleen gissingen.

De keurende, vragende blik van kapitein Sutton. 'Craven Place of Bond Street, mevrouw Clarke?'

9

Een week later gaven ze een partijtje terug. De Taylors kwamen bij de Clarkes met het doel muziek te maken. En de dag tevoren kwam er een briefje van kapitein Sutton. 'Ik ben vanmiddag op de beurs een vriend van me, Bill Dowler, tegen het lijf gelopen. Mag ik hem meebrengen?' Antwoord: 'Met genoegen.' Dat was een van die toevallige ontmoetingen die een heel leven veranderen.

Opgewonden en nerveus door de voorbereidende drukte voor het partijtje en door moeilijkheden met Joseph, die de avond in de war dreigde te sturen, hadden Mary Annes zenuwen een stimulans nodig – en vonden die. Een vreemde in hun midden. Hij zat naast haar. Ze bewonderde zijn voorkomen, zijn blauwe ogen, zijn lengte en blonde uiterlijk. Scherts werd overeenstemming, overeenstemming begrijpen. Ze voelden zich tot elkaar aangetrokken. Het gevolg was een chemisch samensmelten dat hen beiden verwarde. Dit was een complicatie die alle plannen en scrupules omverwierp, dit plotseling verschijnen van een man, die ze maar al te aardig vond. Hoe moest ze dit gevaar het hoofd bieden? Begeerte, die ze niet meer voelde voor Joseph, werd door Dowler weer opgewekt. Die was alles wat de ander niet was. Beschermend, niet eisend, betrouwbaar, niet zwak, met een zachte, diepe, nooit schelle stem. Geen holle praatjesmaker, opsnijden over vroeger. Deze man dacht na voor hij sprak. Er lag kracht in die handen en in die brede schouders... Ze besefte nu maar al te goed haar grote vergissing, de quasi beschaving die haar, toen ze vijftien was, had ingepalmd. Dit was heel iets anders.

'Wat zou er gebeurd zijn als we elkaar eerder hadden ontmoet?' Dat is door duizenden minnenden gezegd en werd nu weer gezegd. Hij forceerde het tempo niet, maar was rustig, gereserveerd en deed daardoor de vlam bij haar nog feller oplaaien, maakte dat ze ging nadenken – verschrikt over haar eigen emoties, gekrenkt in haar trots.

'Ik begeer deze man. Hoe moet ik het aanleggen?' Welke kans op een antwoord had ze hier, onder het dak van de dominee? Ze zou onmiddellijk uitgestoten worden. De grote moeilijkheid was Bill Dowlers eergevoel – vandaar misschien juist zijn aantrekkingskracht. Hij zou niets moeten hebben van rondsluipen midden in de nacht, van krakende planken. Wanneer men om vijf uur dineerde, nam hij om tien uur afscheid, een marteling voor allebei, maar de eer was gered. Je compromitteerde een vrouw niet. Als enige zoon van liefhebbende, hoogstaande ouders was zijn code de hunne: vrees God, mijd de duivel. Een uitstapje naar Vauxhall? Natuurlijk, met genoegen. Maar ze gingen met z'n zessen of zelfs met z'n achten, nooit met z'n tweeën. Hun schouders raakten elkaar als ze naar de poppenkast keken; handen streken even langs elkaar terwijl ze naar Bruno de beer wezen; ze lachten samen en wisselden blikken; er was de warmte van intimiteit. Maar hoe eindigde de avond? Een rit terug, vier aan vier in een sjees naar Bayswater, terwijl een tweewielig rijtuigje voor twee wonderen had kunnen verrichten.

Toespelingen van May Taylor brachten een medelijdende, peinzende blik in zijn ogen.

'Wist je niet dat haar man gewoon een bruut is?'

'Ik had dat wel begrepen uit opmerkingen van Sutton. Treurig!'

Deelneming sprak uit zijn stem en zijn beschermende houding. Maar geen sprake van lichtzinnigheid, geen aanval – niets dan een paar dichtbundels waarin bepaalde verzen waren aangestreept, een tikje op het hoofd van Edward, een pop voor Ellen.

'Als ik iets voor u doen kan, wilt u het me dan zeggen?'
Doen? Goeie God! Dacht hij dat ze van steen was? Moest ze maar zedig blijven zitten met gebogen hoofd en lijden? Of doen als de meisjes in Ham en de blaadjes van een madeliefje uittrekken en prevelen: hij houdt van me, hij houdt niet van me. Hij wil me hebben, hij wil me niet hebben? Dit jaar, volgend jaar, nooit! En intussen maar nacht aan nacht de slapende Joseph, de voorbijsnellende weken, de spanning van de hoogzomer.

Tenslotte forceerde Joseph zelf de beslissing. Misschien had hij, ondanks zijn benevelde toestand, begrepen dat het niet alleen door vermoeidheid kwam dat ze zo stil was, misschien had hij gevoeld wat er school achter haar geeuwen, haar afgewend hoofd, haar zwijgende tegenstand.

'Wat bezielt jou de laatste tijd? Waarom ben je zo veranderd?'

'Veranderd? Wat verwacht je dan? Kijk eens in de spiegel.'

Geen steek onder water, maar een regelrechte dolkstoot. De toon van walging waarop ze sprak deed hem beseffen hoe diep hij gezonken was en hij staarde in de spiegel naar zijn eigen beeld, een karikatuur van wat hij eens geweest was. Slappe, verlopen trekken, een vlekkerige huid en kleine, donkere oogjes in een opgeblazen, dik gezicht. Bevende handen, gebogen schouders en een vertrokken mond, alsof een bij hem gestoken had. Een wrak van zijn vroegere ik en nog geen dertig jaar oud!

'Het spijt me. Ik kan het niet helpen.'

De volgende morgen schaamde hij zich, smeekte met gevouwen handen om vergeving, om medelijden.

'Ik heb ook nooit een kans gekregen. De hele wereld is tegen me.'

Gesprekken met zijn broer de predikant hadden geen uitwerking. Het plechtige 'Moge God in Zijn oneindige barmhartigheid je vrede geven' werd gevolgd door tranen en de belofte zich voortaan beter te gedragen, maar hij wist maar al te goed, diep in zijn hart, dat ze hem minachtte en tegen de middag was er geen hoop op redding meer. Een klein glaasje om bevende handen vastheid te geven, een tweede om de verloren trots terug te krijgen. Een derde om de zwierige stap te herwinnen, een vierde om de wereld door een roze bril te bekijken. Een vijfde om ze allemaal te honen omdat ze zich verbeeldden dat zij de Almachtige God waren. Een zesde om niet meer te denken en vergetelheid te vinden. En ten slotte niets meer, dan had de duivel hem te pakken.

'Er zal een maandenlange verpleging nodig zijn, mevrouw Clarke. Ik heb anderen, die in dezelfde conditie verkeerden, beter zien worden. Maar u mag geen ogenblik verslappen in uw waakzaamheid. Eén glas en hij zal weer instorten. Het is een last die u uw leven lang op uw schouders zult moeten torsen, vooral met jonge kinderen.'

Dit zei de dokter haar in de studeerkamer van de predikant

waar ze tezamen een familieraad belegden – Mary Anne, dominee James en mevrouw John. Eindelijk hadden ze de verschrikking onder de ogen gezien. Ze probeerden niet langer het feit te verdoezelen of te negéren.

'U noemt mijn man een drankzuchtige, ik noem hem een zuiplap. Als ik moet kiezen tussen hem en de kinderen, kies ik de kinderen.' Het alternatief was: voorgoed aan zijn bedzijde gekluisterd te zijn en hem af en toe even uit te laten, als een beer met zijn bewaker. Een wankelend monster, dat met de tong uit de mond hangend voortstrompelde. De kinderen uitbesteed bij verwanten: de meisjes bij haar moeder, de jongens bij mevrouw John. De invalide en zijzelf onderhouden door de gemeente. Ze dacht er niet over en wendde zich tot de predikant.

'Ik heb dit negen jaar uitgehouden en dat is zes jaar te lang. Het begon al voor we uit Charles Square verhuisden en het werd steeds erger in Golden Lane. Het zou het beste zijn voor hemzelf en voor ons allemaal als hij zich net als zijn broer John een kogel door zijn hoofd schoot.'

De dominee smeekte haar haar besluit nog uit te stellen. Hij begon met een gelijkenis over afgedwaalde schapen die berouw kregen.

'Er is meer vreugde...' begon hij, maar ze viel hem in de rede: 'In de hemel misschien, maar niet op aarde en niet bij een vrouw,' zei ze. Hij herinnerde haar aan haar huwelijksgelofte en de ring die ze droeg, aan de zegen van de kerk. In voor- en in tegenspoed, zo lang wij beiden leven.

'Al mijn aardse goederen schenk ik u. Dat heeft hij ook eens gezegd en hij heeft me niets gegeven. Behalve infectie, waardoor ik een baby verloor. Eerbied voor je gewaad belet me de smerige details te noemen.'

Ontsteld en verslagen drongen ze niet verder aan. De dokter, een verstandig man, koos haar partij. Hij adviseerde dat ze een poos de stad uit zou gaan. Rust... frisse lucht... een kalmerend middel. En dat haar man onder toezicht van een verpleger in Craven Place zou blijven. De dominee aarzelde, hij was nu gevallen in de kuil die hij voor een ander gegraven had. De verloren echtgenoot was ook een verloren broeder, en Joseph was Ezau zonder linzenschotel. John was tot zelfmoord gebracht en Joseph moest gered worden; misschien zou het huwelijk eens weer in orde kunnen komen. Maar een jonge vrouw met vier kleine kinderen alleen op de wereld? Blozend dwong hij zichzelf enkele woorden van waarschuwing te spreken.

'Mary Anne, ben je sterk genoeg om de verleiding te weerstaan?'

Dat was ze niet. Dat was het 'm juist. De verleiding lokte en ze wilde niets liever dan ervoor bezwijken. Erin zwelgen.

'Ik kan best op mezelf en de kinderen passen.'

Ze hoefde de dominee niet te vertellen van het briefje dat ze al geschreven maar nog niet verzonden had en dat ze door een speciale bode naar Dowler zou laten brengen.

De verbijsterde kinderen werden in een rijtuig gestopt en met May Talor en Isobel als gezelschap, begaf het troepje zich naar een verblijf in Hampstead.

'Waar is vader? Is hij ziek? Waarom schreeuwde hij zo?'

Kleine Edward werd spoedig het zwijgen opgelegd en ondanks alles was het ritje toch een afleiding. De koele, frisse lucht van Hampstead was verkwikkend en de Yellow Cottage, het eigendom van mevrouw Andrews, keek uit op Haverstock Hill en de bloeiende hei. Joseph die achter gesloten luiken in Craven Place lag, moest ze maar vergeten. Alles werkte romantiek in de hand. Morgen zou ze antwoord krijgen op haar briefje of Dowler zou zelf komen. Ze zou tegen hem zeggen: 'Waarom blijf je niet? Je kunt de kamer van May Taylor krijgen, zij moet weer terug. Ze kan niet langer gemist worden in Craven Place. En Isobel is bij de kinderen, dat is beter voor Ellen, die 's nachts dikwijls onrustig is... Heb je boeken voor me meegebracht? Ik voel me ongelukkig zonder boeken en muziek.'

En dan, bij kaarslicht en gesloten gordijnen moest een man wel een gril van de natuur zijn als hij... Terwijl ze hieraan lag te denken, viel ze in slaap. De dag bracht niet wat ze gehoopt had. Mary Anne de tweede werd met hoge koorts, hoestend en ijlend, wakker. Tegen de middag zat ze vol uitslag op haar gezichtje en borst. Het kleine meisje bleef maar roepen om Martha, die nu al een jaar weg was. Haar moeder, geknield naast haar bedje, kon haar niet kalmeren.

'Martha moet komen. Ik wil Martha hier.'

Het kind woelde en herhaalde aldoor die ene naam. De dokter die door mevrouw Andrews ontboden was, schudde zijn hoofd. Een ernstige aanval van mazelen, het is zeer besmettelijk. De anderen zouden het ook krijgen, daar was niets aan te doen. Het enige dat je geven kon, was warme melk.

'Isobel, waar woont Martha nu?'

'Nog in Cheapside, net als vroeger, bij een zekere meneer Ellis.'

'Ga daar dan direct met May naartoe. Neem een rijtuig. De kosten doen er niet toe.'

'Maar hoe kunt u haar terugkrijgen, ze is al een jaar weg.'

'Zeg dat ik haar nodig heb. Ze zal direct komen.'

Zelfverwijt. Doodsangst. De glazige ogen op het kussen waren niet meer die van het kind, maar van Joseph. Die twee smolten ineen, de echtgenoot en de dochter. Vergeefs zond ze gebeden op naar een macht die ze beledigd had. Wat heb ik voor verkeerds gedaan dat dit moest gebeuren? Neem mijn leven, maar spaar dit kind.

Koude compressen op het brandende voorhoofd, zonder verlichting te brengen. De minuten werden uren, de uren een eeuwigheid. Charles Square, Golden Lane, een lachende baby. Er was iets misgegaan met haar huwelijk, maar door wiens schuld? En waarom moest het dit kind in doodsgevaar brengen?

'Hier ben ik, mevrouw.'

'Martha!'

Ze klemde zich schreiend aan haar vast. Er was hoop in dat ronde gezicht, die stevige gestalte, gehuld in de sjaal (haar afscheidsgeschenk), in de rieten mand; iets geruststellends ook in haar manier van optreden, de wijze waarop ze haar mandje neerzette en haar doek afdeed.

'Wat heb je tegen je meneer gezegd?'

'O, die komt er niet op aan. Ik heb gezegd dat mijn moeder ziek is.'

Bob Farquhars glimlach, Bob Farquhars knipoogje.

'Hier is Martha, liefje. Martha komt op je passen.' Ze voelde de paniekstemming verdwijnen, haar hart werd opeens rustig; het enige wat ze nog voelde was vermoeidheid, een zo hevige vermoeidheid dat ze nauwelijks op de been kon blijven.

Ze wierp een blik op de open deur en zag Bill Dowler.

'Wat doe jij hier?'

'Ik heb vanmorgen je briefje ontvangen en ben direct hierheen gekomen.'

'Mijn briefje?'
Ze had alles vergeten, alles, behalve haar kind. Het lokaas dat ze van Craven Place had uitgegooid, hoorde bij een andere tijd, een ander tijdperk. De Yellow Cottage was een lazaret, geen schuilplaats voor geliefden.

'Je bent te laat gekomen.'

Hij wist niet wat ze bedoelde en vroeg er ook niet naar. Ze leed en ze was uitgeput, dat was het enige wat erop aankwam. Hij strekte zijn armen naar haar uit en ze vloog erin, als een kind naar haar vader.

Het was een wonderlijke troost, zoals ze nog nooit gekend had en die geheel onverwacht kwam. Zonder de betovering van het avontuur, waarin langzaam naar de climax werd toegewerkt. Hij leidde haar naar beneden, naar de salon van mevrouw Andrews en daar zaten ze hand in hand voor het open vuur. In de tuin die uitkwam op de hei speelde Isobel krijgertje met Edward. May Taylor plukte bloemen met Ellen. Baby George struikelde over zijn schortje.

'Ik dacht dat je misschien hulp nodig zou hebben. Ik heb geld meegebracht.'

'Mijn zwager, de dominee heeft me geld gegeven.'

'Het mocht eens niet genoeg zijn.'

Genoeg voor wat? Voor ziekte, dood, rampen, voor allerlei onvoorziene narigheden, voor beproevingen in de toekomst? Opeens zei hij: 'Ben je van je man weggelopen?'

'Ja.'

'Ik bedoel: voorgoed?'
Ze gaf geen antwoord, want ze wist het zelf niet. Als ze 'nee' zei, dan betekende dat hier samen zitten niets. Dan zou hij opstaan en terugkeren naar de stad. Als ze 'ja' zei, zou het kind in de kamer boven een onderpand worden.

Als ze een verdrag sloot met God, hoe kon ze er dan zeker van zijn dat Hij Zijn woord zou houden en de boel niet in de war zou sturen? Vrees was de drijfveer en schuldgevoel de meester.

'Als mijn Mary Anne beter wordt...'

Ze maakte de zin niet af. Hij begreep. Zijn lot hing evenals het hare af van dat van het kind. Mazelen waren nu voor haar een symbool, een wegwijzer met twee armen, één wees naar links en één naar rechts. Als het kind beter werd, zouden plichtsgevoel, dankbaarheid en vastberadenheid haar terugbrengen naar Craven Place en Joseph. Zo was haar stemming op dit moment en bovendien werd elke neiging door angst verdoofd.

Bij hem had vrees de tegenovergestelde uitwerking en wakkerde zijn verlangen aan. Nu hij haar zo bezorgd en afwezig zag, verdubbelde zijn begeerte. Tot nu toe had voorzichtigheid hem tegengehouden, had de echtgenoot, een vage figuur, het pad versperd. Ook het dak van de predikant had de begeerte onderdrukt, maar hier bevond hij zich op neutraal terrein en gold geen conventie meer. Het was wonderlijk dat de plagende flirt die hem in Vauxhall zo getart had met haar tegen hem aan drukkende knie en het manoeuvreren met haar waaier, dezelfde was als deze vrouw met de strakke ogen, angstig en ongelukkig, denkend aan haar kind.

'Blijf je vannacht hier? Toe, je bent zo'n troost voor me. Ik weet dat mevrouw Andrews nog een kamer vrij heeft.'

Ze zei hem niet eens goedenacht maar verliet meteen het vertrek, als een magneet getrokken naar de ziekenkamer van haar kind.

'Hoe is het met haar, Martha?'

'Iets beter geloof ik, mevrouw. Niet zo onrustig meer. Gaat u maar wat slapen, ik blijf vannacht bij haar waken.'

'Roep me meteen als er iets gebeurt.'

Naar bed, slapen. Duisternis.

Geen gedachten, geen dromen, niets tot het dag werd en dan weer de scherpe angststeek bij het wakker worden. Ze sloeg een peignoir om en snelde op blote voeten naar Martha en in plaats van de donkere kamer vond ze een opengetrokken gordijn, een glimlachende Martha en een klein gezichtje met grote, heldere ogen dat zich half oprichtte van het kussen.

'De koorts is helemaal weg. Ze is bijna beter.'

'O, godzijdank!'

Maar waarom nu plotseling die overweldigende stroom van begeerte, van emotie, zodat ze met loshangend haar regelrecht naar zijn kamer moest snellen, haar overeenkomst met God vergeten, alles vergeten, behalve dat brandend verlangen naar liefde, naar koestering?

'Ik heb je zo lief. Ik heb hier zo lang naar verlangd.'

Voor wie was die dankbaarheid bestemd? Voor God in de hemel? Het kon haar niet schelen en Bill Dowler evenmin. Wat geweest was, was voorbij, dit was het heden. Isobel ging met May Taylor naar huis. De geliefden hadden het huis voor zich alleen. Alle kinderen kregen mazelen, maar wat deed dat ertoe? Een paar vlekjes op het gezicht, een beetje hoesten 's nachts en Martha en mevrouw Andrews als willige verpleegsters.

'Zul je nooit meer naar je man teruggaan?'

'Nooit meer... nooit meer.' Maar Edward kreeg het laatst de mazelen en stierf eraan.

10

Ze redeneerde niet. De stemming van het ogenblik overweldigde haar, scheen het antwoord op wat haar hart vroeg, maar haar verstand kwam in opstand en ze werd verscheurd door tegenstrijdige emoties.

Joseph was de schuld van alle ellende. Zij had haar hart en instinct gevolgd en hij had gefaald. Als hij succes had gehad, zoals zijn leermeester Burnell of zoals James Burton, zouden ze nooit in de misère zijn geraakt, dan zouden ze nu gelukkig en rijk zijn en Edward zou nog leven.

Ze kon zich geen succes indenken zonder gemoedsrust. Die twee dingen moesten samengaan; ze wist dit bij ondervinding. Mislukking betekende armoede, armoede betekende vervuiling, vervuiling leidde ten slotte tot de stank en benauwdheid van Bowling Inn Alley.

Een vrouw, oud voor haar tijd, humeurig, een sloof met lastige kinderen, dat was het beeld dat ze van zichzelf in de toekomst zag en dat alles alleen door een echtgenoot die mislukt was. De man zorgde voor je. De man verdiende het geld. Daarom moest je zorgen dat je een man vond die gek genoeg was om je dat te geven. En het accepteren zou de wraak zijn op wat geweest was.

Je best doen, kinderen krijgen, rondkomen met weinig, je groot houden... wat had ze ervoor teruggekregen? Een man die onder toezicht stond van een verpleger en een dode zoon. Dan deed je maar verstandiger met jacht te maken op al wat je tot nu had moeten ontberen en te vechten als mislukking dreigde.

De Hampstead-idylle was een geneesmiddel geweest voor verdriet, een zuivering van het lichaam. Afhankelijkheid en begeerte verdwenen toen het kistje met het wasbleke jongetje, bedekt met een tak lelies, in het graf was neergelaten.

Bill Dowler de minnaar, het antwoord op elk verlangen, smolt samen met Dowler de verzorger en vriend, hoewel nog altijd minnaar wanneer het zo uitkwam. Zijn positie was zonder vragen aanvaard; hij was niet langer meneer Dowler, maar oom Bill. Ze piekerde er niet over wat zijn positie later zou worden. Zolang er geld was, was hij haar goed genoeg. Als de liefde zou verminderen en de inhoud van zijn beurs ook, dan zou ze iemand anders zoeken. Kans om te trouwen had ze niet zolang haar man nog leefde, maar in een door mannen gemaakte maatschappij was huwelijk niet alles. De schoenmaker in Bond Street – oom Tom – doemde op als een schaduw in een donker hoekje, een schaduw die al of niet schatten zou kunnen betekenen.

Hij kwam haar met zijn neef en nicht in Hampstead opzoeken. Ze wist waarom hij kwam; ze las het in zijn ogen.

Natuurlijk was het quasi een conventioneel bezoek: betuiging van medeleven, een vaderlijk tikje op haar arm. Maar toen ze even alleen waren, voelde ze zijn taxerende blik, koel, nadenkend en ze vroeg zich af, of hij ook zo zou kijken als hij leer uitzocht en het gewicht en de kwaliteit onderzocht voor hij zijn keus deed.

'Uit een terloopse opmerking van mijn nichtje, terwijl we hierheen op weg waren, maak ik op dat u niet naar Craven Place terugkomt?' vroeg hij, haar ogen ontwijkend en ergens boven haar hoofd starend.

'Ja, dat is zo.'

'En dat u, als ik het zo mag uitdrukken, voor het ogenblik behoorlijk verzorgd bent?'

'Ik ben niet langer afhankelijk van de jaarlijkse toelage van mijn echtgenoot of van zijn familie, als u dat bedoelt.'

'Juist... juist. Een tijdelijke maatregel. De bijstand van een vriend.' Zijn beleefd, maar dringend gefluister drukte twijfel aan de toekomst uit. Jij berekenende, wijze, ouwe baas, jij kent de wereld, dacht ze.

'De beurs,' mompelde hij.

'Riskant natuurlijk, zoals de toestand van het land op het ogenblik is. Fortuinen worden makkelijk verdiend, maar nog makkelijker verloren. Tenzij je een expert in speculeren bent, doe je beter je er niet mee in te laten.'

Er werd geen naam genoemd, maar ze wist dat hij een toespeling maakte op Bill. Op de man af vroeg ze: 'Wat zou u dan voorstellen?'

‘Een schenking natuurlijk,’ zei hij, ‘dan bent u veilig. Jonge vrouwen als u moeten beschermd worden. Een som op de bank en u bent onafhankelijk…

Tenzij…’

‘Tenzij wat?’

‘Een huurhuis zou nog beter zijn, op uw naam natuurlijk.

Geld kan gauw verdwijnen, maar onroerend goed blijft. In uw omstandigheden zou dat verstandiger zijn.’

Ze zag hem plotseling als iemand die een rij poppen aan touwtjes laat dansen.

‘Doe dit, liefje, nu ronddraaien en een been laten zien. Kalm aan, voorzichtig, op die manier moet je ze vangen.’

Ze keek de kamer door en zag dat Bill in gesprek was met May Taylor. Bezadigd, betrouwbaar en toch… John Clarke had al wat hij bezat in een speculatie gewaagd en had zich toen in een draagstoel in Pentonville door het hoofd geschoten. Dat zou Bill, de voorzichtige, misschien nooit doen, maar hij zou zich wel terugtrekken bij zijn liefhebbende ouders. Een veilig leven op het platteland. En hoe zou daar bij zulke brave, kerkse ouders ooit plaats zijn voor mevrouw Clarke en haar kinderen? Als een vrouw eenmaal van haar man was weggelopen, had ze haar schepen achter zich verbrand. Best hoor, stil laten branden. Wel met die omwegen.

‘Vertel me eens wat mijn marktwaarde is?’ vroeg ze. Ditmaal keek hij haar recht aan en ontweken zijn ogen de hare niet; nu was hij de bemiddelaar, de handelsman, die zijn zaakjes kende.

‘Hoe oud bent u?’

‘Vijfentwintig.’

‘Kan voor twintig doorgaan, maar ze hebben ze liever nog jonger. Dat wil zeggen, de meesten, maar het gaat niet altijd op. Hoe lang getrouwd?’

‘Van de zomer wordt het negen jaar.’

‘Dat onderwerp moeten we vermijden, het doet de prijs dalen. Twee jaar getrouwd, plotseling weduwe geworden. Dat kan een grote aantrekkingskracht hebben, de bloesem die nauwelijks beroerd is – het hangt van de cliënt af en wat op het moment in trek is.’

‘Wat is er op dit moment in trek?’

‘Iets levendigs, bijdehands. Domme onschuld heeft al jaren afgedaan. De prins heeft natuurlijk het voorbeeld gegeven met mevrouw Fitz. En al de schapen volgen. Wel eens van lord Barrymore gehoord?'

'Ik heb zijn naam wel eens gelezen.' En belasterd gezien, dacht ze, in die smerige pamfletten. Of was dat Richard geweest, de zevende graaf die met de dochter van een draagstoel-drager ervandoor was gegaan en die later over zijn eigen musket was gestruikeld? 'Maar die is toch dood?' voegde ze eraan toe.

'Een van hen, de intieme vriend van de prins. Maar er zijn drie broers, allemaal even losbandig. De prins heeft ze bijnamen gegeven – Hellgate, Cripplegate en Newgate. Er is ook nog een zuster en Zijne Koninklijke Hoogheid heeft me eens verteld dat die haar broers in vloeken de baas is. Ik doelde op de tegenwoordige graaf, die zal wel de geschiktste voor u zijn. Is in '95 met een Iers meisje getrouwd, maar zij gaat telkens weer naar Waterford terug en laat "meneer" zijn gang gaan. Hij heeft een kreupel been, maar daar trekt hij zich weinig van aan. Hij is een van mijn beste klanten, dat kan ik u wel vertellen. Als u wilt, zal ik u met hem in contact brengen.'

Ze zag dat Bill Dowlers ogen haar zochten, de verliefde ogen van de minnaar, gelukkig, bezittend. De vraag was: hoe lang zou die liefde duren? 'U zei iets over een huurhuis in de stad,' fluisterde ze. 'Ik zie wel in dat dat een groot voordeel zou zijn. Ik heb vrienden in de bouwwereld die misschien daarbij van nut kunnen zijn.' James Burton, die oude kennis, zou haar daarmee wel kunnen helpen. Die bouwde elke dag huizen en voorzag heel Bloomsbury van zijn bouwwerken.

De moeilijkheid was nu maar of Bill er het geld voor had. De schoenmaker had ongetwijfeld haar gedachten gelezen, want hij wierp even een taxerende blik op Dowler en klopte haar toen op de knie.

'Geen zaken mee te doen,' zei hij, 'alleen maar liefde.'

'U bedoelt een vriend in nood, maar niet in daad?'

'Precies. Als u op het ogenblik van hem houdt, ga dan vooral uw gang en amuseer u. Maar ik geloof niet dat hij ooit een contract zal tekenen. Ik zal u wat zeggen...'

'Ja?'

'We begrijpen elkaar. Ga eens praten met die vriend in de bouwwereld en kies een huis uit. Ik zal het geld voorschieten.'

'Welke waarborg verlangt u? Is het niet een speculatie?'
Hij lachte en tikte tegen zijn neus.
'U bent geen speculatie, u bent zekerheid,' zei hij. 'Wees maar niet bang, ik krijg mijn geld met rente terug. Hebt u nog een moeder?'
'Ja, en ook een zuster en een jongere broer.'
'Die moeder is de kaart die we moeten uitspelen, zij en die jongere zuster.
Installeer ze in het huis, dat geeft een zeker cachet. Een jonge weduwe die onder moeders vleugelen woont. Dat klinkt keurig en zweept de appetijt op. Zo, dat is genoeg. U weet waar u me kunt vinden als het zover is.'
Hij zocht in een wijde zak en haalde er wat snoepgoed uit, dat hij glimlachend haar ernstige kinderen voorhield.
'Wie wil wat lekkers hebben van de oude oom Tom?'
Kom!! Kom!! Ze zag hem opeens voor een kermistent staan, luid op de trom slaand. Achter hem stijf gesloten rode gordijnen. Wat was daarachter? Betaal contant en je zult het ontdekken. De kinderen kwamen naar hem toe, gelokt door het snoepgoed. George, met kleverige lippen, zat op zijn knie. Ouwe griezel, kleine kinderen omkopen... Ze liep, ineens kwaad, naar Dowler toe.
'Laten we hier weggaan,' zei ze. 'Ik houd het niet uit!'
Hij staarde haar verbluft aan. Wat nou? Nu al? De gasten waren voor de hele dag gekomen, het was een soort feestje. Zoëven had hij haar nog vrolijk zien praten en lachen met die oude kletsmajoor Taylor. Ze was allang uitgehuild over haar gestorven jongen – ze sprak nooit meer over hem en huilde 's nachts in bed niet meer. Waarom keek ze nu opeens zo angstig alsof de duivel haar op de hielen zat?
'Natuurlijk zal ik met je weggaan, wanneer je maar wilt,' antwoordde hij. 'Vanavond of morgen of overmorgen. Wat scheelt eraan?'
Ze had kunnen zeggen: 'Die onzekere wereld scheelt eraan. Je kunt me elk ogenblik in de steek laten. Nee, niet met opzet, maar door omstandigheden. Die ouders van je in Uxbridge, die hebben de eerste rechten op je, waar of niet? Of je gaat trouwen met de een of andere dochter van een landedelman en zoons fokken met papgezichten. En als je dat doet, kom ik onder de hamer die die ouwe pad daar in de hoek zwaait. "Wat biedt u voor een af-

getobde moeder van drie kinderen? Graag tot uw dienst! Volle waarde gegarandeerd”.

Maar in plaats daarvan glimlachte ze en zei: ‘Ik verveel me.’

Dus dat was alles. Ze had het handig verborgen, zonder geeuwen of onverschillig doen. En toch... de manier waarop ze het zei was een uitdaging.

‘Vergoed me wat ik verloren heb,’ zei haar houding. Hij had zijn uiterste best gedaan, wat wilde ze nog meer? Hij stond altijd voor haar klaar, gaf toe aan al haar grillen, speelde met haar kinderen en betaalde mevrouw Andrews. Als ze vrij was geweest om te trouwen... Nee, dat zou toch moeilijkheden geven. Al hield hij nog zoveel van haar en al zou hij haar blijven liefhebben, er was iets in zijn oude thuis in Uxbridge, het gezicht van zijn vader.. maar ze wás niet vrij, dus dit probleem hoefde niet overwogen te worden. Misschien zou hij later eens ergens een kleine villa kunnen kopen, een aardig huisje waar hij haar makkelijk zou kunnen opzoeken. En als zijn ouders dood waren, kon alles wettig worden geregeld en werden er geen harten gebroken.

Intussen zou hij haar uit al deze herrie weghalen, zuster en vrienden en half zieke kinderen, en haar voor zichzelf houden.

‘Ik weet een dorpje, Chalfont St. Peter, ruim dertig kilometer hiervandaan,’ zei hij. ‘Een kleine herberg, weinig mensen. Weiden en bossen en stille, verlaten lanen.’ De verbaasde uitdrukking op haar gezicht bewees hem dat hij zich vergist had.

‘St. Peter wat?,’ vroeg ze. ‘Ik ben geen monnik. Laten we in ’s hemelsnaam wat van het leven genieten. We gaan naar Brighton.’

Hij dacht: gelukkig heb ik net dat meevallertje op de beurs gehad. Brighton is duur, terwijl St. Peter...

Ze had het binnen vijf minuten allemaal al voor elkaar. Haar moeder zou hier in Hampstead haar plaats innemen. Zij zou morgen naar de stad gaan om een japon te kopen, ze had niets om aan te trekken en haar hoeden waren allemaal ouderwets. Ze kon Isobel meenemen en May. Het was het eind van het seizoen en alles werd nu goedkoop.

‘En schoenen?’ vroeg oom Tom Taylor. Bill Dowler verbaasde zich over de blik die ze hem toewierp. De oude man had het toch beleefd gezegd, hij had er niets kwaads mee bedoeld en omdat hij in het schoenenvak zat en May zijn nichtje was, had hij haar misschien willen helpen en haar geld willen besparen.

'Ik koop wel schoenen in Brighton,' zei Mary Anne. Ze had dat niet zo vinnig hoeven te zeggen. Ze keerde de oude man de rug toe; deze glimlachte en deelde nog meer snoepgoed uit. Hij moet haar op de een of andere manier beledigd hebben, dacht Dowler. Vrouwen konden zo nukkig en onberekenbaar zijn. Die nacht werd zijn liefde vuriger dan ooit beantwoord. Waarom dan ineens dat verlangen om naar Brighton te gaan? Vanwaar die verveling? Beter maar niets vragen en blijven zwijgen, pakjes dragen, kamers bestellen, oom Bill zijn en op zijn schouders een van de kinderen naar de ontbijttafel dragen, niet luisteren als de zusters praatten over mode... Waren veren op het ogenblik in, of niet? En hoe diep was het decolleté? Hij vroeg zich af of al die drukte voor hem was? Hij dacht van wel, toen ze samen tussen de upper ten in Brighton over de promenade drentelden. Alles was voor hem: haar glimlach, haar ogen, haar lach, ondanks de vele blikken die haar werden toegeworpen. Verdraaid, hij was trots op haar. Het haar in een massa krullen gekapt naar de laatste mode; een chique japon (niet betaald? Nou ja...); een met veren bedekte hoed, wat schuin op het hoofd. Geen zorgen, alle verdriet vergeten. Arm kind, ze verdiende dit pretje wel na alles wat ze had doorgemaakt. Die bruut van een man van haar had haar mooiste jaren bedorven.

'Gelukkig?' vroeg hij, terwijl hij keek in haar stralende ogen. Ze drukte zijn arm tegen zich aan en knikte, zonder antwoord te geven.

'De lucht hier doet je goed, je hebt meer kleur.'

Kleur – nonsens! dacht ze, maar ze zei het niet. Dit was het soort mensen waar ze altijd naar verlangd had en dat had niets te maken met ozon of frisse zeewind. Dit was de wereld van de pamfletten, de wereld van de mode, de hogere standen, waar ze vanaf haar kinderjaren over gelezen had, de wereld van de schandaalblaadjes, de mannen en vrouwen over wie ze grappen had gemaakt zonder dat ze er één van kende. Hier zag ze hen, precies zoals zij ze beschreven had – chic, aanstellerig, lichtzinnig en rijp om geplukt te worden. Daar reed de vierspan brigade. Bill Dowler wees haar de bekendste figuren. De lords Sefton, Worcester, Fitzhardinge, sir Bellingham Graham en was dat niet 'Theepot' Craufurd en 'Poedel' Byng? 'De beste menner van de hele troep is Barrymore,' zei hij. 'Ik heb eens kennis met hem gemaakt in Almack. Mijn slag niet – een verduivelde losbol. Daar heb je hem!' Het met vier paarden bespannen rijtuig reed in volle vaart voorbij. De menner met een dahlia ter grootte van een kool in zijn knoopsgat, wendde zijn hoofd naar hen toe, staarde hen aan en mompelde toen iets tegen zijn metgezel. Zo, dus dát was Cripplegate, de cliënt van de ouwe Taylor. Zou hij zijn vrouwen ook zo geselen als hij zijn paarden deed om het tempo te versnellen, omdat hij trage vrouwen haatte? Nou, vriend, dacht ze, nu nog niet, maar ik zal je binnenkort ontmoeten in Bond Street nummer 9. Maar laat die bloem dan maar weg, ik houd niet van kool en ik voel ook niets voor de zweep. Hardop zei ze: 'Laten we nog een eindje doorlopen, misschien zien we de prins van Wales wel.' Doch in plaats van hem kwamen ze James Burton tegen.

'Nee maar, als dat mevrouw Clarke niet is?'

'Dag meneer Burton, wat prettig u te zien. Kent u Bill Dowler?' Over Joseph werd niet gesproken. Dus zo stonden de zaken. Burton snapte de situatie direct en verbaasde zich er niet over. Ze moest wel derailleren en waarom niet in Brighton? 'Laten we elkaar vanavond in de feestzalen ontmoeten, dan kunnen we nog eens oude herinneringen ophalen,' zei hij. 'Het zal weer zijn als vroeger.'

Als vroeger? Groter verschil was niet denkbaar. Hoe kon je de glans van de zalen vergelijken met Golden Lane, met de krakende trappen van Black Raven Passage en Burton die zich terugtrok voor die losbol Joseph? Ze zag er goed uit en verduiveld aantrekkelijk, dacht hij. En stuurde ze haar metgezel Dowler die avond expres weg om met hem te kunnen praten? Ze kwam onmiddellijk ter zake.

'Ik wil een huis,' zei ze, 'een huis in Londen.'

'Hoeveel mag het kosten? Wil je het kopen?'

'Ik had zo gedacht: een huurcontract voor tien jaar.'

Hij vroeg zich af wie het zou betalen. Die Dowler of had ze een ander slachtoffer?

'Je mag het ook wel weten,' zei ze. 'Ik ben voorgoed bij Joseph weg. Ik wil met moeder en mijn kinderen samen gaan wonen.'

In dat geval was de kust vrij. Misschien zou een op goed geluk afgevuurd schot doel treffen.

'Ik heb huizen in aanbouw in Tavistock Place,' zei hij. 'De huur bedraagt duizend tot veertienhonderd.'

'Moet de huur vooruit betaald worden? Per zes maanden of per kwartaal?'

Hij schudde glimlachend het hoofd.

'Die dingen zullen we wel eens rustig als oude vrienden bepraten.'

'Wanneer zou ik erin kunnen?'

'In het voorjaar. Als je voor die tijd iets wilt, kan ik in Brighton wel wat vinden. Het seizoen is tot december in volle gang.'

Tijd om rond te kijken, dacht ze, om op te vallen, mensen te leren kennen.

En dan Londen.

'Ik zou dat huis in de stad liefst direct na Kerstmis willen betrekken,' zei ze, 'maar vertel niemand iets van dit plan, althans voorlopig niet.'

'Mag je vriend het niet weten?'

'Ik zal het hem later wel vertellen.'

Het vooruitzicht werd steeds aantrekkelijker, vond hij. Dowler was dus niet degeen die zou betalen. In dat geval konden zaken gecombineerd worden met plezier.

'En ik?' vroeg hij. 'Welke "rechten" heeft de aannemer? Ik zal van tijd tot tijd het dak moeten inspecteren en zien hoe het staat met de verf en de ventilatie. Natuurlijk zal ik je even bericht sturen voor ik kom.'

Zijn blik sprak boekdelen. Ze wist wat hij bedoelde. Met andere woorden: ze hoefde zich niet druk te maken over die huur. Veertienhonderd guinjes die genegeerd zouden kunnen worden. Een huurcontract van tien jaar in ruil voor een slippertje. Nou ja... hij was een oude vriend, ze kende hem al tien jaar en hij zag er goed uit. Hij was nog niet lang getrouwd en zou haar geen last bezorgen, zijn gezin zou meestal beslag op hem leggen. Als ze geen huur hoefde te betalen, zou ze ook niet naar oom Tom hoeven te gaan, dan kon ze die hele Bond Street vermijden en haar eigen relaties aanknopen. Ze hief haar glas en keek Burton aan.

'Als aannemer heb je toegang,' zei ze.

Meer werd niet gezegd. Ze wist dat het met die huur in orde was.

Ik heb de sprong gewaagd, dacht ze, ik kan niet meer terug. Ik ben eropuit om te halen wat ik halen kan en ik zal zorgen dat ik het krijg. Ik zal op mijn manier terugbetalen, ik zal niet knibbelen en niet oneerlijk zijn. Niemand zal kunnen zeggen dat ik mijn geld niet verdiend heb. Het is een handelsovereenkomst, net als een andere, met je slager, je bakker, je kaarsenmaker. We moeten allemaal leven.

Ze zou op deze manier geld verdienen. Geen geld om zuinig mee te zijn, maar geld om uit te geven. Die schrijverij bracht nooit genoeg op. Nu zou ze eindelijk kunnen kopen wat ze wilde – japonnen en mantels, juwelen, grappige hoedjes, kleren voor moeder en Isobel, speelgoed voor de kinderen. Nu zou ze geen geld meer hoeven te verspillen aan Joseph. Een huis ingericht naar haar eigen smaak. Nieuwe gezichten, nieuwe vrienden. Een onbezorgd, vrolijk leventje dat niemand haar zou misgunnen en dat ze zelf verdiende.

De maanden in Brighton brachten hun eigen beloning. Ze kwam dik in de kennissen, haar vriendenkring werd steeds groter. Als Bill Dowler de weekends over kwam had hij voor het eerst concurrentie. Er staken allerlei visitekaartjes tussen de rand van haar spiegel.

'Ik zie je vanmiddag,' zei ze dan, of: 'vanavond aan tafel,' en weg ging ze naar de races met Johnny Brunell, en 's middags trof hij haar aan in gezelschap van Charles Milner.

'Wie heeft je die diamanten broche in de vorm van een zweep gegeven?'

'Dat? O, Cripplegate Barrymore. Een grapje.'

'Een duur grapje.'

'Hij kan het betalen.' Ze zat altijd bij iemand in het rijtuig en als hij er haar naar vroeg, deed ze er luchtig over, de kwestie ontwijkend.

'Ik heb nooit een pretje gehad en ik amuseer me nu.'

Met andere woorden, hij moest het slikken of... weggaan. Ze hadden hun tijd samen gehad, die was nu voorbij.

Hij kon verder speculeren op de beurs of teruggaan naar Uxbridge, naar huis, wat hij wilde. De moeilijkheid was alleen dat hij zo weinig geluk had op de beurs. De koersen daalden en hij verloor geld. Hij zou naar huis terug moeten keren of failliet gaan. Het was al laat in de herfst toen hij met zijn plan voor den dag kwam.

'Ik weet een aardige, kleine villa niet ver van mijn huis. Daar is plaats genoeg voor jou en de kinderen. Hoe denk je daarover?' Ze dacht: nu moet ik de feiten onder de ogen zien. Alle kaarten op tafel leggen. Ze stond op, sloeg haar armen om zijn nek en kuste zijn ogen en zijn hals.

'Ik verhuis naar Tavistock Place,' zei ze, 'in de stad. Ik heb heel goedkoop een huis van Burton kunnen huren. Ik wil niet dicht bij Uxbridge wonen of mezelf opsluiten in een klein huis. Ik wil opgang maken en misschien gaat dat nu gebeuren.'

Zo... Brighton was een experiment, een repetitie geweest. Nu moest hij de voorstelling bijwonen.

'Dus om het maar ronduit te zeggen: je bedoelt dat je te koop bent,' zei hij. 'Wie niet waagt die niet wint,' zei ze. 'Je moet geluk hebben. Jouw buitenkansjes op de beurs blijven niet, we hoeven ons niets wijs te maken. Ik moet vóór het misgaat mijn plannen maken en ik moet vrij zijn.'

'Vrij voor wat? Om in een rijtuig rond te hossen?'

'Dat doe ik al. In Tavistock Place zal ik meer comfort hebben.'

'Burton geeft het huis en Cripplegate komt je opzoeken, blijft 's nachts en laat tweehonderd guinjes achter?'

'Tweehonderdvijftig, hoop ik, verstopt in een dahlia.'

Ze lachte en kuste hem weer. Hij wist dat hij verslagen was.

'Heb je wel eens van Kitty Fisher gehoord?' vroeg hij. 'Of van Lucy Cooper of Fanny Murray? Die zijn dezelfde weg opgegaan als jij en alle drie in de goot geëindigd.'

'Minder soort,' antwoordde ze. 'Ik stel hogere eisen.'

'Daarom breek je met mij – ik heb geen titel. Mijn vader was maar koopman. Zoals ik je al eens verteld heb, deed hij in wijnen.'

'Maar die zaak is nu verkocht, Bill, dus die heeft geen aantrekkingskracht meer voor me.'

'Als hij sterft, erf ik alles.'

'Je zult valse tanden en een pruik erven en ik zal kaal zijn tegen die tijd. Ik moet nu leven en niet speculeren op de verre toekomst.'

'En liefde?'

'Ik zal waarschijnlijk mijn hele leven van je blijven houden. Maar liefde levert niets op.'

'Ik zal dus na Cripplegate mijn portie krijgen. Wat ben je van plan op je deur te zetten: Inspectie toegestaan? Oude vrienden tegen gereduceerde prijzen? Muziek inbegrepen?'

'Ik heb erover gedacht om naar alle clubs kaartjes te zenden met "Mevrouw Clarke, dagelijks thuis behalve dinsdags, die dag is gereserveerd voor meneer Dowler".'

Ze kuste hem opnieuw en maakte van de hele zaak een grap. Maar het was geen grap en dat wist hij evengoed als zij. Eindelijk waren ze nu binnen haar bereik: de 'betere dagen', de luxe, al de mooie sprookjes die ze vroeger voor Charley had verzonnen. Ze deed of ze er om lachte en haar aanbidders voor de gek hield, maar diep in haar hart was ze er door gevleid en er dankbaar voor. Bill Dowler had nooit voorgesteld aan het ontbijt champagne te drinken, hij had haar nooit midden in de nacht rozen gebracht of 's morgens vroeg diamanten, maar de menners van de vierspannen deden die dingen wel en ze vond het heerlijk om, gehuld in bont, naast een man van adel te zitten. Het was allemaal zo heel anders dan vroeger, zo ver verwijderd van Bowling Inn Alley.

Natuurlijk zou ze altijd van Bill blijven houden, dat was het niet, maar van een huisje in Uxbridge kon geen sprake zijn. Haar smaak was gerijpt, haar eerzucht gegroeid, weg met de emotie. Emotie hoorde bij het verleden, behalve wanneer de maan scheen of iemand om drie uur in de morgen haar bijzonder sterk aantrok. Dit nieuwe leven was gemakkelijk. Je hoefde je nergens zorgen over te maken en als je eenmaal over de eerste schok die aan je trots werd toegebracht heen was, ging de volgende stap vanzelf. De mannen waren recht door zee, openhartig en met weinig tevreden. Ze waren amusant om mee te praten aan het souper, al waren ze doorgaans aangeschoten. Na negen jaar met Joseph was dat laatste geen beproeving voor haar – een paar onhandige omhelzingen, gevolgd door gesnurk. Het gesnurk van een edelman was minder hinderlijk dan van een steenhouwer, en een edelman was royaal met geschenken en dat deed de weegschaal nog verder doorslaan. Ze deed zelf haar keus en nam alleen wie ze hebben wilde. Het was niet een kwestie van zitten wachten en hopen dat er bezoekers zouden komen. Er staken altijd minstens een paar dozijn visitekaartjes tussen de rand van de spiegel, allemaal uitnodigingen. Ze had maar voor het kiezen.

Doodeenvoudig! Ze beantwoordde heel kort een brief van de dominee.

“Ik zal nooit meer bij Joseph terugkomen, evenmin als de kinderen dat zullen doen. Leg hem dit alsjeblieft goed uit; de manier waarop je dit doen wilt, laat ik aan jou over. Als hij ooit probeert ons te vinden, zal hem dat niet lukken. Ik dank je voor alles wat je voor ons gedaan hebt, maar vergeet ons verder. Je toegenegen M.A.C.”

Er stond geen adres op de brief, alleen een datum in februari 1802. En het was de laatste keer dat ze een envelop sloot door haar vinger op de zegellak te drukken. In het vervolg schreef ze haar vrienden – maar niet de dominee – op papier met het hoofd ‘Tavistock Place’ en het zegel op de envelop was niet een vinger, maar de duidelijke afdruk van een cupido die op een ezel reed.

DEEL 2

1

Een witte voordeur, een geschrobde stoep, grijze plantenbakken in de vensterbanken en een klopper die een vrouwengezicht met één gesloten oog voorstelde. Hoe was ze op dat idee gekomen, vroeg de vreemdeling zich verwonderd af. Die klopper verried alles aan hen die wisten. Hij klopte en trok aan de bel. De voordeur werd geopend.

'Is mevrouw Clarke thuis?'

Luide stemmen bewezen dat dit inderdaad het geval was, evenals de jassen, de wandelstokken en de steken en hoeden die op een tafel lagen. Een grommende bulldog aan een lijn lag in de hal, zijn kop tussen de poten. Naast hem stonden een paar overschoenen en een sabel met koppel. Bezoek genoeg en klaarblijkelijk alleen mannen.

De man die opendeed moest een bediende zijn, toch droeg hij geen livrei en kwam zijn gezicht hem bekend voor.

'Heb ik u niet al eens eerder gezien?' begon de vreemdeling.

'Ja, meneer, ik woonde vroeger bij kapitein Sutton. Hij heeft me als bediende aan mevrouw Clarke afgestaan.'

O, vandaar. De vreemde legde zijn stok neer. De jongeman ging door voor de onechte zoon van Sutton, maar was dat helemaal niet – het klonk alleen beter. En een goede manier om hem kwijt te raken, was natuurlijk hem als knecht naar dit huis af te schuiven.

'Wilt u zo goed zijn naar boven te gaan, meneer, en u zelf aan te dienen?' Het was allemaal hoogst informeel, precies zoals men hem verteld had, tot het geluid van gehol en schel, opgetogen gelach toe. Kinderen *en evidence*. Dat was om te maken dat de klant loskwam – of om simpele zielen te misleiden. Hij ging de trap op en de salon binnen. Een oudere dame, mager en nogal nerveus, kwam hem met een uitgestoken, benige hand tegemoet.

‘Ik ben mevrouw Farquhar. Maak het u gemakkelijk. Mijn dochter is nog niet terug uit Ramsgate.’

Een glas wijn en biscuits werden aangeboden door een slungelig meisje van een jaar of zestien, dat tot over de oren bloosde toen hij haar bedankte en dat daarna verdween.

‘Isobel, meneer heeft misschien liever port dan sherry.’

‘Welnee, mevrouw, sherry is uitstekend.’ Het lawaai in de kamer maakte een gesprek moeilijk. De oude dame was ook verlegen. Als hij de waarheid niet geweten had, zou hij er een eed op hebben durven doen dat hij aan het verkeerde adres beland was. De rumoerige kinderen die op de grond aan het stoeien waren, die op de sofa’s en de leuningen van de stoelen klommen; de eigenaars van die steken en breedgerande hoeden (sommigen van hen kende hij van aanzien, jonge pretmakers uit de buurt van St. James), die met de kinderen dolden, haasje over speelden, hen omhooggooiden – het gaf alles aan de hele sfeer iets goed burgerlijks en was werkelijk amusant om te zien.

Hij dacht aan de oude Tom Taylor en zijn boodschap die hij laat op een avond van Bond Street nummer 9 had ontvangen.

‘Ik verzeker u dat ze prima is. Ga haar vooral opzoeken. Wij samen kunnen haar klaarmaken voor u-weet-wel-wie.’

Opeens algemene opwinding. De kinderen renden naar de deur, de jongelui drongen samen. En door al die herrie hoorde hij een lach en een stem die zijn belangstelling wekten.

‘Schattebouten, wurg me niet… George, wat heb je schandelijk vuile handen. Kolen zijn leuk in de kelder, maar niet boven. Ellen, je hebt een scheur in je broek, ga gauw naar Martha… Moeder, je zult het nauwelijks geloven, we hebben er vijf uur over gedaan van Ramsgate naar hier. Er waren twee paarden kreupel. Ik had Cripplegate wel kunnen vermoorden. Waar is Isobel? Ik verga van de honger, ik moet direct wat eten… Wie zijn er allemaal? Dag, Johnny, hoe gaat het? Fijn je te zien… En Harry ook… En Bobby… Fitzgerald, je bent een monster om me donderdagavond in de steek te laten… we moeten vrijdagavond allemaal met elkaar uitgaan… naar Sadlers Wells. Grimaldi is weer terug en zijn grappen zijn kostelijk. Ik ben dol op hem. Wie staat daar in die hoek? Ik ken dat gezicht niet.’ De vreemdeling boog, kuste haar hand, mompelde een paar zinnen en noemde zijn naam. Hij overhandigde haar zijn kaartje en verontschuldigde zich over zijn niet vooraf aangemeld bezoek. De blauwe ogen lazen eerst het kaartje en keken hem toen onderzoekend aan. Ze vraagt zich af wat ik hier kom doen, dacht hij. Die ouwe Taylor heeft gelijk, ze is juist het type dat we nodig hebben. Geestig en eerzuchtig. Net wat we zoeken.

'Ogilvie? Ik geloof dat ik die naam ken… Ik heb hem kort geleden ergens gehoord, maar ik herinner me niet meer waar.'

'Misschien heeft kapitein Sutton mijn naam genoemd?' Dat verbaasde haar. Ze bekeek hem taxerend, van top tot teen, en trok toen haar wenkbrauwen op. Neem me niet kwalijk, maar u lijkt me helemaal niet zijn type. Hij heeft altijd jongens met krulhaar om zich heen. Ik heb er hier een als bediende, Sammy Carter.'

'U vergist zich, mevrouw. Mijn connectie met kapitein Sutton is van zuiver zakelijke aard.'

'O, wat dat betreft, de mijne ook.' Nog steeds met opgetrokken wenkbrauwen keek ze weer op het kaartje en las onder zijn naam zijn beroep.

'Wacht, nu ben ik er. Legeragent. Dat verklaart alles. U zult het wel erg druk hebben nu de oorlog elk ogenblik kan uitbreken en jongemannen hunkeren naar een aanstelling als officier. Ik ken er tientallen.'

De betoverende glimlach kwam te voorschijn. Zijn geloofsbrieven waren dus aanvaard. Maar hij merkte dat ze zijn kaartje behield om het later te kunnen bestuderen.

'Een allerliefst huis,' mompelde hij.

'Van Burton?'

Ze keek hem koeltjes aan. Ze vertrok geen spier, maar had ongetwijfeld zijn toespeling begrepen.

'Ja,' antwoordde ze. 'Hij heeft het gebouwd en hij is mijn huisbaas. Burton is een Schot, net als mijn moeder. Wij, Burtons, Mackenzies en Farquhars zijn erg gesteld op onze landgenoten.'

'Gesteld' was wel erg zacht uitgedrukt; hij was volkomen op de hoogte van de ware relatie. Taylor had hem verteld dat ze geen huur hoefde te betalen.

'Tavistock Place ligt zeer gunstig in het centrum,' zei hij. 'Ik heb altijd van Bloomsbury gehouden. Je hebt de drukte van de stad vlakbij en toch is het een echte oase van rust. U hebt zeker veel vrienden die ’s avonds even komen aanlopen?’ Hij dacht: als dat haar niets doet, is ze een harde. Ze ontweek zijn blik geen seconde. Ze nam een biscuitje.

‘Vrienden zijn altijd welkom,’ zei ze, ‘maar ze komen alleen als ze uitgenodigd zijn.’

Zat het venijn in de staart? Nou... misschien. Hij schonk haar wat sherry in.

‘U hebt een hoogst amusante deurklopper. Waar hebt u die ontdekt?’

‘Ergens in een rommelwinkel in Hampstead. George, mijn zoon, heeft hem uitgezocht. Hij is pas vijf geworden – een beetje vroegrijp.’

‘Het geeft een typisch cachet aan het huis.’

‘Blij dat u dat vindt. Bevalt die witte verf op de deur u ook? Ze wordt natuurlijk gauw vuil, maar ’s avonds zie je ze goed.

‘Ziezo. Leer om leer! Nu wist hij waar hij aan toe was en genoot ervan.

‘Bedoelt u dat willekeurige bezoekers de deur niet voorbij kunnen lopen?’

‘Willekeurige bezoekers komen hier niet. Evenmin als leurders of zigeuners met bezems en borstels. Ze zouden de kinderen maar vlooien bezorgen.

Ik zeg tegen al mijn vrienden dat het huis naast een kapel ligt; dat moet u ook opgevallen zijn. Makkelijk voor de morgendienst.’

Ze glimlachte en liet hem alleen met haar moeder. Makkelijk voor de morgendienst, jawel! Makkelijk voor Burton! En voor Barrymore en die andere menners. Maar een verduiveld eind weg van zijn kantoor op Savile Row.

‘Nog wat wijn, meneer Ogilvie?’

‘Dank u, mevrouw.’

‘Mijn dochter heeft zoveel vrienden. Het is hier woensdags altijd nogal druk.’

Het is de hele week druk had hij gehoord, maar meer tegen middernacht als de oude dame en de kinderen al naar bed waren. Dat was maar beter ook als Cripplegate Barrymore op bezoek kwam. Die was helemaal niet discreet, volgens Taylor. Hij placht in Bond Street in een rijtuig met twee paarden voor te rijden en op zijn toeter te blazen en ‘Tally-ho’ te roepen; de hele buurt ergerde zich dood. Iedereen in Bond Street klaagde erover en de arme Tom Taylor moest bijna zijn zaak sluiten. Hij werd genoodzaakt zich een poosje koest te houden en zijn klanten ergens anders heen te sturen.

'Wilt u helpen de kinderen te baden, meneer Ogilvie?'

De hemel verhoede het! Daarvoor was hij niet gekomen. Sommige van de bezoekers waren tot alles bereid. De jonge Russell Manners stroopte zijn mouwen op en de Ierse advocaat Fitzgerald, die wijzer moest zijn, draafde rond met een kind op zijn rug en was al op weg naar de trap. Was dit zo het gewone programma op woensdagavond? Nou, dan had Tom Taylor hem wel eens mogen waarschuwen.

'Ik ben geen kinderen gewend, mevrouw.'

Dat had succes bij de oude dame, maar niet bij haar dochter. De blauwe ogen keken hem van de andere kant van de zitkamer aan.

'Onzin, meneer Ogilvie, er is niets aan. Je zeept ze in en dan maar boenen. Dat moest eigenlijk bij uw baantje horen. Denk eens aan al die jonge vaandrigs!'

Verdraaid, nu stopte ze hem een kind in de armen. Een worstelende kleine jongen met kleverige handen, die zijn hakken in zijn ribben drukte en gilde: 'Vort!'

'Hoe is uw voornaam, meneer Ogilvie?'

'William, mevrouw.'

'Hoor je dat, George, weer een nieuwe oom voor je. We hebben al een oom Bill, dit wordt oom Will.'

Protesteren baatte niet en de rakker schopte. Een stormloop op de trap en de hele bende volgde hem. De jonge Manners viel struikelend tegen hem aan, rood en transpirerend.

'Cripplegate is hiermee begonnen, de lammeling. Zei dat het hem fit hield, dat het een goeie training was en hem een hele hoop gymnastiek bespaarde.'

'Waarom heb je niet geweigerd?'

'En eruit gegooid worden? Zou je danken!'

Manners' beloning was dus een waterproef waard geweest. Hij had zijn sporen verdiend, Ogilvie niet. Hij gooide de schreeuwende jongen in een tobbe.

'Lieveling, laat oom Will eerst je handjes wassen.'

Loop naar de maan met je handjes! Hij kon dat joch niet

houden. Het water zat in zijn oren, zijn mond, zijn haar. Pats! Een stuk zeep tegen zijn kin en triomfkreten uit een andere tobbe. Een meisje met wilde ogen had hem met een handdoek geraakt.

'Wij winnen, George, wij winnen! Jij bent het laatst klaar!' Gebrul van de kronkelende aal met pikzwarte handen.

'Harder boenen, meneer Ogilvie! George vindt het vreselijk als hij verliest.'

De koele stem aan zijn oor, haar schouder even tegen de zijne. Toen hij zijn kletsnat, druipend gezicht omwendde, zag hij haar glimlachen, geamuseerd en spottend, zich verkneuterend in zijn narigheid. Tom Taylor kon de pot op met zijn idiote plannen en voor zijn part kon het filiaal in Savile Row failliet gaan. William Ogilvie had er schoon genoeg van!

'Ik vertik het om voor kindermeid te spelen. Schrob hem zelf maar!'

Ze nam de kleine rakker uit zijn handen en smoorde zijn kreten in een handdoek. Terwijl hij daar druipend, rood en nijdig stond, zei ze: 'Idioot! Hoe haal je het in je hoofd om om vijf uur te komen, en nog wel op woensdag? Die jongens blijven eten, daarna gaan ze weg. Kom om tien uur maar terug, dan ben ik alleen.'

Hij droogde langzaam zijn gezicht en zijn doorweekte jas af.

Hij trok zijn met water bespatte jas aan en keek op haar neer, terwijl ze op de vloer geknield lag en haar tegenstribbelende zoon met lieve woordjes suste.

Hij zei: 'Ik zal u deze tien minuten ellende nooit vergeven. Ik ben tot de huid toe nat en ik heb het land aan kinderen. Wat krijg ik als ik vanavond terugkom?'

Ze richtte zich op, veegde een vochtige krul voor haar ogen weg en antwoordde: 'Sam – of de vredespijp, kies maar.'

Hij liep, verdoofd door het geschreeuw van de kinderen, naar beneden en nam hoed en stok. De bulldog gromde. Sam Carter, de bediende, de afgedankte speelkameraad van kapitein Sutton van de grenadiers, deed de deur voor hem open en boog. Mevrouw Farquhar wuifde uit het raam van de zitkamer. Het duurde nog precies viereneenhalf uur voor het tien uur zou zijn. Dan zouden de gordijnen zijn dichtgetrokken en de kaarsen aangestoken, ongetwijfeld kaarsen met kapjes, zodat het licht gedempt werd. De vrouw des huizes zou alleen zijn en op hem wachten. Jammer dat zijn bezoek alleen zakelijk moest zijn, maar zo was het nu eenmaal; in elk geval zou compagnonschap, áls het daarvan kwam, intimiteit uitsluiten. Een stap in de verkeerde richting zou fataal zijn. Alles welbeschouwd... Hij slenterde naar Russel Square.

Toen hij om tien uur terugkwam, waren de luiken van het huis gesloten, maar door de vensters van de salon scheen licht. Ja, ze had gelijk, die witte voordeur trok de blik aan als een magneet; ze had de attractie van de witte blindenstok.

Ditmaal deed een dienstmeisje open, een gedrongen, gezet vrouwspersoon; haar gezicht ging bijna schuil achter een grote muts. Geen Sammy Carter.

'Goedenavond. Waar is de lakei?'

'Die gaat om negen uur naar bed. Mevrouw zegt dat hij nog in de groei is en slaap nodig heeft. Ik doe altijd 's avonds open.'

'Je mevrouw is erg zorgzaam.'

Ditmaal geen bulldog en geen andere hoeden. De hal was donker, op een enkele lamp na.

'En hoe heet je?'

'Martha, meneer. Ik ben hier huishoudster. Ze noemen me in de keuken mevrouw Favoury.'

'O, juist. Dat is goed, dat toont respect. Zal ik maar naar boven gaan?'

'Alstublieft, meneer. Mevrouw is in de salon. Ze zei dat ze u later zelf wel uit zou laten.'

Alles was dus ongetwijfeld goed geregeld. Een avondritueel – de bezoeker naar de eerste verdieping, Martha naar het souterrain. Wat zou die Martha er wel van denken, vroeg hij zich af.

'Heb je elke avond op deze manier dienst?'

'O nee, meneer, alleen wanneer er een vreemde als u verwacht wordt.

Meneer Dowler, meneer Burton en zijn lordschap hebben allemaal een sleutel.'

Sapperloot! Als ze eens alle drie tegelijk kwamen? Dan zou er op z'n zachtst gezegd ruzie ontstaan, misschien draaide het wel op bloedvergieten uit. Maar daar zou ze wel rekening mee houden; ze kende hun gangen. De muts verdween. Hij besteeg de geboende trap en meende achter de gesloten salondeur een vrouw te horen neuriën. Hij kende het liedje – de populaire hit in Vauxhall. Heel Londen zong het dit voorjaar:

'Liefde is bedrog
Laten we vandaag vrolijk zijn...'

Het klonk hier beter dan in Vauxhall. Neuriën was een prettige tijdpassering, kalmerend na een drukke dag voor een hardwerkend man die ontspanning nodig had. O ja, hij zou stellig doen wat hij in zijn hoofd had, en het blijven doen. Ze lachte. Lachte ze als ze alleen was? Iemand kuchte: een man! Wat werd daar uitgespookt? Met gefronst voorhoofd klopte hij beslist op de deur. Er volgden geschuifel, gefluister, gedempte voetstappen. De deur van de kamer achter de salon werd gesloten en toen riep haar stem, helder en onverstoorbaar: 'Komt u maar binnen, meneer Ogilvie.'

Hij trad binnen en keek rond. Er was niemand anders dan zij beiden. Het was precies zoals hij het zich had voorgesteld: gedempt, discreet licht, de vrouw des huizes in negligé op de sofa leunend tegen een stapel kussens.

'Was er iemand bij u?' Er klonk achterdocht in zijn stem, en beschuldiging. Afluisteren verfoeide hij, behalve wanneer hij, die er een meester in was, het zelf deed. Ze keek glimlachend op. Ze wierp het poetskussentje waarmee ze haar nagels had zitten opwrijven opzij en stak hem haar hand toe voor een kus.

'Alleen Charley, mijn broer. Ik heb hem naar bed gestuurd, hij weet zijn plaats.'

Ze klopte op de plek naast haar op de sofa. Nog steeds argwanend keek hij over zijn schouder.

'Woont uw hele familie hier onder dit dak?'

'Ja, maar niemand zal ons storen. Ik heb u al verteld dat we erg aan elkaar gehecht zijn, dat is ons Schotse bloed. Een soort van saamhorigheidsinstinct houdt ons bij elkaar.'

Hij nam haar eens goed op. Uitstekende teint, hals en schouders kwamen voordelig uit in dat kanten geval. Zes- of zevenentwintig, had de oude Taylor gezegd, en negen jaar getrouwd met een dronkaard. Ze moest wel moed hebben gehad om het zo lang uit te houden.

'Luister eens, ik zal ronduit met u praten,' zei hij. 'Ik kom hier voor zaken, anders niet.'

‘Godzijdank. Ik ben vannacht in Ramsgate geweest.’
‘Lord Barrymore?’
‘Ja. Kent u hem? Een schat, hoor, maar zo sterk. Ik ben altijd bont en blauw en altijd op mijn linkerheup, de hemel mag weten waarom. Wilt u iets drinken? Brandy?’
‘Ja, graag.’
Nu ze wist hoe de situatie stond, richtte ze zich wat hoger op en sloeg haar armen om haar knieën. Alle loomheid was verdwenen, ze was op haar hoede.
‘Begin maar,’ zei ze. ‘Ik ben een en al oor.’
Hij schonk zijn glas vol en ging naast haar zitten.
‘Hoe lang woont u hier al?’
‘Een jaar.’
‘Gaan de zaken goed?’
‘Niet slecht, maar het blijft onzeker.’
‘Al iets gespaard?’
‘Goeie hemel, nee! Ik leef van de hand in de tand, zoals de meesten van mijn slag. Ik hoef geen huur te betalen, dat is al heel wat.’
‘Geen vaste toelage van Burton?’
‘Doe niet zo dwaas. James is een Schot. Ik mag blij zijn dat ik het huis heb.’
‘En mylord?’
‘Cripplegate geeft me cadeaus, meestal diamanten. De moeilijkheid is dat ik die graag wil dragen en niet naar de lommerd brengen. Die kerels realiseren zich niet dat we contanten nodig hebben om de slager te betalen.’
Hij knikte.
‘Dat is zo met elke zaak. Zoveel krediet als je maar wilt, maar morgen contanten. Wie hoort er nog meer tot de vaste klanten?’
Ze aarzelde.
‘U zult Bill Dowler wel niet kennen. Een toegewijd vriend, maar afhankelijk van zijn vader. Hij heeft pas een hoop geld op de beurs verloren met die oorlogsgeruchten. Ik denk er niet over een man van wie ik houd geld af te zetten, dat is niet eerlijk.’
Ogilvie nipte van zijn brandy, sloeg de benen over elkaar en plukte een pluisje van zijn witzijden kous.

‘Ik neem aan dat u zich uitgeeft voor weduwe?’

‘Wie heeft u verteld dat ik dat niet ben?’

‘Tom Taylor. Ik kan beter open tegen u zijn. Hij heeft me tot dit bezoek aangezet. We werken nauw samen – het is maar een paar passen van Bond Street naar Savile Row. De helft van zijn klanten geeft hij aan mij door, allemaal jonge officieren die promotie willen: luitenants, kapiteins, majoors, kolonels. Ik heb alle touwtjes in handen en weet precies wanneer ik eraan moet trekken en wie ik moet aanklampen.’

Ze stopte een kussen achter haar rug en begon weer haar nagels op te wrijven.

‘Als Pitt zijn zin krijgt en we in oorlog komen, zult u binnen zijn, hè?’

‘In theorie, mevrouw Clarke, maar niet in praktijk. Er zijn er tegenwoordig te veel in het spel, en Greenwood en Cox verdringen ons uit de zaken. Ze hebben de lijfwachten, de cavalerie en het halve regiment; kleine firma’s als de mijne krijgen geen kans. Oorlog of geen oorlog, het is alleen maar een kwestie van tijd voor ik over de kop ga – dat wil zeggen: officieel. Mijn bedoeling is achter de schermen te gaan werken. En daaraan komt u te pas.’

Ze keek eens goedkeurend naar haar glanzende nagels en toen naar hem: ‘Op wat voor manier?’

‘Door zekere invloed aan te wenden.’ Hij sprak wat kortaf, hij was niet van plan te veel te verraden.

‘U bedoelt: dineetjes geven aan mijn militaire vrienden? En tegen hen zeggen: “Je moet je promotie kopen bij Will Ogilvie, die levert tegen gereduceerde prijzen en helpt je wel.” Ze zouden niet naar me luisteren. Bovendien ken ik weinig officieren. Er komen hier wel eens een paar aardige jongelui en een oude generaal, die ze al jaren geleden hadden moeten pensioneren. Clavering heet hij.’

Ogilvie schudde zijn hoofd en zette zijn glas neer.

‘Ja, ik ken Clavering wel, daar hebben we niets aan. Nee, mevrouw Clarke, dat bedoel ik helemaal niet. We hebben belangrijke mensen nodig.’

‘De gebroeders Wellesley? Doe niet zo belachelijk, die zijn zó stijf dat ze niet eens hun laarzen kunnen uittrekken, laat staan hun broek. Geen witte deuren voor die heren, die zouden regelrecht doorlopen naar de kapel.’

‘Ik dacht niet aan de gebroeders Wellesley.’

‘Ik ken Jack Elphinstone en Duncan Mackintosh, allebei kolonel in het zesde regiment, maar wat hebben we daaraan? Die zijn eeuwig op jacht. Ik heb eens de oude Amherst ontmoet op het strand in Brighton. Een kwijlende, aftandse ouwe baas van bijna tachtig. Het zal niet gaan, meneer Ogilvie, u zult iemand anders moeten vinden om u te helpen uw wankele firma weer op de been te brengen. Als het nou de marine was...’

Ze keek peinzend voor zich uit. De admiraal van de vloot had haar eens een voorstel gedaan, maar verloor toen de moed en vluchtte naar Portsmouth.

Ogilvie glimlachte. Merkwaardig dat ze toen niet had toegehapt. Hij kon de verdere besprekingen maar beter aan Taylor overlaten.

‘Luister eens, mevrouw Clarke. Als we de man zouden kunnen vinden en met “we” bedoel ik u, Tom Taylor en mezelf – en hem zouden kunnen strikken, met andere woorden: als die man, wiens naam ik niet hoef te noemen, tot over zijn oren verliefd op u werd, zoudt u dan meedoen?’

‘Meedoen aan wat?’

‘Samen delen in wat u zou verdienen. En u zou heel veel verdienen. Dat wil zeggen, als u eerst de elementaire regels, die ik u in enkele weken zal kunnen bijbrengen, grondig geleerd hebt.’

Ze keek hem met opgetrokken wenkbrauwen aan.

‘En wat zou u me kunnen leren dat ik niet al weet? Bent u zo’n expert? U maakt me nieuwsgierig.’

Hij schudde ongeduldig zijn hoofd.

‘Ik doelde niet op uw eigen beroep, mevrouw. Ik neem aan dat u daarin niets meer hoeft te leren. Ik bedoelde dat ik u zou onderrichten in de beginselen van mijn beroep: kennis omtrent het leger, niet omtrent de liefde.’

Ze haalde haar schouders op.

‘Kantoorjongen worden, bedoelt u? O ja, dat zou ik kunnen doen. Ik houd van mannenbaantjes, heb ik altijd gedaan van kind af aan. Politiek, geneeskunde, schrijven, wat u maar wilt. Ik moet, zoals u weet, drie kinderen onderhouden en bovendien de rest van mijn familie. Dat herinnert me eraan dat mijn broertje een baantje nodig heeft. Als u hem nu ook eens kantoorjongen maakte?’

'Uitstekend. Routinewerk voor hem, het fijnere werk voor u. Maar begrijp me goed, mevrouw Clarke, als dit plan van mij doorgaat, zal dat waarschijnlijk betekenen dat u hier weg moet. Dat is bijna wel zeker.'

Ze ging ontsteld rechtop zitten.

'Mijn heerlijke huis? Maar het is zo gezellig, alles is precies naar mijn zin en ik heb hier een grote kennissenkring opgebouwd.'

'Als we onze man te pakken krijgen, mevrouw Clarke, zult u die connecties niet meer nodig hebben. Hij zal u een huis geven dat driemaal zo groot is als dit. Weg met Burton, Barrymore en de rest. Allemaal klein goed.'

Nu had hij beet. De blauwe ogen werden smaller, gingen toen wijdopen.

Hij zag dat haar bezige geest de hele adelstand afging tot hertogen toe, maar ze had nog altijd niet de spijker op de kop geslagen.

'Als u bedoelt echte zekerheid,' zei ze, langzaam en met zorg haar woorden kiezend, 'is er niets dat ik niet zou willen doen om dat te bereiken. U hebt vanmiddag kennisgemaakt met mijn moeder. Beverig, nerveus, oud voor haar tijd. In de steek gelaten door twee echtgenoten, niemand om haar te beschermen. lk heb geluk gehad, anders zouden we verhongerd zijn. Ik wil niet op die manier eindigen en mijn kinderen zullen ook niet zo eindigen. Ik heb één zoon verloren... Ik heb gezworen dat ik alles zal doen wat een vrouw doen kan, hoe gemeen of smerig het ook is, het kan me geen lor schelen. Maar bij God, die brullende kleine jongen die u vanavond in de tobbe hebt gestopt en ook zijn zusters zullen veilig opgroeien en in verzekerde omstandigheden. Wat ik in het verleden heb gedaan of in de toekomst zal doen, doe ik voor hen – en de hemel sta elke man bij die mij bedriegt.'

Ze stond van de sofa op en liep de kamer door. De glimlach was van haar gezicht verdwenen. Ze schoof de gordijnen opzij en staarde naar de neervallende regen. Moest hij vertrekken? Hij zette zijn glas neer.

'U kunt me vertrouwen,' zei hij. 'Ik zal uw vriend zijn. Mijn leven is, evenmin als het uwe, gemakkelijk geweest. We zijn allebei in Londen geboren, hè? Juist. Dan hebben we dezelfde gevatheid, hetzelfde brein. En hier, vlak onder onze neus leeft een zekere klasse, bekend onder de naam “upper ten”, van geërfde rijkdom; lui, nutteloos, ijdel. U hebt ze al een beetje geplukt, ik ook. Wel... laten we het nu op grotere schaal gaan doen. Ik drink op het geluk van uw kinderen.’

Hij ledigde zijn glas en kuste haar hand.

‘En wat wilt u dat ik nu doen zal?’ vroeg ze.

‘Naar Tom Taylor gaan, Bond Street nummer 9.’

‘Dat adres ken ik. Ik ben er nog nooit geweest en ik had gehoopt er ook nooit heen te zullen gaan. Waarom weet ik zelf niet.’

‘Ik kan me uw gevoelens voorstellen. Maar laat die varen, ik weet zeker dat u geen spijt van uw bezoek zult hebben.’

Hij liep naar de deur. Mary Anne keek hem aan.

‘Hoe laat en welke dag?’

‘Vrijdag om acht uur, ’s avonds natuurlijk. We zullen een rijtuig sturen om u te halen.’

‘Zult u er ook zijn?’

‘Nee, alleen Taylor. Hij zal voor het raam naar u uitkijken – u zult niet hoeven te wachten. En, apropos, pak een klein koffertje in voor het geval...’

‘Voor welk geval?’

‘Misschien vragen ze u een paar nachten van huis weg te blijven.’

Ze fronste het voorhoofd, glimlachte toen en opende de deur.

‘U geeft me het gevoel van een kind dat voor het eerst in een fabriek gaat werken. Sjaal, klompen en boterhammen allemaal samen in een zakdoek geknoopt. Meneer Ogilvie, toen ik dertien jaar was, werd mijn stiefvader ziek. Hij was corrector op een drukkerij en ik corrigeerde de drukproeven voor hem, bracht die naar de voorman en deed of het het werk van mijn vader was. Drie weken lang heeft hij geen flauw vermoeden van de waarheid gehad. Ik heb mijn eerste baantje goed vervuld en ze hebben me niet beknibbeld.’

‘Dat neem ik graag aan. En dat zal ook nu niet het geval zijn. Goedenacht.’

‘Goedenacht.’

Ze zag hem de straat oversteken en wuifde hem na. Ze zette

zijn glas op het blad, schudde de kussens op en blies de kaarsen uit. Ze ging naar bed, maar sliep niet. Er was weer een keerpunt in haar leven aangebroken, maar het was nu geen snurkende Joseph die haar dwong tot een handeling en evenmin een voorgoed zwijgende Edward in zijn bedje. Geen Bill om je snikkend aan vast te klampen. Charley was nog te jong en onwetend.

'Mijn God,' dacht ze, 'een vrouw kan eenzaam zijn als zij degene is die het dagelijks brood moet verdienen. Mannen denken er nooit bij na wat het haar kost, ze zijn eraan gewend.'

Het werd vrijdag. Een dag als alle andere, met de gewone dingen waar ze voor moest zorgen. 's Morgens wat leveranciers die met rekeningen kwamen en die ze onder een of ander voorwendsel moest afschepen. De maaltijden bespreken met Martha. De dokter voor haar moeders reumatiek. Winkelen met Isobel die kousen en handschoenen nodig had. Om zes uur, bij wijze van pretje, met de kinderen samen eten. George nogal zeurderig omdat hij door het een of ander misselijk was.

'Het heeft niets te betekenen, mevrouw,' zei Martha, 'hij heeft te veel appels gegeten!'

Charley die zich verveelde en geld wou hebben.

'Een paar jongens hebben gevraagd of ik mee ga tennissen. Mag ik?'

'Natuurlijk. Wees toch niet zo onzelfstandig, lieverd.'

Eindelijk was alles thuis geregeld. Haar koffertje was gepakt, een donkere mantel verborg haar avondtoilet. Het rijtuig stond voor de deur, Sam Carter bij het portier. En plotseling, zonder reden, kreeg ze pijn in haar maag.

'Sammy, wens me succes.'

'Waarmee, mevrouw? Waar gaat u heen?'

'Dat weet ik juist niet. Maar wens me in elk geval succes, Sammy.'

'Ja, mevrouw, dat zal ik altijd doen.'

'Sluit nu het portier en zeg tegen de koetsier dat hij me naar Bond Street nummer 9 moet brengen.'

Het was een avond in het begin van april en reeds donker op straat. De lente was, als altijd, laat. Er was ergens in Hannover Square een feest, allerlei rijtuigen stopten voor een der huizen. Ze wou dat zij tot die gasten behoorde, vrolijk en vriendschappelijk, niet stiekem op weg naar een onbekend rendez-vous. Ze moest denken aan het huurrijtuig en Islington en aan meneer Day met zijn slaapmuts op voor haar deur. Dat was al elf jaar geleden en wat was er al niet gebeurd in die tijd... Het rijtuig hield in Bond Street stil. Ze trok haar mantel strakker om zich heen. Licht scheen uit een venster op de eerste verdieping waar oom Tom, een en al opwinding, steels stond te loeren. Enfin, het was nu te laat om terug te keren; de teerling was geworpen. De straatlantaarn wierp een triest licht op de letters boven de winkel: 'Taylor, Schoenmaker' met daarboven het wapen van hofleverancier.

2

Tom Taylor wachtte haar in de hal op, in de puntjes gekleed in een modieus fluwelen jasje, met gepoederde haren en schoenen met gespen.

'Blij dat u er bent, lieve. Wat hebben we elkaar in lang niet gezien. Dat is zeker al drie maanden geleden op dat partijtje dat u voor mijn nichtjes gaf. Hoe maken de kinderen het? Mooi als altijd? En u zelf? Maar dat hoef ik niet te vragen: bloeiend als een roos.'

De oude man gaf een kushandje en leidde haar naar de trap.

'Eigenlijk moest ik boos op u zijn,' ging hij voort.

'Hoe lang kennen we elkaar nu al? Meer dan twee jaar, hè? En u hebt oom Tom nooit opgezocht. Niet eens schoenen bij hem gekocht.'

'Ik heb u in Craven Place al gezegd, dat u me te duur bent.'

'Nonsens, lieve, nonsens. Voor u altijd extra reductie.'

Zijn trappenhuis was indrukwekkend met dikke lopers; overal hingen spiegels in vergulde lijsten en op de overloop stond een chocoladekleurige page met sjerp en tulband, gereed om haar mantel aan te nemen.

'Waar zijn we? In Istanbul?' vroeg ze.

Hij glimlachte en wreef zich in de handen, maar negeerde haar grapje.

Zijn kraaloogjes waren op haar japon gevestigd.

'Charmant,' zei hij, 'precies het goede decolleté. Zo dikwijls begaan dwaze meisjes de fout al te opvallend te tonen wat alleen geraden mag worden en daardoor ontnemen ze de prikkel van de begeerte. Maar bij u alleen een vaag aanduiden van de boezem, de rest is belofte. Hebt u lange handschoenen meegebracht?'

'Welnee, waar zou ik handschoenen voor nodig hebben? Gaan we naar een of andere receptie?'

'Handschoenen verlenen de laatste toets. Maar geen zorg, ik heb er wel een paar voor u.' Hij raakte even de strik op haar schouder aan.

'Dat is goed,' zei hij. 'Ik zie graag een beetje kleur op wit en deze is zo makkelijk los te maken. Alles glijdt dan af, hè? Dat dacht ik al. Heel gemakkelijk!' Hij deed een stap achteruit en nam het tout ensemble op.

'U hebt een verkeerd beroep gekozen,' zei ze. 'U moest in zijde handelen, niet in leer, u weet zoveel van de snit van japonnen af.'

'U zou ervan opkijken als u wist met hoeveel dingen ik me in geval van nood bemoeid heb. Er zijn hier wel meisjes gekomen die gezichtjes hadden als engelen, maar die afgrijselijk gekleed waren, opgedirkt als voor de zondagsschool. Maar de ouwe Tom wist er wel raad mee. Ik liep om ze heen, maakte te nauwe corsetten los, knipte in linten en kanten en in de krullen die de halslijn te veel verborgen. Zonder die noodzakelijke veranderingen zouden die meisjes geen schijn van kans hebben gehad. Ze hebben nooit nagelaten me te bedanken... Deze kant op, lieve, eerst een kleine verfrissing.' Ze keek kritisch, argwanend rond. Dit was de kamer met dat ronde raam dat op de straat uitkeek. Roodfluwelen stoelen, rode kaarsen, een nog dikker tapijt dan beneden. Een sofa als de hare in Tavistock Place, waarnaast een tafeltje met een fles champagne. Ze merkte direct op dat er drie glazen bij stonden. Hier en daar stond een opvouwbaar kamerscherm, en er hingen platen van mollige cupidootjes omgeven door wolken. Een grote spiegel aan de wand weerkaatste de sofa en de tafel. Als dit de smaak van de cliënten was, kreeg ze geen hoge dunk van hen. Misschien zweepten die cupido's de trage geesten en twijfelachtige begeerten op. En dan die rode kaarsen...'

'Een glas champagne, lieve?' vroeg oom Tom.

'Als dat erbij hoort.

'Ze zou het liefst rechtsomkeert hebben gemaakt en naar huis zijn gegaan. De hele omgeving stond haar tegen. Een val zeker, om de een of andere aftandse generaal te vangen en dan maar verder duimen zitten draaien. Ze kon zich maar beter houden aan de vrienden die ze kende en met Barrymore in Ramsgate pret maken.

'Vertel me nu eens al uw nieuws.' Zijn oogjes blonken.

'Mijn nieuws? Ik heb geen nieuws. Mijn leven is druk: het huis, de kinderen, mijn moeder, u weet er alles van, en nu die geruchten over een oorlog, die alles op losse schroeven zal zetten. Mijn Whig-vrienden zijn moedeloos en schudden hun hoofd en de Tories zijn natuurlijk opgetogen en juichen van blijdschap.

't Laat mij koud hoe het loopt. U kent toch Burton, mijn huisbaas? Hij is patriot geworden en een en al enthousiasme. Hij zegt dat hij een regiment van aannemers wil vormen voor het geval er een invasie mocht komen en dat hij zelf het commando op zich zal nemen. Hij doet net alsof het idee alleen hem al tegenstaat, maar in zijn hart vindt hij het verrukkelijk.'

'En hoe staat het met lord Barrymore?'

'Die zeilt morgen naar Ierland en is al ziek bij het vooruitzicht.'

'Ik hoor dat zijn vrouw in verwachting is.'

'Dat zegt hij, maar ik betwijfel het. Die lerse vrouwen willen altijd maar paardrijden en dat is fataal voor baby's.'

'Meneer Dowler is in de stad?'

'Ik heb hem verleden week nog gesproken. Hij was erg terneergeslagen en ontmoedigd. Hij heeft de beurs vaarwel moeten zeggen en is naar zijn vader gegaan. Ik mocht die Ogilvie van u wel, maar wat heeft het toch allemaal te betekenen ?'

Tom Taylor legde zijn vinger tegen zijn lippen.

'Een andere keer, nu niet,' fluisterde hij, haar nog eens inschenkend.

'Wat hebt u nog meer te vertellen? Nog geruchten gehoord?'

'Niet gehoord, wel gelezen. Is dat berichtje in de Post waar, dat de hertog van York zijn broer zijn congé heeft gegeven en dat het in Gibraltar tot een verzoening is gekomen en dat Kent terug is geroepen? U, met al uw vorstelijke klanten zult dat wel weten.'

Tom Taylor werd vuurrood, verslikte zich en morste met champagne. Ze klopte hem op de rug, maar toen dat niet hielp, greep ze een sandwich.

'Hier, eet wat komkommer, dat helpt. Alles op uw mooie, fluwelen jas, wat zonde!

Ze trok een enorme zakdoek uit zijn zak, veegde zijn jasje af en stopte de doek weer weg. Hij maakte een heftig gebaar met zijn handen, maar ze begreep niet wat hij bedoelde. Hij smeekte met zijn ogen, maar ze zag het niet. Plotseling, hongerig geworden door de champagne, at en praatte ze tegelijk. Haar stemming verbeterde.

'Die Frederik Augustus wordt een echte tiran. Laat me daar die arme hertog van Kent gewoon stikken en weigert de prins van Wales een commando te geven. Het vervelende is, vermoed ik, dat hij de lieveling is van de oude baas en kan doen wat hij wil als het de oude baas weer eens in zijn bovenkamer mankeert. Wat een zootje is het toch eigenlijk, even erg als de Bourbons. Nog een paar van die stomme streken – en floep – hun hoofden in de mand. Goddank dat ik een Schotse ben en hun niet onderdanig hoef te zijn. Hè, die sandwiches zijn lekker. Uit eigen keuken?'

Zonder op antwoord te wachten nam ze er nog een.

'Tussen twee haakjes,' zei ze, 'die Stuarts waren ook zo slim niet. Die jongen, Charlie, zag er goed uit in een kilt, maar dat is dan ook zowat alles. Ik wed dat hij als een haas wegrende, toen hij een geweer hoorde. Mijn moeder zou me hiervoor vermoorden, maar zelfs toen ik nog klein was, voelde ik al meer voor grote, sterke mannen in rode jassen met veel tressen. Wordt het nu niet langzamerhand tijd om me eens te vertellen wat me te wachten staat? Wie gaat u vanavond uit uw hoed toveren? Ik zeg u vooruit: als het een ouwe ijzervreter is, die zijn jeugd allang achter zich heeft, dan pás ik, al biedt hij me een rits medailles aan.'

Ze ging vergenoegd glimlachend op de sofa zitten. Champagne was lekker na de thee met de kinderen en de kamer was eigenlijk nog zo kwaad niet en die cupido's waren onschuldig.

'Hoe staat het met die handschoenen?' vroeg ze. 'Laten we aan het werk gaan.'

Haar gastheer trok zich met een ontsteld gezicht terug naar de deur.

'Ik vrees dat ze niet nodig zullen zijn.'

'Des te beter, ik zou er maar de kriebels van krijgen.'

'U begrijpt me verkeerd. Ik wou maar zeggen...'

De chocoladebruine page kwam binnen, trok hem aan de mouw en fluisterde iets. Tom Taylor bukte zich om hem beter te kunnen verstaan, toen verlieten ze samen haastig de kamer.

Mary Anne stond, nu opeens achterdochtig, van de sofa op.

'Nee,' riep ze, 'u mag niet weglopen en me alleen laten zonder

me eerst volledig te hebben ingelicht. Wat betekent dat allemaal, dat kind met die tulband op en die onzin met die handschoenen...?'
Plotseling schoot haar een afschuwelijke gedachte door het hoofd. Als het eens een *kleurling* was? De een of andere oude radja, behangen met robijnen... ?

'Verdraaid,' riep ze, 'als-ie zwart is, neem hem dan zelf maar.'

Ze hoorde een geluid achter zich. Het scherm bewoog en het hele ding klapte samen. Tegen de deuren naar de aangrenzende kamer stond een man met de handen aan de lapellen van zijn jas. Lengte ongeveer één meter vijfentachtig, blozende gelaatskleur, opvallende blauwe ogen, nogal grote neus, leeftijd zowat veertig jaar – ruw geschat. Ze schrok toen ze dat gezicht herkende; ze had het wel honderdmaal gezien in kranten en pamfletten. Een gezicht dat door de menigte werd toegejuicht en wier groeten hij beantwoordde met een nonchalant afnemen van zijn hoed. Nu was hij veel te dichtbij en te persoonlijk om het prettig te kunnen vinden. Frederik Augustus, hertog van York en Albanië.

'Niet zwart,' zei hij, 'en zelfs áls ik zwart was, zou ik liever hangen dan Tom Taylor meenemen naar Fulham. Waar is uw mantel?' Ze staarde hem maar aan. Ze kon niets antwoorden. Gevoelens van vernedering en woede streden om de overhand. Dat Ogilvie en oom Tom haar hiermee zo onvoorbereid op het lijf konden vallen. Witte handschoenen... natuurlijk... en niet deze japon van verleden jaar, maar de nieuwe die ze nog nooit gedragen had... en oorbellen... en broches. En nu stond ze hem hier als een keukenmeid met open mond aan te gapen. Ze maakte een diepe revérence, intussen zichzelf hatend. Martha zou het er beter hebben afgebracht. Haar schoenen waren er niet geschikt voor, ze knelden aan de hiel. Alles wat ze de laatste drie jaar had geleerd, was ze vergeten.

'Het spijt me,' zei ze. 'Oom Tom heeft alles verknoeid. Of liever, we hebben het samen verknoeid. Ik was niet voorbereid.'

'Voorbereid? Op wat?' vroeg hij, een sandwich nemend.

'Bevalt mijn uiterlijk u niet? Ik heb geen tijd gehad om me te verkleden, ik kom regelrecht van het hoofdkwartier. Ik ben al vanaf zes uur op, heb tot acht uur achter mijn schrijftafel gezeten en ertussendoor twee uur inspectie gehouden op een stoffig kazerneplein. Ik heb nog niet gedineerd, u zeker ook niet? Ik heb een verduivelde honger. We zullen in Fulham souperen en dineren tegelijk. Gauw wat. Waar heeft die jongen uw mantel gelaten? Hebt u een koffertje meegebracht?'

'Ja, dat is beneden.'

'Ga dan mee, het is hier om te stikken. Die ouwe gek houdt altijd de ramen potdicht en brengt de champagne tot het kookpunt. Drink niet meer van dat bocht, u zult stomdronken worden.' Hij legde een grote hand op haar schouder, duwde haar voor zich uit, nam op de overloop de mantel uit de hand van de page en sloeg haar die om.

'Waar is Taylor? Heeft hij zich verstopt? Zeg hem maar dat we weg zijn.'

Ze liep naar de trap.

'Nee, niet die kant uit, hier aan de achterzijde, de privé-ingang in Stafford Street. Kom, geef me je hand!' Hij loodste haar een gang door en met twee treden tegelijk een smalle trap af. Ze struikelde en viel bijna door haar hoge hakken.

'Kent u deze weg niet?' vroeg hij. 'Spaart een hoop last. Ik kan niet in een rijtuig Bond Street in komen rijden op gevaar af de een of andere hertogin tegen het lijf te lopen die bezig is schoenen te kopen. Alle lui die op de hoogte zijn maken gebruik van Toms achterdeur.'

Wie dacht hij dat ze was, een slet van een straathoek?

'Ik ben hier nooit eerder geweest,' zei ze, 'en ik zal hier ook nooit meer komen. Het is allemaal een vergissing.' Ze had tenslotte ook haar trots. Als hij een vrouw voor een nacht wilde hebben, kon hij de straat inlopen en er een oppikken. Er zat geen finesse, geen techniek in deze methode.

Hij duwde haar in het rijtuig en ging naast haar zitten. Hij nam zoveel plaats in, dat ze in een hoekje werd gedrukt. Hij legde zijn benen in de hoge laarzen op de tegenover gelegen bank en trok haar naar zich toe.

'Het is een flinke rit naar Fulham, laten we dus eerst maar eens goed kennismaken.'

Ze zuchtte en ontspande tegen zijn schouder, voorbereid op het ergste, inwendig kokend van ergernis en zich vast voornemend wraak te nemen – o, niet op hem, die arme bruut, hij wist niet beter – maar op Ogilvie en oom Tom. Als ze ook maar even had vermoed wat ze van plan waren, dan zou zij het initiatief hebben genomen en alles goed hebben voorbereid. Ze zou die avond een chef-kok en twee of drie bedienden hebben gehuurd; ze zou er op een of andere manier achter zijn gekomen wat zijn smaak was en wat hij graag at; ze zou een paar lui hebben aangenomen om muziek te maken en te zingen; ze zou de salon anders hebben ingericht en de logeerkamer hebben laten veranderen... Tegen de tijd dat hij gereed was voor het ontbijt – misschien zou hij eerder weggaan – zou hij de fijnste avond gehad hebben die ze hem geven kon. Cripplegate zei altijd dat Tavistock Place verreweg het gezelligste huis was dat hij kende; de maaltijden waren altijd goed, de wijnen met zorg gekozen, de bedden ideaal. Eén woord van hem en ze had alles in orde kunnen brengen. Maar in plaats daarvan hotste ze nu als een slet in een rijtuig naar Fulham. Geen kans om te pronken – te tonen hoe ze sprak, hoe ze zich bewoog, haar hele methode om mannen te bekoren en zich te laten bewonderen. Zoiets als dit kon elk jong wicht opknappen of elk aftands wijf als ze daar voldoende voor was opgedirkt.

'Ziezo, dat was plezierig,' zei hij. 'En hoe denk je nu over souperen? Daar rechts ligt de herberg van Fulham. Ik verga van de honger.'

Er stonden lakeien te wachten die haar, discreet, niet aankeken. Een van hen nam haar koffertje aan, een andere haar mantel en ging haar voor de trap op naar een grote, vierkante kamer. Alles was klaar gelegd, borstels, speldenkussens, kammen en flacons voor de spiegel op de toilettafel. Er stond een groot bed met gordijnen eromheen, een nachtjapon en een peignoir erop en slofjes ervoor. Met tegenzin moest ze bekennen dat de voorbereidingen niets te wensen overlieten. Als het andersom was geweest – als hij naar haar toe was gekomen in Tavistock Place zou ze zeker niet gedacht hebben aan een nachthemd en pantoffels. Scheergerei natuurlijk wel en kammen in de kast, maar niet aan dit alles. Ze keek even naar het beddenlinnen. Geurend naar lavendel, zacht, fijn als een zakdoek. Jammer dat haar moeder het niet kon zien, die was zo gesteld op fijn linnen en geloofde rotsvast in het fabeltje dat je het door een trouwring moest kunnen halen.

'Als u gereed bent om naar beneden te gaan, mevrouw, Zijne Koninklijke Hoogheid wacht op u.

'O ja, werkelijk? Nou, dan kon hij nog wat langer wachten. Hij vergiste zich lelijk als hij dacht dat ze met hem zou gaan eten met haar dat in de war zat door die rit in het rijtuig – decorum voor alles. Even bespuiten met wat parfum uit die flacon, hm, rook goed en dat mocht dan warempel ook wel als het door een prins gekocht was. Tom Taylor had gelijk, handschoenen zouden een betere indruk maken, die gaven cachet, maar daar handschoenen niet bij de inrichting van de slaapkamer schenen te behoren, moest ze aannemen dat Zijne Hoogheid er niet veel waarde aan hechtte. Ze daalde waardig en gracieus de trap af. Ze had nu de kans haar goede manieren te demonstreren. Hij lette er echter niet op, nam haar haastig mee naar de tafel en even later brulde hij als een stier omdat de soep koud was.

'Verdomme, hoe dikwijls moet me dat overkomen? Drie keer per week minstens. Ik zal die kok ontslaan.

Ik heb geeuwhonger. Breng brood!' De soepborden werden weggenomen. Er kwamen warme broodjes, onmiddellijk gevolgd door hete soep. Dat noem ik nog eens vlotte bediening, dacht ze. Dát moet ik zijn personeel toegeven! 't Had Martha moeten gebeuren!

Hij slurpte zijn soep net als George deed, die daarvoor altijd van tafel werd gestuurd. Die koninklijke manieren leken ook naar niets. Verwachtte hij nu dat ze zou praten of stommetje spelen? In elk geval kon ze eten en hoefde ze niet op hem te wachten. Hij verslond de tong *bonne femme* in een paar happen en juist daarom speelde zij een beetje met de hare, vermoedend dat er nog gebraad zou volgen. Dat was inderdaad het geval: een gegarneerde lamsbout. Terwijl hij er gretig op aanviel, sprong zijn vest open en vloog een knoop met een boog over de tafel. Prins Charlie... de Mackenzies – de verloren fortuinen. Dit was een voorteken waar ze geen weerstand aan kon bieden.

'Hebt u er bezwaar tegen dat ik die knoop aan mijn broer geef?'

Ze zag de lakei achter zijn stoel verstrakken toen ze haar arm uitstrekte en de knoop uit het zoutvaatje viste. De hertog keek op en bromde: 'Wat is de bedoeling? Die knopen passen alleen bij deze vesten, die speciaal zijn gemaakt door een vent in Windsor die mijn maten kent.'

'Het is niet mijn bedoeling die knoop te dragen – ik wil hem hebben als symbool.'

'Van wat? Toenemend embonpoint?'

'Mijn broer is pas twintig en zo mager als een lat. Nee, misschien wil hij hem aan zijn horlogeketting dragen, als een soort talisman.' Ze vroeg zich af of ze het hem zou vertellen of dat het tactloos zou zijn. Misschien waren de gevoelens van de Hannoverianen na vijftig jaar nog kwetsbaar.

'Ziet u, we komen uit Schotland, het geslacht Mackenzie. En een van onze voorvaderen was in het bezit van een zilveren knoop, een persoonlijk geschenk van de kleinzoon van Jakobus II. Men veronderstelde dat die knoop geluk bracht, maar hij is helaas verloren geraakt. Deze is wel niet dezelfde, maar toch...'

'Kan hij geen kwaad doen? Daar ben ik nog zo zeker niet van, als u een jakobijnse bent.'

'O, maar dat ben ik niet.'

'Jullie Schotten zijn allemaal hetzelfde. Even erg als de Ieren. Als jullie de kans krijgen steken jullie ons in de rug. Ik zou het liefst het hele zootje neerschieten.'

'Wat bloeddorstig!' en toen ze het gezicht van de lakei zag, voegde ze er haastig aan toe: 'Bloeddorstig in de zin van oorlogszuchtig, wreed. Natuurlijk is het uw beroep, u bent zo opgeleid.' Ze moest hem vooral niet boos maken. Nu ze eenmaal hier was, moest ze doorzetten, vrolijk zijn, inschikkelijk, eerlijk haar nachtlogies verdienen.

'Ik heb uit uw gepraat bij Taylor opgemaakt dat we niet lang meer zullen leven, dat we al geboekt zijn voor de schavotwagen,' zei hij. 'Luisteraars aan de wand horen altijd hun eigen schand,' wilde ze zeggen, maar ze slikte het gauw in, ze moest niet vergeten tegen wie ze sprak.

'Luisteraars als ik', veranderde ze haar zin gauw, 'horen zoveel onzin en lezen ook zoveel dwaasheden in kranten en pamfletten. Ik herhaalde die nonsens alleen maar tegen oom Tom.'

Het zou vreselijk zijn als hij haar op dit late uur de deur uit zette nu de paarden al waren uitgespannen en in de stal gebracht. Zou ze dan helemaal naar Bloomsbury terug moeten lopen? Hoe kon je als vrouw weten of je uit de koninklijke gunst was geraakt? Misschien was dat ritje in het rijtuig alles wat hij verlangde? Daarna een souper en... naar huis. Heel anders dan Cripplegate en Burton. Ze wierp een blik op zijn gezicht; hij leek heel vergenoegd en stond op het punt om van de pruimentaart te eten en Sauternes te drinken.

'Zo,' zei hij, haar scherp opnemend, 'dus je vindt me een tiran die het gemunt heeft op zijn broers?' Hij had dus elk woord gehoord, niets was hem ontgaan. Verdraaid, er zat nu niets anders op dan ronduit te spreken, er moest dan maar van komen wat ervan kwam. Als hij haar de deur uit gooide, was het haar eigen schuld.

'U zult moeten toegeven', zei ze, met haar ellebogen op tafel, 'dat het hard is voor de prins van Wales dat hij geen commando heeft. Als de oude man... als Zijne Majesteit weer van de kook raakt, kan de prins van Wales als prins-regent de bordjes verhangen en zult u een baantje moeten zoeken, niet hij.'

De lakei vulde opnieuw de glazen en ze ving in het voorbijgaan een glimp op van zijn gezicht. Zijn ogen stonden glazig als van een vis op het droge.

'Ik heb er niets mee te maken, de koning beveelt,' zei de hertog.

'Ik volg alleen zijn bevelen op en geef die door.'

'Ja, dan is het natuurlijk wel een heel probleem, dat begrijp ik,' zei ze. 'Als Zijne Majesteit er zich mee bemoeit, kunt u niets doen.'

'Precies,' antwoordde hij. 'Dus vertel al die kletsende vrienden van je maar dat ze de wetten eens moeten bestuderen en erachter zien te komen wat de opperbevelhebber veroorloofd is en wat niet. Je onwetendheid is verbijsterend en de hunne ook.'

De taart was weggenomen en de Stiltonkaas werd op tafel gezet. Weer sprong er een knoop van het strak gespannen vest. Hij gooide die zonder een woord te zeggen over de tafel naar haar toe. Ze stopte hem bij de andere in haar keurslijf.

'Ga door, ik hoor graag mijn fouten,' zei hij.

Na die zoete Sauternes op de rode wijn, na de rijnwijn – ook al te veel daarvan – bij de tong *bonne femme* en de warme champagne bij oom Tom, gevolgd door de ruwe stoeipartij in het rijtuig was haar hoofd niet meer zo helder als het had moeten zijn. Doorgaans dronk ze nooit als ze 'zaken' ging doen, maar vanavond was alles van het begin af aan misgegaan. Ze leunde met haar kin op haar hand en staarde in de kaarsvlammen. De werkelijkheid vervaagde, niets was meer concreet.

'Ik ben overtuigd dat u in Gibraltar juist hebt gehandeld door Kent naar huis te halen. Hij is nooit de geschikte man voor dat baantje geweest, waarom hebt u er hem in hemelsnaam ooit heen gezonden? Hij concentreerde zich veel te veel op details – een martelaar van zijn plicht en al zijn manschappen verachtten hem, dat heb ik uit de eerste hand. Ik had in de tijd van de muiterij in Gibraltar vrienden daar, die omgingen met dat ongelukkige bataillon dat de schuld van alles kreeg... Wie waren het ook weer? De royalisten? Ik ben het vergeten... Het zou nooit gebeurd zijn als Kent een greintje gezond verstand had bezeten. Natuurlijk gaan mannen zich vervelen als ze maar steeds in hun garnizoen zitten zonder te vechten – daar komt allicht narigheid van. En wat deed Kent? Verklaarde de hele stad tot verboden terrein, liet alle wijnzaken sluiten en hield de soldaten in de kazerne. Lieve hemel, ik zou ook razend zijn geworden als ik soldaat was. Ze aanbidden u allemaal, ze vinden u een held, al zijn er natuurlijk tijden geweest dat... dat alles niet zo is gegaan als u gewild had.'

Ze richtte zich op en deed erg haar best om de kaarsen duidelijk te onderscheiden. Wat zei ze in 's hemelsnaam allemaal, was dit verraad?

'Wanneer dan?'

'Nou... in Holland bijvoorbeeld?' Ze probeerde het zich te herinneren. Wat had ze ook alweer gelezen of zelf geschreven in een pamflet, kort na Mary's geboorte? Het was in de tijd van dat fiasco in Duinkerken.

'Ik twijfel niet aan uw moed,' zei ze, 'u was zo dapper als een tijger, maar moed kan ook een slag verknoeien, tenzij er vooraf een plan is beraamd. En nu herinner ik me waar de critici het zo druk over hadden: dat u geen plan had gemaakt en dat u daarom terug werd geroepen. Moed – lieve hemel, ja, moed genoeg. U stond de hele dag recht overeind, zodat ze u makkelijk konden raken. Maar vindt u het zelf niet een beetje gebrek aan doorzicht en vragen om moeilijkheden om uw rug als mikpunt bloot te stellen? U hebt het gelukkig overleefd... Op uw gezondheid!'

Ze dronk haar Sauternes tot de laatste druppel en gooide daarna het glas over haar schouder. Het viel in gruzelementen. Dat was een kunstje dat ze van de menners van de vierspannen geleerd had en het schonk haar altijd de grootste voldoening als ze de steel van het glas voelde breken.

Zo... nu zou je de poppen aan het dansen krijgen. Hij zou de wacht roepen en haar in Newgate gevangen laten zetten. Enfin, in zekere zin was het het waard en iets dat ze later aan haar nageslacht zou kunnen vertellen: een stoeipartijtje op de weg naar Fulham, gevolgd door een diner en twee vestknopen.

Hij stond van tafel op en stak haar de hand toe. Ze bracht zichzelf in evenwicht en wachtte tot ze zou worden weggezonden.

'Ik stel voor dat we allebei vroeg naar bed gaan,' zei hij, 'maar ik zal met je ontbijten. We zullen niet gestoord worden – we hebben de hele dag tijd voor manoeuvres. Ik beken dat ik te velde wat traag ben, ik wil graag de tactiek leren. Zondag moet ik naar Windsor, maar ik ben voor het eten terug en maandag zal ik je installeren in Park Lane: ik heb daar een gemeubileerd huis voor bepaalde gelegenheden. Als we het samen goed kunnen vinden, zal ik naar iets groters uitkijken. Tom zei me dat je twee of drie kinderen hebt, die zul je wel graag bij je willen hebben. Hoe denk je erover om nu eens naar boven te gaan of moet je gedragen worden?'

Ze haalde diep adem en maakte een buiging. Die Stuarts mochten voor haar part allemaal verrotten in hun graf... deze man was een engel. Ze had kunnen lachen en huilen tegelijk, ze had de vlag wel willen uithangen en roepen: 'Leve Brunswijck!'

'Heb je die twee knopen nog?' vroeg hij.

Ze wees hem de plaats waar ze ze verborgen had en hij hielp haar opstaan.

'Goedenacht dan. Ik zie je om zeven uur, misschien vroeger. Ik ben 's morgens altijd op mijn best, dus slaap maar goed.'

'Goedenacht, Hoogheid. En dank u.'

Om zeven uur... bij het aanbreken van de dag als hij wilde. De manier waarop hij haar behandeld had, garandeerde hem haar allerbeste diensten. Haar brutaliteit vergeven, een huis in Park Lane en later een groter huis. Grote goden, wat een toekomst! Ze lag in het brede bed en dacht aan Charley. Ze zou die knopen in zilver laten monteren met de dooreen geslingerde koninklijke wapens erop en daaronder in een cirkel 1803.

Ogilvie had gelijk. Dit betekende afscheid van Burton, afscheid van Cripplegate, afscheid van Bill. Samen delen? Niet met een prins als minnaar. Ze zou hem eerlijk behandelen en trouw zijn, daar kon hij van op aan.

'Ik ben er,' zei ze tegen zichzelf.

'Ik heb de top bereikt. Ik volg nu direct op mevrouw Fitz. De vraag is nu – hoe lang kan ik deze plaats behouden? Ik mag het niet luchtig opnemen, ik mag geen ogenblik verslappen... Ik zal alle trucjes die ik ken nodig hebben om hem vast te houden.'

Eén ding moest ze vooral goed onthouden: als er gevaar dreigde of als ze voor een moeilijk besluit stond – brutaliteit voor alles.

3

'Martha?'

'Ja, mevrouw.'

'Martha, breng de lei even en laten we kijken wat er vandaag te eten is. En breng me ook de lijst met mijn afspraken, hij ligt in de salon.'

Ze sloeg haar bedjasje om haar schouders, duwde de kussens in haar rug en balanceerde het ontbijtblad op haar knieën; schrijfpapier en pen lagen naast haar op een ander kussen.

Dit was haar tweede ontbijt, minder gejaagd en ademloos dan het eerste.

Het eerste vond altijd plaats om halfacht, een haastig naar binnen werken van thee en broodjes voor hij het huis verliet. Dan liep hij half gekleed de kamer in en uit, schreeuwend tegen Ludovick, zijn kamerdienaar, om zijn laarzen, zijn koppel, een of ander stuk van zijn uitrusting dat opeens verdwenen was, terwijl zij zijn thee inschonk en naar zijn plannen informeerde.

'Hoe laat kom je vanavond thuis?'

'Niet vóór zessen, misschien wordt het wel halfzeven. Reken er niet op dat we eerder dineren, 't kan laat worden. Het wordt weer net zo'n dag als gisteren, stapels papieren op mijn bureau in het hoofdkwartier, behalve de paperassen die Clinton me komt brengen om te tekenen. Die werving jaagt ze allemaal in het harnas, elk depot in het koninkrijk zet een keel op en God weet hoeveel gepensioneerde kolonels plotseling lichtingen willen oproepen.'

'Maar dat is toch goed? Je hebt toch manschappen nodig?'

'Natuurlijk hebben we manschappen nodig. Als ik de vrije hand had, zou ik de marine nadoen en ze allemaal dwingen dienst te nemen. Het kost ons misschien drie maanden om de voorwaarden op te stellen en dan nog eens zes om de rekruten op te scharrelen en intussen lacht Napoleon ons in Calais stiekem uit. Ludovick!' brulde hij naar de kleedkamer.

'Hoogheid?'

'Mijn andere laarzen, niet deze, ik heb een eeltknobbel. Nog een kop thee, schat, met suiker.'

Ze reikte uit bed naar zijn kopje, terwijl hij aan het voeteneind zat te worstelen met zijn bretels.

'Misschien moet ik woensdag een dag of drie naar Hythe. Ze weten zich geen raad met de verdediging van het Romney-moeras, hoewel ze mijn ontwerp in drievoud hebben. Eigenlijk heb ik er geen tijd voor, met al die drukte in Londen en dan ook nog die politieke heisa. Addison moet maar ontslag nemen, dan kan Pitt het overnemen; we kunnen zo niet doorgaan, het is veel te verwarrend.'

Ze zat met de handen achter haar hoofd te kijken hoe hij zich aankleedde. Dit was het prettigste tijdstip, vond ze, als hij zonder terughouding eruit flapte wat hem voor de mond kwam, dingen die hij even vlug vergat als de thee die hij dronk, maar die zij onthield.

'Hoe is het met Zijne Majesteit?'

'Als je 't mij vraagt: hard ziek. Dokter Dundas is gisteren op Windsor geweest en heeft consult gehouden met dokter Symonds. Ze willen dat hij morgen of overmorgen terugkeert naar Buck House, maar de koningin is ertegen. Ze zegt dat al die politieke opwinding zijn ziekte verergert en dat hij, als hij eenmaal in Londen is, er zich toch mee zal willen bemoeien. Ludovick! Mijn jas!'

'Hier is hij, Uwe Hoogheid.'

Hij trok de jas voor de spiegel aan. Door het half geopende venster klonk het hoefgetrappel van de paarden die door de stalknecht op Gloucester Place werden afgestapt.

'Ik heb nu geen tijd meer om te eten, lieveling. Ik ontbijt in Portman Square en ga dan naar het hoofdkwartier. Als ik vanavond laat ben betekent dat dat ik naar het Hogerhuis ben gegaan – ik wil wel eens horen wat St. Vincent te vertellen heeft. Ik voel er veel voor dat de admiraliteit er eens van langs krijgt zodat wij, op het ministerie van Oorlog, eens een keertje vergeten worden. Meestal is het andersom – krijgt de marine alle lof en wij de uitbranders. Kom even overeind om me te kussen, ik kan niet bukken.'

Ze lachte, reikte omhoog en streelde langs zijn kin.
'Je werkt te hard,' zei ze, 'laat mij wat van je overnemen.'
'Je bemoeit je er al veel te veel mee. Wat zou Clinton een gezicht zetten als ik je meenam naar het hoofdkwartier, gekleed als militair. Al geloof ik wel dat de dag dan een beetje vlugger zou gaan. Hoe laat is het?'
'Net acht uur geweest.'
'Ga nog maar wat slapen en droom dat het vanavond elf uur is. Houd je een beetje van me?'
'Hoe durf je het te vragen...?'
'Uit gewoonte. Verlangen om opgewekt uit huis te gaan. Slaap lekker, liefste.'
Rinkelend de trap af, een krakende voordeur, de paarden die naar Portman Square draafden. Ze lag achterover in de kussens en sloot haar ogen. Nog heerlijk een uurtje soezen voor haar dag begon. Dit vreemde, onsamenhangende leven was nu tweede natuur voor haar geworden. De avonden en de nachten waren van hem, twaalf uur lang, van zeven tot zeven, maar met de rest van de tijd kon ze doen wat ze wilde en elke minuut ervan was bezet, al wist hij dat niet. Half soezend dacht ze eraan terug hoe haar leven naar dit moment was toegegroeid, jaar in jaar uit, bijna vanaf haar steegdagen. Die eerste training als achterbuurtkind had haar geest gescherpt en haar geleerd haar kansen te grijpen; de schooltijd in Ham had haar een schijnbeschaving geschonken; haar huwelijk met Joseph was het ergste geweest, zo erg, dat niets wat een man haar nu of in de toekomst zou kunnen aandoen haar hart zou breken. En wat de rest betreft – alle minnaars onderscheidden zich op een of andere manier. Ze wist hoe er het goede uit te halen en de rest te vergeten, en dankbaar te zijn voor het lesje. Wat ze van mannen geleerd had, niet alleen van minnaars, kwam haar te pas in een door mannen gemaakte maatschappij. Daarom, word hun gelijke. Speel hun spel en voeg er je intuïtie bij.
De zes maanden in Park Lane waren, hoewel onstuimig en heftig genoeg om haar hoofd op hol te brengen en haar alle voorzichtigheid in de wind te doen slaan, slechts een proeftijd geweest, om te tonen wat ze waard was. Het was niet genoeg om te lachen en de hoer uit te hangen. Er wachtten in Bond Street tientallen anderen op hun beurt die graag bereid waren onmiddellijk

haar plaats in te nemen, als de hertog alleen maar een bedgenote verlangde. Maar wat ging er in zijn hoofd, in zijn hart om? Dat waren de dingen die ze zich had voorgenomen te ontdekken. Nooit door er hem regelrecht naar te vragen, maar door voorzichtig te peilen, door te luisteren, te zien, te horen, in zich op te nemen.

Zijn vrouw, de hertogin? Een dwaas warhoofd, lelijk en dom, omgeven door een heleboel schoothondjes. Daardoor wist ze dat het huwelijksleven van de hertog leeg en eenzaam was. Hij verlangde een thuis dat werkelijk een thuis wás, dat rook naar thuis, waar geleefd werd, waar kinderen over de bovenverdieping holden, een huis zonder ceremonieel en drommen strooplikkers. Een huis waar hij kon ontspannen, waar hij kon gapen, nonchalant in een stoel hangen. Hij had een vrouw nodig met wie hij kon praten, lachen, eten, die hij kon liefhebben als hij daar behoefte aan had, bij wie hij zich mocht vervelen, lui kon zijn... Een vrouw die hem niet aan zijn hoofd zanikte met kletspraatjes over kanten en strikjes, japonnen en hoedjes. Een vrouw die haar stemming aanpaste aan de zijne. Een vrouw ook die hem, in passie, zou bijten. Dat was wat hij gezocht had en nu had gevonden. De zes maanden proeftijd waren voorbij en ze was – cum laude – geslaagd! 'Ik zal je een huis in de stad geven,' zei hij, 'en een buitengoed. Duizend guinjes per jaar voor alle kosten in maandelijkse termijnen. Als het niet genoeg is, moet je toch maar op een of andere manier zien rond te komen. Niemand zal op betaling aandringen als onze verhouding bekend is en ik zal er wel voor zorgen dat iedereen, leveranciers incluis, te weten komen dat je voortaan onder mijn protectie staat. Met dat etiket aan je naam heb je overal krediet. Werk het allemaal maar zelf uit en val er mij niet mee lastig. Ik ben een stommeling waar het geld betreft, ik snap er niets van.'

(Dit werd gezegd aan het eind van de zomer in Park Lane. Ze dacht: duizend per jaar is niet veel, niet als hij er zo goed van wil leven. Maar als ze zei dat de som te gering was, zou ze hem misschien verliezen.) 'Natuurlijk zal ik het wel klaarspelen,' antwoordde ze. 'Waar gaan we wonen?'

'Ik heb ook een huis in Portman Square, vijf minuten hiervandaan. En nog een ander in Gloucester Place, dat krijg jij. Ik zal elke avond bij je komen dineren en slapen en ga 's morgens vroeg naar mijn eigen huis terug.

De bedienden en de inrichting van het huis laat ik geheel aan jou over.'

Duizend guinjes per jaar, dat zou net genoeg zijn om het loon van het personeel en de livreien te betalen. Ze zette die gedachte van zich af en begon plannen te maken. Vreemd dat de mannen in haar leven allemaal zo slecht bij kas waren, maar ditmaal was er geen sprake van beknibbelen. Ze had krediet! De leveranciers verdrongen zich om haar maar te mogen leveren. Zij kon immers maken dat hun de koninklijke gunst werd verleend. Birkett, de zilversmid, Parker, de juwelier; de één met het zilver van de hertog de Berri, dat hij uit Frankrijk had binnengesmokkeld en dat ze mocht betalen wanneer het haar schikte; de ander met diamanten.

'Een geschenk, mevrouw, voor de hertog.'

Kaartjes werden door allerlei neringdoenden aan de deur afgegeven.

'We zouden het waarderen, mevrouw, als een gunst beschouwen, wanneer...' Enzovoort. Mortlock uit Oxford Street biedt Chinees porselein en glaswerk aan, Summer en Rose uit Bond Street: haarden en kachels, Oakley uit Bond Street: gordijnen en stoffering.

'Meneer Taylor van nummer 9 heeft ons aangeraden naar u toe te gaan, mevrouw.'

Tom Taylor zorgde ook voor het personeel.

'Beste kind, laat dat maar helemaal aan mij over, ik ken het type dat u hebben moet, mensen die lang in één huis hebben gediend. Ze komen allemaal bij mij als ze een baantje zoeken.'

'Waarom? Krijgt u provisie van hun loon?'

Hij negeerde die opmerking en antwoordde niet.

Pierson de butler: tien jaar bij lord Chesterfield; McDowell de huisknecht: vijf jaar in Burlington House. De koetsier Parker, warm aanbevolen, zeven jaar bij mevrouw Fitzherbert; hij wilde wel eens veranderen. Kamermeisjes, wasvrouw, kok, keukenmeid – oom Tom vond ze allemaal in een wip.

'Ik zal mijn eigen kamenier als huishoudster aanstellen,' besliste ze.

'Gelooft u dat ze daar geschikt voor is?' protesteerde hij.

'Martha kan alles. Ze is oprecht en trouw. En bovendien houden de kinderen veel van haar.'

Er werd verder niet over gesproken. Twee rijtuigen.

Zes paarden – soms acht. Palfreniers, een postillon (daar zou Sam Carter misschien geschikt voor zijn), een meisje om 's morgens wat naaiwerk te doen en minstens tweemaal per week een vrouw voor het ruwe werk. Hoe stond het met het linnengoed? Tom Taylor kon haar ook daaraan helpen. Met de hand geweven, een firma in Ierland – persoonlijke vrienden.

'Maar, oom Tom, die mensen moeten toch betaald worden?'

'Daar is geen haast bij, lieve. Ze zijn al blij als ze de leverantie krijgen.' Als dat zo was, zou ze alle gewetensbezwaren maar overboord gooien, het allerbeste bestellen en niet aan de gevolgen denken. Niemand zou een prins van den bloede in recht durven aanspreken. Het gerucht deed de ronde 'Onder bescherming van de hertog' en het had een magische uitwerking op de zakenwereld. Van kennissen, vrienden, zelfs van gewezen minnaars stroomden de betuigingen van opgetogenheid binnen.

James Burton, die zich terecht opzijgeschoven had kunnen voelen, verzekerde haar dat haar moeder, zolang het huis haar beviel, op Tavistock Place kon blijven wonen.

'Ik heb gehoord dat je genade hebt gevonden in de ogen van de hertog van York. Schitterend! Verreweg de beste van de Brunswijkers en de enige die er niet Duits uitziet. Apropos, doe eens een goed woordje voor mijn regiment van handwerkslieden. Als hij achter ons staat, kan mijn plan doorgaan.'

Cripplegate schreef haar uit Ierland: 'Wat heb ik gehoord? Lig je met Frederik Augustus in het hooi? Hiep, hiep, hoera! – zorg dat je de baas blijft en vergeet je ouwe vrienden niet als ze je een gunst komen vragen. Zie eens van York te weten te komen wat ik krijg als ik wat rekruten voor hem werf.'

Bill Dowler was de enige die er anders over dacht. Hij kwam haar met een strak gezicht opzoeken, teruggetrokken.

'Is het waar dat je de maîtresse van de hertog van York bent?'

'O, Bill, doe niet zo stijf en waarom dat woord? Ik zeg bij voorkeur dat ik onder zijn protectie sta, daar zit iets vaderlijks in en dat heb ik nooit gekend. Ik heb je toch gezegd dat ik hoog mikte? En ik geloof dat de pijl doel heeft getroffen. Maar ik kan jou nog wel op de achtergrond gebruiken.'

Ze nam hem mee om het huis in Gloucester Place te bekijken. James Burton had de afvoer en alle aansluitingen nagekeken. Zo makkelijk als je gewezen minnaar aannemer was. Maar Bill mocht de gordijnen en karpetten kiezen.

'Heb je een behoorlijke overeenkomst met de hertog afgesloten?'

'Een overeenkomst? Wat bedoel je? Ik heb dit huis gekregen.'

'Dat huis is goed en wel, maar ik bedoel: geld om het te onderhouden. Het zal je minstens drie à vierduizend guinjes per jaar kosten.'

Dat was nu net weer iets voor Bill om zo achterdochtig te zijn, om hoofdschuddend van de ene kamer naar de andere te lopen, haar twijfel op te wekken en een domper te zetten op haar enthousiasme.

'Hij heeft beloofd dat hij me elke maand een bepaalde som zal betalen.'

'O, juist... Nu, zorg jij er dan maar voor dat je die belofte zo gauw mogelijk op schrift krijgt. Of nog beter: een overeenkomst met zijn bank.'

'Dat kan ik niet doen, dat zou zo hebberig lijken.'

'Het is beter van het begin af meteen alles te regelen.'

De druiven zijn zuur, dacht ze. Arme Bill, hij voelt zich gekwetst en hij is jaloers... verlangt nog altijd naar dat huisje in Chalfont St. Peter. Wat lijkt dat nu oneindig veraf van Gloucester Place. Onder protectie van de hertog, niet van meneer Dowler.

Will Ogilvie gaf haar een heel andere raad, een raad die ze niet eens tegen Bill durfde herhalen.

'Langzaam aan,' zei hij. 'Overhaast de dingen niet. Je moet zoiets leren. Ik zal wachten tot je geïnstalleerd bent en je dan zeggen hoe je verder moet handelen. Nu mijn kantoor in Savile Row gesloten is – ik ben failliet verklaard! – zal niemand me in verband kunnen brengen met bemiddeling voor het leger. Ik ga nu tegen een bepaald percentage zelfstandig werken en optreden als jouw agent. Ik zal lui die promotie wensen te maken naar jou verwijzen. En jij geeft ze door aan de hertog. Klaar is Kees. Je laat ze dokken zodra ze bevorderd zijn. De hoofdsom is voor jou, een bepaald percentage voor mij. Je moet beginnen gunsten van hem te verkrijgen zonder dat daar geld bij te pas komt.'

Het eerste verzoek was gemakkelijk. Iets voor Charley. Charley, wiens ogen straalden nu de fortuin gekeerd was en die zichzelf al over drie jaar als veldmaarschalk zag.

'Denk je dat Zijne Koninklijke Hoogheid... zou je het hem kunnen vragen?'

Een familieaangelegenheid, die gauw geregeld werd.

'Hoogheid, mijn broer wil zo vreselijk graag bij het leger. Hij heeft al van zijn zesde jaar af soldaatje gespeeld. Zou ik hem misschien eens op een avond aan u mogen voorstellen? Hij is nog wat jong en verlegen, maar vol enthousiasme.'

Charley Farquhar Thompson werd dus prompt in februari 1804 benoemd tot kornet in het dertiende regiment lichte cavalerie.

Sam Carter, de lakei, was jaloers op Charley's promotie. Als meneer Thompson bij het leger kwam, waarom hij dan ook niet? Kapitein Sutton had altijd gezegd dat een rode tuniek hem goed zou staan.

'Mevrouw, ik ben altijd gelukkig geweest bij u en u bent altijd vriendelijk voor me geweest. Maar nu meneer Thompson weg is, vind ik het wat eenzaam hier en met die oorlog en zo, en iedereen in de weer. Ik durf u haast niet te vragen Zijne Koninklijke Hoogheid lastig te vallen, maar misschien zou een enkel woord van u...'

'Natuurlijk, beste Sam, natuurlijk zal ik het vragen als je dat graag wilt, al zal ik het ellendig vinden als je weggaat.'

Het was énig om haar vrienden te geven wat ze het meest verlangden. Sam Carter was nu wel niet bepaald een vriend, maar hij had haar goed gediend en hij zag er zo aandoenlijk uit als hij in de pantry de messen zat te slijpen.

'Hoogheid, u kent toch Sammy, die aan tafel bedient?'

'Die jongen die buigt als een knipmes?'

'Ja. U zult het niet willen geloven, maar hij wil graag officier worden. Ik heb hem naar school laten gaan, weet u, hij is heel goed opgevoed. Een aardige jongen, hij verspilt nu zijn tijd als lakei.'

'Geef me maar eens al zijn bijzonderheden, dan zal ik zien wat ik doen kan.'

Tegen april 1804 werd Samuel Carter aangesteld als vaandrig bij het zestiende regiment infantrie. Zulke dingen gingen gesmeerd, één naam tegelijk: het was nog min of meer in de familie en er was geen geld mee gemoeid. De moeilijkheden zouden pas komen als ze eenmaal in promoties ging handelen. Elke dag maakte ze er zich af met een of ander excuus... maar Ogilvie wachtte.

De klok sloeg negen en daar was Martha met het ontbijtblad. De lijst van afspraken werd gebracht en de lei.

'Mevrouw, die man Few is er weer.'

'Wie is dat?'

'Hij heeft een winkel in Bernard Street. U hebt bijna een jaar geleden voor Tavistock Place een lamp bij hem gekocht, zegt hij.'

'Dat Griekse ding, dat lord Barrymore aan gruzelementen heeft gegooid?

Ja, dat herinner ik me. Nou, en wat wil hij nu? Nog meer relikwieën verkopen?'

'Nee, mevrouw, hij zegt dat die lamp nooit betaald is. Het heeft hem twintig guinjes gekocht om hem passend te laten maken.'

'Nonsens. Dat heeft hij in zijn eigen achterkamer gedaan. Stuur hem maar weg.'

Belachelijk om nu nog te worden lastiggevallen met een rekening van een jaar geleden uit Bloomsbury. Die dagen behoorden tot het verleden. En de schulden uit die tijd ook.

'Hoe is het met de verkoudheid van jongeheer George?'

'Hij zegt dat hij zich beter voelt, maar hij wil vandaag niet naar school. Hij wil gaan kijken naar de lijfwacht op het kazerneplein.'

'Best, ga er maar met hem naar toe, Martha.'

'Maar hoe moet het met juffrouw Mary en juffrouw Ellen?'

'Die zijn niet verkouden, zij moeten naar school.'

Zij had zelf ook les. Corri, de muziekmeester, kwam om halfelf. Hij was, evenals Sam, een protégé van Sutton geweest.

'Martha, meneer Corri komt straks. Zorg dat de salon en mijn harp in orde zijn. Meneer Ogilvie komt om twaalf uur. Juffrouw Taylor heeft gezegd dat ze misschien vanmiddag komt. Als dat zo is en ik bezig mocht zijn met iemand anders, kan ze zolang naar de kinderen gaan, die zijn dan wel thuis. Zeg maar tegen Parker dat ik het rijtuig niet voor vier uur nodig zal hebben. En tegen Pierson dat we niet voor zeven uur dineren, maar dat de kok alles om halfzeven klaar moet hebben voor het geval Zijne Hoogheid vroeger mocht komen. We weten dat hij het niet kan uitstaan als hij op zijn eten moet wachten. Wat staat er op de lei...? Gebraden eend...? Maar die hebben we zondag ook gehad.'

'Ik hoorde Ludovick zeggen dat de kok in Portman Square een zalm heeft.

Als Zijne Koninklijke Hoogheid daar niet dineert, zal die zalm bederven.'

'Daar zal ik wel voor zorgen. Laat Pierson hem halen. Maar hij moet worden opgemaakt door de oliehandelaar in George Street – de kok kan het niet. Waar zijn mijn slofjes?'

'Hier, mevrouw, onder het bed.'

'Wat zit er in die doos?'

'Capes, mevrouw, van de kleermaker. Ze hebben er verscheidene op zicht gestuurd, u mag ze om beurten dragen.'

'Ik houd niet van capes, er zal gekletst worden dat ik zwanger ben. Laat Pierson ze terugbrengen als hij de zalm gaat halen.'

Een morgenjapon was goed genoeg voor de muziekleraar; het haar opgestoken in een wrong, de krullen bijeengehouden door linten. Een ietsje blauw op de oogleden, verder niets.

'Mama... mama...'

'George, mijn engel.'

Even zijn neusje snuiten.

'Ziezo, ga nu maar gauw naar Martha.'

De meisjes, gekrenkt en pruilend: 'Waarom hoeft George niet naar school?'

'Omdat, lieve gansjes van mij, hij pas zes jaar is, maar als jullie zoet zijn neem ik je mee in het rijtuig. En verdwijn nu, dan kan ik me aankleden.'

Beneden in de salon stond meneer Corri te wachten, zijn ronde, wasachtige gezicht omgeven door een aureool van zijdeachtig haar op een dunne hals, als een gebroken stengel. Hij had zich naast de harp vlak bij de open deur geposteerd voor het geval dat het bijna ondenkbare zou gebeuren: dat Zijne Koninklijke Hoogheid het huis nog niet verlaten had.

Helaas, die verwachting werd de bodem ingeslagen. Mevrouw Clarke kwam alleen, met haar hand wuivend, de trap af rennen.

'Goeiemorgen, Corri. Heb ik je laten wachten? Ik ben altijd laat, ik ben nooit op tijd aangekleed.'

'Lieve mevrouw, in dit huis heeft tijd geen betekenis. Het is al het paradijs om dezelfde lucht als u te mogen inademen. Ik ben op de trap uw allerliefste kinderen tegengekomen.'

'Ik hoop dat George niet tegen uw schenen heeft getrapt?'

'Welnee, mevrouw. Hij tuitte zijn mondje en trok een hoogst amusant gezichtje tegen me, als grapje.'

'Ik ben blij dat u het grappig vond. Als hij dat tegen mij doet, krijgt hij meestal voor zijn broek. Wat zullen we vandaag zingen?'

'Iets van Mozart?'

'Als het mijn stem wat los zal maken, is het goed. Maar alleen als oefening, meer niet. Zijne Koninklijke Hoogheid geeft niets om Mozart. Hij hoort liever een leuk deuntje, zegt hij.'

'Een deuntje, lieve mevrouw...?'

'Kom Corri, je weet best wat ik bedoel. Niet tra-la-la, allemaal wind en verder niets, maar een of ander liedje uit Vauxhall, hoe platter hoe liever.'

Ze sloeg de bladen van de muziek om, terwijl hij er een beetje zielig en kleintjes bij stond.

'Dit is allemaal niets. Ik zou klinken als een kalvende koe. Zijne Koninklijke Hoogheid houdt van lachen en wil niet dat hij zijn oren moet dichtstoppen.'

Ze smeet de muziek op de grond en haalde haar eigen muziek te voorschijn.

'Hier, laten we dit eens proberen, we hebben het donderdagavond gehoord. "Ik ga naar Londen..." Dat is iets waarbij hij de maat kan slaan. En wat denk je hiervan: "Toen Sandy zei: ik heb je lief." Het laatste couplet is ontzettend schuin.'

'Als u erop staat, lieve mevrouw, als u erop staat.'

Ze tokkelde op de snaren van de harp. Hun stemmen klonken samen op.

De hare helder en zuiver, de zijne wat hees, hartstochtelijk. Een tikje op de deur kwam de les verstoren.

'Meneer Ogilvie is er.'

'Laat hem wachten.'

Nog een liedje dat Ogilvie door de suitedeur heen zou horen en begrijpen: 'De jonge William tracht mijn hart te vermurwen.'

Ze hoorde aan het slot een discreet applaus.

'Dat moet genoeg zijn voor vandaag, meneer Corri. Morgen zelfde tijd.'

Hij zocht zijn spullen bij elkaar.

'Mevrouw, vergeef me dat ik er weer over begin, maar het gaat over die heren die zo graag kennis met u willen maken, een zekere kolonel French en een zekere kapitein Sandon. Zou een van hen of zij beiden u vanmiddag mogen komen opzoeken?'

'Wat wensen ze?'

'Dat weet ik niet precies. Het zijn vrienden van een vriend van me... Ik heb alleen beloofd als tussenpersoon op te treden.'

Het oude liedje natuurlijk. Weer een of andere gunst vragen. Corri zou er provisie voor krijgen.

'Bedoel je dat het een militaire zaak is?' vroeg ze. 'Ik denk het wel. Uw invloed is bekend. Eén woord van u, op het juiste moment bij de juiste persoon, u begrijpt me.'

Ze begreep. Het gebeurde elke dag. Brieven en aantekeningen van vreemden of van vrienden.

'Lieve mevrouw, u hebt rechtstreeks contact met Zijne Koninklijke Hoogheid. Meer hoef ik toch niet te zeggen? Maar gebruik uw eigen discretie.'

Hij boog diep en ging heen. Tweeduizend guinjes... Tweemaal de jaarlijkse toelage die de hertog haar beloofd had en die ze op het moment druppelsgewijs binnenkreeg, net genoeg om het personeel te betalen, meer niet.

Ze deed de suitedeur open en riep tegen Ogilvie: 'Wel, heb je me horen zingen?'

Hij slenterde glimlachend binnen en kuste haar hand. Van hem geen vleierij, geen bewondering. Hij was de enige man onder al haar mannelijke kennissen die nooit opdringerig was, die altijd op een afstand bleef.

'"De jonge William tracht mijn hart te vermurwen?" Die woorden intrigeerden me. Ik tracht niet je hart te vermurwen, alleen je hoofd.'

Ze bood hem iets te drinken aan. Hij weigerde. Ze gebaarde naar een stoel, ging toen zelf zitten met haar rug naar het raam en keek hem aan.

'Je bent net een boze schaduw op de achtergrond. Waarom kun je me niet met rust laten? Ik ben volmaakt gelukkig.'

'O ja? Ik betwijfel het. Geen enkele vrouw is gelukkig, tenzij ze haar man achter slot en grendel heeft. En dat is bij je prins niet het geval.'

'Ik laat de kooideur openstaan. Hij kan vrij in en uit vliegen. Maar hij komt altijd als een trouwe vogel 's avonds weer op stok.'

'Blij dat te horen. Huiselijk geluk is zo roerend. Vooropgesteld natuurlijk dat dat geluk blijft voortduren.'

Altijd weer die steken onder water, de toespeling dat niets blijvend is.

'Heb je bij hem geïnformeerd naar de verdedigingswerken ten zuiden van Londen?'

'Nee, en ik vertik het om dat te doen. Ik ben geen spionne.'

'Spion is een dwaas woord voor een vrouw met jouw intelligentie. Die inlichtingen kunnen toevallig zeer nuttig zijn, niet zozeer nu, maar in de toekomst.'

'Nuttig voor wie?'

'Voor jou, voor mij, voor ons allebei. We zijn toch partners in dit spelletje?

Of we waren het, toen we ermee begonnen.'

Weer die bedekte toespeling. Ze hield zich dus niet aan de afspraak.

'Je begrijpt het niet,' zei ze. 'Hij is openhartig en wat hij me vertelt, vertelt hij me in vertrouwen. Als ik het oververtelde, zou ik dat verraad noemen.'

'Wat ben je nobel geworden deze laatste zes maanden. Dat moet de invloed van Gloucester Place zijn. Je ziet jezelf hier al voorgoed geïnstalleerd. Misschien mag ik je even herinneren aan de woorden van Wolsey: "Stel geen vertrouwen in prinsen" – of ben ik cynisch?'

'Ik vind je een cynicus en een verrader ook. Het zou me niets verwonderen als je van dit huis regelrecht met al wat ik gezegd heb naar de een of andere Franse agent ging. Nou goed. Doe maar. Vertel ze wat we eten en wat we drinken, hoe laat we naar bed gaan en hoe laat we opstaan. De Parijse pers kan ons over de hekel halen als ze wil; ze krijgt geen geheimen te horen.' Ze trok een lelijk gezicht tegen hem, net zo'n gezicht als George op de trap tegen Corri had getrokken, en keek hem toen uitdagend aan.

Hij zuchtte en haalde zijn schouders op.

'Je wilt me toch niet vertellen dat je dat ene onvergeeflijke gedaan hebt dat zo funest is voor zaken doen en voor de gemoedsrust, namelijk: dat je verliefd bent geworden op je prinselijke beschermer? Zoiets verwacht ik van elke andere vrouw, maar niet van jou.'

'Natuurlijk niet. Doe niet zo dwaas.'

Ze stond op en begon de kamer op en neer te lopen. Hij nam haar peinzend op.

'Ik ben er nog niet zo zeker van. Liefde is zo arglistig, hè? Het geeft een gevoel van geborgen zijn, om je aan één man te houden die er niet kwaad uitziet en een hoge positie inneemt. Dat moet je reacties op een merkwaardige manier opzwepen.'

Net iets voor Ogilvie om vertrouwen en dankbaarheid te besmeuren en een verborgen, niet toegegeven zwakheid te ontdekken. Ze had afgedaan met de liefde – maar nog niet helemaal, wanneer de meest geliefde zoon van Zijne Majesteit op haar kussen lag.

'Ik wou dat je wegging,' zei ze. 'Je komt hier elke dag; ik heb niets voor je.'

'Een beetje medewerking is al wat ik vraag.'

'Ik wil geen spionne worden, dat is mijn laatste woord.'

'Niets is definitief in deze veranderlijke wereld. Onthoud dat, het kan je nog eens van pas komen. Maar op het moment zijn andere dingen urgent. Je weet dat ik mijn zaak gesloten heb om jouw agent te worden. Wanneer beginnen we?'

'Ik zeg je nog eens, ik heb niets voor je.'

Hij haalde een portefeuille uit zijn zak en nam er een papier uit dat hij haar overhandigde.

'Hier is een lijst namen,' zei hij, 'een lijst van officieren in verschillende regimenten die allemaal gunsten verlangen. Sommigen willen promotie maken, anderen van regiment veranderen. Als ze het via de officiële kanalen doen, duurt het wel drie maanden.'

'Nou, kunnen ze niet wachten?'

'Natuurlijk wel, maar het is niet in ons voordeel als we ze dat laten doen.

Geef deze lijst maar aan de hertog en we zullen zien wat er gebeurt. Jij weet wel welke stemming en welk moment je er voor moet uitkiezen.'

'Hij zal waarschijnlijk weigeren.'

'Dat zou jammer zijn. Maar laat ik je een wenk mogen geven. Vraag, vóór je hem de lijst geeft, om geld. Zeg hem dat het huis meer kost dan je gedacht had, dat je niet weet wat je moet doen, dat je er erg over in zit. Laat dan een uur voorbijgaan en geef hem daarna pas de lijst.'

'Waarom een uur?'

'De spijsvertering is een delicate zaak, de prinselijke organen werken langzaam als ze medicijnen verwerken. Apropos, je verhaal is waar, je zou geen leugen vertellen. Het huis kost je geld. Je zit erover in.'

Het had geen zin om te protesteren. Hij wist te veel, hij wist wat ze diep in haar hart vreesde en wat de wortel was van alle moeilijkheden.

'Als ik tekortschiet, wat zal er dan met de kinderen gebeuren?' – die boeman school altijd in haar achterhoofd. Ze keek naar de lijst namen.

'Will?'

'Ja, Mary Anne?'

'Ik heb een aanbod van tweeduizend guinjes gekregen. Ik weet nog niet van wie en waar het over gaat. Ze komen misschien vanmiddag hier.'

'Ontvang ze dan, laat het bevestigen en rapporteer het mij. Kijk niet zo ernstig, lieve. Het is allemaal heel eenvoudig. Je hebt niets te verliezen en alles te winnen. Het gemakkelijkste spelletje ter wereld, als je eenmaal hebt geleerd hoe je het moet spelen. Tweeduizend guinjes rijker als je het goed speelt.'

'Zweer me dat er geen gevaar bij is.'

'Ik begrijp je niet. Gevaar voor wie?'

'Voor de hertog... voor mij... voor ons allemaal... voor het land.'

De plotselinge paniek van een achterbuurtkind... kijk uit, ze zitten achter je aan...! kruip onder die wagen, gauw! ren die steeg door... laat je moeder nooit te weten komen waar je geweest bent...!

Hij zei: 'Dit land is sedert de Normandische verovering door knoeiers geregeerd. Van de hoogste bisschop tot de slechtst betaalde klerk, we zitten allemaal in hetzelfde schuitje. Je hoeft je niet ongerust te maken. Herinner je je nog je eerste baantje bij die drukkerij van je vader? Je hebt die stommelingen toen voor de gek gehouden, je kunt dat nu weer doen.'

'Maar dit is heel wat anders.'

'Welnee, helemaal niet. Het is precies hetzelfde spelletje. Als je het toen niet gespeeld had zou je nu in de goot liggen, maar je hebt je kans gegrepen en je familie gered. Als de moed je nu ontbreekt...'

Hij zweeg even, de voordeur sloeg dicht, een kleine jongen riep iets en dat werd dadelijk gevolgd door het geluid van hollende voetjes op de trap… 'als de moed je nu ontbreekt, wat zal er dan met hem gebeuren?'

'George gaat in het najaar naar de school in Chelsea en over een jaar of twee naar Marlow. Zijn toekomst is verzekerd, dat heeft de hertog beloofd.'

Will Ogilvie glimlachte en maakte een gebaar met zijn handen.

'Een peetvader met een toverstaf? Wat heerlijk! Maar toverstaven hebben de eigenaardigheid om plotseling te verdwijnen, net als beloften. Als ik George was, zou ik maar liever vertrouwen op moeder.'

Het kind stormde opgewonden en luidruchtig de kamer binnen.

'Martha heeft me meegenomen om de lijfwacht te zien exerceren. Ik mag toch ook later soldaat worden, hè, en op een paard rijden achter Napoleon aan en hem in stukken hakken? Hallo, oom Will. Zegt u tegen mama dat ik soldaat moet worden.'

'Ik geloof dat je moeder die zaak al ter hand heeft genomen. Dag, bengel. Blijf van mijn broek af. Mary Anne, breng je me morgen verslag uit?'

'Ik weet het nog niet, ik kan niets beloven.'

Hij liet haar met het kind alleen en ze keek hem na toen hij Gloucester Place over liep. Vertrouweling en vriend of kwade raadsman? Ze kon het niet zeggen, ze was er niet zeker van.

'Wat leest u, mama, mag ik het zien?'

'Niets, lieveling, alleen maar een lijst met namen.'

De kinderen waren terug van school, May Taylor kwam en met z'n allen gingen ze een ritje door het park maken. Zou ze May in vertrouwen nemen en raad vragen? Maar dat zou betekenen dat ze haar vroegere leugens zou moeten bekennen en het fabeltje dat ze haar familie en ook haar vrienden had verteld over de eerste ontmoeting met de hertog, zou moeten herroepen.

'Ik zal je vertellen wat er gebeurd is. Ik ging op een avond naar een partijtje. Iemand kwam naar me toe en zei: "Zijne Koninklijke Hoogheid wenst kennis met u te maken" en van dat moment af…' Dat verhaal was door iedereen geslikt en voor waar aangenomen. Hoe kon ze dan nu in het rijtuig ineens met de ware toedracht van de zaak voor den dag komen en zeggen: 'Je oom is een koppelaar en Will Ogilvie ook. Zij hebben die geschiedenis samen verzonnen. Ik ben er om het geld binnen te halen en zij hunkeren nu naar hun procenten.' Dat kon ze immers niet zeggen. Nee, dat ging niet. Daar mocht ze niet eens aan denken. Vriendschap werd zo makkelijk verbroken. Een familietwist, de Taylors geschandaliseerd, de groeiende romance tussen Isobel en een van de Taylors in de kiem gesmoord en dat allemaal voor niets.

'Mary Anne, ik heb je nog nooit zo gepreoccupeerd gezien. Is er iets dat je hindert?'

'Ja, ik heb geldgebrek.'

'Och kom, je houdt me voor de gek. Jij in jouw positie? Je hoeft er Zijne Koninklijke Hoogheid toch maar om te vragen.'

'O ja? Nou, dat weet ik nog zo net niet. Maar dat doet er nu niet toe. Parker, rijd onderweg even aan bij Birkett, de zilversmid. Ik heb een paar kandelaars besteld, die moesten al lang klaar zijn.'

Ze moesten klaar zljn en ze waren dat ook. Ze waren al thuis bezorgd, zei Birkett, die haar in eigen persoon, diep buigend, ontving.

'Kan ik u niet verleiden met deze cupido's? Ze zijn net aangekomen?'

'U kunt me met niets verleiden. Ik zou hoogstens een sauskom kunnen bekostigen.'

'Mevrouw houdt van een grapje. Hebt u het eetservies al gebruikt?'

'Eén keer. Zijne Koninklijke Hoogheid zegt dat het naar zilverpoets smaakt.'

'Onmogelijk, mevrouw. De hertog de Berri liet zijn zilver nooit poetsen.

Dat weet ik van een émigré die zijn bedienden heeft gekend.'

'Dan moeten we schimmel hebben geproefd en geen zilverpoets. Als we weer een partijtje geven, zal ik eerst elk stuk zelf in zeepsop afwassen.'

'Mevrouw is altijd even vrolijk. Hebt u niet een hors d'oeuvreschaal nodig?

Ik heb er een die van de markies de St. Clair is geweest. Hij heeft, helaas, zoals zovele edelen, zijn hoofd op het schavot moeten laten.'

'Die schotel lijkt me groot genoeg om zijn hele hoofd te kunnen bevatten.'

'Maar ik ben geen Salome die een gunst vraagt aan Herodes. Hoeveel ben ik u schuldig, Birkett?'

Zijn gelaat drukte afgrijzen uit, hij gebaarde met zijn handen: over zulke dingen sprak men toch niet, die werden aan de toekomst overgelaten.

'Zeg het, ik wil het weten.'

'Als mevrouw erop staat – ongeveer duizend guinjes. Vijfhonderd op afbetaling kan altijd, maar dringt u er alstublieft niet bij Zijne Koninklijke Hoogheid op aan.'

Hij boog haar de zaak uit. De kinderen wuifden. De palfrenier sloot het portier, klom op zijn plaats en zette zich naast de koetsier. Toen ze thuiskwamen, stonden daar de kandelaars. Daarnaast lag de rekening met er onder geschreven: 'Betaling van bovenstaand bedrag zal zeer op prijs worden gesteld.

Begunstiging was goed en wel, maar betaling was beter. Zoveel krediet als ze maar wilde, maar... niet langer dan zes maanden. Merkwaardig dat nu de verzoeken om betaling bij bosjes binnenkwamen. Zou het de opvatting van een leverancier zijn dat een prins na zes maanden van idee veranderde? Ze verfrommelde de rekening en stuurde de kinderen naar Martha.

'Ja, Pierson, wat is er?'

'Er zijn twee heren die u wensen te spreken, kapitein Sandon en kolonel French.'

'Hebben ze gezegd waarvoor ze komen?'

'Nee, mevrouw, maar ze hebben wel de naam van meneer Corri genoemd.'

'Goed, zeg dat ik thuis ben en laat ze in de salon.'

Een blik in de spiegel, even een krul verschikken, ze was gereed. Duizend guinjes voor het zilveren servies van Birkett. En deze mannen hadden haar tweeduizend guinjes beloofd.

'Betaling van bovenstaand bedrag zal zeer op prijs worden gesteld.' Waarom zou ze niet dezelfde woorden gebruiken en de koop sluiten?

4

Het diner was afgelopen. De kinderen waren goedenacht gekust. De schemerlampen brandden en de gordijnen waren dichtgetrokken.

'Koninklijke Hoogheid?'

'Zeg tegen Ludovick dat hij morgenochtend om zes uur hier moet zijn. Ik ga naar Hythe en kom zaterdag terug.'

'Jawel, Koninklijke Hoogheid.'

Hij ging bij het vuur zitten, zijn glas brandy op de stoel naast zich, maakte een paar knopen van zijn vest los, zuchtte eens en rekte zich behaaglijk uit.

'Zing wat voor me, schat.'

'Wat zal ik zingen?'

'Een of ander deuntje uit Vauxhall, ik ben niet kieskeurig.'

Ze zong de liedjes die ze die morgen had ingestudeerd en hield hem, achter de piano gezeten, in het oog. Hij sloeg met hand en voet de maat en neuriede vals de melodie mee. Ze zag dat zijn hoofd telkens wat lager op zijn borst zonk, dat hij het dan met moeite weer oprichtte en opnieuw begon te neuriën. Ze ging van de liedjes van die morgen over op zijn lievelingsdeuntjes van zes maanden geleden.

'Twee snaren op je viool', een nogal dubbelzinnige ballade en 'Ik zal het nooit meer doen', slaapverwekkend, geschikt om sentimenten op te wekken.

Eindelijk, toen de brandy op was, de blauwe ogen glazig werden, het vest helemaal losgeknoopt was en de stemming mild, zong ze als laatste:

'Liefde is bedrog
Laten we vandaag vrolijk zijn...'

en knielde, na de piano gesloten te hebben, naast hem neer.

'Waarom houd je ermee op, lieveling?' vroeg hij. 'Omdat ik je de hele dag niet gezien heb. En morgen ben je weer weg.'

'Vind je het erg?'

Hij trok haar op zijn knie en nam haar in zijn armen, haar hoofd op zijn schouder.

'Als je denkt dat ik voor m'n plezier door het land hos en op een veldbed slaap, terwijl ik bij jou zou kunnen zijn... Wat is dit?'

'Een onderjurk. Niet losmaken! Waar ben je morgen?'

'In Hythe en dan verder door naar Folkestone, Deal en Dover. Als het een beetje meezit, ben ik zaterdagmiddag terug.'

Ze nam zijn hand in de hare, speelde met zijn vingers, beet in elke nagel, liefkoosde de palmen.

'Moet je naar Oatlands?'

'De hertogin zal woest zijn als ik het niet doe. Ze heeft zondags altijd het huis vol. Bovendien zal er gekletst worden en het de koning ter ore komen als ik niet in de kerk ben. Hij zal me op het matje roepen en me een uitbrander geven.'

'Dat doet hij niet met de prins van Wales.'

'Natuurlijk niet. Ze spreken niet tegen elkaar, dus ik ben de zondebok.

Zeg, liefste... toe, ga daar mee door, dat vind ik prettig... er staat een huis leeg achter in het park van Oatlands. Het is van de rentmeester geweest, maar hij gebruikt het niet. Waarom meubileer je het niet en huur je wat personeel, dan kan ik 's avonds bij je komen nadat ik bij de hertogin ben geweest.'

'Ik zou niets liever willen. Maar de kletskousen?'

'O, daarover zullen ze niet kletsen. Ik zou op Oatlands wonen. Doodeenvoudig om door het park naar je toe te sluipen.'

'Jij kunt niet sluipen met je één meter vijfentachtig en je omvang... Ik zou dolgraag van zaterdag tot maandag naar Weybridge gaan en wat buitenlucht happen, maar zou dat niet erg duur zijn?'

'Het huis kost niets – het staat toch leeg.'

'Maar het zal in orde gebracht moeten worden, gemeubileerd en zo. De moeilijkheid is dat je in deze dingen zo'n kind bent. Dat komt omdat je je hele leven in paleizen hebt gewoond. Je weet niet half hoe gewone stervelingen als wij leven.'

'Ik leer al aardig.'

'Je hebt geleerd om alleen naar bed te gaan zonder hulp van je kamerdienaar, maar dat is dan ook alles. Een zuigeling zou het er 's morgens beter afbrengen dan jij. Ludovick kleedt je helemaal aan, net als een kindermeid luiers omspeldt.'

'Dat is grotendeels jouw schuld. Als ik wakker word, ben ik niet meer zo kwiek als vroeger. Er is een tijd geweest dat ik voor het ontbijt een rondje om het park reed.'

'Je bent hier ook niet lui... maar het ritme is niet hetzelfde. Op een goeie dag zul je zo in de war zijn, dat je mijn hoofd in een voederzak stopt. Maar zonder gekheid, ik zou heel graag bij jou in Weybridge willen zijn, maar ik kan het niet betalen. Een huis inrichten, personeel huren, alles laten marcheren – er is geen sprake van dat ik dat met mijn toelage kan doen.' Stilte, een ontstemde pauze, een rusteloze beweging. Ze nam een andere houding aan, leunde lichter tegen zijn arm.

'Geef ik je niet genoeg?'

'Genoeg voor een klein huisje.'

'Verdomme, ik snap er niets van. Ze zaniken me eeuwig aan mijn hoofd. Greenwood en Cox beheren al mijn financiën. Zij en Coutts en de rest werken zich door de warboel heen en mijn thesaurier Adam praat af en toe een woordje mee. Ik zit voortdurend aan de grond en kan mijn officiële huishouding al niet op gang houden, laat staan de jouwe. Je zegt dat ik er geen flauw idee van heb hoe jij, een gewone sterveling, leeft. Jij hebt er geen flauw idee van hoe hoog onze uitgaven zijn. Die van mij en mijn broers Clarence en Kent en de rest. De prins van Wales heeft het hertogdom, hij kan er goed van leven, maar de rest van ons zit tot over de oren in de schuld. De hele zaak is verkeerd aangepakt, dat heb ik keer op keer gezegd.'

Pas op – het onderwerp is netelig – ga er niet verder op door. Het zaad is uitgestrooid, laat het een ogenblik liggen. Ze gleed van zijn knie en rakelde het dovende vuur op.

'Ik wil je uitgaven niet verhogen, nooit. Misschien hebben we er verkeerd aan gedaan om naar Gloucester Place te verhuizen. En toch... het is zo prettig dicht bij Portman Square; ik houd van dit huis, net als jij... maar als het je ruïneert, laten we het dan opgeven. Dan ga ik op kamers wonen, stuur de kinderen naar mijn moeder en ontsla de bedienden.'

'Wel verdomme... nee!'

Hij trok haar weer naast zijn stoel. Ze knielde tussen zijn knieën neer en sloeg haar armen om hem heen.

'Ik zeg niet dat ik arm ben, ik ben alleen aan lager wal.' Zijn stem klonk geërgerd.

'Als er één onderwerp is waar ik een hekel aan heb om over te praten, dan is het wel geld. Ik heb je honderden keren gezegd dat je op krediet kunt leven.'

'Jij misschien, maar niet je minnares.'

Ze legde haar wang tegen de zijne en streek over zijn haar.

'Wie valt je met rekeningen lastig?' vroeg hij. 'Birkett, onder anderen... We hadden dat zilveren servies niet moeten kopen, maar het was zo verleidelijk om een kippenborst op de koninklijke lelie te zien liggen, al smaakt ze dan niet beter dan wanneer ze wordt gegeten van afgebrokkeld email.'

'Als Birkett lastig begint te worden, zal ik hem laten arresteren.'

'Arme Birkett. Wat ben je wreed en hard.' Ze liet dit vergezeld gaan van en lichte massage achter zijn oren en een kus op zijn voorhoofd.

'Bezit je werkelijk de macht om iemand in de gevangenis te zetten?'

'Ja, als hij er me aanleiding toe geeft.'

'Is dát wat er bedoeld wordt met "Zijne Koninklijke Hoogheid maakte gebruik van de koninklijke onschendbaarheid"?'

'Dat doen Hoogheden niet, je bedoelt Zijne Majesteit.'

'Aartsbisschoppen zijn onschendbaar, waarom jij dan niet?'

'Kwestie van privilege. Moeten we daar nu nader op ingaan?'

'Maar ik vind het heerlijk om goed ingelicht te zijn – het is de adem van het leven...'

Hij legde haar het zwijgen op met een langdurige kus. Het vuur in de haard was tot sintels ineengezakt. De leunstoel bleek niet voldoende voor werkelijk comfort.

'Waarom zitten we eigenlijk hier?'

'Jij zit – ik kniel.'

'Dat moet verduiveld ongemakkelijk zijn.'

'Dat is het ook. Ik wachtte alleen op het koninklijk bevel om op te staan.'

Ze gingen hand in hand naar boven en door de halfopen slaapkamerdeur hoorde ze hoe zijn kleren op de grond werden gegooid. Ze vroeg zich af hoe de spijsvertering werkte. Had Ogilvie gelijk of ongelijk? Was er een uur nodig om de medicijn te laten inwerken? Ze nam de lijst met namen en bestudeerde die. Het waren voornamelijk kapiteins die een majoorsrang verlangden – ze kon zich onmogelijk al die namen in het hoofd prenten. Ze speldde de lijst aan het gordijn van het bed boven haar hoofd, waar zijn oog erop zou vallen.

'Zeg,' riep ze naar de kleedkamer.

'Ik kom dadelijk.'

'Ken jij iemand die kolonel French heet?'

'Dat kan ik zo niet zeggen. Welk regiment?'

'Ik geloof niet dat hij er een heeft. Hij is gepensioneerd. Of staat op wachtgeld. Niemand van veel belang. Maar hij schijnt je naar het hoofdkwartier geschreven te hebben.'

'Dat doen ze allemaal. Elke dag stromen uit het hele land de brieven binnen van kolonels die op wachtgeld staan.'

'Hij wil rekruten werven.'

'Nou, laat hij zijn gang gaan.'

'Ja, maar het duurt zo lang voordat hij zijn dienstbrief krijgt. Ik weet niet wat dat betekent, maar dat zul jij wel begrijpen.'

'O, die zal hij te zijner tijd wel krijgen, als zijn verzoek wordt ingewilligd.

Dat gaat langs verschillende instanties en ten slotte geeft iemand het door aan Hewitt, de inspecteur-generaal.'

'En wat dan?'

'Dan komt het bij mij terecht voor commentaar en, als ik het inwillig, mijn handtekening. Die lui zijn zo ongeduldig, natuurlijk kost het tijd. Denken ze dat we niets anders te doen hebben dan op onze achtersten te zitten en hun snertbrieven te lezen?'

'Ik geloof dat ze dat denken. Ze hebben geen visie. Maar deze man, kolonel French, was verbazend aardig. Maakte zijn excuses dat hij me lastigviel enzovoort, enzovoort en zei dat hij me oneindig dankbaar zou zijn als ik alleen maar zijn naam wilde noemen, méér dan dankbaar.'

'Wat bedoelde hij daarmee?'

'Dat weet ik niet. Misschien bedoelde hij dat hij me bloemen zal sturen.'

Stilte in de kleedkamer. Toen kwam het geluid van een venster dat geopend werd en zware voetstappen over het tapijt.

Feitelijk had kapitein Sandon het meeste gepraat. Vijfhonderd guinjes vooruit en als het verzoek was ingewilligd nog eens vijftienhonderd... Dan zou French naar Ierland gaan om rekruten te werven en voor elke man die hij in dienst nam, zou ze nog een guinje krijgen, uit te betalen zodra er vijfhonderd man bij elkaar waren gebracht.

'En wat ontvangt u?' had ze hem gevraagd. Dat was een belangrijk punt.

Sandon, met een gezicht als een fret, had het getracht uit te leggen.

'Het officiële handgeld, mevrouw, door het ministerie vastgesteld, is dat elk agentschap dertien guinjes krijgt voor elke man die geworven wordt. Sommige frontregimenten betalen negentien guinjes. Dat bedrag willen wij ook verdienen. We zouden genoeg rekruten kunnen werven, maar de brieven die we naar het ministerie van Oorlog zenden, blijven onbeantwoord. Eén woord tegen de opperbevelhebber en het zou in orde zijn. Hoe hoger de premie, des te hoger natuurlijk uw provisie.'

Het klonk allemaal zo eenvoudig. Een prijs op elk hoofd. Elke dappere soldaat in Ierland een guinje in haar zak.

Ze stapte in bed en nestelde zich in de kussens; boven haar hoofd hing, aan het gordijn vastgespeld, de lijst. Vanuit de kleedkamer klonk een vloek, er viel iets op de grond. Werkte de digestie te langzaam of te vlug? Hij kwam binnen. Ze sloot de ogen en wachtte. Ze voelde dat hij aan de andere kant in bed klom.

'Als je werkelijk verstandig was,' zei hij, 'zou je me nooit lastig hoeven te vallen om geld. Die kerel French...'

'Die met de bloemen?'

'Die stomme ezels moesten hun dankbaarheid tonen. Je kunt ze allemaal naar je pijpen laten dansen, in jouw positie. En als ze niet doen wat je wilt wijs je ze de deur.'

'Zou je me misschien duidelijk willen maken wát exact mijn positie is?

Ik was er niet zeker van. Beneden raakten we nogal in de knoop.'

Een intermezzo om het punt in kwestie te behandelen. De oplossingen van het probleem bleken talrijk te zijn.

'Verduiveld, wat is dat?'

'Ik vroeg me al af wanneer je het zou ontdekken.'

'Ik krijg voor het eerst de kans mijn hoofd op te tillen... Wat zijn dat allemaal voor namen?'

'Zomaar, namen van mannen.'
'Bewonderaars uit je verleden?'
'Nee, soldaten van de kroon. Ze dienen jou. Om je de waarheid te zeggen heb ik nog nooit van een van hen gehoord.'
'Wat is de bedoeling? Heb ik opeens geen fut genoeg meer? Is het een stille wenk dat mijn kracht afneemt en dat die vijftien kerels het er beter af zouden brengen? Als dat zo is...'
Opnieuw een pauze.
'Ik heb die lijst daar alleen maar opgespeld als geheugensteuntje.'
'Ik heb liever dat dat op het hoofdkwartier gebeurt, niet hier.'
'De stakkers zouden zo gelukkig zijn met elke kleine gunst die hun bewezen werd. Ze zouden met een boeket in elke hand bij me komen. Het hele huis zou vol rozen staan...'
'Heb je te weinig bloemen?'
'Ik heb een hoop dingen te weinig.'
Weer een onderbreking van de conversatie om haar bewering, dat ze veel dingen tekortkwam, te onderzoeken; haar verklaring werd niet bevestigd.
'Slaap je?'
'Ik sliep. Nu niet meer... Als je iets van militaire zaken afwist, zou je weten dat ik er niet zomaar elke Jan, Piet en Klaas kan bevorderen. Ik moet elk geval apart onderzoeken en alle gegevens lezen om te zien of de man in kwestie geschikt is voor promotie.'
'Och, laten we er maar over ophouden. Ze kunnen voor mijn part allemaal opvliegen.'
'Ik zal het wel eens nakijken, maar ik kan die verzoeken onmogelijk allemaal ineens behandelen. Kom wat dichter bij me...'
De spijsvertering werkte klaarblijkelijk uitstekend. De medicijn was in het systeem opgenomen. Zoals voorgeschreven: kleine doses, vaak herhaald.
'Je zult de weekenden naar Weybridge moeten komen, naar dat huis waarvan ik je verteld heb, achter in het park. Als je het niet doet, word ik compleet gek van dat dag in dag uit met de hertogin optrekken.'
'De schoothondjes zullen je wel bezighouden.'
'Schurftige mormels. Ze bijten in je vingers als je probeert ze te aaien.'
'Verspil je talenten dan maar niet en bewaar je gunsten voor

degenen die ze waarderen. Sloeg het één uur?'
'Ik zou het je niet kunnen zeggen; mijn oren waren bedekt.'
'Over vijf uur moet je alweer op weg naar Dover.'
'Ik heb gehoord dat Boney* met veel minder toe kan.'
'Minder wat?'
'Minder tijd, minder uren slaap.'
'Hij is maar anderhalve meter lang; jij hebt heel wat meer mee te dragen.
Grootte moet goed uitgerust zijn en goed verzorgd worden.'
'Klinkt als een zij spek die gezouten wordt. Lieveling, is dat je elleboog of je kin?'
'Ik geloof mijn hiel, maar ik durf er geen eed op doen.'
Na een poos viel de stilte over Gloucester Place, rust en vergetelheid. De druipende kaarsen flikkerden en doofden uit. De kamer was in duisternis gehuld. Van een der kussens kwam het geluid van een zachte ademhaling, van het andere luid gesnurk.
'Het is zes uur, Uwe Koninklijke Hoogheid.'
'Al goed. Ruk uit!'
Het bleke morgenlicht sloop de kamer binnen als een aarzelende boodschapper van onaangename dingen die hem voor de boeg stonden: lenteregen, een modderige weg en een schokkend rijtuig. Aan het eind een kamp, op zijn best een kazerne. De stank van koper en leer, van massa's mannen, van rook en kruit.
'Ben je wakker?'
Ze was niet wakker. Beter haar maar met rust te laten; hij gaf een kus op haar verwarde haren en op haar wang. Ze ontwaakte opeens en sloeg haar armen om zijn schouders.
'Ga nog niet weg. Het is nog geen dag.'
'Jawel, Ludovick is al hier.'
'Smijt hem de trap af.'
Klachten en protesten baatten niet. Afspraken gingen voor, minnekozen moest wijken voor plicht.
'Adieu, lieveling. Ik zal proberen zaterdag terug te zijn.'
'Ga niet naar Oatlands. Kom het weekend bij mij.'
Toen ze om negen uur wakker werd, scheen de zon. De lijst was verdwenen.

* Bijnaam voor Napoleon.

5

Will Ogilvie had gelijk. Het was allemaal heel simpel. En toen eenmaal bekend was geworden dat men via persoonlijke kanalen promotie kon krijgen, namen de aanvragen in aantal toe.

'Je moet een vast tarief opstellen,' zei Will, 'niet te hoog. Ik zal het gerucht verspreiden dat ze door jouw bemiddeling een majoorsaanstelling kunnen krijgen voor negenhonderd, één tot kapitein voor zevenhonderd. En laten we zeggen de rang van luitenant voor vierhonderd guinjes, anders is het de moeite niet waard. Maak het je vaste stelregel om een naam alleen mondeling door te geven, nooit brieven over en weer. Als de namen eenmaal in de staatscourant vermeld zijn, betalen de begunstigden jou in contanten uit. Accepteer geen wissels; een wissel kan nagegaan worden, dat is fataal. Sta erop dat ze je in contanten betalen en niet te grote bankbiljetten.'

'Wil jij dat voor me regelen?' smeekte ze.

'Ik zal doen wat ik kan, maar mijn naam mag er in geen geval bij genoemd worden. Ik ben alleen maar de vriend van een vriend, die toevallig heeft gehoord dat jij bereid bent te helpen.'

Toen ze er nog eens over nadacht vond ze het eigenlijk een heel menslievend spelletje. Vaderlandslievend en loyaal, ze redde het land en voorzag het leger ruimschoots van officieren, die allemaal vurig verlangden het land te dienen. Ze zou voor hen verkrijgen wat ze wensten tegen een redelijke prijs en natuurlijk zouden ze dankbaar zijn en niemand zou een aanstelling krijgen zonder een goede conduitestaat.

Het geld was een meevaller. Toen ze die zomer naar Weybridge reed, berekende ze de kosten. Het huis aan het eind van het park was vroeger een boerderij geweest en niemand kon in een boerderij wonen als die niet eerst was opgeknapt. De stallen moesten worden afgebroken en opnieuw opgetrokken, er moesten nieuwe pannen op het dak worden gelegd en van twee kamers moest er één worden gemaakt. Het personeel moest worden gevoed en de lakeien en een koetsier moesten ondergebracht worden. Ze zou dat alles nooit hebben kunnen betalen als ze dat achterdeurtje niet had.

De benoeming kwam af en French ging scheep naar Ierland. Maar Sandon, zijn vriend, bleek een bondgenoot te zijn en kwam haar dikwijls bezoeken. Ze moest hiermee voorzichtig zijn – er mocht eens een kink in de kabel komen. Hij bracht, evenals Ogilvie, lijsten met namen mee, en als Ogilvie vermoedde dat er iemand anders was die ook percenten vroeg, zou dat een akelig debacle geven. Een paar maal hadden ze lijsten aangeboden met dezelfde namen van officieren die promotie begeerden. En als ze die namen had doorgegeven en de mannen waren benoemd, was ze genoodzaakt dubbele provisie uit te betalen, ten nadele van zichzelf.

Alles verliep echter gladjes en de hertog stelde geen vragen. Ze noemde terloops een naam – kapitein die-en-die wil majoor worden – of ze schreef de bijzonderheden op en legde het papiertje ergens waar hij het moest vinden. Hij zou die naam onthouden of het papiertje in zijn zak stoppen. Ze praatten er nooit over. Ze waren beiden uiterst discreet.

Bill was de enige die roet in het eten gooide. Het noodlot wilde dat hij haar op zekere dag tegelijk met French kwam opzoeken en nog wel die morgen waarop de oude French vijfhonderd guinjes kwam brengen, haar premie voor zijn aanstelling.

Ze was zich boven aan het kleden en Pierson liet haar door Martha zeggen: 'Meneer Dowler is hier, hij is regelrecht naar de salon gegaan,' terwijl kolonel French daar al tien minuten zat te wachten. Ze voltooide haastig haar toilet en snelde de trappen af, maar één blik op Bills gezicht was voldoende om haar te vertellen wat er gebeurd was. French, woordenrijk, nogal opgewonden, had, nadat Bill zich had voorgesteld als een intieme vriend des huizes, een toespeling gemaakt op het doel van zijn komst en daarmee was haar geheim – of althans een deel ervan – verraden.

'Ze moeten wel opschieten,' hoorde ze zeggen toen ze de salon binnenkwam.

'Hoe kunnen ze verdomme rekruten verwachten als ze treuzelen met het aanstellen van mensen die ze willen aanwerven? Ik heb dit herhaaldelijk naar voren gebracht in officiële brieven aan kolonel Loraine van het ministerie van Oorlog. Hij negeert ze gewoon, het verzoek wordt in een la gelegd en vergeten. Mevrouw Clarke zegt dat ze doen zal wat ze kan en ik hoop maar dat ze succes heeft.'

'Prettig u te zien, kolonel French. Wel Bill, wat ben je in lang niet hier geweest.'

Ze babbelde maar raak om het gesprek af te leiden, maar de dikke, kleine kolonel liet zich de mond niet snoeren.

'Er is zoveel obstructie bij de hogere instanties. Het ligt allemaal aan generaal Hewitt. Hij is de inspecteur-generaal en blokkeert elk verzoek. Hij heeft een vooroordeel tegen wat hij noemt "rekruteerders", officieren op wachtgeld zoals ik, die waarachtig, daar kunt u van verzekerd zijn, alleen maar verlangen het vaderland te dienen. Als mevrouw Clarke maar eens tegen de opperbevelhebber zou willen zeggen hoe die Hewitt ons tegenwerkt...' enzovoort enzovoort, terwijl Bills gezicht steeds langer werd.

En ten slotte, als klap op de vuurpijl, kwamen de bankbiljetten te voorschijn.

'Wil uw vriend, meneer Dowler, ons even excuseren? Een financiële transactie,' en French trok haar mee in een hoekje en begon druk te fluisteren.

Het had niet afschuwelijker kunnen zijn. Ze was bleek van woede. De enige manier om de situatie te redden was nonchalant doen en de hele zaak als natuurlijk te beschouwen. Eindelijk nam French afscheid en Bill staarde met het gezicht van een dominee die de kansel bestijgt, naar de zoldering. Aanval was de beste vorm van verdediging, dus ze draaide zich naar hem toe.

'Goeie hemel, wat een gezicht! Wat is er aan de hand? Kom je van een begrafenis? Ik heb je in geen dagen gezien en nu kom je zo. Het was mijn schuld niet dat die dikke, vervelende vent me kwam opzoeken.'

Stilte. Toen zei Bill op schoolmeesterachtige toon: 'Hij mag dan een dikke, vervelende vent zijn, dat kan me niet schelen. Maar wat me wel kan schelen, omdat ik toevallig van je houd, is je een spel te zien spelen dat je niet begrijpt. Dat je je mengt in militaire aangelegenheden.'

'Och kom, doe niet zo mal. Je bent altijd zo gauw klaar met je oordeel.

Natuurlijk vallen de mensen me lastig – ik kan niet anders verwachten in mijn positie. De hertog heeft me zelf voorspeld dat dat zou gebeuren, en hij kan het weten. Ik ben blij dat ik iemand kan helpen. Eerlijke mensen, die tonen dat ze het ernstig menen.'

Ze wond zichzelf op tot woede, tot zelfverdediging, verontwaardiging.

'Jij leeft buiten de wereld,' ging ze voort, 'begraven in Uxbridge, waar je van de ochtend tot de avond als een plattelander rondscharrelt. Ik durf te wedden dat ik in één ochtend meer mensen ontmoet en er meer help dan jij in een week. Niet alleen militairen zoals French, maar uit allerlei beroepen. Ze klampen me aan voor alle mogelijke baantjes, je zou het niet willen geloven. Het is mijn schuld niet, het gebeurt nu eenmaal. Als de hertogin een beetje meer spirit toonde en zich gedroeg als een echtgenote, zouden ze naar haar toegaan en mij niet lastigvallen. Maar ze weten dat ze even onbeholpen is als een van haar schoothondjes en daarom komen ze naar mij toe. Ik krijg alles op mijn dak.'

Hij liet haar doorpraten, maar daar bereikte je bij Bill nooit veel mee. Hij liet zich geen ogenblik om de tuin leiden, dat las ze in zijn ogen.

'Ik mag dan leven als een plattelander,' zei hij, 'maar ik ben niet helemaal gek. Gebruik gerust je invloed om te helpen, maar neem geen steekpenningen aan. Je zult zo jezelf in moeilijkheden brengen en hem erbij.'

'Ik neem geen steekpenningen aan.'

'Wat waren dat dan voor bankbiljetten zoëven?'

'Alleen maar een cadeautje als bedankje dat ik voor hem heb gepleit. Je hebt gehoord wat hij zei: "Obstructie bij het ministerie van Oorlog," ze laten er niets door. Ik ben gewoon een ander en een meer direct kanaal.'

'Ben je bereid naar het hoofdkwartier te gaan en dat te vertellen?'

'Het zou me niets kunnen schelen. Het zou ze misschien het zetje geven dat ze nodig hebben.'

'Bluf, dat weet je heel goed. Wat je doet is absoluut illegaal en ruikt naar corruptie. In godsnaam, geef het op en houd je handen schoon. Kun je er niet mee tevreden zijn dat je zijn maîtresse blijft? Dat is triomf genoeg voor je, zonder dat je met drek speelt.'

'Hoe durf je me zo aanvallen?'

'Ik val je niet aan. Het breekt mijn hart te zien dat je je gedraagt als een idioot.'

'Nou, ga dan maar weg. Ga terug naar de reine lucht van Uxbridge, waar je thuishoort. Ik heb je raad of goedkeuring niet nodig. Ik verwacht dat mijn vrienden accepteren wat ik doe en hun mond houden.'

'Dat heb je in Hampstead niet gezegd.'

'In Hampstead was het anders. De hele wereld is sedert die tijd veranderd.'

'Voor jou misschien.'

Hij liep naar de deur. Ze liet hem gaan, maar voor hij de trap bereikt had, riep ze: 'Bill... kom terug!'
Hij kwam terug en bleef in de deuropening staan. Ze strekte haar armen uit.

'Waarom behandel je me zo, wat heb ik gedaan?'
Het had geen zin om te betogen, te pleiten, raad te geven. Het enige waar ze nu behoefte aan had, was goedkeuring, zachte, lieve woorden, een troostende kus, begrip.

'Ik moét het doen, Bill, ik heb het geld nodig.'

'Maar hij geeft je toch een toelage?'

'Jawel, maar dat is nooit genoeg, de uitgaven zijn zo enorm. Dit huis kost alleen al driemaal zoveel als hij me geeft en nu komt dat in Weybridge er nog bij. Paarden, rijtuigen, voedsel, meubels, kleren... Zeg nu niet dat ik mijn uitgaven dan maar moet inkrimpen, dat is onmogelijk. Ik ben genoodzaakt op deze manier te leven ter wille van hem; hij is dat zo gewend, en hij verwacht dat alles zo gedaan wordt. Hij zou nooit tevreden kunnen zijn met een paar achterkamers, een stiekem gedoetje. Dat is zijn tweede thuis. Zo noemt hij het. Zijn enige thuis eigenlijk.'

'Je bent gek op hem, hè?'

'Misschien – maar daar gaat het nu niet om. De kwestie is dat ik hem niet om meer geld kan en wil vragen. Hij heeft het niet en daarom ben ik hiertoe gekomen.'

Ze hield de bankbiljetten omhoog die French haar gegeven had.

'Corrupt als je wilt, goed, maar dat zijn alle zaken en elk beroep, zo is het leven. Politici, dominees, soldaten of matrozen, ze zijn allemaal hetzelfde. Heb je de laatste geruchten gehoord en de kranten gelezen? Wat denk je dat lord Melville bij de admiraliteit heeft uitgehaald? Er wordt een commissie van onderzoek ingesteld om zijn zaken na te gaan.'

'Des te meer reden voor jou om voorzichtig te zijn.'

'O, ze zullen zowat een jaar achter gesloten deuren vergaderen en ten slotte zullen ze niets kunnen bewijzen, zegt de hertog.'

'Het zal me benieuwen, maar ik betwijfel het. De radicalen zullen het er niet bij laten, geloof dat maar.'

'Al zijn we nu allemaal overtuigd van corruptie, wat doet het er in hemelsnaam toe? Ik zal mijn hoofd zolang mogelijk boven water houden.' Hij kuste haar en vertrok. Ze voelde dat hij haar veroordeelde. Die kus was vol verwijt geweest, vol kritiek. Nou ja, goed... dan voelde hij het maar zo, dan moest hij maar wegblijven en niet meer komen. Hij strafte er zichzelf meer mee dan haar; zij kon het best zonder hem stellen. Haar leven was al zo vol dat er gewoon geen tijd meer was voor kritiek van vrienden, van gewezen minnaars als Bill. Die schoolmeestermanieren hinderden haar geweldig. Hij behandelde haar nog als het kind dat van haar man was weggelopen en scheen zich niet te realiseren hoe ze veranderd en gerijpt was.

De mannen die ze nu kende waren mannen van de wereld en naast hen was die arme Bill een stijve hark... aantrekkelijk, maar saai. James Fitzgerald, het Ierse parlementslid, was een van haar favorieten, hij kon praten als Brugman en was een advocaat met een scherpe tong. Hij vond het heerlijk om haar bij de brandy de schandaaltjes van Ierland in te fluisteren; Ierland, waar elke protestantse familie haar geheimen had. Dan was er verder William Coxhead-Marsh, een vriend van de hertog, die dikwijls te dineren werd gevraagd. Hij zei dat hij haar aanbad en dat hij al haar bevelen zou opvolgen. Als ze genoeg kreeg van de hertog, zou hij in Essex een huis voor haar inrichten; ze hoefde maar te kikken. Dat werd allemaal *sotto voce* gezegd, terwijl hij onder de tafel zijn knie tegen de hare drukte. Will Boodle, Russell Manners en anderen maakten dezelfde toespelingen. Ze vleiden haar, streelden haar – luchthartige onzin natuurlijk, die glimlachend en met veel korreltjes zout werd genomen, maar prettig was het wel. Het was jammer dat de koninklijke minnaar niet wat gezelliger was. Het weelderig ingerichte huis was zo geschikt voor recepties, voor diners en partijen en muziekmaken, en ze ontving zo graag.

Hij vond het wel aardig zo nu en dan eens een paar vrienden uit te nodigen, maar nooit veel en hij gaf er de voorkeur aan na het eten rustig te zitten luisteren als zij zong of kaart te spelen met een paar intieme vrienden, zelfs met May Taylor. Hij deed haar denken aan Bob Farquhar, zijn liefhebberijen waren alledaags, eigenlijk typisch burgerlijk; wonderlijk was dat. Een schuine mop of liedje en hij schaterde het uit – een bediende die met soep morste en hij hield zijn buik vast van het lachen. Hij vond paardenrennen een plezierig onderwerp van gesprek en kon er zielsvergenoegd een hele avond met enige paardenliefhebbers over bomen, een glas port naast zich. Terwijl de prins en mevrouw Fitzherbert... nou ja, daar maar niet aan denken. Dat milieu was heel anders. De prins had zijn eigen speciale kring, Charley Fox en de rest, het puikje van de voorname Whig-society, niets dan pracht en praal, en ongetwijfeld veel amusanter. Enfin, het was nu eenmaal zo, en als hij het prettig vond om, als hij van het hoofdkwartier kwam op zijn knieën bij de kinderen te gaan zitten, kon ze hem dat niet beletten. Beter piket spelen met May Taylor in Gloucester Place, dan rondhangen bij lady Hertford in Carlton House. Toch hinderde het haar dat er niet vaker invitatie-kaarten werden uitgezonden: 'Een avondpartij ten huize van mevrouw Clarke. Rijtuigen om elf uur,' en in kleine lettertjes eronder, 'Z.K.H. de hertog van York zal aanwezig zijn.' Maar hij moest niets van die plannetjes van haar hebben.

'Als jij van 's morgens negen uur tot 's avonds zeven op je achterwerk moest zitten om het leger van Zijne Majesteit te leiden, zou jij je ook willen ontspannen en geen zin hebben om je vol te vreten en naar stom geklets te luisteren.'

'De prins van Wales ontvangt wel, met mevrouw Fitzherbert...'

'Die heeft geen baan, die moet zijn tijd doden.'

'Je zou zoveel te weten kunnen komen als we eens wat diners gaven. Voor politici en zo – geen onbeduidende lui, maar mensen van betekenis.'

'Politici zijn schurken, ik laat die maar liever aan mijn broers over. En er is niets dat ik te weten wil komen, ik verkies niet te intrigeren. Wat is er, mijn engel? Verveel je je? Heb je genoeg van mijn gezelschap?'

'Natuurlijk niet... het is alleen maar...'

'Inviteer ze dan als ik er niet ben... dat kan me niet schelen. Je kunt doen wat je wilt.'

Maar daar ging het niet om. Ze begeerde de glorie, de betovering van naast hem in de salon te staan, buigend en glimlachend, het huis vol gasten die allemaal behangen waren met diamanten en titels, niet één van hen minder dan een graaf. En dan al die mensen grijnzend, grinnikend en flikflooiend op haar uitnodiging, het meisje uit de steeg, dat een vette vis aan de haak had geslagen.

Een enkele keer vond hij het goed dat er een diner werd gegeven. Tien of twaalf mensen, meer niet, en ze moesten weer vroeg weggaan. Dan was het huis een en al opwinding, met twee koks in de keuken, een man om Pierson te helpen behalve de gewone lakeien en een diner van vier of vijf gangen, het blinkende zilveren servies (goddank nu betaald met het geld van kolonel French) en daarna muziek, zij aan de harp en het hele gezelschap applaudisserend. Dat was leven, dat was hemels, niets kon het daarbij halen. Al die lachende gezichten, het gegons van stemmen, de toejuichingen en hij boven allen uit, zijn handen op de rug, knipogend, hartelijk, uitbundig met zijn loftuitingen.

'Waarachtig, ze is ze allemaal de baas in Vauxhall.'

En dan een kushand die ze allemaal zagen en de uitdrukking van die gezichten! Dat was macht en verrukking tegelijk, het was nectar. En als ze weg waren en ze keek naar de rommel veranderden de kringen van glazen op een stoelleuning en de vlekken op het tapijt in symbolen van triomf.

'O, ik ben zó gelukkig. Ik vond het zó heerlijk!'

'Wat? Voor gastvrouw spelen?'

'Ja. Als jij de gastheer bent. Zonder jou is er niets aan.'

En als ze dan later naast hem lag, haar zenuwen gespannen, te opgewonden om te slapen, maakte ze zich de dwaaste illusies over wat zou kunnen gebeuren, over mensen die zouden kunnen sterven. De prins van Wales was nooit sterk geweest en prinses Charlotte was ziekelijk; de hertog zou troonopvolger worden en de koning, die altijd ziek was, krankzinnig of iets dergelijks... het was best mogelijk dat de hertog over een jaar of twintig aan de regering zou komen. En dan... wat een heerlijkheid! Wat een toekomst! Intussen waren die kleine beetjes macht al heerlijk en stegen ze haar naar het hoofd, ook het geliefhebber in promoties en overplaatsingen was prettig, het veranderen van majoors in kolonels; het mocht dan niet veel te betekenen hebben, maar het was lucratief. Het was opwindend briefjes naar Sandon te sturen, gauw even tijdens het ontbijt gekrabbeld: 'Wees zo goed morgenavond de Staatscourant door te zien, ik verwacht dat er enkele namen in zullen staan; ik heb er nog meer in petto, dat verzeker ik u. De premie voor mijn bemoeiingen is voor een majoorsrang zevenhonderd guinjes, dus dat bedrag moet zo blijven. Ik ben maandag in de stad voor het geval u me iets heeft mee te delen...'

Gevolgd door een ander kattebelletje: 'Ik ben tot de overtuiging gekomen dat het bedrag te laag is, ik heb het besproken met iemand die volkomen op de hoogte is van die dingen. U moet dus tegen Bacon en Spedding zeggen dat ze me elk tweehonderd guinjes meer moeten betalen en de kapiteins elk vijftig meer. Er is me nu al elfhonderd aangeboden voor een hogere officiersrang. Ik moet hierop antwoord hebben, daar ik er met hen over wil spreken. Ik heb uw naam genoemd en gezegd dat u zich over mij bekommerde... Ik ga vanavond naar het Kleine Theater.' Waar ze bij nader inzien aan toevoegde: 'Mevrouw Clarke acht het beter dat kapitein Sandon vanavond niet in haar loge komt, daar Greenwood er met de beide hertogen heen gaat en natuurlijk zal opmerken waar uw ogen af en toe heen dwalen. Als hij zou ontdekken dat kapitein Sanford een of andere opmerking maakt over de rekrutering, zou dit nadelig kunnen zijn voor zijn belangen en die van mevrouw Clarke.' Alles verliep echter niet altijd volgens plan. De namen werden wel doorgegeven, maar de dragers van die namen verknoeiden soms hun promotiekansen door hun eigen stommiteiten. Dan kreeg Sandon weer een briefje: 'Ik heb danig de pest in. U weet hoe ik er financieel voorsta en ik had dinsdag op Spedding gerekend; laat nu zijn regiment zo slecht geëxerceerd hebben dat de hertog ze allemaal heeft uitgefoeterd en voor iedereen de promotie heeft stopgezet. Hij is echter van plan vandaag het verzoekschrift nog eens door te nemen, omdat Spedding oud-officier is en nog niet zo lang bij het regiment. U begrijpt dus wel dat als hij promotie maakt, hij me wel zeer dankbaar mag zijn voor mijn goede diensten. Ik zal zoveel mogelijk voor hem pleiten. De hertog is erg boos op u, want toen hij u het laatst sprak hebt u hem driehonderd vreemdelingen beloofd en u hebt hem er niet één bezorgd. O ja, meneer Sandon is wel een man om op te vertrouwen! Ik heb u gezegd dat ik geloof dat alles geleidelijk moet gebeuren, zijn klerken zijn zó geslepen. Laat Spedding een lijst opmaken van wat hij in zijn diensttijd heeft gepresteerd en laat hij me die, zonder adres, doen toekomen, ik kan die dan aan hem tonen. Adieu!' Soms krabbelde ze erboven: 'Verbranden!' maar meestal vergat ze het. Wanneer alles goed ging, leek voorzichtigheid overbodig. Eind juli kreeg ze even een schrik. Kolonel Clinton, secretaris van het ministerie van Oorlog, werd opgevolgd door kolonel Gordon, een man die veel meer op zijn hoede was. Dadelijk deden allerlei geruchten de ronde: de nieuwe secretaris was lastig, hij was van plan alles te onderzoeken, hij vond zijn departement laks. Een haastig briefje naar Sandon.

'Voor ik de stad uit ga een paar regels om u op uw hart te drukken in elk opzicht voorzichtig te zijn en vooral nooit mijn naam te noemen. Ik weet zeker dat u een massa vijanden hebt, want gisteren zijn er zeven of acht verschillende mensen met lasterpraatjes over u bij de hertog gekomen. Hij is ergens ontstemd over, maar wil me niet vertellen wat het is.'

Zou hij boos zijn omdat Gordon vragen stelde en zijn neus stak in zaken die Clinton had verwaarloosd? Er werd gekletst over de rekrutering en ook andere praatjes deden de ronde. Er waren te veel tussenpersonen en te veel fluisterstemmen. Niet Ogilvie natuurlijk, die was te vertrouwen, maar misschien French in Ierland of zelfs Corri?

'Heb jij gepraat?'

'Maar, mijn lieve mevrouw, ik protesteer...'

'Er gaan praatjes rond en Zijne Koninklijke Hoogheid heeft die gehoord.

Als je aantekeningen hebt over die wervingskwestie – je weet wat ik bedoel, verbrand die dan in hemelsnaam direct.'

Ze stuurde hem met asvale lippen naar huis.

'Blijf kalm,' zei Will.

'De storm gaat wel weer liggen. Nieuwe bezems vegen schoon, laat Gordon zijn gang maar gaan.'

'Je hebt me gezworen dat er geen gevaar bij was,' begon ze.

'Dat is er ook niet. Laat hij zich eerst maar inwerken.'

En dat dééd Gordon en goed ook; hij nam de teugels stevig in handen. Een van de eerste resultaten van het nieuwe regime was een circulaire van het hoofdkwartier aan alle legeragenten, gedateerd 28 september 1804:

"Mijne Heren – Zijne Koninklijke Hoogheid de opperbevelhebber heeft gegronde redenen om aan te nemen dat er een intensieve correspondentie gaande is tussen de officieren van het leger en de mensen die zich 'legermakelaars' noemen en die de officieren willen overhalen met hen in onderhandeling te treden ten einde tegen betaling promotie te verkrijgen, hetgeen volkomen in strijd is met de legervoorschriften. Daar het de besliste wens is van de opperbevelhebber om zoveel mogelijk een einde te maken aan praktijken die uiterst schadelijk zijn voor de dienst, heb ik bevel gekregen uw aandacht op dit belangrijke punt te vestigen en u op het hart te drukken dat het noodzakelijk is, zover dat in uw vermogen ligt, elk contact tussen die personen en de officieren van uw agentschap te voorkomen. Mocht te eniger tijd blijken dat dergelijke transacties door tussenkomst van uw bureau tot stand zijn gekomen, dan zal de opperbevelhebber het zijn plicht achten daaraan een einde te maken door de kolonels van de respectievelijke regimenten te bevelen hun regiment aan dat agentschap te onttrekken en in andere handen te plaatsen. Verder is mij bevolen u op te dragen de eerstaanwezende officieren in uw agentschap de ernstige ontevredenheid van Zijne Koninklijke Hoogheid over te brengen over deze onbehoorlijke en geheime handel en hun te verzekeren dat, indien na datum van dit bericht nog ontdekt zal worden dat er op dergelijke wijze aanstellingen door uw agentschap tot stand worden gebracht, deze aanstellingen onmiddellijk zullen worden geannuleerd en dat de officier zal worden gerapporteerd aan de koning, als hebbende gehandeld in lijnrechte ongehoorzaamheid aan de orders van de opperbevelhebber. w.g. J.W. Gordon."

Hoe draaien we ons daaruit? vroeg Mary Anne zich af, in haar huis in Weybridge uitkijkend naar de dansende herfstbladeren. Terwijl ze wachtte op de terugkeer van de hertog, die bij de hertogin in Oatlands was, gooide ze een briefje van een dankbare kapitein in het vuur en stopte vierhonderd guinjes aan bankbiljetten in haar keurslijf.

6

Het spelletje ging door, maar langzamer, met groter voorzichtigheid. Ze was te ver gegaan om zich te kunnen terugtrekken; ze zat er tot over haar oren in. Een tijdje namen de aanvragen af – de schrik zat erin – maar tegen nieuwjaar kwamen ze weer. Er was geen andere manier om te leven. Ze had het geld hard nodig. De onderhoudskosten van de beide huizen verdubbelden en verdriedubbelden, ze wist niet hoe te bezuinigen. Elke dag kwam Martha met klachten bij haar.

'De slager is al in drie maanden niet betaald, mevrouw. Hij zegt dat hij ons niet meer wil leveren voor er althans een deel van de schuld is afbetaald.'

'Martha, plaag me niet, ik heb schilderles.'

Ze had altijd een of andere les; zangles, schilderles, dansles, om bij te blijven met de laatste bevliegingen in de stad. Op het moment was schilderen op fluweel de rage.

'Als ik u niet plaag, krijg ik het op mijn dak. De slager zegt dat ik het geld dat u voor hem geeft, achterhoud.'

'Hier, neem dit.'

Er lagen wat bankbiljetten in een la, bestemd voor de juwelier voor een paar oorbellen dat ze wilde hebben. Een deel van dat geld moest dan maar gebruikt worden om de slager tevreden te stellen.

'De kolenhandelaar wordt ook lastig, mevrouw. Hij mopperde verleden week zo toen hij de kolen kwam afleveren. En we hebben over een paar dagen weer een nieuwe voorraad nodig, nu met die haarden in elke kamer.'

Ze vond ergens in een doos nog wat bankbiljetten om de kolenman te betalen. De kleinere leveranciers kwamen eerst aan de beurt, dat was niet meer dan billijk. De juwelier kon altijd wachten of de oorbellen terughalen.

'Martha, ze eten in de keuken zo ontzettend veel vlees.' De keuken was dan altijd de zondebok.

'Zijne Koninklijke Hoogheid en ik eten zó weinig. Er gaan altijd grote stukken vlees naar beneden. Ik heb het zelf gezien.'

'Maar mevrouw, wat wilt u? We zijn in de keuken met ons tienen. Die mensen hebben honger en moeten goed eten.'

Tien man personeel – waren het er al zoveel? Er kwam telkens weer iemand bij om een ander te bedienen. De koks wilden niet aan één tafel zitten met de vatenwasser en keukenjongen, de dienstmeisjes niet met de lakeien en degene die de bedden opmaakte, wilde geen vaten wassen.

'Martha, zorg jij er maar voor, ik heb geen tijd.'

Weer terug naar haar fluweel-schilderen en dan naar Kensington; vanavond naar de schouwburg, morgen naar Weybridge – en maar steeds verzoeken om geld van het personeel op het land. Ze had die zomer een bevlieging gehad om groenten te verbouwen, maar in plaats van een klein tuintje achter het huis waren er drie stukken grond afgezet, een vergissing van de een of ander – een verkeerd begrepen order – en nu had ze twee werkpaarden moeten kopen en die moesten gevoederd worden. Daarvoor moest natuurlijk een aparte man komen, want haar stalknechten raakten alleen rijtuigpaarden aan.

'Maar waar moet die man wonen? Hij is getrouwd en heeft vier kinderen.'

En zo ging het maar door, een waanzinnige kringloop. Als de molen eenmaal in beweging was gezet, draaide hij maar door. En behalve de leveranciers en het personeel stelde ook de familie haar eisen. James Burton had, de hemel zij geprezen, nooit om huur gevraagd, maar het huis in Tavistock Place moest toch onderhouden worden voor haar moeder en voor Isobel. Isobel was nu verloofd met een van de Taylors, en de omstandigheden van de familie Taylor waren plotseling zeer slecht geworden. May's vader was door speculaties failliet gegaan en de arme May was in tranen. Ze waren genoodzaakt het huis te verlaten en zij en haar zuster dachten erover een school te beginnen, maar daar kon geen sprake van zijn als ze niet geholpen werden. Mary Anne moest weer uit de la vijflhonderd guinjes opduikelen om de arme May en haar zuster in Islington te installeren. Verder tweehonderd guinjes voor Isobels huwelijk. Het geld glipte gewoon tussen haar vingers door – ze kon het niet houden. En toen vond Charley het tijd om ook met een probleem aan te komen. Hij voelde zich niet gelukkig in het dertiende regiment lichte cavalerie en wenste overplaatsing. Kon zijn zuster dat voor hem regelen? Dat verzoek kwam op een ongelukkig moment, juist toen alle zaken er zo slecht voor stonden, maar het lukte haar toch gedaan te krijgen dat hij werd overgeplaatst naar het zevende regiment infanterie, de fuseliers. Zes maanden later kwam hij weer bij haar aanzetten.

'Ik haat dat zevende, ik wil bij een ander regiment.'

'Maar, jongenlief, dat zei je in september ook al.'

'Dat weet ik wel, dat was een vergissing, ik wou dat ik het nooit gevraagd had. Het zevende is gewoon een hel, ik ben veel liever bij de cavalerie. Ze hebben me verteld dat ik wel bij het veertiende lichte cavalerie zou kunnen komen, maar dat moet natuurlijk op een handige manier worden aangelegd. Kun jij dat doen?'

'Ik zal het proberen... maar je moet nu toch eens gaan begrijpen dat het geen spelletje is.'

'Ik heb meer kans promotie te maken bij de cavalerie.'

Daar was ze niet zo zeker van, maar ze zei het niet. Het feit dat ze met de hertog samenleefde, was hem naar het hoofd gestegen, en het gerucht was haar ter ore gekomen dat hij niet bemind was.

'Zeg tegen je broer dat hij zijn mond een beetje moet houden, zijn kameraden nemen dat niet. Hij is veel te verwaand en krijgt te veel babbels.' Zodra ze dat voor Charley in orde had gebracht, kwam er een jammerkreet van Sammy. Ze had gehoopt dat die arme Sammy Carter ergens veilig in een land overzee zat, verrukt dat hij vaandrig en in de puntjes gekleed was. Verre van dat – hij zat op het transportschip *Clarendon* in de buurt van Spithead, vanwaar hij haar een brief schreef:

"Geachte mevrouw, Gedreven door de vreselijke situatie waarin ik verkeer en door de wetenschap hoe goed u bent, vertrouw ik dat u me zult vergeven dat ik me wederom tot u wend. Sedert ik u het laatst schreef, heeft de inscheping plaatsgehad en ik bevind me nu aan boord in omstandigheden die niet te beschrijven zijn. Ik heb geen voorraad voor de reis en evenmin geld om die kleinigheden te kopen die absoluut noodzakelijk zijn. Ik moet elke nacht vier uur wachtlopen en heb, behalve driemaal per week gezouten vlees, niets te eten en alleen water om te drinken, daar de rum zo slecht is.

U bent altijd zo goed voor me geweest dat ik er geen ogenblik aan twijfel of u zult me niet laten verhongeren in de situatie waarin u zo goed bent geweest me te plaatsen en welke zodanig is, dat ze me altijd tot de dankbaarste en gelukkigste sterveling zal maken. Indien u ertoe zoudt kunnen komen zich mijn tragisch lot aan te trekken en me door een kleine geldelijke bijdrage te redden van al dit afschuwelijke, zal dit een daad uwer waardig zijn en een die ik nooit zal vergeten.
Ik ben, mevrouw, uw dankbare dienaar,

Sam Carter."

Die arme, lieve Sammy, die wegkwijnde op gezouten vlees. Ze zond hem onmiddellijk vijftig guinjes om op krachten te komen. Wat een vergissing van hem om bij haar weg te gaan, hij was helemaal niet geschikt voor de militaire dienst – dat had ze altijd wel geweten. Hij bedankte haar in overdadige woorden en sloot een rekening bij voor zijn kleren: sabels, sjerpen, gordels en pluimen, tunica's, handschoenen en kousen, zelfs een horloge; alles tezamen was het weer een bedrag van veertig guinjes. Nou ja, er was niets aan te doen, die arme Sammy moest geholpen worden. Ze hoopte dat hij zich nu op zijn gemak zou gaan voelen en niet om overplaatsing zou vragen.

'Mevrouw.'

'Martha, wat is er nu weer?'

'Dokter Thynne is hier.' Die kon tenminste geen geld vragen, hij was goddank voor zijn diensten betaald – de verkoudheden van de kinderen die winter, de reumatiek van haar moeder, een moeilijk moment van haarzelf dat achtenveertig uur had geduurd (met bekwaamheid en discretie door hem behandeld, de verwachtingen van de hertog de bodem ingeslagen), een zalfje voor Martha, een aderlating bij Parker, de koetsier.

'Wel, beste dokter, wat kan ik voor u doen?'

'Voor mij niets, mevrouw Clarke, ik kom alleen een goed woordje doen voor een vriend van me...' Altijd hetzelfde liedje... maar Thynne had het nog nooit eerder gezongen.

Weg met de ziekbed-manieren, de glimlach van de patiënt (dank u, ik voel me vandaag veel beter, ik ga goed vooruit); nu een zakelijk gezicht, zakelijke manieren.

'Wat zijn de bijzonderheden?' De gebruikelijke vaste regel.

'De man van een patiënte van me heeft een broer, kolonel Knight...'

'Om kort te gaan, die Knight is de sollicitant?'

'Ja, mevrouw Clarke. Kolonel Knight zou graag willen ruilen met een andere officier, een zekere kolonel Brook. Het verzoekschrift is natuurlijk al officieel ingediend, maar het antwoord blijft uit...'

'Ik weet het, ik weet het.' Het gewone praatje, ze kende ze vanbuiten.

'Ik zal mijn best doen. Heeft hij gezegd welke vergoeding hij ervoor zal betalen?'

'Ik meen dat mijn patiënte sprak over tweehonderd guinjes.'

Ze had al eens driehonderdvijftig guinjes voor een ruil gekregen, maar dat was geweest vóór Gordon secretaris werd. Alles goed beschouwd waren tweehonderd guinjes niet te versmaden.

'Tweehonderd is niet veel, maar omdat het een vriend van u is, zal ik een uitzondering maken. In bankbiljetten natuurlijk.'

'Zoals u wenst, mevrouw Clarke. Mijn vriend zal u zeer dankbaar zijn.'

'Het geld moet me, zodra de namen in de Staatscourant vermeld zijn, thuis worden bezorgd. Ik zal proberen het er vóór het eind van de maand door te krijgen.'

O, die hitte in juli! Londen was om te stikken. Er stond bijna geen zuchtje wind, zelfs niet in Weybridge. Ze hunkerde naar de zee, naar volkomen ontspanning. Als ze niet wat rust nam, zou ze net zo gek worden als de koning. Die hadden ze nu naar Weymouth gestuurd om zoute baden te nemen. Zoute baden was het laatste middel voor mensen die het in de bovenkamer mankeerde. Zij zou ook naar Weymouth gaan als ze het geld had. Die tweehonderd guinjes van Knight zouden goed van pas komen. De gedachten tolden onophoudelijk door haar hoofd, ze werd er duizelig van.

De oorlogskoorts had het land die zomer weer te pakken en invasie was het voornaamste onderwerp van gesprek. Zou Boney het wagen? Hij had de manschappen maar niet de schepen, en het weer was niet geschikt, er hing mist over het Kanaal. Eén man kon makkelijk tien Fransen aan, maar wat zou Londen doen als hij landde? 'U hoort in uw positie natuurlijk zoveel, vertel ons eens wat de hertog van plan is? En is het waar wat lord Stanhope zegt, dat de Fransen een geheim wapen hebben waarmee ze onze schepen tot zinken kunnen brengen?' Alsof ze het vertellen zou áls ze het wist. Zoveel hatelijke tongen wachtten op de kans een lastercampagne tegen de hertog te beginnen. Ze trachtte erachter te komen wie die met 'Belisarius' ondertekende brieven in de *Morning Post* schreef, maar het lukte haar niet. Sutton hield bij hoog en laag vol dat het een zekere Donovan was, een veteraan op wachtgeld, die een grief had, maar Donovan kwam zelf zijn onschuld bewijzen en beloofde zelfs haar cliënten te zullen sturen (natuurlijk zou hij daar, achter haar rug, de nodige provisie voor krijgen).

De grote verrassing van het voorjaar was Bills hulp geweest. Sedert dat twistgesprek vorig jaar in haar salon had ze hem nauwelijks gezien, want hij had er de voorkeur aan gegeven zich op een afstand te houden. En de vrees voor invasie had ook hem te pakken gekregen. Hij bekende dat op Isobels trouwreceptie: een en al vaderlandsliefde en nogal gewichtig doend.

'Nu het land in alarmtoestand verkeert, kan ik er niet bij staan en niets doen. Mijn plan is zo gauw mogelijk naar een baantje uit te zien.'

'Wat voor soort baantje?'

'Dat is niet aan mij om uit te maken. Ergens waar ik het meest van nut kan zijn. Ik ben bereid mijn diensten aan te bieden aan elke willekeurige regeringsinstantie die me kan gebruiken.'

Ze dacht aan de trouwpartij, die nog betaald moest worden...

'Aanstellingen zijn niet zo makkelijk te krijgen. De beste baantjes zijn allang vergeven.'

'Dat weet ik,' zei hij. 'Het is me ook niet om een best baantje te doen, alleen om net als anderen, mijn land te dienen.'

'Voor dat voorrecht zul je waarschijnlijk moeten betalen.'

'Dat weet ik ook.'

'In dat geval zal ik een baantje voor je zoeken en kun je mij betalen.'

Ze zei het glimlachend. Hij wendde zich af. Maar toen bruid en bruidegom in een regen van rozenbladeren waren vertrokken en de gasten afscheid hadden genomen, trof ze hem alleen aan. Ditmaal lachte ze niet, maar stonden er tranen in haar ogen.

'Wat is er?' vroeg hij. 'Isobel zag er zo gelukkig uit, ik huil om haar. Mijn eigen trouwerij, dertien jaar geleden, was zo heel anders. Voor mij waren er geen gasten en geen rozenblaadjes. En dit alles moet nog betaald worden, de hemel mag weten wanneer.'

'Nog altijd financiële moeilijkheden?'

'Meer dan ooit, maar daar hoef ik jou niet mee lastig te vallen... Ik hoop dat het je lukt een aanstelling te bemachtigen.'

Hij begreep wat ze bedoelde. Hij keek haar in heftige tweestrijd aan. Zijn principes, zijn normen, alle dingen die hij zo hoog schatte, lagen in de weegschaal tegen haar nood.

'Hoeveel heb je nodig?' waagde hij te vragen.

'Als je het precies weten wilt: duizend guinjes. Vijfhonderd voor deze bruiloft en de rest voor een juwelier die lastig begint te worden. In ruil daarvoor zal ik jou een goed baantje bezorgen en niemand, behalve wij, hoeft het te weten.'

'Ik zal het aan mijn vader moeten vertellen, ik heb het geld niet.'

'Doe maar. Hij kent de wereld. Benoemingen kun je niet zomaar van de bomen plukken. Iemand zal als tussenpersoon moeten fungeren. Waarom zou dat niet je intiemste en liefste vriendin zijn? Of ben ik dat niet meer? Is dat voorbij?' Hierna werd er niet meer over gesproken, hij had geen kans meer om zich terug te trekken. Ze had hem, hulpeloos spartelend, aan het lijntje en vóór er drie maanden verlopen waren was hij aangesteld als administrateur der legerbevoorrading. De bruiloftskosten waren betaald, de juwelier was tevredengesteld.

'Meneer de hertog?'

'Wat is er, lieveling?'

'Kan ik mee naar Weymouth?'

'Onmogelijk, mijn engel. De koning komt.'

'De koning zal niet voor twee uur 's morgens in zijn verblijf zijn...'

'Ik ook niet.

Mijn bezoek is officieel. En zondag wordt de zoon van Chesterfield gedoopt, ik ben peet.

'n Geweldige drukte. Al zou je naar Weymouth komen, dan zou ik je toch niet te zien krijgen.'

Altijd weer die strakke lijn die getrokken werd tussen wat officieel en wat privé was, nooit de geringste kans om die kloof te overbruggen, terwijl de prins van Wales en mevrouw Fitzherbert en de hertog van Clarence met mevrouw Jordon en zelfs Kent met zijn oude Franse maîtresse... Ze vermoedde dat het een soort plichtsgevoel van hem was om de hertogin te sparen.

'Je schaamt je toch niet voor me?' Hij staarde haar over de eettafel verwonderd aan.

'Wat scheelt je, liefie, een aanval van koliek?'

'Nee, onweer in de lucht; ik ben uit mijn doen.'

Hij wilde dat verlangen van haar niet begrijpen, dat verlangen dat haar soms opeens kon overvallen, een verlangen naar meer macht, naar plannen maken, besluiten nemen, zijn leven delen; niet op de manier waarop ze dat nu deed, maar als zijns gelijke. Ze herinnerde zich dat fatale gebrek aan tact dat ze eens op een zondag in Weybridge aan de dag had gelegd. Zorgeloos, zonder nadenken, had ze zich in de kerkbank geïnstalleerd en had zelfingenomen tegen hem gelachen toen hij met de hertogin de kerk binnenkwam. Met een gezicht als een donderwolk had hij een andere kant uitgekeken, maar die avond was hij woedend uitgevallen: 'Wel verdomme, hoe haalde je het in je hoofd om je in de kerk, waar de hele hofhouding bij was, zo op te dringen? Als je het hart hebt nog eens zoiets te doen, laat ik je afranselen.'

Mijn God... en hij meende het. En toch wist iedereen het wanneer ze in Weybridge was; men haalde de schouders op over zijn avondlijke bezoeken aan haar en accepteerde die. Alweer die scheidingslijn. Privé werd het toegestaan, maar zodra ze zich in de nabijheid van de hertogin vertoonde, stond dit gelijk aan besmetting. En toch bleven de verzoeken om gunstbewijzen bij haar binnenkomen en niet bij de hertogin.

'Ken jij een zekere O'Meara?'

'Nooit van gehoord.'

'Hij is een soort deken in Ierland en hij wil graag bisschop worden. Hij heeft me al meermalen om een introductie bij jou verzocht.'

'Hoort niet bij mijn departement. Ik bemoei me niet met kerkelijke aangelegenheden. Bovendien bevalt die "O" in zijn naam me niet.'

'Hij is protestant... en even loyaal als jij.'

'Een Ier is nooit loyaal, behalve als het zijn eigen schuld betreft. Zeg aan die meneer O'Meara uit mijn naam dat hij maar in zijn moerassen moet blijven zitten.'

Ja, als hij er zo over dacht, dan geen promotie voor de deken en geen *billet doux* vol dankbaarheid en geurend naar wierook. Wat zou de prijs voor een bisschopszetel zijn? Evenveel als voor een kolonel? Will Ogilvie zou het niet weten, maar misschien Donovan?

'Als je me niet naar Weymouth wilt laten komen, zal ik maar naar Worthing gaan.'

'Waarom naar Worthing, liefje? Waarom kun je niet thuisblijven?'

'In Londen, eind juli? De stad is uitgestorven.'

Coxhead-Marsh zat in Worthing, en Willy Fitzgerald, de zoon van het Ierse parlementslid, wel amusante kerels. De plaats was erg in de mode en deed Brighton concurrentie aan. Worthing was het antwoord op haar verveling. De kinderen werden met haar moeder in Weybridge ondergebracht. Zelfs de contanten had ze ervoor, die waren juist die ochtend binnengekomen: tweehonderd guinjes van meneer Robert Knight, broer van de kolonel die door bemiddeling van dokter Thynne zijn benoeming had gekregen en prompt betaald had.

'Goed, ga dan maar naar Worthing, als je wilt. Hoe sta je met geld? Kun je het redden?' Verbluffende vraag. Geld kwam tussen hen zelden ter sprake. Misschien begon zijn geweten hem te plagen. Geen wonder, haar toelage was sedert mei niet meer uitbetaald.

'Geld genoeg, dankzij de dokter.'

'Welke dokter?'

'Dokter Thynne. Een kleine ruilkwestie, weet je nog? De namen stonden vandaag in de Staatscourant. De enige moeilijkheid is dat hij me twee biljetten van honderd heeft gestuurd en daarmee moet je bij een pensionhouder niet aankomen.'

'Pierson kan ze wel even gaan wisselen.'

'Op dit uur?'

'Natuurlijk, als hij zegt voor wie het is, doet iedereen het.' Ik zal eigenlijk niet veel geld nodig hebben, dacht ze. Coxhead-Marsh en Fitzgerald zouden samen wel voor alles zorgen. Kamers aan de voorkant en allebei zouden ze haar de hele dag op haar wenken bedienen.

'Pierson, wissel dit even in tientjes en twintigjes.'

'Zeker, mevrouw.'

De hertog stond van tafel op en nam haar beide handen.

'Zal mijn lieveling me missen?'
'Dat weet je wel.'
'Ik zal proberen niet langer dan tien dagen weg te blijven.'
'Dat zijn negen dagen te lang. Bedenk eens hoe eenzaam ik het daar in Worthing zal hebben, helemaal alleen.'
'Vraag May om mee te gaan?'
'Misschien, hangt ervan af.'
Waar hing het van af? Of Coxhead-Marsh amusant was en of Willy Fitzgerald gaf wat zijn Ierse ogen beloofden.
Een lange, lange kus.
'Pas goed op jezelf.'
Ze streelde over zijn hoofd en langs zijn oren, even een liefkozing.
'Verdomme, ik zou je mee naar Weymouth nemen als het ging. Die verwenste Chesterfield met zijn jong.'
'Ik weet het... ik weet het.'
Twee uur om hem gerust te stellen, toen kwamen de paarden voor. Hij was van plan de hele nacht door te rijden en kon niet langer blijven. Een teder afscheid en uit het venster een wuivende zakdoek.
'Mevrouw, Pierson heeft het wisselgeld gebracht.'
'Dank je, Martha.'
'En mevrouw, er is een zekere meneer O'Meara om u te spreken. Hij zei dat hij gehoopt had Zijne Koninklijke Hoogheid nog te ontmoeten voor deze wegging. Hij hoopt zelf zondag in Weymouth te zijn.' Stil laten hopen. Als hij die 'O' verandert in 'Mac' maakt hij meer kans.
'Hij vroeg me u te zeggen dat hij een geschenk heeft meegebracht.'
Een geschenk? Wel een beetje voorbarig. En ze kon een deken midden in de nacht niet ontvangen en nog wel in negligé.
'Zeg aan meneer O'Meara dat ik gauw even een briefje aan Zijne Koninklijke Hoogheid zal schrijven, dan kan hij dat zelf meenemen naar Weymouth.
Zeg hem ook dat ik hem bedank voor het geschenk en breng dat boven.'
Geld zonder garantie, dat was iets ongewoons. Dekens stelden zeker meer vertrouwen in de mensen dan militairen.
'De deken is hier geweest,' krabbelde ze aan de hertog, 'en hij

heeft iets meegebracht. Ik laat de rest aan je koninklijke welwillendheid over. Jouw kussen ziet er zo leeg uit. Ik voel me erg eenzaam. M.A.'

Gedateerd de eenendertigste. Martha verscheen weer in de slaapkamer met een groot, in bruin papier gewikkeld pak.

'Maak het open, maar breng eerst even dit briefie naar de deken.'

Ze peuterde aan het touw en brak een nagel, totdat Martha met een schaar aankwam. Het kon een altaarkleed zijn met daarin het geld, maar daarvoor voelde het te hard aan; het leek wel een stang. Ze trok het papier eraf. Martha riep uit: 'Een cricketspel voor jongeheer George.'

Op het pak had de deken geschreven: 'Dit is voor uw lieve jongen. Poppen voor de meisjes volgen. Mijn nederige eerbiedsbetuiging.'

Het was te laat om het briefje nog terug te halen. De deken was al vertrokken.

'Goed, Martha. Neem die dingen morgen maar mee naar Weybridge.'

'Aardig van die dominee, hè, mevrouw?'

'Erg aardig, ja.'

De kerk had afgedaan. De deken kon deken blijven. Ze snapte alleen niet hoe hij het ooit zover had gebracht. Met een racket voor de koningin? Of een croquetspel? Die protestanten toch! Geen wonder dat de katholieken emancipatie wensten.

Een cricketspel voor George – kon dat een dubbele betekenis hebben? Was het misschien een wenk dat spelen moest worden aangemoedigd? Eén of andere Ierse, hatelijke toespeling? Willie Fitzgerald zou het wel weten, ze zou het hem vragen als ze in Worthing was.

Geeuwend en slaperig nestelde ze zich tussen de kussens. Het was wel prettig om eens een keertje het hele bed voor je alleen te hebben met de kans om ongestoord tot tien uur te kunnen doorslapen. Morgen zou de rit naar zee alle muizenissen en alle verveling wegvagen. Ze zou haar kennis van cricket kunnen ophalen, Willie kon haar helpen, hij was pas terug uit Oxford... De hertog had altijd haast, hij had het altijd druk, en Willie was amusant – die jonge studenten waren als een tonicum. Het werd hoog tijd dat ze eens een beetje verandering kreeg.

7

De angst voor een invasie was voorlopig verdwenen, daar had Nelson voor gezorgd en er met zijn leven voor betaald. De glorie van Trafalgar sleepte het hele land mee en de vaderlandsliefde bereikte een koortsachtige hoogte om weer te worden getemperd door Austerlitz. De vijand was te land niet te verslaan, scheen het.

De opperbevelhebber had weinig tijd voor ontspanning. Hij werkte van negen tot zeven op het hoofdkwartier en zijn leven was een voortdurende strijd om allerlei dingen gedaan te krijgen. Aan de ene kant jammerde het leger om uitrusting, voorrang bij bewapening, uniformen, kanonnen – want het expeditieleger was maar half geoefend en nog lang niet klaar – aan de andere kant eisten de politici dat er zonder uitstel een legermacht moest worden uitgezonden en dat lord Cathcart naar de Elbe zou trekken om zich bij generaal Don te voegen. *Hoe* deed er niet toe, als de manschappen maar over zee kwamen.

De hertog weigerde zich te laten dwingen. Zijn brieven aan de premier waren beslist en kortaf.

'Het expeditieleger is nog niet gereed voor de oorlog.' Pitt kon nu wel jachten, maar intussen zou hij de eerste zijn die razend was als de mensen werden afgeslacht, en het volk zou er net zo over denken.

'Weer een nederlaag, schuld van de opperbevelhebber, verkeerd aangepakt!' Het ministerie zelf moest maar eens de zaken van het hoofdkwartier overnemen en het leger besturen, dan zouden ze er gauw genoeg de brui aan geven en ontslag indienen. De gezondheidstoestand van de premier maakte het er niet beter op. Het oordeel van een ziek man is zelden goed. Als hij aftrad zou er niemand zijn die in staat was zijn plaats in te nemen en het vertrouwen van het volk te winnen.

De breuk tussen de partijen zou geheeld moeten worden en

Fox een plaats in het kabinet krijgen, de gemoederen moesten tot kalmte worden gebracht en als de koning protesteerde, zou de koning moeten wijken. Het ging nog altijd op en neer met zijn gezondheid – ook zo'n probleem! Het ene moment zo gezond als een vis, het volgende volkomen van de wijs.

'Als iemand mijn baantje wil hebben kan hij het krijgen, en graag ook,' zei de hertog op een herfstavond, toen hij laat was voor het diner, geen eetlust meer had en uit zijn humeur was. Hij had een onderhoud gehad met Pitt dat hem niets verder had gebracht; daarna was hij een halfuur bij de koning geweest, die een bepaald stuk niet had willen tekenen, in een kamerjas rondscharrelde en whist speelde. Hatelijke berichtjes in de kranten, die vroegen om 'actie'; een hoofdartikel in de Times dat kant noch wal raakte, vol onplezierige toespelingen op de Melvillezaak de schandalen van het voorjaar waren nog altijd niet vergeten. Als de Eerste lord van de admiraliteit zijn ontslag moest nemen, waarom zou men dan ook niet eens de methoden die in het leger werden toegepast onder de loep nemen? En als klap op de vuurpijl had hij in de hal van Gloucester Place een hatelijke, anonieme brief gevonden. Hij haalde die na tafel bij het vuur in de salon uit zijn zak en las hem voor:

"Uwe Koninklijke Hoogheid en Echtbreker. U kent ongetwijfeld de wet en zo niet, dan zijn er genoeg personen die dat wel doen en er hun beroep van maken. Het is een misdaad om een man zijn vrouw te ontstelen en een vader van zijn kinderen te vervreemden. U hebt dit alles gedaan, u moet dus de gevolgen afwachten."

De hertog wierp de brief in Mary Annes schoot en lachte geforceerd.

'Ik vermoed van iemand uit je verleden.'

Ze herkende het handschrift onmiddellijk en iets deed haar hart verstenen: Joseph!... De letters waren gevlekt, de regels liepen door, maar het was onmiskenbaar zijn handschrift. Joseph die, zoals ze gehoord had, ergens in de buurt van Northampton was ondergebracht, die onder toezicht stond en een hopeloos ziek mens was. Er werd nooit naar hem gevraagd, zijn naam werd nooit meer genoemd.

'Gek of dronken,' zei ze. 'Waarschijnlijk allebei.' En ze scheurde het briefje in stukken.

'Wat bedoelt die vent met "zijn vrouw stelen"? Een weduwe kan toch niet tot over het graf blijven liefhebben.'

'Dat heeft deze man klaarblijkelijk wel verwacht, dat blijkt uit alles, en hij heeft onze namen samen horen noemen. Ik zou er maar niet over inzitten. Gooi die snippers in het vuur, daar horen ze.'

Hij deed het, maar zijn gezicht behield een gemelijke uitdrukking. Het briefje had herinneringen bij hem opgewekt. Hij had nooit geluisterd naar de verhalen die ze hem had wijsgemaakt: dat haar man een rotzak was geweest en gestorven was aan delirium. Dat zijzelf aan haar lot was overgelaten met vier kleine kinderen en, na allerlei moeilijkheden, door de architect Burton geholpen was.

'Zie je de familie van je man nog wel eens?'

'Nooit, ze wonen buiten, de familie is overal verspreid.'

Hij geeuwde en begon over iets anders. Het onderwerp was afgehandeld.

Ze keek naar de papiersnippers die zwart werden en tot as verkoolden. Had ze een kans voorbij laten gaan? Moest ze alles bekennen en zeggen: 'De kwestie is dat ik geen weduwe ben. Mijn man leeft nog, maar ik weet niet waar. Ik ben van hem weggelopen, hij kon mij en de kinderen niet onderhouden.' Het zou een eenvoudige bekentenis zijn die niet veel verschilde van wat ze hem vroeger had verteld. Maar iets weerhield haar, waarom wist ze niet. Was het de vrees om dwaas en oneerlijk te lijken en hem daardoor de vraag te ontlokken: 'Waarom heb je me voorgelogen?' Ze had nog de tijd om te zeggen: 'Dat is het handschrift van mijn man.'

Hij zat bij het vuur te soezen, terwijl zij pianospeelde. Om halftien dacht ze: ik zal erover beginnen... ik zal zeggen dat ik altijd heb geloofd dat ik weduwe was en toevallig heb gehoord dat ik me vergist had en Joseph ergens in een krankzinnigengesticht zit. De klok tikte voort, het sloeg tien uur. Hij rekte zich uit en sprak over naar bed gaan. Het was nu te laat om er nog over te praten, misschien morgen of overmorgen. Er verliep een week. Toen kwam er weer een brief, ditmaal geadresseerd aan het hoofdkwartier.

"Ik wil mijn vrouw en kinderen terug hebben. Stuur ze terug! Als u het niet doet, zal ik maatregelen nemen. Een aanklacht bij het Hoger Gerechtshof wegens overspel zou op dit moment, nu het land in gevaar is, een slechte indruk maken."

Ditmaal voluit ondertekend: Joseph Clarke.

Hij gaf haar die avond de brief.

'Wat zeg je daarvan?'

Ze aarzelde even. Wat zou ze doen? Huilen of lachen? Tranen zouden een erkenning van schuld zijn, dus lachen was het beste. De hele zaak luchtig opnemen en opzijschuiven.

'Dus dan leeft hij toch nog? Ik was er verleden week niet zeker van, het handschrift is zo veranderd. Ze hebben me destijds gezworen dat hij dood was en ik heb het geloofd.'

'Maar je hebt me verteld dat je naast zijn bed hebt gezeten en hem hebt zien sterven.'

'Ja? Heb ik dat gezegd? Ik herinner me er niets meer van, ik was toen zo in de war. Ik was bijna gek van ongerustheid omdat mijn zoontje zo ziek was.' Ze kon zich met geen mogelijkheid herinneren wat ze allemaal verteld had.

'Zijn broer, de dominee, verzocht mij en de kinderen weg te gaan, anders zouden we nooit rust krijgen. Er waren twee oppassers nodig om hem vast te houden. En daarna hebben ze me naar Hampstead geschreven dat ik vrij was.'

Hij stond in zijn nachthemd naast het bed. Het was een zeer ongeschikt moment. Ze was voor de toilettafel bezig haar krullen met een lint vast te binden.

'En wat ben je nu van plan te doen? Teruggaan naar die kerel?'

'Goeie genade, wat een vraag. Natuurlijk niet. Tien guinjes zullen hem wel de mond snoeren. Ik zal hem morgen schrijven.'

Er was iets gedwongens tussen hen en het bleef stil op beide kussens.

'Of ik nog niet genoeg aan mijn hoofd heb zonder die idiote geschiedenis.'

'Lieveling, denk er toch niet meer aan. Ik beloof je dat ik het wel met hem zal regelen.'

'Ik zal die brief aan Adam laten lezen.'

'Waarom zou je dat doen?'

'Hij is mijn raadsman, hij zal weten wat ik ermee moet doen.

Hij leest dagelijks wel vijftig dreigbrieven. Hij en Greenwood zullen samen met die kerel afrekenen.'

Haar hart zonk in haar schoenen. Greenwood... Adam... De mannen die al zijn zaken behartigden, die haar achterdochtig gadesloegen, vol afkeer en wantrouwen. Ze wist het maar al te goed, haar vrienden hadden het haar verteld.

'Pas op,' had James Fitzgerald haar meermalen gewaarschuwd, 'die mannen hebben het op jou gemunt, vooral Adam.'

Ze stak haar hand uit en raakte hem aan. Hij reageerde niet.

'Toe, laat het liever aan mij over. Ik ken Joseph. Met tien of twintig guinjes doet hij geen mond meer open.'

''t Zal me verwonderen... Wat hij er voor taal uitslaat, laat me koud. Echtbreuk! Ik weet hoe zulke termen voor het gerecht klinken. Ik kan beter Adam erop afsturen.'

Een mooi begin van de winter. Het tij was gekenterd. Elke dag bracht nieuwe speldenprikken, nieuwe moeilijkheden. Er waren belachelijke ruzies met het personeel, de hele staf klaagde over Martha, die nogal uit de hoogte deed.

'We laten ons niet door haar commanderen. We verwachten onze orders direct van u.'

'Juffrouw Favoury is nu al dertien jaar mijn huishoudster. Natuurlijk moeten jullie van haar bevelen aannemen, anders kunnen jullie gaan.'

Martha was in tranen.

'Ik ga liever uit mezelf weg dan oorzaak te zijn dat er van de ochtend tot de avond ruzie is. Bovendien wil ik gaan trouwen.'

'Goeie hemel, met wie?'

'Met Walmsley, de kolenman. Hij loopt me al zes maanden na.'

'Maar Martha, ik kan niet buiten je.'

'Dat zegt u anders nooit en nu de jongejuffrouwen bij juffrouw Taylor op school zijn en jongeheer George in Chelsea is, ben ik voor niemand meer nodig, en nu de bedienden zo hatelijk doen en iedereen tegen me is...'

'Och, zwijg toch... ga maar en hou op met je gezanik.'

Rekeningen, steeds meer rekeningen, hoofdzakelijk uit Weybridge. De balken in de stal waren verrot en moesten vernieuwd worden, er moesten een paar kamers boven de stal worden gebouwd voor de koetsier. Een kudde Jerseykoeien die pas gekocht was, gaf geen melk, had de een of andere ziekte gekregen;

er moesten dus andere koeien komen. Rekeningen voor aardappels, genoeg om een heel regiment te voeden. Ze liet haar eigen raadsman, meneer Comrie, een bekwaam en gewillig man, komen.

'Meneer Comrie, het loopt mis.'

'Dat schijnt zo.' Hij zette zijn bril op en bladerde de papieren door. Wel honderd verschillende rekeningen en allemaal onbetaald.

'Geeft Zijne Koninklijke Hoogheid u geen vaste toelage?'

'Tachtig guinjes per maand. Wat kan ik daarmee beginnen?' Ze kon hem niet vertellen van het geld dat ze voor haar bemiddeling kreeg; die inkomsten werden trouwens van maand tot maand minder nu Gordon aan het bewind was.

'U moet bekennen dat u getrouwd bent. Dat is uw enige uitweg. Zeg aan alle leveranciers dat u geen weduwe bent.' Comrie was op de hoogte. Hij had al eens eerder zoiets gedaan en had, buiten het gerecht om, zonder dat iemand het wist, een zaak voor haar geschikt.

'En dan?'

'De wet kan u niet dwingen te betalen.'

Ze had die woorden al eens eerder gehoord, een eeuw geleden. Het was de raad die men haar moeder had gegeven toen Bob Farquhar haar in de steek had gelaten.

'Zenden ze die rekeningen dan naar mijn man?'

'Als ze hem kunnen vinden. Weet u waar hij woont?'

'Nee... nee... ik weet het niet zeker.'

Al die rekeningen naar Joseph, die niet kon betalen. De rekeningen daarna met een dreigbrief gezonden naar de hertog. En dan terug naar haar. Het was géén oplossing.

'Ik heb weer een brief van je dronken man,' zei de hertog dan.

Ze zag tegen die woorden op en hoorde ze soms elke week.

'Ik hoop dat je hem in de prullenmand hebt gegooid?'

'Integendeel, ik heb ze allemaal aan Adam gegeven. Hij is bezig met een onderzoek.'

Wat bedoelde hij met een onderzoek? Wat voor soort onderzoek? Ze durfde er niet naar vragen. Hij was in een wonderlijke, afwezige stemming, alsof de schuld bij hem lag. Zijn zenuwen waren gespannen als een vioolsnaar die op het punt staat te springen. Er was iets gaande, maar hij sprak er niet met haar over. Hij liet zijn bediende steeds vaker de boodschap overbrengen: 'Wacht niet met eten. Ik weet niet of ik vanavond kan komen.'

Dat was niets voor hem. Hij had het altijd zo heerlijk gevonden na een drukke dag het stof van het hoofdkwartier van zich af te schudden en bij haar te ontspannen.

Er was niemand in huis die haar afleiding kon bezorgen. Het was stil zonder de kinderen. Mary en Ellen waren op de Taylorschool, die hoofdzakelijk door haar bijdragen in stand werd gehouden en George, nu acht jaar, had het fijn in Chelsea als miniatuur-cadet voor hij naar Marlow zou gaan.

Ze bleef ontvangen, alléén, zonder de heer des huizes. De Fitzgeralds, vader en zoon, kwamen geregeld en ook Russell Manners en Coxhead Marsh, de gewone aanbidders, maar de aardigheid was eraf. Het was allemaal geforceerd, ze speelde komedie. Haar lach klonk onecht, haar gesprekken waren automatisch en nu was aldoor in haar achterhoofd de angstgedachte: 'Mijn macht is aan het tanen... ze ontglipt me...'

Op een morgen kwam meneer Adam haar opzoeken en zei dat de hertog van York hem had opgedragen enige inlichtingen in te winnen omtrent de datum van haar huwelijk, het adres waar ze voor haar huwelijk gewoond had, enfin, allerlei zaken uit haar vroeger leven.

Ze wees hem met ijzige beleefdheid de deur.

'Mijn verleden gaat alleen mezelf aan. U, noch Zijne Koninklijke Hoogheid, hebt het recht om daar de neus in te steken.'

'Ik geloof, mevrouw, dat u al deze jaren heel goed geweten hebt dat uw echtgenoot, Joseph Clarke, nog in leven was. En dat uw bewering tegen Zijne Koninklijke Hoogheid dat u weduwe bent, onjuist was.'

'Helemaal niet.'

'Maar hoe komt het dan dat er in het begin van 1804 een aanklacht tegen u is ingediend, welke u voor Zijne Koninklijke Hoogheid geheim hebt gehouden en die buiten de rechtszaal om door uw advocaat geregeld is door te verklaren dat u nog gehuwd was?'

Nu was ze in een hoek gedreven en handig ook. Ze haalde de schouders op.

'Mijn advocaat en ik achtten dat de beste manier om de zaak

te regelen. Ik had geen enkel bewijs dat mijn man dood was.'

Zijn koud, poeslief gezicht bleef zonder uitdrukking.

'Hebt u de geboortebewijzen van uw kinderen?'

'Nee, dat geloof ik niet. Waarom wilt u die zien?'

'Er is door personen, die ik niet behoef te noemen, beweerd dat u reeds voor uw huwelijk kinderen had.'

Grote goden, wat een onbeschaamdheid! Ze doorzag alles. Hij had zijn spionnen naar Hoxton gezonden en die hadden de buren in Charles Square opgespoord. Ze hadden haar man, Joseph, verward met zijn broer John en Johns gebroed – oudere kinderen al, nu bijna volwassen – op haar hals geschoven.

'De voorletter J heeft verwarring gesticht,' zei ze. 'Ga maar weer naar Hoxton en overtuig u daarvan. Mijn man heeft een broer die predikant is en die ook dezelfde voorletter heeft, alleen heet hij James. Als ik uw onderzoek kan vergemakkelijken wil ik met genoegen bekennen dat ik met alle drie de broers getrouwd ben geweest.'

'Brutaliteit zal u niets helpen, vrees ik, mevrouw. Wilt u zo goed zijn mij datum en plaats van uw huwelijk op te geven?' Ze zou gek zijn als ze dat deed. Hij kon voor haar part het hele land afzoeken. Ze herinnerde zich het huwelijk van haar moeder met Farquhar. Laat hem die maar opsporen als hij daar zin in had en het verleden van zo groot belang was.

'In Berkhamsted,' zei ze. 'Gaat u daar de registers maar naslaan. U zult daar iets over mijn familie in vermeld vinden. Als u nog verder terug wilt gaan, zult u naar Schotland moeten reizen. Informeer daar maar naar het geslacht Mackenzie of ga anders naar Aberdeen.'

Rood van woede vergat ze die avond alle discretie en viel de hertog aan zodra deze kwam dineren.

'Hoe durf je die man op mijn dak te sturen om me te ondervragen? Wat heeft hij zijn smerige neus in mijn zaken te steken?' Ze overrompelde hem met die uitbarsting. Hij keek wat verlegen.

'Als je Adam bedoelt: daar heb ik niets mee te maken. Ik heb hem alleen gezegd dat hij moest proberen je man te vinden en hem ervan langs te geven en zo de zaak uit de wereld te helpen.'

'Nu, zeg hem dan dat hij hier niet meer wordt opengedaan. Ik ben nog nooit in mijn hele leven zo beledigd en God weet wat dat zeggen wil.'

Ze verlangde naar een vinnige woordenwisseling om de lucht te klaren, hem een fles naar zijn hoofd te gooien en die te breken – het hoofd en de fles, allebei, het kon haar niets schelen. Doch hij bleef maar zitten met dezelfde uitdrukking die ze al weken op zijn gezicht had gezien, gemelijk, stug, als een beledigde schooljongen.

'Ik heb geen tijd om me met al die dingen te bemoeien, ik heb de hele dag al veel te veel aan mijn hoofd. Die druk in het hoofdkwartier is moordend. En als daar dan nog dat gezanik van Greenwood en Adam bijkomt!'

'Toch vind je wel tijd om naar de schouwburg te gaan, ik heb het gisteren in de krant gelezen. Dat was die avond waarop je me liet weten dat je door Zijne Majesteit werd opgehouden.'

'Dat wás oók zo. En toen ik van Buck House terugkwam, was het veel te laat geworden om nog hier te komen dineren.'

'Het koninklijk theater met mevrouw Carey. Danst ze goed?'

'Matig. Ik heb er niet zo op gelet.'

'Misschien heb je later, tijdens het souper, beter op haar gelet.'

Hij kreeg een kleur, dronk zijn glas leeg en gaf geen antwoord. Dus Will Ogilvie had gelijk; er was iets gaande. Ze balde de vuisten om haar zelfbeheersing niet te verliezen.

'Ik heb gehoord dat ze lang is. Dat is een voordeel. Geen kans op doorgezakte voeten als ze op haar tenen moet gaan staan om bij je te komen. Een danseres kan niet veel beginnen met slechte voeten.'

Voor hij kon antwoorden, hoorde ze luid rumoer in het souterrain. Ruzie in de keuken? Waren de bedienden aan het vechten? Martha was er nu niet meer om de vrede te bewaren – ze was getrouwd en vertrokken.

'Pierson, in hemelsnaam!'

Gefluister in de gang, gemompel, gepraat. De hertog was rood als een kalkoense haan. Hij gebruikte het incident als excuus om een uiteenzetting te vermijden.

'Verdraaid prettig huis hier om 's avonds in terug te komen. Geschreeuw en gebrul van het personeel. Ik zou meer rust hebben als ik in de kazerne ging eten.'

'Of in de kleedkamer van het theater.'

Pierson kwam met een verontschuldigend gezicht terug.

'Het spijt me, mevrouw, maar er is een vrouw die zegt dat ze de wettige echtgenote is van de kolenhandelaar, de man met wie juffrouw Favoury verleden maand getrouwd is. Ze doet niets dan schreeuwen en roepen dat ze voor fatsoen en orde is.'

'Verwijder haar,' zei de hertog en hij kneep zijn lippen opeen.

'Ze zijn nu met haar aan het worstelen, Uwe Koninklijke Hoogheid. De taal die ze uitslaat kan ik onmogelijk herhalen.'

'Wat zegt ze?'

'Ze zegt, mevrouw, dat u haar man hebt aangemoedigd haar in de steek te laten en dat u hem hier naar Gloucester Place hebt laten komen om samen te zijn met juffrouw Favoury en dat er in het souterrain hier dingen gebeuren die de wereld versteld zouden doen staan, om nog maar te zwijgen van wat er boven gebeurt. Ze zei dat het huis niets anders is dan een…'

Hier zweeg hij, zijn loyaliteit won het van zijn zucht naar sensatie.

'Verwijder die vrouw,' herhaalde de hertog, 'laat haar opsluiten. Laat de lakei je helpen.'

'Zeer goed, Uwe Koninklijke Hoogheid.'

Het lawaai beneden begon weer. Daar de vloeren dun waren hoorden ze de vrouw schreeuwen: 'Het is de schuld van jullie bazin, die smerige slet. Een getrouwde man in haar bed nemen en nog wel een hertog, die beter moest weten.'

Eens zou dit aanleiding geweest zijn voor gegiechel en met moeite ingehouden gelach, iets om na te doen, terwijl hij er lachend in de salon naar zat te luisteren. Vanavond was het anders. Ze zaten als vreemden tegenover elkaar, er was geen sprankje humor in de hele situatie. De waardigheid ging voor alles.

'Zullen we naar boven gaan?' De piano was onaangeroerd gebleven, er werd geen gesprek gevoerd, beiden hadden een boek in de hand waarin ze niet lazen. De klok in de salon tikte slepend de uren af tot ze elf sloeg. Juist op dat moment werd er luid gebeld en op de voordeur geklopt en volgde er een woordenwisseling op de stoep. De hertog smeet zijn boek op de grond.

'Als dat wijf er weer is, zal ik de wacht roepen.'

Voetstappen op de trap. Pierson trad binnen: 'Neem me niet kwalijk dat ik Uwe Koninklijke Hoogheid kom storen… Mevrouw, er is iemand voor u en hij laat zich niet wegsturen. Hij zegt dat hij Joseph Clarke heet.' Daar had je het. Joseph had zijn tijdstip niet beter kunnen uitkiezen als hij alle wijsheid van de duivel bezeten had.

'Dank je, Pierson. Ik zal hem ontvangen, laat hem in de kleine kamer beneden en blijf in de buurt, misschien zal ik je nodig hebben.'

Ze stond op en maakte een revérence. De hertog keek haar niet aan. De ironie van het gebaar was aan hem verspild, misschien beschouwde hij het als iets dat hem toekwam. Ze ging naar beneden. Daar stond Joseph, of liever een schaduw van wat hij geweest was of, nog beter gezegd, zijn karikatuur. Armoedig gekleed, grijs haar tot op zijn afhangende schouders, het lichaam dik en vet, ogen diep weggezonken in het pafferige gezicht, een ongeschoren kin, gezwollen, gebarsten lippen. Dit was de man met wie ze getrouwd was, die ze bemind en geliefkoosd had, de vader van haar kinderen, van George.

'Wat wil je?' vroeg ze. 'Wees kort, ik heb gasten boven.' Hij antwoordde niet meteen, maar staarde haar aan; naar het laag uitgesneden avondtoilet, de juwelen, het hoog in krullen gekapte haar. Toen lachte hij, de dwaze lach van een dronkaard.

'Je ziet er bekoorlijk uit,' zei hij onduidelijk lispelend, 'roze heeft je altijd goed gestaan. Ben je ook niet in het roze getrouwd? Ik meen me die japon op het voeteneind van het bed te herinneren. Later in Charles Square droeg je hem zondags. Zonder al die juwelen. Diamanten staan je goed. Ik kon je geen diamanten geven, ik had er het geld niet voor. Ik deed mijn best om te sparen, maar jij verkwistte het allemaal.' De lallende stem van een man wiens geest afdwaalt, wiens zinnen door drank zijn afgestompt en geen gevoelens meer registreren, die de feiten uit het verleden verdraait opdat ze in zijn fantasieën zullen passen.

'Als je hier bent gekomen om me dat te vertellen, verspil je je tijd.' Ze voelde niets anders dan woede. Hij was voor haar slechts een leeg omhulsel, zonder leven. Ze kon niet eens medelijden met hem hebben. Hij was dood.

'Ik wil je terug hebben. Ik wil Mary en Ellen terug hebben en mijn jongen.'

'Je bedoelt dat je geld wilt. Goed, hoeveel moet het zijn? Ik heb twintig guinjes in huis, die kun je krijgen. Daar kun je een paar weken mee toe, tot de flessen leeg zijn.'

Hij deed een stap naar haar toe. Zij liep naar de deur.

'Het huis is vol bedienden. Ik hoef maar te roepen en ze gooien je eruit, raak me dus niet aan.'

'Is hij hier?'

'Wie?'

'Die hoge Piet...' Hij hield zijn hand voor zijn mond om een idiote grijns te verbergen, liet zijn stem dalen en gebaarde met zijn hoofd naar de deur.

'Ik heb hem lekker de schrik op z'n lijf gejaagd. Ik ben bij zijn advocaat geweest. "Maak er geen rechtszaak van," zeggen ze.'

'Bedoel je dat je met Adam gesproken hebt?'

Hij grinnikte weer en knipoogde. Toen bewoog hij met dronkemansplechtigheid zijn wijsvinger en koos met zorg zijn woorden: 'Ik heb gesproken met iemand die zich thesaurier of zoiets noemde, ik herinner me zijn naam niet, maar ik heb hem alles verteld. Jazeker, ik heb hem alle bijzonderheden verteld: hoe we in de steeg met elkaar vrijden en dat je het eerst had aangelegd met die drukker, om nog maar te zwijgen van je stiefvader met wie je het stiekem ook hield. Ik heb hem verteld dat je mijn broer tot zelfmoord hebt gebracht en al zijn geld en het mijne erdoor hebt gejaagd en er toen met de rest vandoor bent gegaan, terwijl ik op sterven lag. De kerel scheen erg dankbaar te zijn, hij was heel beleefd en drukte zijn sympathie uit. Hij zei dat hij Zijne Hoogheid zou waarschuwen dat hij zich niet langer door jou voor de gek moest laten houden.'

Mary Anne riep Pierson: 'Laat deze man uit.'

'Hola, niet zo gauw,' zei Joseph, 'er is nog meer te vertellen.'

'Ik heb genoeg gehoord.'

'Er kwamen zoveel kleine dingen bij me boven. Hoe je je eigen zuster, de dochter van Bob Farquhar, bij jou voor meid hebt laten spelen en haar hebt opgetuigd met een schort en een muts. Ik heb hem ook verteld dat je moeder kostgangers hield, wat een goed excuus was voor iets anders. Ja, hij was werkelijk heel dankbaar en heeft alles genoteerd, hij schreef al die bijzonderheden in een klein boekje. "Dank u, meneer Clarke," zei hij, "het zal goed van pas komen." '

Pierson en de lakei hadden gehoord wat er gezegd werd. Ze keken haar verbaasd aan en wachtten op verdere orders.

'Neem hem mee.'

Er volgde geen schermutseling. Hij werd niet weggesleept zoals de vrouw van de kolenman. Hij schuifelde op onvaste voeten de gang door, buigend, lonkend, een verfomfaaide hoed in zijn hand.

'Ik verwacht jou en de kinderen zaterdag. Een dezer dagen is het onze trouwdag en we zullen er een familiefeestje van maken. Weet je nog hoe we dat vroeger in Golden Lane ook deden?'

Hij werd de stoep af gezet. De voordeur viel dicht. Pierson nam met afgewende ogen de lakei mee naar het keukenkwartier. Toen ze zich omdraaide zag ze de hertog boven aan de trap staan.

'Die ben ik kwijt,' zei ze. 'Dat zie ik.'

'Hij is niet alleen dronken, maar ook gek.'

'Hij leek me anders helder genoeg.'

'Voor wie naar hem wil luisteren.

Waar ga je heen?'

'Ik heb een rijtuig besteld, ik slaap hier niet vannacht.'

'Waarom niet?'

'Ik moet morgenochtend al weer vroeg weg, ik moet om halfelf in Windsor zijn.'

'Daar heb je niets van gezegd.'

'Het schoot me zo-even pas te binnen.'

Er was geen enkel contact tussen hen, slechts nietszeggende formaliteiten. Hij drukte even haar hand tegen zijn lippen voor hij vertrok en mompelde iets over: 'Vrijdag komen dineren.' Ze hoorde het rijtuig wegrijden en ging toen met een loodzwaar hart naar boven. Ze keek in de spiegel naar haar gezicht. De ogen stonden angstig, starend, dof. Twee verraderlijke lijnen liepen van haar neus naar haar mond. Over een week zou ze dertig jaar worden. Ze ging voor de spiegel zitten en masseerde die lijnen. Niemand om mee te praten, zelfs Martha niet. Op de morgen van de elfde werd haar een briefje gebracht. Het was het handschrift van de hertog en het luidde: 'Adam komt om zes uur.'

Meer niet. Geen enkele toespeling op de aard van het bezoek. Ze ging de hele dag niet uit, zat maar te wachten. Later liep ze alle kamers door. Eerst die van de kinderen, netjes, ordelijk, omdat ze niet thuis waren. Die van Mary (nu bijna dertien) somber, godsdienstig: met bijbels en afbeeldingen van heiligen – een voorbijgaande fase. Die van Ellen (tien jaar) kinderlijker: een springtouw, twee boeken met (romantische) gedichten en boven het bed een groot portret van de hertog, uit een krant geknipt en met punaises vastgeprikt. De kamer van George: verfdozen, knikkers, soldaatjes zonder hoofd of ledematen en alweer de hertog, nu te paard; verder een portret van George zelf als cadet en van de militaire school in Chelsea met exercerende kleine jongens. Er werd gebeld. Ze snelde de trappen af. Het was niet Adam, maar Will Ogilvie. Ze praatten over koetjes en kalfjes. Ze liet niets doorschemeren van wat er gebeurd was of waarschijnlijk zou gaan gebeuren. Ze kreeg de indruk dat hij haar nauwkeurig opnam, dat hij op iets wachtte, maar ze deed of ze het niet merkte. De laatste weken waren de zaken slapjes geweest. Hij waagde iets te zeggen over promoties. Ze haalde haar schouders op – er was niets meer doorgekomen. Hij drong niet verder aan en toen hij, voordat hij de trap afging, haar hand kuste, zei hij terloops: 'Ik hoorde dat mevrouw Carey in Fulham woont.'

'O ja? Ik weet niet veel van haar af. Ze is bij het koninklijk theater, hè? Ik ben er nog niet geweest.'

'Dan ben je in de minderheid. Iedereen is vol van haar. Ik heb ook gehoord dat Zijne Koninklijke Hoogheid haar kent en in Fulham Lodge een feest voor haar heeft gegeven.'

Een plezierig afscheidsschot! Adam arriveerde klokslag zes. Ze wachtte hem op in de salon, gekleed voor het diner, de diamanten die de hertog haar had gegeven, om de hals.

'Ik vrees dat mijn boodschap niet bijzonder aangenaam is,' begon hij.

'Dit onderhoud gaat niet van mij uit.

Ga door, alstublieft.'

'Zijne Koninklijke Hoogheid heeft me opgedragen u mede te delen, mevrouw, dat vanaf heden uw verbintenis met hem moet eindigen. Hij wenst u niet meer te zien en niet meer met u in contact te komen. Dit is definitief.'

Ze voelde alle kleur uit haar gezicht wegtrekken. Ze verroerde zich niet, doch klemde achter haar rug de handen stijf in elkaar.

'Heeft Zijne Koninklijke Hoogheid redenen opgegeven voor dit besluit?'

'Nee, mevrouw. Alleen dat er feiten aan het licht zijn gekomen, bewijzen dat u hem voortdurend hebt voorgelogen – over uw verleden, over uw familie en vele andere dingen. Zijne Koninklijke Hoogheid heeft gedacht dat u weduwe was en uw echtgenoot heeft getracht een aanklacht tegen hem in te dienen wegens echtbreuk. Dit is slechts één detail uit vele. Verder hebben uw spilzucht en de vele aanspraken die u op zijn beurs maakte Zijne

Koninklijke Hoogheid zo geprikkeld, dat hij weigert zich nog langer daaraan te onderwerpen.'

'Alles wat ik heb uitgegeven is voor hem geweest. Dit huis en het huis in Weybridge waren allebei zijn wens.' Adam viel haar in de rede door zijn hand op te heffen.

'Pardon, mevrouw, geen explicaties, alstublieft. Zijne Koninklijke Hoogheid heeft me verder nog opgedragen u te zeggen dat hij, als u zich behoorlijk gedraagt, bereid is u vierhonderd guinjes per jaar uit te keren, in driemaandelijkse termijnen te betalen. Maar hij beschouwt dit niet als een verplichting, het is een daad van edelmoedigheid van zijn kant, en de uitkering kan, indien hij dit nodig en wenselijk acht, onmiddellijk worden stopgezet.'

Ze staarde hem verbijsterd aan. Vierhonderd guinjes? Haar schulden bedroegen bijna vierduizend guinjes... Alleen al de verbouwing in Weybridge had minstens tweeduizend gekost. En dan de pacht en de tuinen...

'U moet uw order verkeerd verstaan hebben,' zei ze. 'Zijne Koninklijke Hoogheid kent de financiële moeilijkheden. Hij zou nooit een bedrag van vierhonderd guinjes per jaar kunnen voorstellen; een kwart van die som betaal ik aan lonen en livreien.'

'De genoemde som is vierhonderd guinjes,' herhaalde Adam.

'Wat de schulden betreft, daarvoor stelt Zijne Koninklijke Hoogheid zich niet aansprakelijk. U moet die maar zo goed mogelijk zien af te betalen door de inboedel van dit huis te verkopen.'

Ze probeerde na te denken, plannen te maken, in de toekomst te zien.

Waar zou ze moeten wonen? Wat moest er met George gebeuren?

'Wat moet er van mijn zoon worden? Zijne Koninklijke Hoogheid heeft beloofd zijn opvoeding te bekostigen. Hij is nu op school in Chelsea en over een jaar of twee moet hij naar Marlow. Hij is daar al ingeschreven.'

'Het spijt me, mevrouw, ik heb geen enkele instructie ontvangen met betrekking tot uw zoon.'

Het volle besef van alles begon nu pas tot haar door te dringen. Ze zou het personeel moeten uitbetalen en ontslaan. De leveranciers moesten betaald worden, gordijnen afgenomen, tapijten opgerold, de paarden en rijtuigen verkocht en op een of andere manier moest ze in die hele chaos nog haar vrienden en familie op de hoogte brengen dat alles uit was... Medelijdende blikken, onoprechte deelneming, spottende glimlachjes achter de hand...'

'Ik moet Zijne Koninklijke Hoogheid spreken. Hij kan me niet zomaar, zonder een enkel woord, aan de dijk zetten.' Ze raakte in paniek, haar hele wereld stortte in.

'Zijn Koninklijke Hoogheid weigert een onderhoud, mevrouw.'

Hij boog en vertrok. Ze deed geen moeite hem tegen te houden. Ze zat bevend voor het raam en dacht: 'Het is niet waar. Het is allemaal een nachtmerrie. Of Adam had hem er met zijn leugens toe overgehaald. Hij zal het straks wel uitleggen. Hij heeft zelf gezegd dat hij vrijdag zou komen dineren en hij breekt zijn beloften niet. Het laatste wat hij heeft gezegd was dat hij vrijdag zou komen dineren.

Ze ging weer in de salon zitten wachten. Zeven uur, acht uur, geen hoefgetrappel. Ze belde Pierson.

'Pierson, er moet een misverstand zijn. Stuur iemand naar Portman Square om te vragen of Zijne Koninklijke Hoogheid hier komt dineren. Zeg de kok dat hij de schotels warm houdt.'

Een onhandig voorwendsel om haar figuur te redden. Er was iets gaande en dat wist het personeel ook. Je kon er zeker van zijn dat het personeel altijd ruikt wanneer er iets naars gaat gebeuren.

Pierson keerde terug.

'Niemand weet daar iets, mevrouw. De bedienden in Portman Square dachten dat Zijne Koninklijke Hoogheid hier was. Er is daar geen diner besteld, hij zal dus nog wel komen. Misschien is Zijne Koninklijke Hoogheid op het hoofdkwartier opgehouden.'

Opgehouden? Nonsens! Hij zal wel naar de schouwburg zijn. Of naar Fulham Lodge om de slaapkamer in orde te brengen. Slofjes klaarzetten, parfum op de toilettafel, de hoofdkussens naast elkaar achter de bedgordijnen! 'Pierson, stuur er om negen uur weer iemand heen. Misschien heb je gelijk en is hij opgehouden.'

Om halftien stond Pierson weer naast haar.

'Zijne Koninklijke Hoogheid is op Portman Square teruggekeerd met meneer Greenwood en meneer Adam. Ze dineren daar nu. De bediende van Zijne Koninklijke Hoogheid heeft me verzocht u dit te geven.' Hij overhandigde haar een brief. Ze scheurde hem haastig open. Het was het handschrift van de hertog, maar niet zijn stijl. Het was een stijf, officieel briefje, een echte advocatenbrief in legale termen:

"Je moet je het incident herinneren dat me noodzaakte mijn advocaat te raadplegen i.z. een proces waarin ik door jouw toedoen dreigde verwikkeld te raken. Het resultaat van het onderzoek heeft me aanleiding gegeven een ongunstig oordeel te vormen over je gedrag. Je kunt me niet beschuldigen van overhaast stelling tegen je te nemen, doch gezien de feiten die me zijn voorgelegd en die je onmogelijk zult kunnen weerleggen, ben ik aan mijn karakter en positie verplicht te blijven bij het besluit dat ik genomen heb en waarop ik onmogelijk kan terugkomen. Een onderhoud tussen ons zou slechts pijnlijk voor ons beiden zijn en kan je onmogelijk enig voordeel brengen, daarom moet ik dit weigeren."

De paniekstemming verdween meteen en maakte plaats voor razende woede. Ze rende naar boven, greep de eerste de beste mantel, sloeg die om haar schouders en opende de voordeur. Het was een warme meiavond met een gouden zonsondergang. Ze holde Gloucester Place over naar Portman Square. Het kon haar niet schelen wie haar zag, wie haar nakeek. Ze had maar één gedachte in haar hoofd: hem te zien, hem te confronteren. Dat kon ze niet doen waar Greenwood en Adam bij waren en ze posteerde zich daarom op de hoek van Portman Square waar ze de portiek met de kolommen in het oog kon houden. Een uur verliep. Het deerde haar niet; de mensen mochten denken wat ze wilden. Eindelijk verschenen er twee gestalten op de drempel van het huis en vertrokken. Het was nu schemerig en het hele plein lag in de schaduw. Even later reed zijn rijtuig voor. Dat was het bewijs. Geen eenzaam bed vannacht in Portman Square, maar een brede, donzen legerstede in Fulham. Ze stak het plein over en toen de voordeur openging en zijn bediende met de bagage naar buiten kwam, liep ze de stoep op en stapte de hal binnen.

'Goedenavond, Ludovick.'

De man schrok en stamelde: 'Goedenavond, mevrouw.'

'Waar is Zijne Koninklijke Hoogheid?'

'Dat weet ik niet, mevrouw.' Bleek en ontdaan keek hij naar de trap. Ze nam haar sleep op, liep naar boven en riep luid galmend:'Alles gereed voor de pret in Fulham?' Een kamerdienaar die ze nooit eerder had gezien kwam uit een slaapkamer.

'Laat me door!' Ze duwde hem opzij; de man was te verbaasd om haar tegen te houden en liet haar binnengaan.

'Zo, dus dit is de vrijgezellenkamer. Aardig om die eens te zien.' Ze stond, gewikkeld in haar mantel, in de deuropening. De hertog stond juist gebukt om een andere broek aan te trekken, één been opgetild en met de voet balancerend op een stoel.

'Gesnapt met de broek uit. Neem me niet kwalijk! Maar het is tenslotte niet de eerste keer. Zo hebben de Fransen je ook eens in Holland gezien. En in Vlaanderen ook, als mijn geheugen me niet bedriegt.'

Hij reikte met een knalrood hoofd naar zijn kamerjas. Zij smeet de deur dicht en leunde er lachend tegen aan.

'O, goede genade, je hoeft niet te blozen. Ik ben aan onderbroeken gewend. Ik heb die daar al zeker vijftigmaal in Gloucester Place gezien, gewassen door de wasvrouw en opgehangen om te drogen. – Op een prettige avond !'

Ze maakte met haar hand het gebaar van drinken. Hij trok zijn kamerjas aan en herwon zijn waardigheid.

'Verlaat direct dit huis, vóór mijn bedienden je eruitzetten,' zei hij zacht en dringend.

'Ter wille van het verleden en van alles wat we voor elkaar zijn geweest.'

'Ter wille van het verleden,' bauwde ze hem na, 'mooie herinnering! Ik moet me herinneren en jij knijpt ertussenuit en vergeet. Mijn God, er zullen nog heel wat herinneringen bij je boven komen. Je hebt ten minste gedineerd, zodat je het voedsel dat in Fulham op je wacht niet naar binnen hoeft te schrokken. Koude soep, als ik me goed herinner, gevolgd door schapenbout. Houdt mevrouw Carey van schapenbout met spinazie? En moet ze haar pastei hard of luchtig hebben? Of durft ze die niet te eten? Ik ben blij dat ze met jouw gewicht te doen krijgt, dat zal haar in training houden. Als ze tussen de lakens pirouettes maakt, zal ze het linnen beschadigen.'

'Neem haar mee,' beval hij de wachtende bedienden.

Ze had diezelfde woorden een paar avonden geleden gebruikt.

'Neem hem mee,' had ze in Gloucester Place gezegd en het slachtoffer was Joseph geweest. En haar personeel had gehoorzaamd. Ditmaal stond zij alleen boven aan de trap. Niemand raakte haar aan. Ze boog glimlachend voor de hertog en maakte voor het laatst een revérence.

'Ik ga al. Maar ik zal je één ding zeggen. Als je je protectie aftrekt van George en de andere kinderen – om mij hoef je je niet te bekommeren, ik kan mezelf verdedigen, ik ben een vrouw – zal het je altijd berouwen. Ik zal dan zorgen dat je naam bij je nageslacht zal stinken – onthoud dat... Ik wens je geluk!'

Ze daalde de trap af, wuifde naar de bedienden en stak het plein over.

Haar eigen huis lag in duisternis, alle lichten gedoofd. Ze klopte en belde drie keer. Niemand antwoordde. Ratten en het zinkende schip? Ze haalde de schouders op. Weldra hoorde ze hoefgetrappel – het rijtuig reed van Portman Square weg. De nacht was stil en warm, de sterren straalden.

8

De reactie kwam snel en plotseling. Het was niet gebeurd. Vijf uur koortsachtige slaap en alles kwam haar als een droom voor. Adam was een gemene spion, die zich tussen hen in had gedrongen. Alles kon worden uitgelegd: een nieuw onderhoud zou alle vergissingen en misverstanden uit de weg ruimen. Hij had niet gemeend wat hij zei, ze zou hem terugwinnen. Brieven werden gezonden naar Portman Square, naar Fulham, vrijdags naar Oatlands en zelfs naar Windsor. Er kwamen twee laconieke krabbeltjes als antwoord.

"Indien het voor een van ons ook maar het minste nut zou kunnen hebben, zou ik niet aarzelen je het verlangde onderhoud toe te staan, maar daar een ontmoeting naar mijn mening in de gegeven omstandigheden slechts pijnlijk zou zijn, moet ik je verzoek afwijzen."

De stijl was niet de zijne, doch die van Greenwood. Greenwood en Adam stonden samen achter hem.

"Ik kan je gevoelens wat betreft de kinderen volkomen begrijpen, maar ik kan niet iets op me nemen waarvan ik niet zeker weet of ik het zal nakomen. Wat Weybridge betreft acht ik het gewenst dat je het meubilair daar laat weghalen."

Het huis leegmaken voor mevrouw Carey? Was het te ver om van Oatlands naar Fulham Lodge te rijden? Ze zat met de briefjes in haar hand. Haar bravoure was verdwenen. Het was géén droom. Ze was gevoegd bij de vele afgedankte maîtresses die hun tijd hadden uitgediend. Hij had de moed niet haar dat in het gezicht te zeggen. Daarom dat laffe excuusje over 'informaties naar haar verleden' en die leugenachtige aanklachten van

Adam. Alleen om zijn geweten te sussen. Een vrouw die je niet langer bekoorde was een lastpost. Weg ermee… hoe eerder hoe liever – plaatsmaken voor de volgende! Als je schadeloosstelling wilt hebben, laat dan maar een advocaat komen, maar waarschuw die man vooruit dat hij op moet passen. Een prins van den bloede verdraagt geen chantage. De advocaat en zijn cliënt konden wel eens in de gevangenis belanden. Dus… accepteer je congé maar met een lachend gezicht of anders… Newgate. Ze deed de briefjes bij de honderden andere, allemaal minnebrieven, die met een rood lint bij elkaar waren gebonden. Toen liet ze haar advocaat, meester Comrie, komen. Ze vertelde hem de waarheid (ze kende hem te goed om van hem medelijden te verwachten) en zei toen: 'Kan ik hem voor schadeloosstelling aanspreken?'

'Nee, u hebt niets op schrift.'

'Maar hij heeft herhaaldelijk beloofd dat niets en niemand ons zou kunnen scheiden en dat hij, als er ooit iets met mij zou gebeuren, voor de kinderen zou zorgen.'

'Dat waren alleen maar mondelinge beloften, u hebt niets zwart op wit.'

'Ik heb al zijn brieven bewaard, hier zijn ze, lees ze maar.'

Hij schudde het hoold. tuitte zijn lippen en bedankte: 'Intieme brieven van een man aan zijn maîtresse, waarin geen enkele belofte over een financiële regeling of een vaste toelage staat, hebben geen enkele waarde voor een gerechtshof. Het spijt me, mevrouw Clarke, maar u kunt geen schadeloosstelling eisen. Het enige wat ik doen kan is meneer Adam opzoeken en met hem een overeenkomst treffen voor de uitbetaling van uw jaargeld. Vierhonderd per jaar is weinig na al deze weelde, maar daar is natuurlijk niets aan te doen, u zult de tering naar de nering moeten zetten.'

'En mijn schulden? Wie betaalt die? Ik ben u alleen al minstens duizend guinjes schuldig.'

'Zijne Koninklijke Hoogheid zal u misschien toestaan dit huis te verkopen.

Ik schat dat het wel vierduizend guinjes waard is. Die som zal een deel van de uitstaande schulden dekken.'

'En deze brieven?'

'Welke brieven, mevrouw Clarke?' Ze wees naar het pakje met het lint.

'Deze minnebrieven. Wat zijn die waard? Het zijn niet allemaal hartstochtelijke briefjes, meneer Comrie. Zijne Koninklijke Hoogheid was vaak hoogst indiscreet en onvoorzichtig. Er staan opmerkingen in over Zijne Majesteit en de koningin, over de prins van Wales, de prinses, de hertog van Kent. Ik denk dat als de koninklijke familie die zou lezen...'

Meester Comrie keek zeer ernstig en hief zijn hand.

'Mijn raad is: verbrand ze en wel zo gauw mogelijk. Elke poging Zijne Koninklijke Hoogheid of iemand van zijn familie te bedreigen zou noodlottig zijn voor u en uw kinderen, dat verzeker ik u.' Echt de gedachtengang van een advocaat. Goed, ze zou er nu geen gebruik van maken, maar ze zou de brieven wel bewaren.

'Dank u, meneer Comrie. Ik vertrouw op u. Dus u gaat meteen naar meneer Adam?'

'Ik zal hem vandaag nog opzoeken. En wat zijn uw plannen nu? Denkt u hier te blijven?' Haar plannen? Ze had geen plannen. Haar wereld was ingestort, maar dat hoefde meester Comrie niet te weten. Financiën waren zijn zaken, niet geschokte gevoelens, gekrenkte trots, beledigd rechtvaardigheidsgevoel.

'Ik denk dat ik de stad uitga, naar vrienden.' En, dacht ze, dan zal blijken wie de ware vrienden zijn. Hoeveel van die vleiers zouden er overblijven, of zaten ze allemaal te wachten op een bezoek in Fulham? Ze zou het binnen de week weten, zodra dat van haar bekend was. Ze hoorde het al:...Zeg, heb je het gehoord?... Is het waar?... Zijne Koninklijke Hoogheid heeft haar afgedankt... Verdiende loon voor die slet... Het werd hoog tijd ook...

Rol de tapijten op, zet bordjes *'Te Koop'* neer. Maar niemand mocht ooit weten wat het voor haar betekende: het figuur dat ze sloeg, het verlies van positie, glorie en pracht, om nog maar niet te praten over het verlies van een man en nog wel een prins. Elke gedeelde ervaring, prins of geen prins, brengt emoties teweeg. Voorbijgaand of blijvend, wat deed het ertoe. Alle vlees voelt hetzelfde, drie uur of drie jaar, maar na drie jaar had het zijn stempel op je achtergelaten. Handen, dijen en schouders waren zó bekend geworden, ook de stemmingen, het temperament aan het ontbijt, het lachen zonder bepaalde reden midden in de nacht, de vanzelfsprekende intimiteit, de trots op het bezit, het warme gevoel, de wetenschap: deze man is van mij. Dat alles was nu voorbij. Ze was uit bed getrapt, als een vatenwasser uit de keuken. Daarom moest ze zich groothouden, de wereld een onverschillig gezicht tonen, de schouders ophalen, de grootste leugens vertellen, als die leugens haar vernedering makkelijker te dragen maakten.

'Zijne Koninklijke Hoogheid zit tot over de oren in de schuld (peper de leugen met wat waarheid, dat slaat altijd in). Ik heb het hart niet om hem tot last te zijn en daarom ben ik van plan het huis in Gloucester Place te verlaten, de meeste meubelen te verkopen en de rest op te slaan; hetzelfde zal ik doen met Weybridge. Hij kan het niet meer betalen. Het is ellendig voor ons allebei, maar het is echt beter. Ik ga met de kinderen naar buiten en kom weer naar Londen als alles zich wat beter laat aanzien. Arme lieveling, hij zit zo in de zorgen met die vervloekte oorlog, hij slaapt praktisch op het hoofdkwartier. Ik zie hem nooit.'

Als ze dit maar vaak genoeg vertelde, zou ze het werkelijk gaan geloven en dat zouden haar vrienden ook doen; althans zij die er het meest op aan kwamen: haar familie, vooral haar moeder en Charley. En Bill, die zou zeggen: 'Heb ik het je niet voorspeld? Ik heb je telkens weer gewaarschuwd, ik wist dat dit zou gebeuren,' en hij zou haar weer dat huisje in Uxbridge aanbieden, beschroomd en verlegen, maar vol nieuwe hoop.

'Het is alles wat ik op het moment doen kan, maar later...'

Nee, Bill moest het als laatste te horen krijgen. Hoe intiemer de vriend, hoe meer ze zich schaamde. Opgelucht hoorde ze dat hij in juni met een expeditie naar Buenos Aires zou zeilen. Het was vroeg genoeg om het hem te vertellen als hij terugkwam.

De kinderen – wat moest ze daarmee aan? Mary, met haar dertien jaar, begreep al een en ander en Ellen, met haar tien jaar, was erg nieuwsgierig. Ze waren nog op May Taylors kostschool, maar ze moest aan de vakanties denken, er moesten maatregelen worden getroffen, vragen omzeild. De vraag: 'Maar waarom moeten we Gloucester Place verlaten?' moest worden beantwoord met: 'Londen is te duur, lieverds, het zal ons allemaal goed doen eens een poosje buiten te wonen.' Als het zover was, zou ze wel van de een of ander een huis lenen.

Ierland? Hoe stond het met Ierland en de Fitzgeralds? Vader en zoon hadden haar telkens weer hun vriendschap bezworen.

'Als je ooit hulp nodig hebt kom dan bij ons.'

Ze liet een proefballonnetje op en ontdekte dat het St. Georgeskanaal een zeer geschikte scheiding vormde zodra er zich een crisis voordeed. Beiden hadden allerlei excuses: het klimaat in Ierland was zo vochtig, ze zou het afschuwelijk vinden en de vrouw van Jamie Fitzgerald was zo lastig en Willie werkte erg hard en het leven was lang niet gemakkelijk, enzovoort, enzovoort. Maar misschien konden ze elkaar in het najaar weer eens terugzien? Met andere woorden, mevrouw Clarke, geen schijn van kans, althans nu niet. Leden van het parlement moesten op hun tellen passen, zelfs Ierse leden en radicalen. Ze dacht aan de brieven die Jamie Fitzgerald haar had geschreven na drie glazen port in Gloucester Place en aan de dingen die hij haar tijdens het diner in het oor had gefluisterd. Geen wonder dat zijn vrouw lastig was, het verwonderde haar niets, ze zou nog veel lastiger worden als ze de brieven las die netjes gebundeld in een doosje waren opgeborgen. Wie had haar nog meer trouw en vriendschap gezworen? Will Ogilvie, maar alleen van man tot man, als partners in zaken. Die zaken waren afgelopen, ze verwachtte dus een kort afscheid. Ze zou die anderen om de tuin kunnen leiden, maar Will stellig niet. Hij kwam, hoffelijk en nonchalant als altijd, juist toen ze zat te bedenken welke meubels ze zou wegdoen en welke ze zou behouden.

'Niet in paniek raken,' zei hij koeltjes, 'houd het beste. Bezit is een belegging en je zult het nodig hebben. Doe al die opzichtige prullaria weg. Die hebben momenteel zekere waarde door het schandaal en zijn dus goed verkoopbaar.'

Ze keek hem onderzoekend aan. Zijn manier van doen was niet veranderd.

'Ik had niet verwacht je nog te zullen zien,' zei ze. 'Ik dacht dat je naar Fulham zou zijn overgelopen.'

'Daar zijn geen zaken te doen, ze is het type niet. Met haar zal het niet lang duren, ik geef haar een maand of zes.'

'En dan?' Hij haalde zijn schouders op.

'Eerlijk gezegd, ik houd het nog op jou. Ik acht het hoogst waarschijnlijk dat je hem terugkrijgt.' De hoop ontwaakte weer in haar.

'Waarom denk je dat? Heb je geruchten gehoord?'

'Alleen dat Adam en Greenwood het samen bekokstoofd hebben. Ze wisten natuurlijk wat wij deden. Onze zaken bedierven hun eigen markt, dus jij moest weg. Ze zijn er al maanden mee bezig, al sedert Gordon in de plaats van Clifton is gekomen. Tussen twee haakjes, het was Adam die Zijne Koninklijke Hoogheid aan mevrouw Carey heeft voorgesteld. Ze heeft geen hersens, dus ze is geen gevaar.'

'Maar de hertog is toch verliefd op haar?'

'Een bevlieging. Hij werkt te hard. En hij is heel erg gevoelig voor kritiek.

En die zal hij genoeg krijgen, let maar op. Houd het parlement het komende seizoen goed in de gaten. De Whigs willen bloed zien en wie is daar beter geschikt voor dan de opperbevelhebber van een leger in actie.'

De chaos in haar brein kwam plotseling tot rust. Wills opvattingen, zo reëel en nuchter, waren totaal verschillend van Bills morele bezwaren. Van Will zou ze geen medelijden krijgen, geen huisje in Uxbridge, maar een stevige, bemoedigende klop op haar afhangende schouders, een schop onder haar achterwerk.

'Goed,' zei ze. 'Jij en Tom Taylor hebben me hier ingehaald. Wat nu?'

Hij stak een hand uit en raakte even de verraderlijke lijnen in haar gezicht aan, die dieper waren geworden door gebrek aan slaap.

'Mag ik ronduit spreken?'

'Alsjeblieft, ik word misselijk van die vleierij.'

'Houd je dan een jaar koest en neem rust. Zorgen kunnen het uiterlijk van een vrouw vernielen, vooral als ze, zoals jij, afhangt van charme en gevoel voor humor. Je hebt geen enkele behoorlijke trek in je hele gezicht, de uitdrukking van je ogen moet het doen.'

'Wat raad je me aan, dat ik in een klooster moet gaan?'

'Nee, maar wel dat je je zes maanden lang moet gaan vervelen: een bed voor jou alleen, tenzij je af en toe eens een vriendje wilt laten komen om je te amuseren. Maak je geen zorgen over de kosten, het spel gaat door.'

Ze keek hem glimlachend aan.

'Jij bent je roeping misgelopen, je had dokter moeten worden, die medicijnen voorschrijft. Geen pillen voor een vrouw boven de dertig, alleen champagne. Hoe gaat het spel door? Waar en wanneer?'

'De breuk tussen jou en de hertog is nog niet overal bekend, er gaan alleen nog maar geruchten. De grote massa gelooft nog altijd dat je invloed bezit. Van promoties in het leger is geen sprake meer, maar er zijn massa's departementen die ik weet aan te pakken en jij kunt de klanten wel wijsmaken dat je koninklijke steun achter je hebt. Het geld zal bij je blijven binnenkomen, reken daar maar op. En als dan mevrouw Carey heeft afgedaan en jij je teint weer terug hebt gekregen, zullen we wel verder zien. Apropos, heb je zijn brieven nog?'

'Allemaal.'

'Verstandige meid! We zullen ze misschien nog nodig hebben. Berg ze goed achter slot. En als je Whigs onder je vrienden hebt, klamp je dan daaraan vast en laat de Tories gaan. Deze coalitie zal geen jaar meer duren.'

'Je wilt toch niet zeggen dat de Whigs de baas zullen worden? De koning zal dat nooit toelaten.'

'Ze zullen niet de "baas worden" zoals jij het uitdrukt, maar als sterke oppositiepartij kunnen ze verduiveld onaangenaam worden en ze zullen zeker elk schandaal dat in hun kraam te pas komt uitbuiten. En daar kunnen jij en ik dan van profiteren. Maar daar gaat het nu niet om, kalmpjes aan, één stap tegelijk. Ik neem aan dat je advocaat Comrie jou officieel vertegenwoordigt en al zoveel mogelijk uit Adam en Greenwood heeft geperst?'

'Vierhonderd guinjes per jaar en de huur van het huis, meer niet.'

'Dat is wel zowat de armzaligste behandeling die je een vrouw kunt aandoen en als ik het zeggen mag: typische vorstelijke gulheid. Apropos: jij bent niet de enige die is weggewerkt. De prins van Wales leeft met lady Hertford en Maria Fitz is tien pond afgevallen.'

'Hij zal wel weer bij haar terugkomen, dat doet hij altijd. Ze heeft hem al jong ingepikt, dat zal de reden zijn.'

'Nonsens, hoe rijper de vrucht des te verpletterender de val. Als jij York niet terugkrijgt zal ik wel een plaatsvervanger voor hem vinden. Er zijn nog vijf broers, zoals je weet, en allemaal gezond en sterk.'

'Dank je. Een ezel stoot zich geen tweemaal aan dezelfde steen. Ik behelp me liever met de eenvoudige adelstand. Ik zal onthouden wat je over de Whigs hebt gezegd. Ken je lord Folkestone?'

'William Pleydell-Bouverie, de radicale lord? Die zijn jeugd in Frankrijk heeft doorgebracht en over revolutie praat? Ik heb hem een paar maal ontmoet. Een opgewonden standje, maar wel geschikt.'

'Hij kwam een paar weken geleden, vóór dit alles gebeurde, in het theater naar mijn loge. Ik heb niet meer aan hem gedacht, maar we konden toen goed opschieten samen – hij was erg attent.'

'Houd hem aan het lijntje als je kunt, hij kan een belangrijke bondgenoot blijken te zijn. Welke andere aanbidders kunnen bijspringen, denk je? De waardige Dowler is zeker niet ver te zoeken?'

'Bill gaat naar Buenos Aires, die valt dus af. Verder is er Coxhead-Marsh in Essex, maar hij is, zoals al die jonge kerels, geremd door zijn vrouw. Hij zit dik in zijn geld en ik zou het best een maand of zes met hem kunnen aanleggen. Mijn Ierse vrienden hebben me in de steek gelaten, Dublin zou anders wel amusant zijn geweest. Het is natuurlijk makkelijk genoeg directe relaties te krijgen. De zoon van generaal Manners, Russell Manners, ook lid van het parlement, hunkert er naar zijn huis in Old Burlington Street tot mijn beschikking te stellen, zodra ik een kik geef.'

'Pik dat dan in als het leegstaat.'

'Dat is juist de moeilijkheid. Hij zal natuurlijk bij me willen intrekken en zijn beloning eisen.'

'Je zou het altijd op je zenuwen kunnen gooien.'

'Dat zou een nacht of drie gaan, maar geen veertien dagen. Ik verdraag nog liever zijn eeuwige gesnuif en al, dan veertien dagen lang telkens een ander smoesje verzinnen....Ja, Burlington Street zou wel een geschikt *pied-à-terre* kunnen zijn. En hij heeft een rijke zwager, Rowland Maltby, die zijn rekeningen endosseert. We zouden via hen wel wat geld binnen kunnen krijgen – ze kennen veel mensen, die allemaal over de juiste relaties beschikken.'

'Ga door, ga door. De temperatuur stijgt gestadig.'

'O ja, ik vergat lord Moira... die wind ik om mijn vinger, zo was het tenminste in april toen ik hem het laatst heb gezien, maar in twee maanden kan er veel veranderen. Alles is even keurig en correct bij hem, hoor. Hij stelde veel belang in George en speelde met zijn soldaatjes. Ik denk dat zielig-doen en tranen en de wanhopige vrouw spelen hem wel zullen inpalmen.'

'Houd hem in reserve, Mary Anne, als laatste troef.'

'Als al het andere gefaald heeft?'

'Als de citroen tot de laatste pit is uitgeknepen. En neem nu mijn raad aan en ga uit Londen weg. Vergeet Zijne Koninklijke Hoogheid zes maanden. Dat is al wat ik vraag.'

Wonderlijk zoals haar stemming na zijn bezoek verbeterde. Vóór zijn komst was ze duf en moedeloos geweest en had geen uitkomst gezien. Nu kon ze weer zingen. Alle gedruktheid verdween, alle droefheid vloog het venster uit. Tegenspoed, daar moest je mee vechten, die moest je op de vlucht jagen; het geluk was een fee, die je moest grijpen en vasthouden; het leven was een avontuur, een bondgenoot en geen vijand. Ze liep kalm en met helder hoofd tussen haar bezittingen door, sorteerde, zocht uit wat ze wilde houden en wat weg kon en dat zonder enige sentimentaliteit.. 'Dit kan weg, dat ook!'
Kroonluchters, lampen en gordijnen – ze zou een betere prijs voor het huis kunnen krijgen als die bleven hangen.

'Maar dit neem ik mee en die stoelen.'

Het leek wel wat op zes jaar geleden in Golden Lane, toen de deurwaarders in huis waren en Joseph dronken was. Was dat pas zes jaar geleden? En Joseph was ook hier de schuld van, net als toen in Golden Lane, Joseph en Adam met hun leugens en sluwheid.

'Ja, dat bed moet verkocht worden. Het zal een goede prijs opbrengen, vooral als bekend is wie er in heeft geslapen. Het matras ook, dat heeft heel wat dienst gedaan. Maar de lakens met de monogrammen wil ik houden.'

Sentimenteel? Nee... zakelijk. Die zouden de hertogin in Oatlands misschien van pas komen als de kasten leeg waren. Ze zou stellig ingaan op een aanbod om ze te kopen.

'Mag ik Uwe Koninklijke Hoogheid mededelen dat ik enkele lakens in mijn bezit heb, ze zijn gebruikt, maar in goede staat en voorzien van monogram. Mocht u er geen interesse voor hebben dan zullen ze publiekelijk bij Christie verkocht worden met alle details over degene die ze het laatst gebruikt heeft. De reden waarom ik ze Uwe Koninklijke Hoogheid het eerst aanbied, is alleen om indiscretie te vermijden.'

Ziezo, die zouden zeker honderd guinjes opbrengen. De hertogin kon het missen. Ze zou ze kopen en ze dan misschien later verknippen voor haar schoothondjes. Die grote commode? Nee, die niet op de veiling. Ondershands verkopen aan kolonel Gordon.

'Daar haar bekend is hoe groot het tekort aan accommodatie op het hoofdkwartier is, doet het mevrouw Clarke genoegen u een grote commode te kunnen aanbieden, soliditeit gegarandeerd. Ten gebruike van kolonel Gordon. Het laatst gebruikt in Gloucester Place 18 door de opperbevelhebber in eigen persoon. Indien dit aanbod niet wordt aanvaard zal de commode bij Christie ten verkoop worden aangeboden.'

Gordon zou niet durven weigeren. Hij zou het geld ervoor bij elkaar scharrelen om de geschiedenis stil te houden.

Welke andere souvenirs zouden geld opbrengen en maken dat zedige handen ten hemel werden geheven en begerige ogen geshockeerd keken? Een gescheurd nachthemd, juist terug uit de was? Ze zou het sturen naar mevrouw Carey met een stuk zeep en een klos garen. Misschien een onderbroek naar de koningin? 'Wetend hoe groot de genegenheid van Uwe Majesteit is voor prins Frederik Augustus, hertog van York en Albanië, waag ik, Mary Anne Clarke, meest nederige uwer onderdanen, u dit treffend voorwerp te zenden dat de onderste ledematen van uw tweede zoon heeft bedekt en dat ik zoëven, tot mijn grote verbazing, op de sofa in mijn salon heb gevonden.'

Dat zou een sensatie geven in Windsor en een frisson onder de hofdames veroorzaken. Will Ogilvie had gelijk: het spel ging door. Er waren nog altijd genoeg stommerds die bereid waren te betalen voor een goede positie en die meenden dat ze bij het juiste adres aanklopten. De vriend van een vriend van een vriend – en het geld kwam binnen. Burlington Street werd het centrum der operaties, nadat Gloucester Place was verkocht en de meubels opgeslagen, en Russell Manners (met een lief, jong vrouwtje ergens in Wales) was nu haar gastheer, ondanks zijn eeuwige gesnuif. Toen het parlement zich ontbond voor het zomerreces en de vrouwen haar echtgenoten opeisten, veranderde ze van hoofdkwartier. Ze raakte krap in de contanten en rust was noodzakelijk. Ze had het gesnuif verdragen, maar haar zenuwen hadden eronder geleden. In een boze bui krabbelde ze een briefje aan de hertog.

"Ik heb honderd guinjes nodig om de stad uit te kunnen gaan. Mijn schulden zijn nog niet betaald en mijn schuldeisers zitten me op de hielen. Alles wat ik voor het huis gekregen heb, is gebruikt om de kleinere leveranciers te betalen. Als je me dit weigert zal ik op je stoep gaan kamperen."

Ze kreeg per omgaande antwoord plus tweehonderd guinjes in bankbiljetten. De brief werd bezorgd door een bediende van Portman Square, die zei dat Zijne Koninklijke Hoogheid alleen was en dat noch meneer Adam, noch meneer Greenwood bij hem was. Zo, dus als de spionnen afwezig waren, begon het geweten te knagen. Hij schreef dat hij hoopte dat ze het goed maakte en dat de kinderen bij haar waren. Ze hoefde zich geen zorgen te maken over George; zijn schoolgeld was betaald en zijn toekomst verzekerd, dat beloofde hij. Wat haarzelf en de onmiddellijke toekomst betrof: er stond een huis tot haar beschikking, het was leeg en ze kon het gebruiken tot er een geschikte huurder voor gevonden was. Het huis lag nogal ver van Londen verwijderd, in Exmouth, maar de zeelucht zou haar en de kinderen ongetwijfeld goed doen en hij hoopte dat ze er de hele winter zou blijven. Hij was haar toegenegen Frederik P. Begon hij genoeg te krijgen van Fulham? Nog niet, geloofde ze. Anders zou hij haar nooit naar Devon hebben gestuurd. Driehonderdvijfentwintig kilometer van de stad gaven hem vrijheid. Wat een contrast, deze brief met die van een jaar geleden. Ze nam er een uit het pakje, een die hij vanuit Weymouth geschreven had.

"Hoe kan ik mijn liefste engel ooit uitleggen hoe gelukkig me haar lieve brief heeft gemaakt en hoe al de innige dingen die ze daarin schrijft me ontroerd hebben. Miljoenen maal dank ervoor, mijn engel, wees ervan overtuigd dat mijn hart zielsgelukkig is met je genegenheid en dat alleen van jouw liefde mijn geluk afhangt," enzovoort, enzovoort, om te eindigen met:
"God zegene je, mijn eigen lieve, lieve schat. Ik zal de postkoets missen als ik hier nog meer bijschrijf, maar geloof me, voor altijd, tot mijn laatste snik de jouwe en de jouwe alleen..."

De brief ging terug in het omstrikte pakje en in de zwarte blikken trommel, die ze voor alle zekerheid onder in haar koffer stopte. En dan naar Exmouth, naar zand in de schoenen en sproeten, met de kinderen en haar moeder, met Isobel en Isobels man; met Charley die weer eens ziekteverlof had en van de cavalerie was overgegaan naar het negenenvijftigste regiment infanterie; met May Taylor en haar zus die niet wisten waar ze naar toe moesten; en met de arme meneer Corri die door de dokter zeelucht was voorgeschreven en bij wie niemand meer muzieklessen kwam nemen; en met Martha – godzijdank voor Martha – die genoeg had van haar kolenman en bigamie in een zitslaapkamer in Woolwich en die maar al te graag weer het huishouden deed voor een twaalftal mensen. Iedereen was welkom in Exmouth. Manchester House was enorm groot en kon heel wat gasten bergen en ze kon de rekeningen van het eten naar de hertogin in Oatlands zenden... Dus uitrusten maar, ontspannen, het verleden en de toekomst vergeten, de hele dag in de zon liggen en spelen met de kinderen.

En hoe moest dat van de winter als iedereen weer wegging naar veiliger beschutting, en de mist en de regen het humeur onder nul deden dalen? Terug naar Old Burlington Street of naar Essex, naar dat te leen aangeboden huis in Loughton en naar Coxhead-Marsh?

Ten minste een van die jonge kerels kon best wel eens zijn zakken binnenstebuiten keren voor haar, als je bedacht wat ze vroeger allemaal voor hen had gedaan: aanstellingen, promoties... Met andere woorden: zoek een leuke flat uit en zorg dat het balletje blijft rollen.

9

'Ik verzeker je dat het waar is.'

'Maar jongenlief, dat is ongelooflijk.'

'Het mag dan ongelooflijk klinken, maar je kent Fane niet. Hij heeft me van het begin af gehaat en dat deden de anderen ook. Zodra ik bij het regiment kwam, wist ik dat ik een stommiteit had uitgehaald; ze hebben me het leven zo onaangenaam mogelijk gemaakt. Ze kregen klaarblijkelijk hun orders van hogerhand, dat hoorde ik in de kantine. "Pas op, Thompson, de commandant wil je nek breken." Ik vroeg: "Waarom?" Eerst wilden ze niets zeggen, maar toen ik bleef aandringen, vertelden ze het me. "Het is erg jammer dat je zuster niet meer bij de opperbevelhebber is. Ze moeten op het hoofdkwartier niets van haar hebben en iedereen die wat met haar te maken heeft, wordt eruit getrapt. Iemand heeft het in de legerorders zien staan, ik mag niet zeggen wie." Nou, toen ben ik ziek geworden, je weet hoe ziek ik ben geweest... drie dokters zeiden dat ik niet in staat was dienst te doen. Ik vroeg ziekteverlof aan. De commandant, kolonel Fane, schreef dat ik me moest wenden tot de hoofdofficier van inspectie met bijvoeging van een doktersattest. De hoofdofficier van inspectie zat in Newark en ik in Leeds. Ik werd gek van de pijn, ik kon het niet uitstellen, ik moest naar Londen om de beste medische hulp in te roepen. Ik ben er dus heen gegaan en heb van daar een doktersbriefje gestuurd. En terwijl ik door jou in Loughton werd verpleegd voor dubbele mastoïditis en letterlijk helemaal de kluts kwijt was, hebben ze dit gedaan.' Hij wierp haar de Staatscourant toe.

'Kapitein Charles Farquhar Thompson, negenenvijftigste regiment infanterie, uit zijn functie ontzet.'

Ze keek naar zijn fonkelende ogen en bevende handen. En opeens was hij niet meer een man, maar de kleine jongen in de steeg die zei: 'Het is niet eerlijk. Die grote jongen heeft me geslagen. Hij is veel sterker dan ik en heeft me in de goot geschopt,' en zij snoot zijn neus, droogde zijn tranen en zei: 'Ik zal wel op je passen, wees maar niet bang,' nam kokend van woede het eerste het beste wapen – een kapotte pan, een pook, een bezemsteel – en rende de steeg uit, de vechtersbaas achterna. Ze nam de Staatscourant op en las het berichtje nog eens door.

'Tob er maar niet over, Charley, ik zal zorgen dat je weer wordt aangesteld.'

'Hoe wil je dat doen? Je hebt geen invloed meer. Jij bent ook je baan kwijt, net als ik. We hebben allebei afgedaan.'

Hij liet zich op een stoel vallen, zijn haar in de war, zijn tuniek vuil, niet afgeborsteld en met ongepoetste knopen.

'Ik zeg je dat ik geen kans meer heb. Ik heb het al maanden geweten, jij wist het ook, maar probeerde jezelf wat wijs te maken. Die weken in Exmouth heb je net gedaan of er niets aan de hand was, of Zijne Koninklijke Hoogheid je het huis voor de zomer geleend had en de herfst haast niet kon afwachten tot je weer bij hem terug zou zijn. En wat gebeurde er toen het herfst werd? Je trok naar Loughton en zei dat je gewend was geraakt aan de buitenlucht en dat de hertog Coxhead-Marsh had verzocht op je te letten en dat Rowland Maltby en Manners de rekeningen betaalden. Heb jij Zijne Koninklijke Hoogheid gezien, dan heb ik hem gezien. Niet eens een brief. Hij heeft voorgoed met je gebroken en dat weet iedereen. En daarmee nog niet tevreden, heeft hij spionnen op mij afgestuurd en moest ik de dienst uit. En wat George betreft, die ligt er ook uit. Er worden geen nieuwe cadetten meer aangenomen in Marlow. Ik weet het van lui die daar bij de staf zijn.'

Hij lachte en het hele verleden school in die lach. De hitte van de steeg, de stank van de riolen, het geschreeuw van de kinderen, de smaak van het door vliegen bevuilde eten, het vermoeid roepen van hun moeder in de keuken, Bob Farquhars kroes bier die omgevallen was over de tafel.

'Houd in hemelsnaam je mond…'

'Waarom zou ik? Jij hebt me opgevoed, ik heb jou mijn hele leven gevolgd.

Je hebt me geleerd wat ik mocht verwachten en waarnaar ik mocht uitzien. "Mik hoog," zei je altijd, "en als je niet krijgt wat je wilt, zal ik er wel voor zorgen." Dat heb je altijd gezegd, van begin af aan. Mijn eerste aanstelling, mijn eerste overplaatsing, mijn promotie, het ging allemaal even vlot, ik moest slagen. En toen heb jij door een of andere stomme ruzie met de hertog de boel in de war geschopt en mijn leven verknoeid. Ik moet lijden door jouw stommiteit. En ik niet alleen, maar ook George en de meisjes, wij allemaal.'

Hij begon hysterisch als een kind te snikken, net als in de dagen waarin tranen kussen tot gevolg hádden, troost en lekkers, verhalen over de zilveren knoop en over het geslacht Mackenzie. Nu was het gevolg: stilte, ogen die plotseling ontdaan keken, een hand die over zijn haar streek, een stem die veraf en wonderlijk angstig klonk.

'Ik heb nooit geweten dat Gloucester Place en het feit dat ik met Zijne Koninklijke Hoogheid samenleefde zoveel voor je betekenden. Ik dacht dat je het gewoon beschouwde als een zakelijke overeenkomst, als een plaats waar je kon logeren als je verlof had.'

'Een zakelijke overeenkomst! Het was mijn wereld! De wereld die jij me beloofd had toen we nog kinderen waren. Herinner je je mijn heldenverering voor prins Charlie? Jij maakte dat alles tot werkelijkheid; dat dácht ik tenminste. Als ik bij je logeerde, maakte hij dikwijls na het diner een praatje met me – jij zult je dat wel niet herinneren – en dan keerde ik, trots als een pauw, naar mijn werk terug met het gevoel of ik met God gesproken had... Dat begrijp jij natuurlijk niet. Jij bent maar een vrouw, was zijn maîtresse, maar wij zijn mannen, we spraken dezelfde taal; hij informeerde naar mijn regiment. Ik vereerde hem meer dan wie ook. Hij vertegenwoordigde voor mij iets dat ik niet in woorden kan uitdrukken, een oude droom die tot leven was gekomen. En nu is alles uit. Nu is er niets meer van over.'

Hij scheurde de Staatscourant in stukken en gooide die in het vuur.

'Denk je dat George dat net zo voelt?' vroeg ze.

Hij haalde zijn schouders op.

'Hoe moet ik dat weten? Hij is nog een kind.

Als je negen jaar bent, kun je van alles denken. Ik weet alleen dat hij gelooft dat de hertog zijn vader is.'

Ze draaide zich met een ruk om en keek hem verbluft aan.

'Wie heeft dat gezegd?'

'George zelf. Ellen gelooft het ook. Het zal wel een verhaal van Martha zijn. Mary weet wel beter, die herinnert zich Joseph nog, al is het vaag; ze zal hem wel gauw vergeten zijn. Maar ze zullen Zijne Koninklijke Hoogheid nooit vergeten, die is met hun levens vergroeid. En evenmin zullen ze de kamers in Gloucester Place vergeten en al die pracht daar. Ze zullen nooit meer zoiets terugkrijgen. Jij hebt hun toekomst bedorven, dat mag je gerust weten.'

Elk woord van hem verried haar diepste gevoelens. De afgelopen achttien maanden – saai en vervelend, doorgebracht tussen Exmouth, Loughton Lodge en Londen met elke vriend die aanbood een rekening te betalen (Russell Manners, Coxhead-Marsh, Jamie Fitzgerald), een middel om de tijd door te komen, een beslissing uit te stellen – vervaagden of ze er nooit geweest waren en ze was plotseling weer bezig in het huis op Gloucester Place de meubels uit te zoeken om te zien wat er kon worden verkocht en wat ze wilde houden. En Will Ogilvie stond naast haar en zei: 'Het spel gaat door.'

Het spel in de lagere regionen, beuzelarijen, dwaasheden, de moeite niet waard – een spel voor amateurs. Een spel voor bedienden uit een derdeklas winkel voor wie tien guinjes al het toppunt was. Geen trots, geen macht, geen gegoochel met deftige namen.

'Meneer Rowland Maltby kan u een betrekking als huisknecht bezorgen.'

Niet meer: 'Zijne Koninklijke Hoogheid zal u aanbevelen...' In Loughton rondslenteren met Coxhead-Marsh, geeuwen bij zijn jachtverhalen, tegen zichzelf zeggen hoe prettig de herfst in Essex was en aldoor in haar de koortsachtige gedachte: 'Ik wil hem terug hebben. Ik wil de macht terug en de positie.'

Het gefluister in Vauxhall, wat herinnerde ze zich dat goed.

'Kijk, daar is mevrouw Clarke... nu zal de hertog ook zo wel komen,' – glimlachjes, knikjes, een zee van gezichten. Alles voorbij, een gebarsten zeepbel, een stromende rivier veranderde in een poel stilstaand water.

'Wat ik niet begrijp,' zei Charley, 'is dat je die hele zaak zo kalm hebt opgenomen, dat je niet gevochten hebt. Komt dat omdat je oud wordt of omdat het je niet kan schelen?' Nu zou ze hem graag een draai om zijn oren hebben gegeven of met beide handen zijn keel hebben dichtgeknepen, als twee kinderen die elkaar met de neus in de goot duwen, aan elkaars haren trekken en schreeuwen: 'Houd op of ik vermoord je.'

In plaats daarvan ging ze echter voor het raam staan kijken naar de keurig onderhouden tuin, de met grint bestrooide oprijlaan. Ze zei: 'Ga je boeltje pakken, we gaan naar Londen.'

'Waarom?'

'Vraag me niets. Je hebt me als kind vertrouwd, je kunt me nu ook vertrouwen.'

'Ga je zorgen dat ik weer word aangesteld?'

'Ja. En dan meld je je gewoon weer aan. Je toekomst hangt af van de reactie van je commandant. Als hij werkelijk de bedoeling heeft je te breken, zal dat nu wel blijken.'

Eindelijk weer actie, iets om je tanden in te zetten. Haar woede concentreerde zich nu op kolonel Fane, een verwaand, opgeblazen uilskuiken dat recht en orde vertegenwoordigde, een handlanger van Adam, van Gordon, van het ministerie van Oorlog. Een vrouw alleen tegenover zoveel mannen, haar vijandig gezind omdat ze wisten wat ze waard was. Blijf buiten onze gelederen, kom niet op ons terrein! Daarom haatten ze haar, omdat ze getoond had tegen hen op te kunnen. Ze haatten mevrouw Carey in Fulham niet, kunst werd aanvaard, artiesten bemoeiden zich niet met hun zaken. Maar als een vrouw het initiatief nam, de provisies in de wacht sleepte en de leiding nam, waar moest het dan naar toe?

In de postkoets die hen naar Londen reed, vroeg Charley: 'Waar denk je aan? Je kijkt zo ernstig.'

Ze lachte.

'Ik was eerlijk gezegd met mijn gedachten mijlen ver weg. Ze hadden niets te maken met jou of het heden. Ik zag opeens moeder die de vaat stond te wassen in de kleine, benauwde keuken, gebogen over de teil – je weet hoe donker het daar was, zonder raam – en de jongens die rond haar voeten kropen en zich vastklemden aan haar enkels, zodat ze geen voet kon verzetten. En dat vader binnenkwam en begon te schreeuwen om zijn eten... Ik weet nog dat ik hem toen een klap gaf. Ik vergeet dat nooit.'

'Hoe kom je daar opeens op, na al die jaren?'

'Dat mag de hemel weten...' De postkoets hobbelde door de lanen, slingerend van links naar rechts. Ze hield zich met één hand vast aan de hanglus, en met de andere aan Charley. Haar hoofd werd helderder. Ze was vol vertrouwen, bijna gelukkig. Burlington als pied-à-terre had afgedaan. Russell Manners was naar India. Maar goed ook, ze wenste geen complicaties op het moment en wilde evenmin dat haar aanwezigheid bij crediteuren bekend werd.

Twee dagen in een hotel, daarna logies in Hampstead. Ze bracht bloemen naar Edwards graf, plantte er bollen voor de lente, niet bewust aan Edward denkend, alleen maar aan George. Hampstead was vol herinneringen, niet aan haar wittebroodsweken met Joseph, maar aan Bill. Mevrouw Andrews kon haar de eerste zes maanden geen kamers verhuren, de hele bovenverdieping was verhuurd aan een uitgever, sir Richard Phillips. Kende mevrouw Clarke de naam? Inderdaad, die kende ze... en ze maakte er meteen in gedachten een aantekening van, je kon nooit weten. Een uitgever zou nog wel eens van pas kunnen komen, dat hing van de plannen af. Wist mevrouw Andrews soms een ander logies voor haar en kapitein Thompson en later de kinderen? Ja, mevrouw Clarke moest het eens proberen bij meneer Nicols in New End, een fatsoenlijk man, bakker van beroep. De kamers werden gehuurd. Op een brief aan Portman Square kwam geen antwoord... maar de twintigste november werd kapitein Charles Farquhar Thompson van het negenenvijftigste regiment infanterie weer in zijn vroegere rang aangesteld. Ze hield Charley triomfantelijk de Staatscourant onder de neus.

'Ik had het je immers beloofd?'

'Ja, maar wat gebeurt er nu?'

'Je gaat je nu gewoon in Colchester bij je regiment melden. Als kolonel Fane lastig is, schrijf je het me direct.' George zat nog rustig in Chelsea, maar Charley had gelijk: zijn naam was van de lijst voor Marlow afgevoerd. Adam en Gordon zaten in het bestuur, dus het was niet moeilijk te raden wie hier hun invloed hadden uitgeoefend. Op het ogenblik kwam Charley echter het eerst aan de beurt, daarna zou ze zich met George gaan bemoeien. Er was ruimte voor allen bij meneer Nicols, ook voor de Franse gouvernante en voor Martha. Haar moeder kon voorlopig in Loughton blijven; ze werd oud en beverig, klaagde altijd en vroeg steeds weer waarom Zijne Koninklijke Hoogheid haar toch niet eens kwam opzoeken. Aan het eind van de week kwam Charley uit

Colchester terug. Eén blik op zijn gezicht verried haar dat er weer narigheid was.

'Wat is er gebeurd?'

'Ik moet overgeplaatst worden, kolonel Fane wil me niet in zijn regiment hebben.'

'Geeft hij er redenen voor op?'

'Dezelfde als vroeger – absentie zonder verlof. En er is nog iets. Herinner je je die wissels nog die op Russell Manners getrokken waren, door moeder getekend en me van de zomer door jou gestuurd? Ze waren via Rowland Maltby bij Fishmongers' betaalbaar en ik kreeg gedaan dat de betaalmeester in Leeds ze voor me zou incasseren net voor ik ziek werd en met verlof ging. De wissels werden geweigerd en we hebben geen bewijs dat ik overtuigd was dat ze zouden worden gehonoreerd. De commandant zegt dat er een aanklacht wegens fraude tegen me kan worden ingediend.'

'Maar dat is belachelijk. Rowland Maltby betaalt altijd Russells rekeningen.'

'Daar vergis je je in – Maltby heeft geweigerd deze te betalen. Is er niet een keer ruzie geweest tussen jou en Manners en Maltby in Burlington Street, voor je naar Loughton ging? Ze hebben allebei aan je deur geklopt en jij hebt geweigerd ze binnen te laten?'

'Goeie genade, ze waren allebei stomdronken en ik was doodmoe.'

'Nou ja... maar dit is zijn antwoord. De betaalmeester had mij het geld gegeven en de wissels kwamen onbetaald terug. Als die zaak voor de krijgsraad komt is het met me gedaan.'

'Heeft kolonel Fane gezegd dat er een aanklacht tegen je zal worden ingediend?'

'Hij zei dat de zaak als afgedaan zal worden beschouwd als ik word overgeplaatst.'

'Goed, dan zul je overgeplaatst worden. Tegen Kerstmis.'

Ditmaal gebeurde er niets. De brieven die ze naar Portman Square zond kwamen ongeopend terug. Charley verzocht om een onderhoud. Het werd geweigerd. Martha, die vroeger nogal bevriend was geweest met het personeel van Portman Square, ging haar oude kennissen in de keuken daar opzoeken. Ze trof er allemaal nieuwe gezichten aan die de deur stevig dichtdeden.

Meneer Adam scheen haar oude vrienden ontslag te hebben gegeven.

Als Mary en Ellen door Heathe Street liepen, werden ze gevolgd. De Franse gouvernante kreeg het op haar zenuwen en vroeg ontslag. Een man had haar op de arm getikt en getracht haar uit te horen.

'Is mevrouw Clarke in Hampstead? Wat is haar adres?'
Het konden schuldeisers zijn, misschien zelfs Joseph, maar het leek er meer op of het spionnen waren van Adam. Charley ijsbeerde nagelbijtend de kleine voorkamer op en neer en staarde telkens uit het raam.

'Al iets gehoord over mijn overplaatsing?'

'Nog niet. Ik heb geschreven.'

Ze hoefde hem niet te vertellen dat zijn carrière gebroken was. Ze had naar vijftig regimenten geschreven; alle hadden geweigerd hem op te nemen. Er was ongetwijfeld een order van het hoofdkwartier uitgegaan.

'C.F. Thompson, zwarte lijst.' Vrienden die haar twee jaar geleden gunsten zouden hebben bewezen, waren plotseling de stad uit of ziek of hadden het te druk. Ze ging naar Will Ogilvie. Van hem zou ze tenminste de waarheid horen.

'Wat is er gebeurd, Will?'

'Heb je geen kranten gelezen?'

'Je weet dat ik de hele zomer en een deel van de herfst, tot verleden maand toe, in Loughton heb gezeten.'

'Ik heb je gezegd dat je de gebeurtenissen moest blijven volgen, die zijn verhelderend. In plaats daarvan heb je je hersens laten roesten en naar Coxhead-Marsh te midden van zijn fazanten zitten staren...'

'Als je denkt dat ik dat leuk vond... Wat stond er dan in de kranten?'

'Bijna elke dag wordt Zijne Koninklijke Hoogheid aangevallen. Pamfletten spuwen venijn, het kan bijna niet meer door de beugel.'

'Wat heeft dat met mij te maken?'

'Officieel niets. Maar iedereen op het ministerie van Oorlog denkt dat jij die dingen schrijft.'

'Goeie hemel, ik wou dat het waar was!'

'Ze, dat wil zeggen Adam en Greenwood, hebben in je verleden gewroet en alles nagegaan. Niet van je huwelijksleven, maar wat je hebt uitgehaald met de jongens in Grub Street en het geld dat je in Holborn hebt verdiend.'

'Proberen ze daarom Charley eruit te zetten?'

'Natuurlijk. Als je broer zit hij er ook tot over de oren in.'

'Maar Will, het is niet waar...'

'Dat doet er niet toe. Je bent met modder besmeurd en het komt in hun kraam te pas. De kwestie is dat de mensen die pamfletten lezen en zeggen: "Geen rook zonder vuur. Er is geen koe zo bont of er is een vlekje aan," en dergelijke dingen. Onze vriend, die brave Hoogheid, begint uit de gratie te raken. Zijn macht is aan het afnemen en dus ook de dingen waar hij de vertegenwoordiger van was: het leger, de kerk, de Tory-regering, de oorlog met Frankrijk, de grondwet. Wacht maar tot we een paar maanden verder zijn, dan kunnen we op groter schaal zaken gaan doen dan tot nu toe. Je speelt geen schaak, Mary Anne, dus waarom zou ik het je uitleggen? Je bent een uitstekende pion in een zeker spel dat ik nu al veertien jaar speel, sedert Frankrijk zich in '93 heeft vrijgemaakt.'

Ze haalde geïrriteerd de schouders op.

'Ben je nog altijd aan het doorzagen over republikeinen? Speel dat spelletje dan maar alleen. Ik heb je al eerder gezegd, dat veiligheid voor alles gaat. Die van mijn gezin en die van mezelf. Wat mij op het moment het meest bezighoudt is mijn broer Charley. Ze proberen hem uit zijn regiment te trappen.'

'Laat ze hem eruit trappen, dat hindert niet.'

'Maar het hindert hem wel. En mij ook. Ik vertik het om aan te zien dat hij zonder geldige reden eruit wordt gezet. Kun jij geen overplaatsing voor hem verkrijgen?'

'Hij staat op de zwarte lijst. Ik kan niets doen en niemand kan dat. Bekijk de zaak toch eens wat objectiever en wind je niet zo op. Over een jaar zal de regering vallen en zal Zijne Koninklijke Hoogheid zijn commando verliezen – waarom kun je niet tot zolang geduld hebben?'

'Omdat ik van mijn broer houd en omdat zijn hart breekt. Mijn enige hoop is de hertog tot rede te brengen. Gaat hij nog altijd naar mevrouw Carey in Fulham?'

'Je bent slecht op de hoogte, hij houdt het op het ogenblik met de vrouw van een pair... Luister nu eens goed naar me, de tactiek is veranderd. Je zult hem niet terugkrijgen, je gaat hem kapotmaken.'

Het hoffelijke masker was gevallen. De donkere ogen fonkelden. Dit was een andere Ogilvie, hard en meedogenloos.

'Gedraag je dan maar als een idioot om je broer – je zult slechts je tijd verspillen. Maar als hij eruitgegooid is – en dat gebeurt ongetwijfeld – kom dan bij me, dan zal ik je zeggen wat je doen moet. Het is nogal saai geweest in Loughton, hè? En zeker nog vervelender in Devon, tussen het zeewier?'

Ze walgde van hem, ze hield van hem, ze was bang van hem, ze vertrouwde hem.

'Waarom zou ik altijd doen wat jij zegt?' vroeg ze. 'Omdat je op geen andere manier kunt leven.'

Hij bracht haar naar het rijtuig en sloot het portier. Zij keerde terug naar Hampstead en daar zaten Charley en de kinderen met angstige gezichten op haar te wachten.

'Er heeft aldoor een man in de portiek aan de overkant naar ons staan loeren. Hij heeft mevrouw Nicols gevraagd of je brieven naar Fleet Street schrijft.'

'Nonsens. Schenk er geen aandacht aan. De een of andere dronkelap.'

Ze richtte een laatste verzoek aan Portman Square en er werd een brief van Charley regelrecht naar het hoofdkwartier gezonden.

Zij kreeg een krabbeltje terug; dat was 's nachts neergepend: 'Ik weet niet wat je bedoelt. Ik heb nooit iemand bevolen jou te plagen of te hinderen en daarom kun je, wat mij betreft, volkomen gerust zijn.'

De brief aan Charley was kort en officieel met instructie om zich onmiddellijk in Colchester te melden.

'Dus dan is alles in orde? Dan hoef ik niet overgeplaatst te worden?'

Charley wuifde met het gedrukte formulier. Zijn ogen straalden, hij had al zijn zelfvertrouwen weer terug.

'Ja... dat moet wel.'

Ze glimlachte en kuste hem. Ogilvie had dus ongelijk gehad. Er bestond geen vendetta.

Hij haastte zich zijn uniform aan te trekken om onmiddellijk te vertrekken.

Ziezo, nu moest ze zich om George bekommeren. Het zou gemakkelijk genoeg zijn het voor hem te regelen, nu het met Charley in orde was. Marlow of Woolwich. Het leek allemaal heel eenvoudig. De kinderen waren gelukkig en bezorgden geen last en iedereen was opgewekt. Er ontbrak slechts één ding natuurlijk, nu Charley weg was: een man in huis, iemand die haar stemmingen kende, niet een nieuweling voor wie je je moest inspannen en een houding aannemen, maar een man die er niet op aan kwam, die begreep. Maar ze wist niemand die zo was... Ze nam de krant op. Was de expeditie al terug uit Buenos Aires? De Zuid-Amerikaanse oorlog was een fiasco geweest, een spreiding van krachten, juist wat de vijand wilde. Een fout van het opperbevel of van de politici? Ach, dat deed er nu niet toe, de hoofdzaak was dat Bill nu misschien al thuis zou zijn. Ze had in achttien maanden niet aan hem gedacht, maar nu was hij het antwoord op haar stemming.

'Ik zal meteen naar Uxbridge schrijven, hij zal wel thuis zijn.' Ze was helemaal vergeten hoe graag ze hem uit de weg had willen hebben toen Gloucester Place werd verkocht, hoe blij ze was geweest dat hij uit het gezicht en het gehoor was, duizenden mijlen ver weg in Buenos Aires. Nu was ze omgedraaid als een blad aan een boom. Hampstead... associaties... Bill was de man die ze hebben moest. Lieve hemel, wat had ze hem een boel te vertellen. Al die emoties; die duivelse samenzwering van Adam en Greenwood, waarbij Zijne Koninklijke Hoogheid een hulpeloos werktuig in hun handen was en genoodzaakt haar onder pressie op te geven (niet nodig mevrouw Carey te noemen). De ene ramp na de andere, maar ze had alles overleefd door haar eigen vastberaden pogingen, zonder iemands hulp. Russell Manners, Rowland Maltby en Coxhead-Marsh? Alleen maar vervelende, oude vrienden, die vriendelijk wilden zijn. Charley was naar Colchester vertrokken en Bill werd ontboden. Hij trachtte haar een en ander te vertellen van Buenos Aires, waar hij door een hel was gegaan: de ontberingen, ziekte, het klimaat. Ze luisterde vijf minuten, schudde medelijdend het hoofd en viel hem toen in de rede. Hij was weer terug in zijn gewone rol van luisteraar. De maanden en jaren verdwenen, hij was er weer, rustig, betrouwbaar, aanbiddend. Het was een heerlijk, ontspannend gevoel, als het dragen van een paar gemakkelijke schoenen of een japon van drie jaar geleden die je ergens in een kast had teruggevonden, die je totaal vergeten was en waarvan nu de kleur opeens flatteus werd en het oog bekoorde.

'Je blijft bij me, hè?' Ze kuste hem achter het oor.

'Zal dat niet vreemd lijken? De kinderen zijn nu zoveel ouder.'

'Ik zal ze terugsturen naar Loughton, moeder is daar nog.' Terug naar de bekende routine, en het was prettig. Adoratie werkte kalmerend op de zenuwen, vooral als je blasé was geworden en totaal geen behoefte meer had aan experimenteren. Bill kon blijven tot zijn volgende opdracht. Er waren nog geen orders gekomen. Het wachtgeld dat hij nu kreeg, zou hun onkosten dekken. Het jaargeld van de hertog was al een tijd niet meer uitbetaald, maar daar had ze zich niet druk over gemaakt toen ze in Loughton Lodge woonde. Natuurlijk zat Adam daar weer achter, hij had de betaling gestopt. Weer zo'n feit waarvoor ze met hem zou afrekenen.

'Bill, ik vind het zo vreemd dat ik niets van Charley hoor.'

'Hij wacht misschien op orders, net als ik. Zijn regiment moet misschien naar het buitenland. Het gerucht gaat door heel Londen dat we voor een nieuwe expeditie naar Spanje moeten, met Wellesley als commandant.'

'Ik ben zo bang dat Charley ziek is. Hij is niet sterk.'

'Het zou hem veel goed doen als hij eens in het vuur kwam.'

'Dat wil hij ook juist zo graag,' antwoordde ze haastig, 'om het regiment te tonen wat hij waard is. Hij heeft tot nu toe nooit de kans gekregen.'

Charleys zwijgen was de eerste wolk aan de blauwe hemel, het opkomen van de storm. En vierentwintig uur later kwam ze de waarheid te weten. Het stond zwart op wit in de *London Gazette*: 'Kapitein Charles Farquhar Thompson, negenenvijftigste regiment infanterie, staat onder streng arrest in afwachting van het verschijnen voor de krijgsraad.'

Will Ogilvie, god of duivel, had een profetische geest gehad. De Hampstead-idylle was voorbij. De strijd was begonnen.

10

Mary Anne zat in het gerechtsgebouw te Weeleigh, Colchester, met een kopie van de aanklachten in haar hand en naast haar zat de advocaat die haar door Comrie was aangeraden, een zekere Smithies, die naar haar dictaat notities maakte.

Aan de andere kant van de tafel zat Rowland Maltby, een onwillige getuige, gemelijk en niet op zijn gemak, die uit zijn huis in Hertfordshire was weggesleept om hier een verklaring af te leggen. Ze had hem de vorige dag zelf per koets gehaald onder bedreiging dat ze, indien hij niet toegaf dat de in de aanklacht genoemde wissels door hem geëndosseerd waren, zijn vrouw zou roepen en onthullingen doen die zeer onaangenaam zouden zijn voor hem en voor Russell Manners, die nu ergens in India zat, de bofferd.

'Wat moet ik zeggen?'

'Je kunt zeggen wat je wilt, als je mijn broer maar zuivert van de beschuldiging van fraude.'

'Ik voel er niets voor om in die zaak gemengd te worden. Een krijgsraad is voor militairen, niet voor burgers.'

'Jij hebt er aan meegeholpen dat dit gebeurd is en nu zul je voor hem opkomen ook. Of zal ik uit de koets stappen en je vrouw halen?'

Ze had het portier al wijdopen, gereed om uit te stappen. Hij hield haar snel tegen, zijn ogen op het venster gericht.

'Goed, goed, ik zal meegaan, maar geef me even tijd om een excuus te verzinnen. Ik zal over een uur bij de driesprong zijn.'

Hij had heel de weg naar Colchester zitten mokken, hopend haar daarmee te hinderen, maar zij had zelfs niet haar hoofd omgewend en de hele avond op een stuk papier zitten krabbelen – aantekeningen voor die verwenste broer van haar – vermoedde hij, en toen ze eindelijk om twee uur 's nachts in Weeleigh waren aangekomen, had hij niets anders gekregen dan een paar sandwiches en een kort 'goedenacht'. Wat een figuur had hij geslagen tegenover die waard.

Ze las nu de beschuldigingen voor en de advocaat schreef ze op.

'Beschuldiging één: Ergerlijk en schandelijk gedrag, niet in overeenstemming met het karakter van een officier en een gentleman, door op de éénentwintigste juli 1807 of daaromtrent afwezig te zijn zonder daartoe verlof te hebben gekregen van zijn regimentscommandant.

Beschuldiging twee: Ergerlijk en schandelijk gedrag, niet in overeenstemming enz., enz. door meneer Milbanke, de betaalmeester van het wervingsbureau Leeds, over te halen hem honderd guinjes uit te betalen op twee wissels, welke bij aanbieding geen van beide werden gehonoreerd.'

Ze hield even op en tikte met haar potlood op het papier.

'Meneer Smithies, ik wil dat u goed begrijpt dat mijn broer niet in staat is voor zichzelf te spreken. U vertegenwoordigt hem en onderwerpt de getuigen aan een kruisverhoor. Ik zal een daarvan zijn, en meneer Maltby ook. Mijn broer verklaart onschuldig te zijn aan beide aanklachten.'

'Ik begrijp u, mevrouw Clarke.' Ze scheurde een vel papier af en overhandigde het hem.

'Hier zijn de vragen met betrekking tot de eerste beschuldiging die ik wens dat u aan de auditeur-militair zult voorleggen als komende van mijn broer. Vraag één: "Weet u dat ik ten tijde dat ik afwezig was en naar Londen ging, gek was van pijn en dat drie doktoren hadden verklaard dat ik niet in staat was dienst te doen?" U moet goed begrijpen, meneer Smithies, dat die hele krijgsraad in dit geval slechts komedie is. Ze willen mijn broer uit de dienst zetten en elke stok is goed genoeg om een hond te slaan. Vraag twee: "Weet u dat ik, zodra ik in Londen was, een doktersattest heb gezonden, waarin werd verklaard dat ik ziek was en geen dienst kon doen?" Hebt u dat?'

'Ja, mevrouw Clarke.'

'Goed. Nu de tweede aanklacht. We kunnen niet vooruit weten wat de aanklager me zal vragen, maar het zal natuurlijk verband houden met die wissels die ik mijn broer gegeven heb en die met de naam van mijn moeder, Elisabeth Mackenzie Farquhar, waren ondertekend. Ze is invalide door reumatiek en kan zelf niet schrijven, daarom schrijf ik alle brieven voor haar en leid haar hand. De reden dat ik haar naam heb gebruikt en niet de mijne, was dat ik niet wilde dat mijn naam in verband werd gebracht met Russell Manners – zwager van meneer Maltby hier aanwezig. Ik wil graag dat u mij bij de terechtzitting zult vragen: "Hebt u ooit van meneer Rowland Maltby gehoord dat hij een wissel die op Russell Manners getrokken was en die betaalbaar was door hem bij Fishmongers' Hall, niet heeft willen honoreren?" En daarop zal ik dan met "Nooit" antwoorden, meneer Smithies.' Ze wierp een blik op haar sombere, zwijgende getuige. Hij nipte aan een glas bier en zei niets. De advocaat schreef iets op het papier voor hem.

'Daarna wil ik dat u me vraagt: "Kunt u met hetgeen u weet over de transactie met de bewuste wissels verklaren of het mogelijk is dat kapitein Thompson er enig frauduleus belang bij had toen hij de betaalmeester overhaalde de wissels te honoreren?" En daarop zult u mij horen antwoorden: "Zeer zeker niet. Kapitein Thompson wist dat meneer Manners bij mij in de schuld stond." Rowland Maltby bewoog zich onrustig op zijn stoel.

'Hoor eens even, dat kunt u niet in een openbare rechtszitting naar voren brengen.'

'Wat?'

'Wat er in Old Burlington Street alzo is voorgevallen tussen ons drieën, terwijl onze vrouwen in Wales waren.'

'Ik weet niet wat u bedoelt – ik begrijp er niets van. Met "in de schuld staan" doel ik op geld. Ik heb een armband verkocht waarvoor ik driehonderd guinjes heb gekregen en daarvan heb ik er honderd aan Russell geleend die slecht bij kas was. Daarom stond hij bij mij in de schuld. Bent u het daarmee eens?'

Rowland Maltby haalde zijn schouders op en keek de advocaat eens aan.

'Schuld aan u, mevrouw Clarke, ik heb het genoteerd.'

'Dank u, meneer Smithies. Dat is voorlopig alles wat mij betreft. Laten we nu een kop koffie gaan drinken.'

Ze stond op en strekte haar armen boven haar hoofd uit. Go! Het was fijn om te vechten en om alléén te vechten, zelf de last te dragen zonder tussenkomst van anderen. Bill zou haar gesmeekt hebben voorzichtig te zijn. Hij zou hebben gezegd: 'Wees voorzichtig, je zult meer kwaad dan goed doen door je ermee te bemoeien.' Alsof die arme Charley alleen tegen deze beschuldigingen op zou kunnen... Die bruten hadden hem nu al drie maanden onder arrest, de aanklacht was pas de vorige maand openbaar gemaakt en nu ze de namen las, begreep ze de reden. Elk lid van de krijgsraad was met zorg gekozen door Adam, Greenwood en kolonel Gordon.

Alles en iedereen was tegen haar, maar dat kon haar niet schelen. Ze zou Charleys naam zuiveren van de beschuldiging van fraude, de rest kwam er niet op aan.

'En de verdediging?' vroeg meester Smithies.

'Meneer Comrie stelde voor dat ik een collega uit Lincoln Inn erbij zou halen. We zouden dan samen de verklaring kunnen opstellen en ter goedkeuring aan uw broer voorleggen.' Ze keek hem glimlachend aan.

'Dat is niet nodig.'

'Hebt u iemand anders op het oog?'

'Ik zal die verklaring zelf schrijven.'

'Maar, mevrouw...'

'Alstublieft, geen bezwaren. Ik weet wat ik zeg.'

'Maar de juiste woorden?'

'Hoe langere woorden, hoe beter. Ze zullen hun portie krijgen. Meneer Smithies, ik corrigeerde al drukproeven toen u nog in de luiers zat. Vlekkerige akten van advocaten vormden mijn eerste leesoefeningen op de drempel in Bowling Inn Alley. U kunt er van verzekerd zijn dat de verdediging doorspekt zal zijn met geleerde woorden.'

Ze wierp beiden een kushand toe en ging naar boven. Meester Smithies kuchte eens en keek Rowland Maltby aan.

'U zult het natuurlijk verliezen,' zei deze.

'Ik ben er bang voor.' Het proces duurde kort. Er waren vele getuigen die de eerste aanklacht ondersteunden. De tweede kostte meer tijd, en de auditeur-militair, die niet in staat was de zuster van de gevangene tot zwijgen te brengen, was een hele morgen bezig met meneer Maltby, die zichzelf telkens tegensprak en scherp ondervraagd werd; niet over wissels en geld, maar hoe vaak hij bij mevrouw Clarke in Loughton had gelogeerd en of zij de eigenares van het huis was en wie er bij haar had gewoond. Op verzoek van de arrestant werd een korte pauze ingelast. Zijn zuster bracht het weekend door opgesloten in haar slaapkamer te Weeleigh, waar ze talloze vellen papier volschreef. Toen de zitting dinsdag werd hervat, werd de verdediging van kapitein Thompson aan de krijgsraad voorgelezen:

'Meneer de president, leden van de krijgsraad, daar ik slechts vier jaar in het leger heb gediend en nog zeer jong ben en niet het voordeel bezit van grote ervaring, voel ik zeer sterk de behoefte een beroep te doen op uw bescherming en vergiffenis te vragen voor mogelijke onregelmatigheden die ik – onopzettelijk – kan hebben begaan. Indien ik er niet van overtuigd was dat ik me voor deze edelachtbare krijgsraad volkomen kan vrijpleiten van de geringste schuld wat betreft de aanklachten welke tegen mij zijn uitgebracht ten einde mijn goede naam te bekladden, zou ik me liever in de vergetelheid hebben teruggetrokken, alleen en zonder troost. Maar, mijne heren, ik durf beweren – en dat met het volste vertrouwen, zij het in alle nederigheid – dat de giftige pijlen die door de wrok en wraakzucht van hooggeplaatste militairen zijn afgeschoten op mijn gemoedsrust en eer, zullen worden afgeweerd door het schild van eer, onschuld en onkreukbaarheid. Mijne heren, toen ik voor de eerste maal de eer had te worden ingelijfd bij het negenenvijftigste regiment, bemerkte ik al spoedig dat ik noch de gunst noch de welwillende aandacht genoot van kolonel Fane. Ik beken eerlijk dat ik in mijn jeugdige onervarenheid ongetwijfeld kleine fouten zal hebben gemaakt, waarvoor grotere ervaring en meerdere kennis van de wereld me zouden hebben behoed. Kolonel Fane was ongetwijfeld niet geneigd mijn vriendelijke mentor te worden en ik kreeg, zonder daarop voorbereid te zijn, plotseling het bevel Newark te verlaten en me te melden bij de wervingsdienst in Leeds. Ik wijdde me aan de mij opgedragen taak met een ijver en toewijding die een meer ervaren en bekwamer officier niet tot oneer zouden hebben gestrekt, tot ik in de maand juli 1807 door een ernstige ziekte werd aangetast. In deze toestand, toen de knapste geneesheren verklaard hadden dat ze verder niets meer konden doen om mij verlichting te verschaffen, schreef ik kolonel Fane over mijn slechte gezondheidstoestand en verzocht om ziekteverlof. In antwoord op dit verzoek ontving ik een brief van kolonel Fane, waarin deze mij mededeelde dat het niet tot zijn bevoegdheid behoorde mij verlof toe te staan en dat ik, indien mijn gezondheid dit absoluut noodzakelijk maakte, een doktersattest moest zenden aan de eerstaanwezende officier van gezondheid. Ik heb dit gedaan, doch eerst nadat ik in Londen was aangekomen. Ik wil gaarne erkennen dat ik hierin verkeerd heb gehandeld, doch laat ik de edelachtbare krijgsraad mogen vragen of deze handelwijze van dien aard is dat een bevelvoerend officier er aanleiding in kon zien mij, een zeer jong man, voor de krijgsraad te dagen met het doel mijn leven (want karakter is voor een eerlijk man zijn leven) en mijn toekomst te verwoesten?

Ik wil nu uw aandacht verzoeken voor enkele opmerkingen over de tweede aanklacht, welke tegen mij is uitgebracht. Ik had een familielid om financiële hulp gevraagd. Ze gaf me de beide wissels, waarover in de aanklacht gesproken wordt. Ze waren door haar getrokken op meneer Russell Manners Esq. en betaalbaar bij meneer Maltby, Fishmongers' Hall. Ik twijfelde er geen ogenblik aan of deze wissels waren goed en zouden bij aanbieding gehonoreerd worden en daarom verzocht ik meneer Milbanke, de betaalmeester van het district, mij het geld vast uit te betalen, waarin hij toestemde. Eerst later vernam ik dat de wissels niet zijn gehonoreerd. Ik zal uw tijd niet in beslag nemen door al het bewijsmateriaal te herhalen, hoewel elk woord daarvan mij van elke blaam zuivert en mijn onschuld bevestigt.

Mijne heren, het spijt me dat ik zo lang beslag op uw tijd heb moeten leggen, maar ik moest wel in bijzonderheden treden om elk detail en alle omstandigheden duidelijk te maken. Ik voel me niet gedrongen de krijgsraad te smeken om een gunst die mij niet toekomt. Ik maak me niet bezorgd over de uitslag, omdat uw beslissing zal berusten op onpartijdigheid en begrip. Voor die beslissing zal ik mij nederig en onderdanig buigen en ik verzoek u, edelachtbare heren, te geloven dat wat ook mijn lot moge zijn, ik de aandacht en zorg waarmede u mijn zaak hebt behandeld en mij hebt willen aanhoren, in dankbare herinnering zal houden.'

Meester Smithies ging zitten: een kleine man met een bril, grijs haar en ronde schouders. Zijn stem was toonloos. Hij had de akte van verdediging voorgelezen zoals een hulpprediker het opgegeven bijbelgedeelte voorleest, zonder één enkele modulatie, zonder even te pauzeren om een bepaald woord beter te doen doordringen. De woorden die in haar hotelkamer zo overtuigend hadden geklonken, waren levenloos en onbelangrijk geworden. De gevangene zat rechtop. Zijn ogen weken geen seconde van het gezicht van zijn zuster af. Ze keek naar kolonel Fane toen deze opstond. Onmiddellijk ontspande de auditeur-militair, de heren van de krijgsraad sloegen de benen over elkaar en gingen eens verzitten. Er ging een stroom van medeleven en sympathie naar hem uit. Hij schraapte zijn keel, glimlachte en begon te spreken: 'Meneer de voorzitter, leden van de krijgsraad, ik zou het niet nodig hebben geacht u hier nog langer op te houden ten einde antwoord te geven op de verdediging van de arrestant, indien deze het niet oorbaar had gevonden enkele ernstige aanmerkingen te maken op mijn persoonlijke motieven en gedragingen in deze zaak. Indien de gevangene onschuldig is aan het hem ten laste gelegde moest hij mij dankbaar zijn dat ik hem in de gelegenheid heb gesteld zich te rechtvaardigen. Dat er redenen voor de beschuldigingen waren, is duidelijk gebleken en hij zal moeten begrijpen dat onder dergelijke omstandigheden de officieren van zijn regiment niet met hem konden omgaan alvorens hij zijn handelwijze voor de krijgsraad had gerechtvaardigd. De gevangene heeft het tevens oorbaar gevonden te beweren dat hij van mij in Newark minder aandacht heeft ontvangen dan de andere officieren en schrijft dat toe aan onwelwillendheid van mijn kant. Ik tart hem dit te bewijzen. Integendeel, ik heb hem meer welwillendheid betoond dan ik thans vind dat goed is geweest. Hij heeft me ook aangevallen over het feit dat ik hem naar de wervingsdienst heb overgeplaatst. Hct is buiten kijf dat ik het recht heb officieren die ik daartoe aanwijs, onmiddellijk daarheen te zenden, doch ik wil voor deze krijgsraad de redenen dat ik de kapitein heb overgeplaatst mededelen. Een zekere meneer Lawton, een zeer respectabele herbergier in Newark, was bij me gekomen om me mede te delen dat het gedrag van kapitein Thompson in zijn etablissement onverdraaglijk was, dat hij de vorige avond grof door hem beledigd was en dat hij hem met grote moeite ervan had kunnen weerhouden met de kelner te vechten. Daarom zou hij zich, tenzij ik maatregelen wilde nemen om een dergelijk optreden in het vervolg te voorkomen, genoodzaakt zijn een adres aan de opperbevelhebber te richten.

Daar ik een dergelijk gedrag buitengewoon nadelig achtte

voor de naam van het regiment, waarvan de meeste officieren nog zeer jong zijn, leek het me juist hem ergens heen te zenden waar zijn voorbeeld geen kwaad zou kunnen stichten.

De krijgsraad moge zich herinneren dat – wat de eerste aanklacht betreft mijn brief de gevangene geen verlof verleende, doch hem alleen mededeelde hoe hij dit verlof, indien hij inderdaad ziek was, zou kunnen verkrijgen. Hij heeft mijn instructies niet opgevolgd.

Wat de tweede aanklacht betreft heb ik de krijgsraad reeds medegedeeld dat ik daar niets van weet. Het is bewezen dat hij wissels heeft laten uitbetalen, doch de krijgsraad zal moeten uitmaken of deze transactie frauduleus is geweest. Ik zal u niet langer ophouden, mijne heren, maar wil alleen verklaren dat ik, met kapitein Thompson, hoop dat hij de krijgsraad van zijn onschuld heeft kunnen overtuigen.' Kolonel Fane ging zitten en de krijgsraad trok zich terug om over het vonnis te beraadslagen. Het kostte hun weinig tijd. Het vonnis werd uitgesproken door de auditeur-militair die, na kolonel Fane van elke blaam dat hij verdachte unfair zou hebben behandeld te hebben gezuiverd, de gevangene streng berispte over diens aanval op zijn commandant, welke aanval hoogst onbillijk en ongepast was geweest. Kapitein Thompson werd schuldig bevonden aan de eerste tenlastelegging, maar onschuldig verklaard aan de tweede. Vonnis: ontslag uit de militaire dienst, welk vonnis door de opperbevelhebber zou moeten worden bekrachtigd. De vierentwintigste mei 1808 werd dit vonnis bekrachtigd in een brief van de hertog van York aan luitenant-generaal lord Chatham, de commandant van de oostelijke divisie. En vanaf die dag was Mary Anne, de zuster van de gevangene, vastbesloten wraak te nemen, hoe dan ook.

11

'Ben je nog altijd van plan deze zaak zelf af te handelen?'

'Dat hoop ik.'

'Ondanks het feit dat de krijgsraad tegen je is?'

'Dat wist ik van tevoren. Ik heb hun gezichten gezien. Maar het is me tenminste gelukt die tweede aanklacht te ontzenuwen.'

'Heb je geld?'

'Geen guinje. We konden de kamers in Hampstead niet eens betalen. De Nicolsen hebben mijn harp en wat boeken in onderpand genomen.'

'En meneer Dowler?'

'Is weer opgeroepen, nu al ruim een maand geleden. Hij is met het eerste expeditieleger naar Portugal gezeild. Ik sta op het ogenblik volkomen alleen, op Charley na, die een zenuwinstorting heeft gehad en me aldoor bij zich wil hebben.'

'En de galante Coxhead-Marsh?'

'Is akelig zuinig geworden. Het hele proces voor de krijgsraad heeft uitvoerig in alle kranten van Essex gestaan en de naam Loughton Lodge kwam daar onaangenaam dikwijls in voor.'

'Dus om het maar ronduit te zeggen: je hebt geen enkele beschermer op het ogenblik?'

'Op jou na. En mijn eigen onuitputtelijke vindingrijkheid.'

Will Ogilvie lachte.

'Ben je weer in het harnas? Prachtig. Het eerste dat nodig is, is een dak boven je hoofd. Ken je de stoffeerder Francis Wright?'

'Alleen in zoverre dat hij mijn meubels in bewaring heeft, de dingen van Gloucester Place die ik niet verkocht heb.'

'Ach ja, natuurlijk, ik herinner me nu dat ik je zelf naar hem heb verwezen. Hij werkt op verschillende manieren achter de schermen voor ons. Hij zal wel logies voor je kunnen vinden en dan uitkijken naar een geschikt huis. Ik raad je aan om je voortaan tegen iedereen Farquhar te noemen. De naam Clarke is in bepaalde kringen nu niet bepaald in tel, hoewel dat niet het geval is bij de mensen waar je in de toekomst mee te maken zult krijgen. Je kent Folkestone, Burdett en Cobbett, dat zijn de idealisten onder de radicalen. We moeten het van de opportunisten hebben. Wardle, parlementslid voor Okehampton, is net de man voor jou, hij is vastbesloten de top te bereiken door eerlijke of oneerlijke middelen, hoe smeriger hoe beter, als hij er maar wel bij vaart.'

'Ik wil me niet met politiek bemoeien.'

'Toch wel... Als je tenminste niet wilt dat je kinderen verhongeren. Het doel heiligt de middelen, ik dacht dat je dat nu al wel geleerd zou hebben. Heb je die uitgever Richard Phillips al eens gesproken?'

'Voor ik uit Hampstead wegging heb ik hem opgezocht. Ik vond hem een onaangenaam mens, opgeblazen van zelfingenomenheid.'

'Zo zijn ze allemaal en jij zult er nog een schepje op moeten doen. Hij zou dolgraag de officiersboekjes willen drukken, maar die opdracht krijgt hij niet, tenzij er een andere regering komt en een andere opperbevelhebber op het hoofdkwartier. Heb je McCullum wel eens ontmoet?'

'Die pamfletschrijver? Nee, hij is een derderangsprulschrijver.'

'Hij zal binnenkort een onderzoek publiceren over misstanden in de militaire opleidingsschool, waarin hij bewijst dat de cadetten allemaal vergeven zijn van venerische ziekten. Hij eindigt met enkele opmerkingen over Britse generaals, waar ik me gek om gelachen heb. Ik geloof stellig dat je hem aardig zult vinden.'

'En waarom wil je dat pamfletschrijvers en ik met elkaar in kennis komen?'

'Omdat, mijn lieve, blinde mol, je meer weet dan zij allemaal bij elkaar.

Ze willen de waarheid weten en jij kunt ze die vertellen – en verder tot het eind van je dagen als een vorstin leven. Ga nou maar naar Francis Wright over een huis praten.'

Er werd in Holles Street, Cavendish Square, tijdelijk logies gevonden voor een zekere mevrouw Farquhar en haar broer, kapitein Thompson. Een zeer respectabele dame van buiten, waarvoor Francis Wright van Rathbone Place ten volle instond. De kamers werden gehuurd voor de maand juni, waarna mevrouw Farquhar hoopte te verhuizen naar Bedford Place. De twintigste juni ontving meneer Adam, die in Bloomsbury Square woonde, een brief:

"Meneer, de elfde mei 1806 bent u mij, volgens de wens van Zijne Koninklijke Hoogheid de hertog van York, komen opzoeken om me mede te delen dat Z.K. H. mij een jaargeld van vierhonderd guinjes verleende. Z.K.H. is me nu, volgens die belofte, vijfhonderd guinjes schuldig. Ik heb herhaaldelijk, doch zonder succes, geschreven. De houding van Z.K.H. ten opzichte van mij is totaal ontbloot van gevoel en eer, en daar op zijn beloften, zelfs als die door u worden overgebracht, geen staat valt te maken, ben ik tot het besluit gekomen u mijn plannen bekend te maken en die door uw bemiddeling aan Z.K.H. voor te leggen en wel deze: ik verzoek Zijne Koninklijke Hoogheid mijn jaargeld voor mijn gehele leven veilig te stellen en mij onmiddellijk het achterstallige bedrag uit te betalen daar, zoals hij weet, mijn toestand precair is. Indien Z.K.H. weigert dit te doen, blijft mij niets anders over dan elke bijzonderheid die Z.K.H. mij ooit heeft medegedeeld en alles wat mij gedurende onze intimiteit ter ore is gekomen, met al zijn brieven te publiceren. Dit zal zeer ernstig zijn. Hij is meer in mijn macht dat hij vermoedt. Toch hoop ik, ter wille van Z.K.H. en ook ter wille van mezelf, dat hij aan mijn verzoek zal voldoen, aangezien ik zeer goed weet dat het me verdriet zal doen als ik hem aan de kaak moet stellen. Voor ik iets aan de openbaarheid prijsgeef, zal ik elk lid van het koninklijk huis een kopie sturen van hetgeen ik van plan ben te publiceren. Indien Z.K.H. wat punctueler was geweest, zou dit verzoek nooit gedaan zijn.

Nog iets: ik hoop dat Z.K.H., indien hij afziet van de bescherming van mijn zoon, hem althans een beurs wil verschaffen voor het Charterhouse of een andere publieke school. Het kind is niet verantwoordelijk voor mijn daden.

U wilt wel zo goed zijn, meneer, dit alles ter kennis van de hertog van York te brengen. Ik zal woensdag iemand naar uw huis zenden om te vernemen wat Z.K.H. van plan is te doen. U zult wel zo goed zijn dit antwoord te vervatten in een brief aan:
Uwe dienstwillige dienaresse

M.A. Clarke.

P.S. Zijne Koninklijke Hoogheid heeft door zijn houding in een andere zaak dit alles verdiend en meer."

Meneer Adam beantwoordde deze brief niet. De volgende zaterdag ontving hij een tweede schrijven:

"Meneer, daar ik woensdag geen antwoord heb ontvangen op mijn brief, neem ik aan dat Z.K.H. de hertog van York de belofte, welke mij door bemiddeling van u was overgebracht, niet gestand wil doen en dat u hem in dit besluit aanmoedigt.

Ik heb intussen al mijn herinneringen uit die tijd van mijn verbintenis met Z.K.H. op papier gezet.

De vijftig of zestig brieven van Z.K.H. zullen de waarheid van alles bevestigen. Ik heb beloofd deze brieven dinsdag uit handen te geven wanneer ik voor die tijd niets heb gehoord, en zodra deze geschriften uit mijn bezit in andere handen zijn overgegaan, zullen ze onmogelijk meer te achterhalen zijn.

Ze worden naar heren, niet naar een of andere uitgever gezonden, en die heren zijn even obstinaat als Z.K.H. en onafhankelijker. Het zijn kennissen van u en zij zullen, om mij te helpen en anderen te ergeren, doen wat de hertog niet wil doen.

Hij heeft echter alles in zijn macht en kan dus handelen zoals hij verkiest.

Uw

dienstwillige
M.A. Clarke."

Dinsdag verscheen een politieagent gewapend met een bevelschrift in Holles Street. Hij hield vol dat hij niemand kende die Adam heette, maar kwam om een zekere mevrouw Clarke te arresteren die een som geld schuldig was aan een zekere meneer Allen, een winkelier die dicht bij Gloucester Place woonde. Op zijn herhaalde verzoeken om betaling was nooit ingegaan.

Mevrouw Clarke werd door de politieagent in hechtenis genomen en de volgende middag tegen borgtocht vrijgelaten. De borgtocht was betaald door Francis Wright, stoffeerder. Het proces *Clarke versus Allen* won Clarke door te verklaren dat ze een getrouwde vrouw was en het adres van haar man niet wist. De huur voor de maand juni in Holles Street was ook door Francis Wright betaald die, naar hij het deed voorkomen, handelde uit ridderlijkheid, welk motief hem er ook toe leidde het huis van een vriend van een vriend in Bedford Place tot haar beschikking te stellen.

Tegen het eind van juli of begin augustus ontving de prins van Wales voor zijn vertrek naar Brighton een geparfumeerd briefje in Carlton House. Het bevatte slechts enkele zinnen en was niet ondertekend. Als adres werd opgegeven Bedford Place 14. De geur intrigeerde hem en ook de toespeling op zijn jongere broer, de hertog van York. Zijn oog viel op het zegel onderaan; Cupido rijdend op een ezel... de humor beviel hem. Hij wierp McMahon, zijn privé-secretaris, het briefje toe.

'Ga eens informeren wat ze wil, maar ga niet naar boven. Als ze is wie ik denk dat ze is, zal ze je je broek van je lijf rukken.'

Kolonel McMahon, die al heel wat keren met dergelijke opdrachten belast was geworden, begaf zich zelfverzekerd naar Bedford Place. Het dienstmeisje dat hem de deur opende was rond en welgedaan.

'Ja, meneer?'

'Neem me niet kwalijk, van wie is dit huis?'

'Van mevrouw Farquhar, meneer.'

Dat was een onbekende naam. Zijn meester had zich vergist. Het huis zag er respectabel uit.

'Ik zou mevrouw Farquhar graag even willen spreken.'

'Komt u binnen, meneer.'

De salon zag er nogal slordig en niet erg proper uit, de stoelen stonden nog om de tafel van het souper van de vorige avond.

'Hoe is uw naam, meneer?'

'Ik geef liever geen naam.'

Hij haalde het briefje uit zijn zak.

'Ik kom naar aanleiding van deze brief, uw mevrouw weet er misschien meer van.'

De dienstbode met het ronde gezicht keek naar de brief.

'Jazeker, meneer, ik heb hem zelf gepost. Ik zal mevrouw gaan zeggen dat u haar wenst te spreken.'

Ze sprak op familiaire toon, zonder respect – ze was stellig een oudgediende van de familie. Hij bleef ongeduldig wachten en eindelijk, na bijna twintig minuten, werd hij naar een ontvangkamer boven gebracht.

Op een sofa à la Récamier lag een gedaante neergevlijd, het haar in een Griekse wrong, de smalle voetjes in sandalen. De kamer was goed afgeschermd en niemand anders was aanwezig. Ze stond met een stralende glimlach op om een revérence te maken, zag toen dat hij niet zijn meester was en ontspande.

'Hoe maakt u het? Ik geloof niet dat ik het genoegen heb u te kennen?'

'Mijn naam is McMahon. Ik heb de eer de privé-secretaris te zijn van de prins van Wales. Bent u mevrouw Farquhar?'

'Ja, ik noem mezelf van tijd tot tijd mevrouw Farquhar.'

'Ik neem aan dat u een vriendin bent van mevrouw Clarke?'

'Haar intiemste vriendin. Niemand kent haar zo goed als ik. Ik mag wel zeggen dat niemand zoveel respect heeft voor mevrouw Clarke als ik. Kent u haar niet?'

'Nee, mevrouw. Wel haar reputatie, niet haar persoon.'

'Wat voor zichzelf spreekt. Of niet? Wilt u zo goed zijn me wat meer te vertellen?'

'Mevrouw Farquhar, als die dame uw vriendin is spijt het me te moeten zeggen dat ik nog nooit iets goeds over haar heb gehoord. Haar grove ondankbaarheid tegenover de hertog van York na zijn buitengewone edelmoedigheid is algemeen bekend.'

'Is het grove ondankbaarheid je leven aan een prins te geven en dan na drie jaar te worden afgescheept en ergens ver weg het land in te worden gestuurd, onder belofte van een pensioen dat nooit is uitbetaald?'

'Daar weet ik niets van, mevrouw.'

'Bestookt door spionnen en schuldeisers, bedreigd met de gevangenis, haar broer onteerd en de dienst uit gezet – is dat edelmoedig? Zou de prins van Wales mevrouw Fitzherbert zo behandelen?'

'Het spijt me, maar ik kan mijn doorluchtige meester niet bediscussiëren.'

'Ik wel, ik vind hem verrukkelijk en heb dat altijd gevonden, maar dat doet er nu niet toe. Kolonel McMahon, mevrouw Clarke kan onmogelijk wat ze te zeggen heeft aan een derde mededelen, maar alleen aan de prins van Wales zelf.'

'Dan moet mevrouw Clarke teleurgesteld worden. Zijne Koninklijke Hoogheid is vanmorgen naar Brighton vertrokken. Hij heeft mij opgedragen elke mededeling aan te horen en aan hem door te geven.'

'Als ik geweten had dat hij naar Brighton ging, zou ik daarheen zijn gegaan.'

Kolonel McMahon draaide zijn grijze snor op.

'Zijne Koninklijke Hoogheid zal het betreuren dat hij die kans heeft gemist. Ik verzoek u het in de gegeven omstandigheden met mij te doen. Is mijn vermoeden juist – bent u mevrouw Clarke?'
Ze glimlachte en stak hem beide handen toe.

'Natuurlijk.'

'Duizend maal vergiffenis dan voor al wat ik gezegd heb. Ik had het alleen van horen zeggen en ik ben niet de schilder. Het beeld dat ik voor me zie is volkomen anders dan het portret dat anderen hebben geschilderd.'

'Geschilderd door Adam? En waarschijnlijk ook door Greenwood? U had er niet naar moeten luisteren. Kom hier naast me zitten op de sofa.' Het werd wel een prettige ochtend, helemaal niet slecht besteed. Om elf uur werden er koekjes en wijn gebracht en daarna werd de zitting voortgezet tot bijna twaalf uur.

'Wat ik natuurlijk het aardigste vond, en de prins ook, was dat zegel onder aan de brief.'

'Ik zal u er een geven.'

'Hoeveel anderen hebt u dat al beloofd...?'
Eindelijk ging hij met tegenzin weg, met de belofte als tussenpersoon te zullen optreden.

'U begrijpt natuurlijk dat de prins van Wales zich onmogelijk met u en zijn broer kan bemoeien, maar als ik wat doen kan, een boodschap overbrengen of zo, zal ik dat met genoegen doen zodra ik de hertog weer ontmoet – waarschijnlijk in Windsor. En wat die brieven die u noemde betreft, het is beter, lieve, dat u die verbrandt, ze zouden maar kwaad bloed zetten. Alle verkoeling tussen de prinsen is voorbij.'

Hij klopte liefkozend op haar hand.

'Kom, kom, lieve mevrouw, alles zal wel goed komen.'

Goed voor wie, idioot? Ze streek haar haar glad en schudde de kussens op toen hij het huis verlaten had. Er was weinig bereikt. De kansen stonden nog gelijk. Iedereen ging tot oktober de stad uit. Er kon niets ondernomen worden tot de herfst als het parlement weer bijeenkwam, en Wills radicale vrienden zouden dan hun plannen hebben gemaakt.

'Ik stel voor dat je uit Bloomsbury weggaat,' zei Will.

'Het heeft zijn nadelen zo dicht bij Adam te wonen. Wright kan makkelijk een huis in een ander district voor je vinden, maar vergeet niet de naam Farquhar te gebruiken.'

‘En wie zal voor dat huis betalen?,’ vroeg ze. ‘Wright zal doorgaan je geld te lenen. Hij weet dat het een goede belegging is en dat hij het terug zal krijgen.’

Ze keek de kranten door naar advertenties en zag een huis te huur aangeboden in Westbourne Place, vijf minuten verwijderd van de Chelsea-school waar George nog altijd een leerling was. Als de hertog op inspectie ging, zou hij voorbij haar vensters komen rijden. Het was een verleidelijke gedachte: zij in een open rijtuig, de hertog in het zijne, een glimlach, een wuiven met haar parasol. Te goed om te missen. En May Taylor woonde na vele wederwaardigheden, om de hoek, in Cheyne Row. De meisjes zouden naar school kunnen lopen. Ze zouden allemaal weer bij elkaar zijn. Ze tekende het huurcontract wederom met de naam van haar moeder, en als iemand vragen zou stellen, zou ze nogmaals aankomen met het feit dat ze getrouwd was. Het was werkelijk de enige dienst die Joseph haar ooit had bewezen – dat hij in leven was gebleven en dus wettelijk aansprakelijk was voor alle rekeningen die zij niet kon betalen. Het huurcontract werd op elf november getekend en terwijl ze aan het verhuizen was – een kwestie van twee of drie dagen – had Will Ogilvie een zeker balletje aan het rollen gebracht, waarvan het resultaat was een bezoek van kolonel Wardle, de zeventiende november om één uur. Ze ontving hem in de gedeeltelijk gemeubileerde salon en maakte haar excuses voor de grote wanorde.

‘U ziet dat ik pas verhuisd ben. Het hele huis is nog overhoop.’ Terwijl hij haar de hand kuste, nam ze hem scherp op. Lange neus; vaalbleek; hoogst onaantrekkelijk, bruin, met de tang gekruld haar; ogen dicht bij elkaar.

‘Lieve mevrouw, ik heb al zes maanden verlangd kennis met u te maken, maar u bent zo moeilijk te vinden; ik kon u maar niet bereiken. U weet natuurlijk dat ik afgevaardigde ben voor Okehampton. U hebt ongetwijfeld het afgelopen seizoen mijn speeches gevolgd.’

‘Ik weet wie u bent, maar ik ken uw speeches niet.’

‘Ik zal u er afschriften van zenden, ik denk dat ze u wel zullen interesseren.

De waarheid is, mevrouw Clarke, dat ik een patriot ben. Mijn enige levensdoel is mijn land te bevrijden van misstanden en corruptie.’

Hij wachtte even om het effect van zijn woorden gade te slaan.

Ze verzocht hem plaats te nemen op een pakkist die hij eerst afstofte, daarna tilde hij voorzichtig zijn jaspanden op.

'Corruptie zal altijd blijven bestaan,' zei ze. 'Wilt u koffie? De pannen en ook een pak koffie zijn al uitgepakt.'

'Ik wens alleen maar uw aandacht, mevrouw Clarke. Als dit grote land van ons, hunkerend naar vrijheid, gekluisterd door versleten banden...'

'Als we het daar nu eens niet over hadden, maar ter zake kwamen.'

Hij zweeg even. De kleine ogen kwamen nog dichter bij elkaar.

'Pardon, ik beging de fout te praten zoals ik tegen een kiezer zou doen. Ik heb van een bevriend journalist, McCullum, vernomen dat u niet bereid bent hem te helpen met zijn pamfletten die als onderwerp de hertog van York hebben.'

'Dat klopt.'

'En toch bent u zeer slecht behandeld, mevrouw Clarke. Ik zou gedacht hebben dat elke vrouw met temperament op wraak zou zinnen.'

'Kolonel Wardle, wraak zonder zekerheid is nutteloos. Vijf guinjes provisie voor een pamflet garandeert niet de toekomst voor mij en mijn kinderen.'

'Dat begrijp ik. Zoudt u voor een hogere beloning willen meewerken? In dat geval zal ik alle kaarten op tafel leggen. Mijn vrienden – leden van mijn partij in het parlement – en ik hebben besloten de misstanden in het leger bij de volgende zitting aan de kaak te stellen met het einddoel de hertog uit zijn ambt te ontzetten.'

'Waarom? Wat heeft hij gedaan?'

'Hij representeert een systeem dat wij wensen af te schaffen. Als we met hem beginnen, kunnen we misschien alles omverwerpen en zelf de macht in handen krijgen en als stroman een veel handelbaarder mens gebruiken, die zal doen wat wij hem zeggen.'

'Hoe verbazend patriottisch... Wie is die persoon?'

Kolonel Wardle keek over zijn schouder. De deur was dicht.

'De hertog van Kent,' fluisterde hij.

Ze lachte en onderdrukte toen een geeuw.

'Ik ben teleurgesteld. Ik had gehoopt dat u de een of andere korporaal zou bevorderen, die methode heeft in Frankrijk veel succes gehad. U zult nu alleen maar van de regen in de drup komen.'

'De bevolking van dit land is gewend aan traditie. Niet te veel veranderingen opeens. Zijne Koninklijke Hoogheid de hertog van Kent, is zeer eerzuchtig.'

De bedekte sneer en de toon van de stem ontgingen haar niet. En dat alles van een man die zijn land boven alles stelde! 'Misschien wilt u me eens uitleggen waar ik hieraan te pas kom?' vroeg ze. 'De wrok tussen de broers is natuurlijk bekend, de jaloezie van de een op de ander? We hopen die nog wat aan te wakkeren. McCullums pamflet zal enige van de voornaamste feiten naar voren brengen – en daarbij hadden we nu zo graag uw hulp willen hebben, want u zult alle details kennen. Daar u dit weigert, kunt u in ander opzicht helpen, door mij bijzonderheden mede te delen over de handel in promoties, die, naar ik heb gehoord, uw enige bestaansmogelijkheid was toen u onder protectie van de hertog stond en welke handelwijze zijn goedkeuring droeg.'

'Hoe weet u dat?'

'Het spreekwoordelijke muisje... Als ik bewijzen had, zou hij uit zijn ambt ontzet worden.'

'Wat zou ik daar voor voordeel bij hebben?'

'Alle onrecht zou goed gemaakt worden. De hertog van Kent zou opperbevelhebber worden. Hij heeft tegen een persoonlijke vriend van mij gezegd dat iedereen die hem aan die positie helpt ruim beloond zal worden. Tussen twee haakjes, hij is hoogst verontwaardigd over de schandelijke manier waarop u behandeld bent en dat niet alleen, maar ook over die geschiedenis voor de krijgsraad. Ik meen dat hij het zich tot taak zou stellen uw broer weer te benoemen en u een pensioen toe te kennen – geen armzalige drie- of vierhonderd guinjes, maar enkele duizenden.'

'Ik heb genoeg van beloften, vooral van die van prinsen. Die heb ik te vaak gehoord.'

'Als u meer zekerheid wenst, kan ik die geven. De persoonlijke vriend over wie ik sprak is een zekere majoor Dodd.'

'De privé-secretaris van de hertog van Kent?'

'Precies. Hij verlangt vurig kennis met u te maken en hoe eerder hoe liever. Als u wilt weten wat hij zegt, hier is zijn brief.' Hij haalde een vel papier uit zijn portefeuille en liet haar dat lezen.

"Waarde Wardle, hoe meer ik nadenk over ons gesprek van hedenmorgen, hetwelk tot onderwerp had de eer en het belang van ons land, des te meer ben ik overtuigd dat eenieder die meewerkt aan dit grootse doel niet alleen recht heeft op onze persoonlijke bescherming, doch ook op die van de gemeenschap. Indien deze verzekering van mij u van dienst kan zijn, geef ik u het recht haar te gebruiken zoals ge verkiest. Uit hetgeen u mij over een zekere dame hebt medegedeeld, geloof ik te mogen concluderen dat haar medewerking belangrijker zal zijn dan die van welke andere persoon ook. God weet dat ze schandelijk en barbaars behandeld is door een doorluchtig beest, maar ze krijgt nu de kans het haar aangedane onrecht te herstellen en door de gemeenschap te dienen, ook in hoge mate zichzelf te bevoordelen. Ik blijf, mijn waarde Wardle, steeds Thomas Dodd."

'Lijkt heel mooi op papier,' zei Mary Anne.

'Dan vraag ik uw toestemming om hem aan u te mogen voorstellen en het uit zijn eigen mond te horen. Ik behoef u wel niet te verzekeren dat alles wat u zult willen vragen in vertrouwen zal worden doorgegeven aan zijn meester. De hertog van Kent is zeer royaal in elk opzicht.'

'Hij was niet bepaald royaal in Gibraltar, toen hij de troepen op rantsoen stelde en alle wijnzaken liet sluiten.'

'Discipline, mevrouw Clarke, de ijzeren hand. Precies wat dit land in deze tijd nodig heeft.'

'Neemt hij die ijzeren hand ook mee naar zijn oude Franse maîtresse? Of draagt hij fluwelen handschoenen naar Ealing? Ik heb gehoord dat hij de planten water geeft en kanaries houdt. U kunt majoor Dodd uit mijn naam zeggen dat ik een buitensporige smaak heb. Ik zal behalve een vast pensioen ook een rijtuig met vier paarden nodig hebben en een groot huis met een toren en minstens twee of drie vijvers in de tuin.'

'Ik zal de boodschap overbrengen.'

Goeie genade, hij geloofde warempel dat ze het meende! Hij was nog gekker dan hij eruitzag en dat wilde heel wat zeggen!

'Vertelt u me eens, kolonel Wardle, als deze regering valt en al uw plannen ten uitvoer zijn gebracht – dat wil dus zeggen, als het volk van Engeland is bevrijd van bederf en corruptie – welke positie hoopt u dan als beloning te krijgen?'

Hij antwoordde zonder aarzelen.

'Minister van Oorlog. Dat heeft de hertog van Kent me tenminste te verstaan gegeven.'

'Hoe edel! Een druppel op een gloeiende plaat. Ik wil erg graag uw vrienden ontmoeten, vooral Dodd. Wanneer zal die kennismaking plaatsvinden?'

Hij raadpleegde een notitieboekje.

'Ik ben van plan over enkele dagen naar Kent te gaan. Dodd zal me vergezellen, evenals majoor Glennie die een memorandum schrijft over fortificaties. Hij wil de huidige kustverdediging in diskrediet brengen en we hebben vergunning gekregen de Martello Torens te bezichtigen. Hoe zoudt u erover denken van de partij te zijn?'

'Met genoegen. We kunnen op Romney Marsh picknicken en daar uitmaken welke plek de beste is voor een invasie.'

'U wilt toch niet insinueren...?'

'Dat uw sympathieën aan de overkant van het Kanaal liggen? Maar, mijn beste kolonel Wardle, het is niet in mijn hoofd opgekomen. Ik weet maar al te goed hoe innig u uw land liefhebt.'

Het werd een zeer amusante, instructieve tocht. De eerste stopplaats was Maidstone, de tweede nacht werd in Hythe doorgebracht. Eén vrouw met drie verbitterde ex-militairen, allen met een mislukte carrière achter zich en pratend of ze de keurtroepen hadden aangevoerd. Ze had in jaren niet zoveel plezier gehad. Ze reden met mooi, vriezend weer vijfendertig kilometer langs de kust, terwijl majoor Glennie, de forten-expert, aantekeningen maakte en majoor Dodd (gewezen kapitein der artillerie, hoewel het enige wat hij van kanonnen af wist het ceremonieel van saluutschoten was) uitweidde over de deugden van zijn koninklijke meester: bekwaam en moedig; een voorbeeld van wat een opperbevelhebber behoorde te zijn.

'Wat is het dan eigenlijk vreemd dat hij in meer dan vijf jaar geen administratief baantje heeft gehad,' mompelde Mary Anne.

'Jaloezie, mevrouw Clarke, niets dan jaloezie van zijn broer.'

'O, juist ja, natuurlijk. Wat zonde van dat talent en van die geweldige strategische ervaringen van Kent. Al die vervelende manoeuvre-dagen in Salisbury met troebel bier en stamppot.'

Kolonel Wardle keek haar stomverbaasd aan. Voor een vrouw die moest branden van wraakzucht pakte ze deze ontmoeting met Dodd al heel eigenaardig aan. Wat hem betrof, hij was nu eenmaal geen wiskundige en hij had al zijn concentratievermogen hard nodig om iets te begrijpen van de cijfers die Glennie hem opnoemde met de redenen waarom de Martello Torens als fort niet deugden. En hij moest het toch begrijpen, anders zou er niets terechtkomen van zijn speech in het Lagerhuis. Gedurende het middagmaal in Hythe tekenden de anderen diagrammen en nipte Mary Anne van haar wijn.

'Mijn zoon George heeft thuis een boekje dat hij u graag zal willen lenen, kolonel Wardle, het is voor beginners en – ik méén op bladzijde drie – wordt het verschil tussen een driehoek en een achthoek beschreven... Toe, majoor Dodd, vertelt u me nog eens wat meer over mevrouw de Laurent en haar liefde voor de hertog van Kent.'

'Ze weet dat ze onder veilige hoede is, mevrouw Clarke. De enige prins met een loyaal, trouw hart, vol tederheid en die dankbaar is voor wat ze hem schenkt.'

'Hij lijkt ideaal – op die borstelige wenkbrauwen na. Hebt u hem verteld wat ik als beloning verwacht wanneer ik u bij deze zaak help?'

'Vijfduizend guinjes contant, levenslang pensioen, alle schulden betaald, een bedrag vastgezet op uw dochters. Dat alles kan ik beloven en meer nog, en in die tussentijd zal kolonel Wardle u ongetwijfeld bijstaan. Wat we van u verlangen zijn: brieven en andere bewijzen van corruptie, de namen van officieren die door uw bemiddeling promotie hebben gemaakt en de namen van vrienden die we als getuigen kunnen oproepen. Dan kan kolonel Wardle die in het Lagerhuis noemen.'

'En ervoor zorgen dat we allemaal in de gevangenis belanden?'

'De wet kan u niets maken. Als u de hertog van York aan de kaak stelt, zult u het hele land achter u vinden. De publieke opinie zal weer opleven en u, mevrouw Clarke, zult de heldin van de dag worden, een tweede Jeanne d'Arc, de voorvechtster van het volk.'

'U haalt de geschiedenis door elkaar – u bedoelt Boadicea die met haar wagen over de lichamen van dode mannen reed. Ik zal erover nadenken, majoor Dodd.'

Terug in Londen en Westbourne Place met bijna elke dag bezoek van de een of ander en met briefjes van Will.

'Wat heb je anders te verwachten? Wat gebeurt er met je kinderen als je weigert? Het is in elk geval het risico waard, je laatste kans. Er bestaat geen gevaar voor jezelf, daar heeft Dodd volkomen gelijk in. Ze kunnen je niet in de gevangenis zetten of vervolgen. Al zou de hele zaak mislopen, dan verlies jij er toch niets bij.'

Nou, goed dan, ze zou het doen... ze zou de brieven uitzoeken en herinneringen aan de laatste jaren weer ophalen. Er waren zoveel brieven verbrand en de weinige die waren overgebleven waren meer persoonlijk dan officieel. Waar waren al die lui die contant betaald hadden? De meesten overzee, of dood, of vergeten. Kolonel French... kapitein Sandon... Sandon moest ergens in Engeland zitten. Donovan zou zich misschien nog andere namen herinneren. Ze zou Corri, de muziekleraar kunnen noemen en een zekere meneer Knight, de patiënt van dokter Thynne. Het was nooit in haar opgekomen deze brieven te bewaren. Ja, minnebrieven werden bewaard, netjes met een lint samengebonden, maar geen militaire zakenbrieven.

'Hebt u al uw koffers doorzocht?' vroeg kolonel Wardle.

'Ik ben sedert 1806 zesmaal verhuisd. Het zal me weken kosten om alles wat ik in bewaring heb gegeven te doorzoeken.'

'Waar staat alles opgeslagen?'

'Bij Wright in Rathbone Place.'

'Kan ik daar met u heengaan?'

Ze keek eens naar de dicht bij elkaar staande ogen, de onrustige handen.

'Ik ben Francis Wright een flink bedrag schuldig. U ziet wel dat dit huis niet geheel is ingericht. Hij houdt mijn meubels vast tot ik hem betaald heb.'

'Dan zult u er goed aan doen hem te vertellen wat u in de toekomst te verwachten hebt.'

'Garandeert u dat?'

'Natuurlijk.'

Ze nam hem mee naar Rathbone Place, waar bleek dat Francis Wright met een gewond been in bed lag. Zijn broer Daniel ontving hen uiterst voorkomend. Kon hij iets voor hen doen, hun iets laten zien?

'Ja, Daniel. Laat kolonel Wardle mijn inboedel zien, de gordijnen, de tapijten en de stoelen die ik uit de opslagplaats wil hebben voor het nieuwe huis in Westbourne Place. Hoe vindt u die spiegel, kolonel Wardle?'

'Heel mooi.'

'En die eetkamerstoelen? Ik heb ze zelf in Gloucester Place met de hand beschilderd. Laat de kolonel ook de rest eens zien, Daniel. Hij wil dat ik alles hier weghaal en naar Chelsea laat brengen met hetgeen ik er nog bij zal bestellen. Ik ga intussen even naar je broer kijken en laat jullie alleen.' Van protesteren kon geen sprake zijn – Wardle zat in de val. Het was een raak schot van haar geweest. Laat alles maar naar Westbourne Place overbrengen, deed er niet toe wat het kostte, anders liep hij de kans op brieven en waardevolle getuigen mis. Hij liep nijdig met de stoffeerder de magazijnen door, terwijl deze alles noteerde.

'Wilt u beweren dat ze dit alles ook al in Gloucester Place had?' vroeg hij, met zijn stok wijzend op de kostbare tapijten.

'O nee, meneer, die zijn nieuw, maar ze vindt ze zo mooi.'

'Een verduiveld dure smaak, dat moet ik zeggen.'

'Och, meneer, u weet hoe dat gaat met mevrouw Clarke. Ze is vrolijk, houdt van een goed leventje en een mooie, stijlvolle omgeving. Ik hoor dat ze invloedrijke vrienden achter zich heeft.'

'O ja?' Die verwenste vrouw had gekletst! Ze kwam een en al glimlach de trap af.

'Die arme Francis. Ik heb hem een speciaal smeerseltje aangeraden... Zo, dus alles is afgesproken? Keurt u mijn keus goed?'

'Daar zullen we later wel over praten.' Ze wendde zich tot Daniel.

'Kolonel Wardle bedoelt dat hij het goed vindt. Laat alles overbrengen en vergeet dat servies van de hertog de Berri niet...'

Er heerste stilte in het rijtuig, althans van de kant van de kolonel. Mary Anne babbelde opgewekt en onbevangen aan één stuk door.

'Het zal heerlijk zijn eindelijk weer eens in luxe te leven. Ik kan u niet genoeg danken voor uw vriendelijkheid, zo verbazend aardig van u. Zodra ik mijn schrijftafel heb, zal ik naar die brieven zoeken.'

Die schrijftafel kan opvliegen, dacht ze, de brieven zijn bij me thuis. Maar het was verrukkelijk om die patriot eens lekker te plagen en hem voor al die meubels en karpetten te laten opdraaien. Alles werd de volgende middag afgeleverd en veertien dagen later kwam de weer herstelde Francis Wright kolonel Wardle in Westbourne Place opzoeken.

'Ik meen dat u de invloedrijke heer bent die deze dame zoveel beloften heeft gedaan? Ze heeft me te verstaan gegeven dat u een van haar beschermers bent. In dat geval zoudt u me zeer verplichten indien u me van haar rekening vijfhonderd guinjes wilde afbetalen.'

Mary Anne glimlachte, keek onschuldig en mompelde iets over het Lagerhuis en de prachtige, toekomstige wereld voor iedereen, Wardle incluis. Het parlementslid voor Okehampton trachtte zich eraf te maken: 'Ik heb het geld niet. Ik kan geen cheque tekenen. Ik heb mevrouw Clarke onlangs honderd guinjes gegeven.'

'O, maar dat was voor de leveranciers in Bloomsbury. Die arme meneer Wright moet ook leven, net als wij. Bovendien hoeft het toch niet uit uw eigen zak te komen, die vrienden van u in Ealing...' Ze zweeg toen ze zijn ontsteld gezicht zag.

'Ik zal zorgen dat u betaald wordt,' stamelde Wardle tegen Francis, 'maar begrijp goed dat mijn naam niet genoemd mag worden. Nu met die delicate geschiedenis in het Lagerhuis voor de boeg, zou een dergelijke onthulling fataal zijn voor mijn plannen. Ik zal trachten alles via een tussenpersoon te regelen.'

Mary Anne gaf de stoffeerder in de spiegel een knipoogje.

'Ik weet zeker dat meneer Wright het u niet lastig zal maken, als hij maar een zekere waarborg heeft.'

Die waarborg kreeg hij vlak na Kerstmis door tussenkomst van Illingworth, een wijnhandelaar in Pall Mall (hofleverancier van Zijne Koninklijke Hoogheid de hertog van Kent), in de vorm van een toezegging dat Francis Wright binnen drie maanden de som van vijfhonderd guinjes zou ontvangen. Mevrouw Clarke ontving een vat wijn met de complimenten van meneer Illingworth, waarbij deze de wens uitsprak dat hij haar in de toekomst zou mogen leveren, en met een kopie van Wrights ontvangstbewijs in het stro verborgen.

'Ontvangen van R.S. Illingworth, de tweede januari 1809 de verklaring dat binnen drie maanden de som van vijfhonderd guinjes door ondergetekende zal worden betaald in afbetaling op het meubilair van mevrouw Clarke, Westbourne Place 2.'

De wijn kwam uitstekend van pas voor het feestje dat Mary Anne op Driekoningenavond gaf voor een zeer heterogeen gezelschap, bestaande uit: meneer Corri en een paar jongens, Charley, May Taylor en haar oom, McCullum, de pamfletschrijver en Dodd en Wardle. Ze werden allemaal onder gefingeerde namen aan elkaar voorgesteld en kregen bij hun komst een glas brandy, waardoor het feest al dadelijk goed van stapel liep. Terwijl de zingende jongens verliefde blikken wierpen op Charley, en Dodd met oom Tom een partijtje ging dammen, werd Corri, de muziekmeester die in de zevende hemel was, door kolonel Wardle uitgehoord over de wervingsactie van kolonel French in 1806.

'Wie zijn die heren eigenlijk?' fluisterde Corri – zijn hoofd in vuur en vlam door brandy en opwinding.

'Ik vrees dat ik me enkele indiscreties heb laten ontvallen.'

'O, tob daar maar niet over, ze kunnen allemaal hun mond houden,' fluisterde de gastvrouw terug.

'Het zijn keurige, onkreukbare mannen met hoogstaande principes. Die daar schrijft artikelen voor de kranten, maar alleen voor kerkelijke bladen en dergelijke. Die heer links van u is lid van het parlement. Hij heet Mellish en vertegenwoordigt het graafschap Middlesex. Hij is een van de meest geziene leden van het Lagerhuis.' Ze wiste zich tersluiks de lachtranen uit haar ogen als ze dacht aan de echte meneer Mellish, die ze één keer had gezien, met een rood gezicht gewichtig door St. James schrijdend. 'Wat bijzonder vriendelijk van u mij met zulk een exclusief gezelschap uit te nodigen.'

Ze ging eens kijken hoe het met het damspel stond. Oom Tom bleek, na Dodd tweemaal te hebben verslagen, bijzonder spraakzaam en verried koninklijke geheimen aan de lopende band. Ze vulde hun glazen opnieuw en bleef, inwendig proestend van het lachen, bij hen staan.

'Ik heb ze allemaal al jaren van schoenen voorzien,' zei oom Tom, 'en niet alleen van schoenen, dat kan ik u verzekeren. Alle prinsen zijn om beurten bij me geweest.'

'Behalve de hertog van Kent,' zei Dodd stijfjes.

'Prins Edward?' sputterde Taylor.

'Nou, die was de ergste van allemaal, voordat hij met die Franse affaire begon. Hij was zó bang dat hij gesnapt zou worden, daarom kwam hij altijd vermomd: met een gehuurde pruik en een koetsiershoed. Zijn broers noemden hem Simon de Reine.'

Dodd schoof het dambord opzij, verontschuldigde zich en stond op. Oom Tom wierp een blik op zijn jas. Grote genade, de man droeg de knopen van de Koninklijke Hofhouding. Stond de wereld op haar kop of was hij gek? Hij trok zijn gastvrouw aan haar japon.

'Wie is dat?' vroeg hij angstig.
'Maakt u zich niet ongerust, een koopman in tweedehands kleren.' Oom Tom zuchtte opgelucht en dronk zijn glas brandy leeg.
'Hebt u mijn boodschap aan de hertog van York overgebracht?' vroeg ze. 'Ja, lieve, maar het spijt me te moeten zeggen dat er niets te bereiken valt.
Als je het waagt iets tegen hem te schrijven, zal hij je in de gevangenis laten zetten.'
De laatste poging om een vaste toelage te verkrijgen had dus gefaald. Op dan ten strijde, op ter overwinning! Op welke manier deed er niet toe, als ze maar won. Er moesten getuigen gevonden worden: dokter Thynne, meneer Knight, zelfs Bill, die nu weer terug was uit Portugal. Ze moesten allemaal verzocht, overgehaald of zelfs onder bedreiging gedwongen worden te spreken, zodat Wardle zijn zaak aan het eind van de maand zou kunnen voorbrengen. Sommigen van hen zouden protesteren en ontkennen dat ze er iets van afwisten, maar een vriend als Bill zou dat zeker niet doen. Wardle zou zijn kans met de anderen moeten wagen; als ze logen en hun onschuld volhielden des te erger.
'Moet ik ook in het Lagerhuis verschijnen?' vroeg ze Wardle.
'Natuurlijk, u bent de kroongetuige.'
Plotseling bekroop haar een angstig voorgevoel, maar het was nu te laat om nog terug te krabbelen, de bal was al aan het rollen.
'Welke vragen zult u me stellen?'
'Niets alarmerends. We zullen ze vóór u voorkomt, bij u thuis repeteren.
U hoeft alleen maar de waarheid te vertellen over de transacties.'
'Maar u zult niet de enige zijn die me ondervraagt. Hoe staat het met de leden van de regering die de hertog beschermen? Zullen zij niet proberen mij erin te laten lopen en mijn verhaal als leugen bestempelen?'
'Dat is natuurlijk mogelijk, maar u bent slim genoeg om hen aan te kunnen.'
Ze vertrouwde hem niet. Ze vertrouwde niemand, behalve misschien Will, de leider van het hele complot. De avond voor de kwestie in het Lagerhuis zou komen, kwam hij als enige gast dineren en haar moed wensen.
'Bedoel je dat ik die nodig zal hebben?'

'Elk greintje moed dat je bezit.'

Eindelijk de waarheid. Hij keek haar doordringend aan. Ze voelde haar vingers koud worden om de voet van haar glas.

'Als je je hoofd erbij houdt, zul je erdoorheen komen. De situatie is zo: er zullen, ruw geschat, drie partijen in het Lagerhuis zijn. Allereerst de regeringspartij, die praktisch en bloc achter de hertog staat, hoewel het mogelijk is dat sommigen gedurende het proces zullen omzwaaien, vooral als de feiten aan het licht komen. De oppositie zal de aanklachten steunen en alles doen om je te helpen. Als Wardle ons in de steek laat, hetgeen best mogelijk is, zullen Francis Burdett en Folkestone toch achter je staan. De bezadigden zullen de derde groep vormen, de moralisten en de rest, met als leider Wilberforce. Het feit dat de hertog een maîtresse heeft gehad, legt voor hen het grootste gewicht in de schaal. Ze zullen zich aan de zijde van de oppositie scharen ten einde hem uit zijn ambt te ontzetten. De lui waar je voor moet oppassen zijn Spencer Perceval, voorzitter van het Lagerhuis en Vicary Gibbs. Vicary Gibbs is de procureur-generaal. Ze zullen trachten je getuigenis uit elkaar te plukken, niet zozeer omdat ze die transacties nu zo verschrikkelijk afkeuren, maar omdat ze alles uit jouw persoonlijk verleden zullen oprakelen om je te schande te maken. "Deze vrouw is altijd een hoer en een leugenaarster geweest, dat kunnen we bewijzen." En ze zullen datzelfde willen doen met William Dowler, al zal dat bij hem niet zo makkelijk gaan. Ze zullen met getuigen à charge tegen jullie beiden aankomen, natuurlijk allemaal omgekocht door Adam. Ziezo, nu weet je het. Kop op, kind, en glimlachen! We zullen winnen.' Wat winnen? De twijfelachtige voldoening van wraak te hebben genomen? Van de man te trappen die je eens liefhad en respecteerde? Alleen maar om je gekrenkte trots, je verloren positie? 'Denk aan de toekomst van je kinderen,' zei Will zacht, 'en aan je broer. Hij heeft nu een kans om er weer in te komen. Als de hertog eenmaal zijn commando kwijt is, zal de uitspraak van de krijgsraad waarschijnlijk nietig worden verklaard en Charles opnieuw aangesteld worden. Ik heb nog nooit een jonge vent in korte tijd zó zien veranderen als hij. Hij beseft dat zijn leven verloren is als jij hem niet helpt.' Hij nam de wijnkaraf en vulde haar glas opnieuw. Hij las op haar gezicht twijfel en besluiteloosheid. Waar zou ze nu met haar gedachten zijn? vroeg hij zich af. In het verleden of in de toekomst? In de steeg, gedoken onder een kruiwagen met vruchten, appelen stelend voor Charley? Of stond ze voor de balie in het Lagerhuis, als enige vrouw in een wereld van mannen? Plotseling glimlachte ze, ze nam haar glas op en gooide het over haar schouder. Het viel kapot.

'Dat heb ik nog eens gedaan, in Fulham,' zei ze. 'Op het geslacht Mackenzie. Het spel gaat door!'

DEEL 3

1

Zevenentwintig januari 1809 stond kolonel Wardle, radicaal parlementslid voor Okehampton, in het Lagerhuis op om vragen te stellen aangaande het gedrag van de hertog van York, opperbevelhebber van het leger, met betrekking tot bevorderingen, het verlenen van de officiersrang en het werven van nieuwe lichtingen voor het leger.

'Hier op te treden als de openbare aanklager van een man van zulk een hoge rang als de opperbevelhebber zal men een gewaagde en aanmatigende daad achten, doch hoe aanmatigend het ook moge schijnen, niets zal me weerhouden mijn plicht te doen. En ik vertrouw erop dat, hoe hoog hij ook verheven moge zijn in rang en invloed, de stem van het volk, hier sprekend door zijn vertegenwoordigers, de overhand zal hebben over corruptie en dat een lijdende natie recht zal worden gedaan. Als corruptie niet grondig wordt uitgeroeid, zal dit land een gemakkelijke prooi worden van de aartsvijand.

Ik hoop dat niemand zal denken dat ik deze zaak luchtig opvat. Ik heb haar gebaseerd op feiten en ben bereid die te bewijzen, en opdat die feiten kunnen worden onderzocht verzoek ik het Huis stappen te doen teneinde een commissie van onderzoek aan te stellen die de gedragingen van Zijne Koninklijke Hoogheid de hertog van York, aan een nauwkeurig onderzoek zal onderwerpen.' Woordvoerders van de regering verhieven zich van hun zetels om met klem te betuigen dat de doorluchtige opperbevelhebber bereid was een grondig onderzoek van de tegen hem uitgebrachte beschuldigingen toe te staan. Ze verzochten het Huis echter eens te overwegen of de wijze waarop het leger, dat onlangs naar Portugal was uitgezonden, was uitgerust niet een overtuigend bewijs leverde van de superieure talenten van de hertog van York. (Luide kreten van Hoor! Hoor! van alle zijden van het Huis.) Het debat eindigde met het voorstel van meester Spencer Perceval, minister van Financiën en voorzitter van het Huis dat de commissie die de zaak zou onderzoeken een commissie van het gehele Huis zou zijn – een motie die met algemene stemmen werd aangenomen. De commissie zou over vijf dagen, de eerste februari, zitting nemen. Gedurende die enkele dagen speling verspreidde het nieuws zich – alle kranten brachten het op de voorpagina – en op de bepaalde dag was het Huis stampvol. Leden van buiten, die zelden de zittingen bijwoonden, verdrongen zich nu om plaatsen op de voor hen vreemde banken, de galerijen puilden uit, in de wandelgangen verdrong men elkaar. Kolonel Wardle begon met aan te kondigen dat hij getuigen zou voorbrengen om zijn eerste aanklacht te steunen, welke aanklacht betrekking had op een garnizoensruil tussen luitenant-kolonel Brook en luitenant-kolonel Knight en hij riep zijn eerste getuige, dokter Thynne op. Een lange, grijze, oudere man kwam voor en verklaarde dat hij zich in 1805 had gewend tot mevrouw Mary Anne Clarke (wier dokter hij zeven jaar geweest was) om haar hulp in te roepen voor een oude vriend van hem, meneer Robert Knight, broer van een van de betrokken heren. Hij zei dat hij verlof had gekregen mevrouw Clarke mede te delen dat zij, indien ze haar invloed wilde aanwenden om de ruil tot stand te brengen, als beloning de som van tweehonderd guinjes zou ontvangen. In antwoord op de vragen van kolonel Wardle gaf hij toe dat men dit verzoek uitsluitend tot haar had gericht omdat ze onder bescherming van de hertog van York stond. Dokter Thynnes verklaring werd bevestigd door meneer Robert Knight zelf, die erbij voegde dat hij mevrouw Clarke door zijn bediende tweehonderd guinjes in bankbiljetten had laten brengen zodra de overplaatsingen in de Staatscourant waren bekendgemaakt.

Nu kwam de getuige voor waarop het hele Lagerhuis wachtte, mevrouw Mary Anne Clarke.

'Gekleed als voor een avondpartij,' schreef de *Morning Post* de volgende dag, 'in een lichtblauw zijden toilet afgezet met wit bont, witte mof, wit mutsje en voile; met haar stralende glimlach, even wippend neusje en heldere, blauwe ogen veroverde ze het gehele Huis.'

Kolonel Wardle stelde haar de volgende vragen: 'Hebt u in het jaar 1805 in een huis van Zijne Koninklijke Hoogheid in Gloucester Place gewoond?'

'Ja.'
'Stond u daar onder zijn bescherming?'
'Inderdaad.'
'Bent u om bemiddeling gevraagd voor de kolonels Knight en Brook?'
'Ja.'
'Hebt u over dat onderwerp met de opperbevelhebber gesproken?'
'Ja.'
'Hoe hebt u die kwestie ter sprake gebracht?'
'Ik vertelde het hem gewoon en gaf hem het papiertje dat ik van dokter Thynne gekregen had.'
'Hoeveel provisie hebt u ervoor ontvangen?'
'Tweehonderd guinjes.'
'Was de opperbevelhebber daarvan op de hoogte?'
'Ja, ik liet hem de beide bankbiljetten, elk van honderd, zien. Ik meen dat ik ze door een van de bedienden heb laten wisselen.'
Nu stond meester Beresford, voor de regering, op om een vraag te stellen.
'Waar was u vlak voor u hier voor de balie kwam?' De getuige staarde hem verbaasd aan. Er werd in de zaal gegiecheld. Meester Beresford werd rood. Met enigszins luider stem herhaalde hij zijn vraag.
'Waar was u voor u hier kwam?'
'In een aangrenzend vertrek.'
'Wie was er bij u?'
'Kapitein Thompson, juffrouw Clifford, mevrouw Metcalfe en kolonel Wardle.'
'Hebt u met dokter Thynne gesproken?'
'Ja, hij zat naast me.'
'Wat was het onderwerp van zijn gesprek?'
'Hij sprak tegen de dames die bij me waren.'
'Waarover ging het?'
'Dat kan ik niet herhalen. Het onderwerp was onkies.'
Luid gelach in de zaal. Meester Beresford ging zitten. Sir Vicary Gibbs, de procureur-generaal, stond nu op en begon, met de armen over elkaar geslagen, de ogen naar de zoldering gericht, de getuige te ondervragen. Zijn houding was hoffelijk, het Huis kende zijn manier van optreden en ging, eerbiedig zwijgend, zitten luisteren.

'Welke tijd van het jaar is die benoeming van kolonel Knight in de Staatscourant verschenen?'

'Ik geloof dat het eind juli of begin augustus was. Zijne Koninklijke Hoogheid vertrok juist naar Weymouth om als peet op te treden bij de doop van het kind van lord Chesterfield.'

'Wanneer hebt u voor het eerst over die zaak met kolonel Wardle gesproken?'

'Nog geen maand geleden.'

'Met wie hebt u er nog meer over gesproken?'

'Dat herinner ik me niet meer. Misschien met enkele van mijn kennissen.'

'Beoogde u hiermee een bepaald doel?'

'Zeer zeker niet.'

'Hebt u ooit verteld dat u aanleiding had om u over Zijne Koninklijke Hoogheid te beklagen?'

'Mijn vrienden weten dat ik die had.'

'Hebt u niet gezegd dat als Zijne Koninklijke Hoogheid niet aan uw eisen voldeed u hem aan de kaak zou stellen?'

'Nee. Ik heb twee brieven aan meneer Adam geschreven. Misschien wil hij die wel tonen.'

'Stonden er bedreigingen in die brieven?'

'Het waren geen dreigementen, het waren verzoeken.'

'Hebt u deze verzoeken vergezeld doen gaan van de mededeling dat u, indien ze niet werden ingewilligd, Zijne Koninklijke Hoogheid zou aaklagen?'

'Ik herinner het me niet meer. U doet beter met die brieven op te vragen.

De hertog heeft me eens laten weten dat als ik iets tegen hem zou zeggen of schrijven, hij me aan de schandpaal zou zetten of in de gevangenis opsluiten.'

'Wie heeft u die boodschap overgebracht?'

'Een bijzondere vriend van de hertog van York. Een zekere Taylor, schoenmaker in Bond Street.'

'Ja.'

'Had u Zijne Koninklijke Hoogheid een brief gestuurd?'

'Ja.'

'Wat is de naam van uw echtgenoot?'

'Clarke.'

'Wat is zijn voornaam?'

'Joseph, geloof ik.'

'Waar bent u getrouwd?'

'In Pancras. Meneer Adam kan het u allemaal vertellen.'

De voorzitter waarschuwde de getuige dat indien ze doorging met op zulk een brutale manier te antwoorden zij zich aan een berisping van het Huis zou blootstellen.

'Hebt u meneer Adam doen geloven dat u in Berkhamsted was getrouwd?'

'Ik weet niet wat ik hem heb wijsgemaakt, ik hield hem alleen maar wat voor de gek.'

'Hebt u verteld dat uw echtgenoot een neef was van Stephen Clarke?'

'Hij heeft me verteld dat hij dat was. Ik heb nooit de moeite genomen navraag te doen naar iets dat hem betrof. Hij betekent niets voor me en ik beteken niets voor hem; ik heb hem in geen drie jaar gezien of iets van hem gehoord, totdat hij gedreigd heeft een actie tegen de hertog te beginnen.'

'Wat is uw echtgenoot?'

'Niets, alleen maar een man.'

'Welk beroep?'

'Geen beroep. Hij woont bij zijn jongere broer en diens vrouw, dat is alles wat ik weet.'

'Bent u wel eens in Tavistock Place geweest?'

'Ja.'

'Waar ongeveer in Tavistock Place?'

'Dat herinner ik me niet meer.'

'Hebt u nog ergens anders gewoond, tussen de tijd dat u in Tavistock Place en in Park Lane woonde?'

'Ik weet het niet. De hertog weet het. Ik zal wel eens naar enkele van zijn huizen zijn gegaan.'

'Wanneer hebt u de hertog voor het eerst leren kennen?'

'Ik vind dat geen behoorlijke vraag. Ik moet kinderen opvoeden.'

'Stond u onder protectie van de hertog toen u in Tavistock Place woonde?'

'Nee, ik stond onder protectie van mijn moeder.'

'Kent u een zekere majoor Hogan, die een pamflet tegen de hertog heeft geschreven?'

'Nee, ik ken hem niet en heb hem nooit gezien. Taylor, de

schoenmaker, heeft me verteld dat meneer Greenwood zei dat ik in relatie stond tot pamfletschrijvers, hetgeen ik ontkend heb en ook nu ontken.'

'Hebt u ooit tegen meneer Robert Knight gezegd dat u de transactie van de tweehonderd guinjes voor de hertog van York geheim wilde houden?'

'Nee.'

'Wanneer iemand zou beweren dat u dat wel hebt gezegd, zou u dan verklaren dat hij liegt?'

'Stellig.'

'Hebt u nooit zijn bezoeken of die van andere heren voor Zijne Koninklijke Hoogheid geheim willen houden?'

'Ik heb nooit behoefte gevoeld zijn bezoeken of die van welke andere heren ook voor Zijne Koninklijke Hoogheid te verbergen.'

De procureur-generaal haalde zijn schouders op en maakte met een afkeurend gebaar van zijn handen plaats voor de voorzitter van het parlement.

'Hoe spoedig na de ruil is meneer Knight zijn belofte nagekomen?'

'Onmiddellijk, dezelfde dag.'

'En wilt u beweren dat u diezelfde dag de hertog van York gevraagd hebt om het geld te wisselen?'

'Dat heb ik de hertog van York niet gevraagd, een bediende is het gaan wisselen.'

'Hebt u nog bij andere gelegenheden geld ontvangen omdat u de hertog van York gunsten had gevraagd voor officieren die promotie wilden maken?'

De getuige zuchtte, keek naar de voorzitter en zei: 'Ik dacht dat ik weg kon gaan nadat ik in die Knight-kwestie gehoord was.'

Eindelijk werd haar toegestaan zich terug te trekken en de voorzitter verzocht meneer Adam een verklaring af te leggen. In een speech die twintig minuten duurde, deelde deze heer het Huis mee dat hij aan het eind van 1805 te weten was gekomen dat Joseph Clarke dreigde een aanklacht wegens echtbreuk tegen de hertog van York in te dienen. Hij was belast geworden met het onderzoek, omdat hij meer dan twintig jaar in dienst van Zijne Koninklijke Hoogheid was. Bij dit onderzoek vond hij aanleiding om aan te nemen dat het gedrag van mevrouw Clarke niet correct was geweest en dat ze steekpenningen had aangenomen en hij achtte het zijn plicht de hertog van York hiervan op de hoogte te brengen. Het was een onaangename taak daar Zijne Koninklijke Hoogheid niet kon geloven dat mevrouw Clarke tot zoiets in staat zou zijn. Doch de bewijzen waren overtuigend en kort daarna besloot Zijne Koninklijke Hoogheid met mevrouw Clarke te breken en verzocht hij meneer Adam haar dit besluit mede te delen. Het gesprek dat hij, meneer Adam, bij die gelegenheid met haar had gevoerd was slechts kort geweest en hij had haar tot op heden niet meer ontmoet. Een lid stond op om er fel tegen te protesteren dat men een getuige met het karakter van mevrouw Clarke zou ondervragen over het gedrag van de koninklijke familie. Meester Perceval antwoordde dat hij, hoe terugstotend de zaak ook mocht zijn, van oordeel was dat het recht zijn loop moest hebben.

'Het Lagerhuis moet nagaan of Zijne Koninklijke Hoogheid bekend was met het feit dat er geld werd betaald op de wijze die zij beschreven heeft. De hele zaak zal wankel komen te staan indien bewezen kan worden dat mevrouw Clarke niet te goeder naam en faam bekendstaat. Ze heeft beweerd dat ze weduwe was, terwijl haar echtgenoot nog leefde; ze zei tegen meneer Adam dat ze in Berkhamsted getrouwd was, terwijl het huwelijk in Pancras is gesloten. Ik ben overtuigd dat de beschuldigingen weerlegd zullen worden door haar valse getuigenissen.'

Het proces werd hierna verdaagd.

Mary Anne verliet het Lagerhuis in gezelschap van haar broer, kapitein Thompson, en de beide dames die met haar mee gekomen waren. Ze werd door lord Folkestone in haar rijtuig geholpen en deze drukte zijn grootste bezorgdheid uit over haar gezondheid. De mensen verdrongen zich om hen, ze duwden hun gezichten tegen de raampjes van de koets en het kostte enige tijd voor de weg voldoende vrij was gemaakt om te kunnen wegrijden.

Terug in Westbourne Place nam ze het slaapmiddel in dat dokter Metcalfe, haar dokter, haar gegeven had en begaf zich naar boven naar haar kamer, gevolgd door haar broer en haar zuster Isobel.

'De bruten,' barstte Charley uit, 'je op die manier te ondervragen, als een gewone misdadigster. Wat heeft het met de zaak te maken wanneer en in welke kerk je getrouwd bent en waar je hebt gewoond? Waarom heb je die procureur-generaal niet op zijn nummer gezet?'

Ze had zich met gesloten ogen op haar bed laten vallen.

'Dat heb ik gedaan,' zei ze, 'zo hoffelijk als ik kon. Maak je niet bezorgd, ik weet wat me te wachten staat; Will Ogilvie heeft me gewaarschuwd. Het was erger dan ik gedacht had, maar daar is niets aan te doen. Isobel, wil je een glas water voor me halen?'

Isobel gaf haar water, deed haar schoenen uit en knielde bij de haard om het vuur aan te wakkeren.

'Maak je maar niet bezorgd over mij, lieve kinderen, ga maar naar bed.

Jullie zullen wel net zo moe zijn als ik – misschien nog meer. Kijk alleen nog even of er brieven voor me zijn, Charley.'

'Er was er maar één. Ik heb hem hier.'

Hij gaf haar een brief met het poststempel Tilbury. Hij was aan Bedford Place geadresseerd en vandaar doorgezonden. Het was Bills handschrift. Ze verfrommelde hem in haar hand.

'Ik ga nu slapen. Zeg Martha dat ik niet gestoord wil worden.'

Zodra ze de kamer uit waren, scheurde ze de brief open.

"Liefste, waar ben je en wat is er in hemelsnaam gebeurd? Ik kreeg in Lissabon je brief van voor Kerstmis, waarin je schreef dat je van plan was de H. aan te klagen. Ben je krankzinnig geworden? Ik smeek je niet te luisteren naar onverstandige raad. Ik ben donderdag in Londen, in Reids hotel."

Donderdag, dat was vandaag. Ze keek naar de klok op de schoorsteenmantel. Ze moest meteen naar hem toe en hem het nieuws vertellen. Morgen zou het te laat zijn – dan zou hij de kranten lezen en zijn eigen mening vormen over de zaak en haar misschien veroordelen en weigeren zich erin te mengen.

Ze sprong uit bed, greep een mantel, liep op haar tenen naar de deur en opende die. Alles was stil en het huis donker. Isobel en Charley waren in hun kamers. Ze liet een briefje voor Martha op haar kussen achter en sloop naar beneden. Ze riep op de hoek een rijtuig aan en liet zich naar Reids hotel rijden. Het was bijna middernacht toen ze St. Martin's Lane bereikte. De buurt was geheel verlaten op een paar late zwervers na, die op het pleintje bij elkaar stonden. De eigenaar van het hotel, meneer Reid, stond in de bar met een paar bezoekers te praten. Hij herkende haar onmiddellijk en kwam glimlachend naar haar toe. Gelukkig bracht hij haar niet in verband met de praatjes die klaarblijkelijk juist met zijn klanten besproken waren – ze ving de woorden 'de hertog' en 'de leugenachtige slet' op. Meneer Reid kende haar alleen als 'de dame van meneer Dowler'.

'Komt u voor meneer?' vroeg hij. 'Hij is boven – meneer heeft twee uur geleden gesoupeerd. Hij was blij weer eens Engels eten te proeven. Hij ziet er goed uit. Sam, breng mevrouw naar nummer vijf.'

De kelner ging haar voor naar de eerste verdieping en tikte op een deur. Ze deed die deur open en ging naar binnen.

Hij zat geknield naast zijn koffer op de vloer, zijn hemdsmouwen tot de ellebogen opgestroopt en toen ze hem zo zag, zo bekend, zo vertrouwd, verliet alle angst haar. Ze sloot de deur en riep zijn naam.

'Bill...!'

'Mary Anne!'

Zoveel te ontwarren, zoveel uit te leggen – die lange geschiedenis van de laatste negen maanden. Hij was op de hoogte van het vonnis van de krijgsraad, maar niet van wat erop gevolgd was – de brieven aan Adam, de nacht dat ze gearresteerd was, het niet weten hoe aan geld te komen, de zorgvolle weken, de ontmoeting in november met Wardle en majoor Dodd en ten slotte het besluit om met hen mee te doen.

'Je hebt verkeerd gedaan, volkomen verkeerd!'
Maar ze viel hem in de rede: 'Wat kon ik anders doen? Jij was er niet om me raad te geven. Ik ben nooit méér alleen en méér aan lager wal geweest.'

'Ik heb je vier jaar geleden al gewaarschuwd...'

'Dat weet ik... dat weet ik... wat heeft het voor zin dat allemaal op te rakelen? Het kwaad is geschied. Als de hertog maar een behoorlijke regeling voor me had getroffen, zou dit allemaal niet gebeurd zijn; nu kon ik niets anders doen dan wat ik gedaan heb – getuigen aanbrengen voor de aanklachten die tegen hem zijn ingediend. Het is een marteling, het is méér dan ellendig, maar er zit niets anders op.'

'Verwacht je dat ik je helpen zal?'

'Je moet me helpen. Zonder jou ben ik verloren. We kunnen op geen van de andere getuigen rekenen. Wardle zei me vanavond, voor we het Huis verlieten, dat de meeste erbij betrokken personen alles zullen ontkennen – ze zijn veel te bang in moeilijkheden te raken. Herinner je je Sandon, die vriend van kolonel French? Hij wordt als getuige voor ons beschouwd, maar hij zal waarschijnlijk omdraaien. En ook die Donovan op wie ik had gedacht te kunnen vertrouwen na al het geld dat hij vroeger van me heeft gekregen. Bill, lieveling, je zult, je moet naast me staan!'

Er klonk zielsangst in haar stem en er stonden tranen in haar ogen. Hij nam haar in zijn armen en drukte haar dicht tegen zich aan.

'We zullen er morgen over praten.'

'Nee, vanavond.'

'Maar het is al laat, ik zal een rijtuig bestellen om je thuis te brengen.'

'Ik ga niet naar huis, ik blijf hier bij jou.'

'Het is niet verstandig...'

'Och, lieve hemel, praat niet over verstandig... Wil je me niet?'

De portier kreeg de boodschap die hij doorgaf aan Samuel Wells, de kelner: 'In geen geval nummer vijf storen. Ontbijt voor twee personen om acht uur.'

De volgende dag kreeg kolonel Wardle bericht dat meneer William Dowler, juist teruggekeerd uit Lissabon, bereid was als getuige à charge op te treden en hoopte hem zondag in Westbourne Place te ontmoeten...

Wat zouden ze tegen Bill zeggen, vroeg Mary Anne zich af, en waarom kwelde het beantwoorden van zulke vragen haar zo en deed haar onmiddellijk naar uitvluchten zoeken? Ze had steekpenningen aangenomen, dat was bekend, en ze had het toegegeven. Het kon haar niet schelen hoe streng ze hierover ondervraagd werd, doch als de procureur-generaal aan haar verleden raakte, werd ze overmeesterd door het gevoel dat ze in een val was gelokt waaruit ze niet kon ontsnappen. Ze was bang dat ze gedwongen zou worden dingen over haar vroegere leven te bekennen, over haar minnaars, en dat zou dan allemaal met dikke letters in de kranten komen en zijn weg vinden naar buiten, naar de kinderen.

Arme Bill, waarschijnlijk zou hij zich ook schuldig voelen en denken aan zijn vader in Uxbridge. Hij had zich altijd zo geschaamd over die steekpenningen en benoemingen, die nu moesten worden bekendgemaakt om de aanklachten te ondersteunen. In plotselinge paniek had ze opeens het gevoel dat ze er niet mee door kon gaan, en toen Will Ogilvie maandagavond kwam, zei ze dat hij haar buiten de stad moest brengen.

'Ik heb geen moed meer, ik kan het niet doorzetten.'

Hij gaf niet direct antwoord. Toen liep hij de kamer door en bleef vlak voor haar staan.

'Jij lafaard,' zei hij en sloeg haar in het gezicht.

Onmiddellijk werd ze razend en sloeg terug. Hij lachte en sloeg zijn armen over elkaar. Ze begon te huilen.

'Goed! Best! Jank maar!' zei hij.

'Ga maar terug naar de goot. Kruip maar als een rat in het riool en verberg je. Ik dacht dat je een Cockney was en een beetje trots bezat.'

'Hoe durf je me een lafaard te noemen?'

'Dat ben je. Je bent in een steeg geboren en opgegroeid in de straten van Londen en toch heb je de fut niet om voor je eigen klasse op te komen. Je bent bang omdat de procureur-generaal, wiens taak het is onaangenaam te zijn, je vragen stelt. Je bent bang omdat de Tories je een hoer noemen. Je bent bang omdat het veiliger is te snotteren dan te vechten, en omdat het Lagerhuis bestaat uit mannen en jij bent een vrouw. Wéés dan een rat als je dat liever bent. Het zal je misschien interesseren dat je dan in goed gezelschap zult zijn. De hertog van Kent heeft juist een speech gehouden in het Hogerhuis. Ik stel voor dat je naar hem toe gaat, naar Ealing.'

Hij gooide een beschreven stuk papier op de grond en verliet de kamer. Ze hoorde de voordeur dichtslaan. Ze raapte het papier op en las het bericht dat voor de pers bestemd was.

HOGERHUIS, 6 februari 1809. De hertog van Kent heeft medegedeeld dat velen in de mening schijnen te verkeren dat hij het oneens is met zijn koninklijke broeder, waaruit men de conclusie heeft getrokken dat hij de tegen de opperbevelhebber uitgebrachte beschuldigingen zal ondersteunen. Hij koestert echter, ondanks de enkele meningsverschillen die er tussen hen hebben bestaan, de grootste eerbied voor zijn koninklijke broeder en is overtuigd dat hij niet in staat is te handelen op de wijze die hem ten laste wordt gelegd. Daarom zal hij dan ook, in plaats van het eens te zijn met die aanklachten, alles doen wat in zijn vermogen ligt om ze te weerleggen. Op dit punt bestaat er geen verschil van mening in zijn familie en alle leden daarvan zijn het volkomen met hem eens.

Ze wierp het papier neer en snelde naar het venster, maar Will Ogilvie was al uit het gezicht verdwenen. Ze riep Martha.

'Als kolonel Wardle mocht komen, zeg hem dan dat ik naar bed ben gegaan, maar dat ik morgen op elk gewenst uur in het Lagerhuis aanwezig zal zijn.'

2

Toen de zitting de volgende dinsdag werd hervat, kondigde kolonel Wardle aan dat hij nu zou overgaan tot de behandeling van zijn tweede beschuldiging, welke de wervingsactie van kolonel French betrof en hij riep kapitein Sandon in de getuigenbank. Zoals hij gevreesd had, ontkende de getuige dat hij ooit met mevrouw Clarke over de zaak gesproken had; de werving was, zo verklaarde hij, geheel tot stand gebracht tussen die dame en kolonel French, hij had er niets mee te maken gehad. Onder pressie van kolonel Wardle gaf hij echter toe dat hij haar verscheidene malen achthonderd of achthonderdvijftig guinjes had uitbetaald, als aanvulling van de betalingen die kolonel French haar en haar agent meneer Corri had gedaan.

Hij had niet geloofd, zo ging hij voort, dat mevrouw Clarke veel invloed had op de opperbevelhebber en had nooit vermoed dat het verzoek om de lichting te mogen oproepen door de officiële instanties zou worden geweigerd, maar kolonel French had gehoopt de zaak te bespoedigen door mevrouw Clarke geld te geven. Mevrouw Clarke was altijd uiterst terughoudend geweest over de hele zaak en wanneer hij haar sprak, had ze hem altijd de grootste stilzwijgendheid op het hart gedrukt, omdat ze bang was dat deze betalingen ter ore zouden komen van de officiële instanties, met name de hertog van York. Kapitein Sandon kon gaan zitten en meneer Domenigo Corri werd voorgeroepen. De muziekleraar, zijn haar voor de grote gelegenheid gefriseerd, keek vol vertrouwen glimlachend de zaal rond in de hoop beroemde personen te zien, maar werd tot de orde geroepen en door kolonel Wardle ondervraagd.

'Herinnert u zich dat u kapitein Sandon aan mevrouw Clarke hebt voorgesteld?'

'Dat heb ik nooit gedaan, hij heeft zichzelf voorgesteld.'

'Weet u iets van de afspraak af die zij gemaakt hebben?'

'Ze hebben alles samen geregeld en in juni werden mij in het Cannon koffiehuis tweehonderd guinjes bezorgd.'

'Weet u verder niets?'

'Er zijn verschillende mensen bij me geweest om mijn bemiddeling te vragen en ik heb er dan met mevrouw Clarke over gesproken, maar ik heb er nooit meer iets van gehoord en we hadden het verder altijd alleen over muziek.'

'Hebt u, nadat deze zaak voor het Lagerhuis is gebracht, papieren vernietigd?'

'Ik heb in juli van hetzelfde jaar, na die geschiedenis met kapitein Sandon, een brief verbrand. Toen ik op zekere dag bij mevrouw Clarke kwam, vertelde ze me dat er allerlei lelijke geruchten gingen en dat de hertog erg boos was. Ze wilde dat ik alle papieren en brieven die ik in mijn bezit had, zou verbranden.'

'Zei ze waarom de hertog boos was?'

'Ja. Ze zei dat de hertog angstvallig werd gadegeslagen door kolonel Gordon en dat meneer Greenwood ook al zijn doen en laten naging; daarom kon ze bijna niets meer van de hertog gedaan krijgen. Ze stond juist op het punt naar Kensington Gardens te gaan, het rijtuig stond al voor en ze zei: "Ga in hemelsnaam dadelijk naar huis en verbrand die papieren." Meer niet, want ze had haast.'

Meneer Sheridan, het parlementslid uit Ierland, stond op om de getuige te ondervragen.

'Hebt u na die tijd nog brieven van mevrouw Clarke ontvangen?'

'Ja, ik heb de zesde van deze maand een invitatie ontvangen om bij haar te dineren, hetgeen ik heb gedaan.'

'Is er toen gesproken over de transactie van 1804?'

'Ja, ik verbaasde me daar wel wat over, omdat na tafel enkele heren op bezoek kwamen en het gesprek algauw kwam op die geschiedenis van kapitein Sandon. Ik heb toen elk woord herhaald, precies zoals ik het hier heb gedaan.'

'Heeft mevrouw Clarke toespelingen gemaakt op andere transacties van dezelfde aard?'

'Nee, de rest van de avond werd in gezellige conversatie en vrolijkheid doorgebracht. Ik ben iets na twaalven naar huis gegaan, de heren drinkend achterlatend.'

'Weet u wie die heren waren?'

'Ik weet het niet zeker. Er was er een met een lange neus, een vriend van mevrouw Clarke, en een krantenschrijver, ze heeft me de krant genoemd, maar die ben ik vergeten; ze zei dat ze wel genoodzaakt was hem bij zich te hebben om op haar te passen en dan was er nog een andere heer, die op een advocaat leek, hij lachte erg toen ik zei dat ik dat vond.'

'Wie was die vriend van mevrouw Clarke?'

'Moet ik het zeggen? Ze heeft het me in vertrouwen verteld.' De getuige kreeg bevel de vraag te beantwoorden en het ontging aan de aandacht van het Huis dat kolonel Wardle, die eerst de getuige had aangekeken, opeens aan kiespijn scheen te lijden daar hij voortdurend zijn zakdoek voor zijn gezicht hield, was gaan zitten en zich verscholen hield achter de anderen, misschien van pijn. Meneer Corri antwoordde: 'Ze zei dat het meneer Mellish, het parlementslid voor Middlesex was; hij is, geloof ik, hier aanwezig.'

Een kreet van verbazing klonk door het hele Huis, onmiddellijk gevolgd door luid gelach en gejoel van de oppositie. Een dikke heer die op de regeringsbanken zat, werd paars in het gezicht en schudde heftig met zijn hoofd. Meneer Mellish, de dikke heer, stond op en zei dat hij zich bewust was dat het misschien niet aan de orde was, maar dat hij wenste dat men hem zou ondervragen.

Men vroeg hem of hij in januari mevrouw Clarke had bezocht. Hij antwoordde: 'Ik ben nooit in mijn leven in het huis van mevrouw Clarke geweest en ik heb haar pas voor het eerst hier, in het Lagerhuis, gezien.'

Op verzoek van meneer Mellish werd meneer Corri opnieuw voorgeroepen en het parlementslid kwam vlak voor de balie staan om de getuige gelegenheid te geven hem goed te bekijken.

'Hebt u mij ooit bij mevrouw Clarke ontmoet?' vroeg hij aan de getuige.

Meneer Corri antwoordde: 'Nee, u was het niet, ik heb ook alleen gezegd wat zij me heeft verteld; de persoon die ik er gezien heb, had een donkerder gelaatskleur dan u. Ik kan het niet helpen als ze me voorgelogen heeft.'

Er volgden luid gelach en applaus toen het parlementslid van Middlesex, gerehabiliteerd, weer zijn plaats innam.

Kolonel Wardle, wiens kiespijn verdwenen was, stond nu op en riep meneer William Dowler in de getuigenbank. De getuige zag er ernstig, doch beheerst uit. Hij deelde mee dat hij juist met depêches uit Lissabon was teruggekeerd, dat hij mevrouw Clarke al jaren kende en dat hij zich herinnerde kolonel French en kapitein Sandon in het huis in Gloucester Place te hebben ontmoet, terwijl zij onder bescherming stond van de hertog van York. Op de vraag of hij zich een of ander gesprek met kolonel French over die wervingskwestie kon herinneren, antwoordde hij: 'Ik heb hem één keer bij mevrouw Clarke ontmoet en hoorde dat hij daar was om te spreken over de dienstbrief. Ik vroeg mevrouw Clarke naar de aard van die zaak en ik herinner me zeer goed dat ik de vrijheid nam te zeggen dat ik het zeer afkeurde of liever, dat ik het volkomen verkeerd achtte. Dat was nadat kolonel French het huis verlaten had. Hij had mevrouw Clarke vijfhonderd guinjes van de beloofde som betaald.'

'En wat antwoordde mevrouw Clarke op uw kritiek?'

'Ze antwoordde dat de hertog van York er financieel zo slecht voor stond, dat ze het niet over haar hart kon verkrijgen hem om geld te vragen en dat dit daarom de enige manier was waarop ze haar huishouden in stand kon houden. Ze was beledigd over mijn vrijmoedigheid en ik heb daarna zeer lange tijd niets meer van haar gehoord.'

'Welke positie bekleedt u thans?'

'Ik was belast met de administratie van de voedselvoorziening van het commissariaat in Lissabon.'

'Hoe hebt u die aanstelling gekregen?'

'Die heb ik gekregen door mevrouw Clarke.'

Ergens in het Huis werd gefloten. Meneer Dowler kreeg een kleur.

'Hebt u mevrouw Clarke betaald voor die dienst?'

'Ik heb haar duizend guinjes gegeven.'

'Hebt u ook elders naar die betrekking gesolliciteerd, behalve bij mevrouw Clarke?'

'Nergens.'

'Begreep u dat mevrouw Clarke die benoeming door bemiddeling van de hertog van York verkreeg?'

'Inderdaad.'

Ondervraagd door de procureur-generaal zei meneer Dowler dat mevrouw Clarke zelf had voorgesteld hem die benoeming te bezorgen – het voorstel was niet van hem uitgegaan; en dat zijn vader hem eerst zijn toestemming niet had willen verlenen, maar er later mee akkoord ging omdat zijn zoon ervan overtuigd scheen te zijn dat de kwestie nooit bekend zou worden. Hij ontkende herhaaldelijk dat zijn vader hem door vrienden de benoeming had bezorgd: hij was er absoluut van overtuigd dat mevrouw Clarke de benoeming via de hertog van York had verkregen.

Meneer Sheridan, het Ierse parlementslid, stond ten slotte op om de getuige te ondervragen.

'Indien u, uit respect voor mevrouw Clarke, het juist achtte om te protesteren tegen die transactie met kolonel French in 1804, waarom hebt u haar dan zelf in 1805 met duizend guinjes omgekocht om u een benoeming te bezorgen?'

'Omdat ze dringend om geld verlegen was op dat moment en omdat die aanstelling altijd bij mij een geheim zou zijn gebleven en alleen een proces als dit het uit me zou hebben gekregen. Het karakter van de hertog van York en dat van mevrouw Clarke zouden nooit benadeeld zijn door hetgeen ik, helaas, nu gedwongen ben dit Huis mede te delen.'

'De commissie van onderzoek moet dus aannemen dat de enige reden dat u mevrouw Clarkes gedrag afkeurde niet was omdat u de daad op zichzelf onbehoorlijk vond, maar uit vrees voor ontdekking?'

'Om beide redenen. Ik constateerde dat de transacties haar niets dan onrust en angst schenen te bezorgen en raadde haar aan een regelmatige toelage van de hertog van York te verkrijgen, in plaats van zich met dergelijke zaken in te laten. Zij zei me toen dat hij er werkelijk het geld niet voor had.'

'Kunt u zich herinneren wanneer u mevrouw Clarke voor het eerst geld hebt gegeven?'

'Ik heb haar verschillende malen geld geleend.'

'Had u enige waarborg dat u dat geld ooit terug zou krijgen?'

'Nee.'

'Waren het leningen aan mevrouw Clarke?'

'Ja.'

'Ontving u ontvangstbewijzen voor die sommen?'

'Nee.'

'Hebt u mevrouw Clarke ontmoet na uw terugkeer uit Portugal?'

'Ja.'
'Wanneer was dat?'
'Zondag.'
'En hebt u haar na die tijd nog ontmoet?'
'Ik heb haar daareven in de getuigenkamer gezien.'
'Was er iemand anders bij haar?'
'Alleen een paar jongedames.'
'Wat is er tussen u en haar voorgevallen toen u haar zondag opzocht?'
'Ik betreurde de situatie waarin ze zich bevond en zij zei dat de hertog van York haar daartoe gedreven had door haar jaargeld niet uit te betalen.'
'Hebt u mevrouw Clarke het vorige jaar, voordat u naar Portugal ging, gesproken?'
'Ja.'
'Herhaaldelijk?'
'Ik kan onmogelijk zeggen hoe vaak.'
'Kunt u zich herinneren wanneer u haar voor het laatst geld hebt gegeven?'
'Nee.'
'Hebt u haar geld gegeven na uw benoeming?'
'Ik kan het me niet herinneren; als het zo is, moeten het kleine bedragen zijn geweest.'
William Dowler kreeg eindelijk, na een uur voor de balie te hebben gestaan, verlof heen te gaan.
Hierna verklaarde meneer Huskisson, die in 1805 minister van Financiën was geweest, dat hij zich niets herinnerde van meneer Dowlers aanstelling en dat hij ook niet dacht dat het meest nauwkeurig naspeuren van de dossiers enig licht zou werpen op de instanties door wie de benoeming was geschied. Hij ging zitten onder gemompel en gefluit van de oppositie.
Daar meester Perceval, de voorzitter van het Huis, het noodzakelijk achtte dat mevrouw Clarke nog die avond zou worden gehoord en dat men met dat verhoor zonder uitstel zou doorgaan, werd zij in de getuigenbank geroepen. Na enige tijd deelde de voorzitter mede dat hij bericht van mevrouw Clarke had ontvangen, dat ze zo ziek en uitgeput was van het wachten dat ze daarom niet kon verschijnen. Er volgde een geroep van: 'Haal haar binnen en geef haar een stoel!'

Weer volgde een lang oponthoud; eindelijk verscheen ze in de getuigenbank en zei: 'Ik ben zo uitgeput door meer dan acht uur wachten dat ik niet in staat ben om me vanavond aan een ondervraging te onderwerpen.' Luid geschreeuw uit de regeringsbanken: 'Doorgaan...! Doorgaan...!' De voorzitter zei: 'Daar is een stoel voor u, mevrouw Clarke.' Ze antwoordde: 'Dat zal de vermoeidheid die ik naar geest en lichaam geleden heb niet wegnemen.'

Ze kreeg toen onder veel rumoer verlof om heen te gaan. De leden van de regering zeiden dat ze onmiddellijk verhoord moest worden, de leden van de oppositiepartij achtten het menselijker het verhoor uit te stellen tot later op de avond. Meneer Canning maakte een eind aan de discussie door voor te stellen dat men meneer Dowler zou vragen of hij na zijn verhoor nog contact met mevrouw Clarke had gehad. Meneer Dowler werd daarom opnieuw voorgeroepen en gehoord.

'Hebt u, nadat u de getuigenbank verliet, nog contact met mevrouw Clarke gehad?'

'Alleen om haar een verfrissing aan te bieden daar ze zich zeer onwel voelde. Ik heb een glas wijn met water voor haar gehaald en dat naast haar neergezet.'

'Hebt u haar meegedeeld wat er gedurende uw verhoor is voorgevallen?'

'Nee.'

'Hoe lang bent u met mevrouw Clarke in de kamer geweest?'

'Vijf of tien minuten. Ze voelde zich ziek en er stonden verscheidene heren om haar heen die vroegen of ze haar iets konden brengen.'

'Begreep u dat u geen contact met mevrouw Clarke behoorde te hebben?'

'Ja, zo voelde ik het.'

'En hebt u geheel volgens uw eigen gevoel gehandeld?' 'Ja.' De zitting werd verdaagd tot donderdag. Die nacht geen Reidshotel voor mevrouw Clarke, geen huurkoets naar St. Martin's Lane, maar haar eigen bed in Westbourne Place en doffe uitputting. Om drie uur was ze gereed geweest om het oordeel te ondergaan, ze had verwacht dat zij het eerst zou worden binnengeroepen, maar de uren hadden zich van twaalf uur 's middags tot 's avonds voortgesleept. En het had niets geholpen dat ze even een glimp had opgevangen van Dew, de veilingmeester, die vroeger in Bloomsbury had gewoond, en evenmin dat ze later Bill even had gezien. Bill was haar al een eeuwigheid niet komen opzoeken en toen ze een deurwachter verzocht te gaan horen wat er in de zaal omging, kwam hij terug met de mededeling: 'Ze rakelen al het vuil op. Met wie hij u het eerst samen heeft gezien en waar en wanneer.'

French en de werving schenen vergeten. Het enige dat de ondervragers interesseerde, was het wroeten in haar verleden, het onthullen van geheimen, en Bill, die ter wille van haar zijn benoeming had gekocht en zijn eigen daad steeds had verfoeid, werd nu, alweer ter wille van haar, gedwongen die daad te bekennen. Toen hij de zaal uitkwam, was zijn gezicht vervallen en hij zag er jaren ouder uit toen hij tegen haar zei: 'Ik zou er mijn laatste penny voor over hebben als ik nooit meer hier terug hoefde te komen.'

Voor ze die avond het Lagerhuis verliet, zei men haar dat ze zolang het proces duurde, geen van de getuigen mocht zien of spreken. Bill mocht niet bij haar thuis komen, geen enkel contact werd toegestaan. Goddank dat ze voor donderdag een dag respijt had. Goddank dat ze met dichte gordijnen, een compres op haar ogen en een kop bouillon, door Martha gebracht, naast zich, in bed kon blijven liggen. Geen Dodd, geen kolonel Wardle, niemand die haar lastigviel. Zelfs Charley was zo tactvol geweest om weg te blijven. O, hoe haatte ze deze wereld die plotseling vijandig was geworden, die haar naam in de kranten besmeurde, die op haar wees, haar hoonde. De straatjongens krabbelden met krijt gemene dingen over haar op de stoepen en iemand had een steen door de ruit gegooid.

'Niets dan domheid, mevrouw,' zei Martha. 'Ze weten niet dat u, met wat u doet, maakt dat zij te eten hebben en dat u tracht het land te bevrijden van gemene tirannen.'

Wat had Martha in hemelsnaam gelezen? The *People's Globe* of *Truth for the Underdog*? Ze sloot haar ogen en begroef haar gezicht in het kussen.

Geen kans meer om te ontsnappen. Donderdag om drie uur begon het weer.

3

Na de gewone inleidende besprekingen verzocht kolonel Wardle die donderdag mevrouw Mary Anne Clarke als getuige binnen te roepen.

De stafdrager kreeg order haar te halen, doch het duurde enige tijd voor ze verscheen en toen ze kwam, zag ze er zo verfomfaaid en ontdaan uit, dat algemeen geroepen werd: 'Een stoel! Geef haar een stoel!' daar men aannam dat ze zich ziek voelde. Ze ging echter niet zitten, doch zei, terwijl ze zich tot de regeringsbanken wendde: 'Ik ben diep beledigd bij mijn komst hier. Het was onmogelijk uit mijn rijtuig te stappen, zo drong de menigte op, en de bode hier kon me niet tegen al die mensen beschermen. Ik heb de portier van het Huis moeten laten roepen om me in het gebouw te brengen, vandaar het oponthoud.'

Ze kreeg enkele minuten om op haar verhaal te komen en daarna begon kolonel Wardle haar te ondervragen over de wervingsactie van kolonel French. Ze antwoordde dat hij en kapitein Sandon haar voortdurend hadden bestormd met verzoeken en dat ze altijd kolonel French' brieven aan de hertog had doorgegeven zonder eerst de moeite te hebben genomen ze te lezen. Zijne Koninklijke Hoogheid zou ze wel begrijpen, dacht ze. Toen hij zag dat ze nog overstuur was van de onaangenaamheden in Palace Yard, hield kolonel Wardle even op, met de bedoeling haar te sparen, maar meester Croker, die namens de regering sprak, stond op en vroeg haar: 'Hoe lang kent u meneer Dowler al?'

'Negen of tien jaar, ik weet het niet precies.'

'Bent u hem geld schuldig?'

'Ik herinner me nooit mijn schuld aan heren.'

'Noem de namen van alle mannen die meneer Corri in januari ten uwen huize heeft ontmoet.'

'Als ik dat deed zou nooit een fatsoenlijk man me meer komen opzoeken.'

De uitbarsting van gelach in het Huis scheen de getuige te sterken, want ze hief het hoofd op en keek meester Croker strak aan. Nu stonden verschillende leden op om haar om beurten te ondervragen naar de huishouding in Gloucester Place; wie alles betaalde; wanneer ze de hertog voor het eerst een verzoek had doorgegeven voor iets dat verband hield met militaire promoties; en of ze bij dergelijke gelegenheden vertrouwd had op haar geheugen of dat ze al die sollicitaties op schrift had gezet.

'Wanneer het een enkel verzoek was, vertrouwde ik op mijn geheugen of op dat van Zijne Koninklijke Hoogheid, die een zeer goed geheugen heeft, maar als het er veel waren gaf ik hem een lijst, die ik niet zelf had geschreven. Ik herinner me dat ik hem eens een bijzonder lange lijst heb doorgegeven.'

'Bestaat die lijst nog?'

'Nee. Ik had die lijst aan het hoofdeinde van het bed geprikt en Zijne Koninklijke Hoogheid nam die 's morgens weg. Ik zag haar enige tijd later in zijn portefeuille.'

Luid gelach van de banken der oppositie.

'Herinnert u zich van wie u die bepaalde lijst had ontvangen?'

'Ik meen van kapitein Sandon of van meneer Donovan, maar beiden zullen dat wel ontkennen.'

'Ontving u veel brieven van andere sollicitanten?'

'Honderden.'

'En toonde u die brieven, waarin u geldsommen werden beloofd, aan Zijne Koninklijke Hoogheid?'

'Hij was op de hoogte van alles wat ik deed.'

Daar de regeringspartij tijdelijk verslagen was, riep kolonel Wardle de volgende getuige op, juffrouw Taylor, die verlegen, blozend en uitermate nerveus mevrouw Clarkes plaats in de getuigenbank innam.

'Kwam u mevrouw Clarke dikwijls bezoeken in Gloucester Place, toen zij onder bescherming stond van de hertog?'

'Zeer vaak.'

'Hebt u de hertog van York wel eens tegen mevrouw Clarke horen spreken over de werving van kolonel French?'

'Slechts éénmaal.'

'Wees zo goed ons te vertellen wat er toen gebeurde.'

'Voor zover ik me kan herinneren zei de hertog: "Die kolonel French valt me aanhoudend lastig. Hij wil steeds meer gunsten.

Hoe gedraagt hij zich tegenover jou, lieveling?" of lieve woorden in die geest, zoals hij altijd tegen haar gebruikte en zij antwoordde: "Matig, niet al te royaal." Dat was alles wat ze zei.'

'Was dat het hele gesprek?'

'De hertog zei toen: "Die meneer French moet oppassen wat hij doet, anders gaat hij eruit." Dat was de uitdrukking die hij gebruikte.'

Kolonel Wardle zei dat hij de getuige geen verdere vragen te stellen had.

Ze wilde heengaan, doch de procureur-generaal stond op. Een gemompel van sympathie voor de jonge getuige kwam uit de oppositiebanken.

De stem die tegen mevrouw Clarke zo zacht en mild was geweest, klonk scherp en kortaf tegen juffrouw Taylor.

'Hoe lang kent u mevrouw Clarke?'

'Ongeveer tien jaar, misschien iets langer.'

'Waar hebt u haar het eerst leren kennen?'

'In een huis in Bayswater.'

'Met wie woonde u in Bayswater?'

'Met mijn ouders.'

'Wat zijn uw ouders?'

'Mijn vader was een gentleman.'

'Met wie woont u nu samen?'

'Met mijn zuster.'

'Waar woont u?'

'In Chelsea.'

'Op kamers of in een eigen woning?'

'Eigen woning.'

'Beroep?'

'Als u een kostschool een beroep wilt noemen.'

'Wie woonde met mevrouw Clarke in Craven Place?'

'Toen ik haar pas leerde kennen, haar man.'

'En later?'

'Zijne Koninklijke Hoogheid, de hertog van York.'

'Hebt u andere mannen gekend die met haar samenwoonden?'

'Zover ik weet niet.'

'Bent u familie van haar?'

'Mijn broer is met haar zuster getrouwd.'

'Wat was haar man?'
'Ik heb altijd gehoord dat hij rijk was.'
'Hebt u bij haar gewoond in Tavistock Place?'
'Ik heb nooit bij haar gewoond.'
'Hebt u nooit in haar huis geslapen?'
'Ja, een enkele keer.'
'Hield u haar voor een eerzame, fatsoenlijke vrouw toen ze in Tavistock Place woonde?'
'Ze woonde met haar moeder samen, ik weet niet anders dan dat ze fatsoenlijk leefde.' De getuige was nu in tranen. Kreten van verontwaardiging stegen op uit de banken der oppositie. De procureur-generaal nam er geen notitie van.
'Op wiens verzoek bent u hier vanavond?'
'Op verzoek van mevrouw Clarke.'
'Kent u meneer Dowler?'
'Ja.'
'Heeft mevrouw Clarke u verteld dat zij meneer Dowler aan de hertog van York als haar broer had voorgesteld?'
'Nee, nooit.'
'Hoe lang is het geleden dat u dat gesprek tussen mevrouw Clarke en Zijne Koninklijke Hoogheid over kolonel French hebt gehoord?'
'Dat kan ik niet precies zeggen. Het was in de tijd dat ze in Gloucester Place woonde.'
'Hebt u kolonel French daar wel eens ontmoet?'
'Ik heb hem horen aandienen, maar ik ben nooit aan hem voorgesteld.'
'En na vijf jaar herinnert u zich een bepaalde uitdrukking, zonder dat er in die tussentijd ooit iets is geweest dat haar in uw geheugen terugriep?'
'Ik heb er dikwijls aan gedacht, maar er nooit over gesproken.'
'Waardoor hebt u zich die woorden weer herinnerd?'
'Doordat ik nieuwsgierig was naar een man die ik niet mocht ontmoeten.'
'In welke tijd van het jaar was dat?'
'Dat weet ik niet meer.'
'Winter of zomer?'
'Dat herinner ik me ook niet.'
'En toch laat uw geheugen u niet in de steek wanneer het gaat om bepaalde uitdrukkingen?'

'Nee.'
'Vindt u dat zelf ook niet eigenaardig?'
'Nee.'
'Verkeren de zaken van uw vader in wanorde?'
Even aarzelde de getuige, toen antwoordde ze zacht: 'Ja.'
'Hoeveel leerlingen hebt u in Cheyne Row?'
'Twaalf.'
'Wat is de leeftijd van uw jongste leerling?'
'Zeven jaar.'
Luide kreten van: 'Nee, nee…' gingen op, toen juffrouw Taylor tekenen van grote wanhoop gaf. De procureur-generaal haalde de schouders op en ging zitten. Juffrouw Taylor mocht gaan.
Nu werd mevrouw Mary Anne Clarke weer teruggeroepen om door meester Croker ondervraagd te worden. Hij hoorde haar langer dan een uur uit over het huishouden in Gloucester Place; het aantal mannelijke bedienden, of ze in het huis sliepen of niet, wie hun lonen uitbetaalde, hoeveel rijtuigen ze had bezeten en hoeveel paarden, welke juwelen ze had gedragen en of ze haar diamanten had beleend. Daarna vroeg hij, na een blik geworpen te hcbben op een briefje dat hem door de procureur-generaal was toegereikt: 'Hebt u wel eens in Hampstead gewoond?' Er volgde een kort zwijgen van de uitgeputte getuige, toen antwoordde ze: 'Ja.'
'In welk jaar?'
'Eind 1807 en een deel van het jaar 1808.'
'In wiens huis hebt u daar gewoond?'
'Van een zekere meneer Nicols.'
'En al die tijd onder uw eigen naam?'
'Ja.'
'Hebt u nooit de naam Dowler aangenomen?'
'Nee, nooit.'
'Hoe vaak hebt u meneer Dowler ontmoet na zijn terugkeer uit Portugal?'
'Ik heb hem die zondag bij mij thuis ontmoet en daarna pas weer in de getuigenkamer hier.'
'Zijn dat de enige keren dat u hem hebt ontmoet na zijn terugkeer in Engeland?'
'Ik denk dat een zekere gentleman u zeer goed zal kunnen inlichten, want zijn zolderraampje is buitengewoon geschikt voor

zijn spionage, daar het uitkijkt op mijn huis.'

Gefluit en luid applaus van de oppositie.

'Weet u zeker dat dat de enige keren zijn geweest dat u meneer Dowler hebt ontmoet?'

'Indien uwe edelachtbare er op aandringt en het van enig belang is, wil ik bekennen dat ik hem vaker heb ontmoet. Ik wil niet verbergen dat meneer Dowler een zeer intieme vriend van me is.'

'Waar hebt u meneer Dowler nog meer ontmoet na zijn terugkeer?'

'In zijn eigen hotel.'

'Wanneer?'

'De eerste avond dat hij terug was, maar dat had ik geheim willen houden, omdat ik niet wilde dat mijn eigen familie, of wie ook, zou weten dat ik hem die avond heb bezocht.'

'Was u toen lange tijd in gezelschap van meneer Dowler?'

'Ik heb gezegd dat ik in gezelschap van meneer Dowler ben geweest, ik vraag de voorzitter of dit een behoorlijke vraag is en of deze niet in strijd is met de waardigheid van het Lagerhuis?' Meester Wilberforce stond op en betoogde dat het volkomen incorrect en immoreel van de commissie was om in de privé-zaken van de getuige door te dringen. Maar hij werd overschreeuwd en meester Croker herhaalde zijn vraag.

'Heeft uw bezoek donderdag geduurd tot na middernacht?'

'Mijn bezoek heeft geduurd tot vrijdagmorgen.'

Tot teleurstelling van het gehele Huis had meester Croker geen verdere vragen te stellen en werd de zitting geschorst.

Toen mevrouw Mary Anne Clarke in Old Palace Yard naar haar rijtuig liep, overhandigde een bode haar een briefje. Ze las het en zei tegen de man: 'Geen antwoord.'

Toen ze thuiskwam in Westbourne Place, stak ze het briefje naast de vele andere die ze reeds ontvangen had, in de rand van de spiegel. Het was getekend met de welbekende initialen van een vooraanstaand Tory-lid.

'Wat zou u zeggen van driehonderd guinjes en een soupeetje vanavond?'

4

Het proces in het Lagerhuis had de intense belangstelling van het gehele land. De oorlog was vergeten en opzijgeschoven en dag aan dag brachten de kranten in hun kolommen uitgebreide verslagen over het proces. Napoleon en Spanje waren van ondergeschikt belang geworden. De pamfletschrijvers vierden hoogtij, karikaturisten en hekeldichters sloegen munt uit het Grote Proces. Als bij toverslag kwam allerlei aardewerk aan de markt. Staffordshire kannetjes met de beeltenis van mevrouw Clarke in rouwgewaad, in haar hand een lijst namen van officieren; felgekleurde portretten van de hertog van York in zijn nachthemd, juist uit bed stappend; karikaturen van Dowler en andere getuigen. Op de hoeken van de straten werden zogenaamde 'authentieke' levensbeschrijvingen, slordig gedrukt, te koop aangeboden. Spotliedjes werden bij tientallen in de theaters gezongen, en het was een modegebaar geworden om bij sportevenementen, wanneer een munt werd opgegooid niet te zeggen: 'Kruis of munt' maar 'hertog of lieveling'.

Op Londense partijen werd over niets anders gesproken. In koffiehuizen en kroegen was er maar één onderwerp van conversatie. Mevrouw Clarke had steekpenningen aangenomen, maar had de hertog dat geweten? De meningen waren verdeeld, maar tussen de beide tegengestelde partijen – de partij die zei dat hij het geld zelf had ingepikt en de andere fractie die hem rein en onbesmeurd achtte – stond een solide middelmoot, die het hoofd schudde en zei dat de liaison zelf er het meest op aankwam. Een prins van den bloede, en nog wel getrouwd, had er een maîtresse op na gehouden, had haar huizen en diamanten geschonken, terwijl het volk hongerleed. Mannen en vrouwen zwoegden in fabrieken, soldaten vochten op het slagveld, de grote massa van het Britse volk leefde fatsoenlijk, maar de opperbevelhebber, de zoon van de koning, hield er een hoer op na. Sprekers op de hoeken van de straten lieten zich niet onbetuigd, evenmin als de gewone man thuis.

'Ze zeggen dat we op moeten zien naar de Brunswijkers. Mooi voorbeeld geven ze! Als de Bourbons zich in Frankrijk op dezelfde manier hebben gedragen, is het geen wonder dat de Franzosen ze de koppen hebben afgehakt.' Die stemming was aanstekelijk en werd nog aangewakkerd door hen die er het meest belang bij hadden – de vissers in troebel water. Will Ogilvie, gezeten achter de schrijftafel in zijn kantoor, glimlachte toen de vonk het stro deed ontbranden en de vlam de publieke opinie deed oplaaien. Dat was wat hij vanaf het begin beoogd had, en de strootjes die in de gloed waren vergaan, hadden hun taak vervuld. May Taylor was een van die strootjes. De ouders van al haar leerlingen namen hun kinderen bij haar weg en haar huisheer in Cheyne Row zei haar de huur op. Hij gaf haar drie dagen om te verhuizen. Een halfuur in het Lagerhuis had haar leven verwoest. Ze had geen kostschool, hoonden de pamfletten van de regering, maar een boordeel, waar straatmeisjes het vak leerden.

Winnen we? Verliezen we? Elke dag stelde Mary Anne zich deze vraag. Ze wist niets van de brieven die door de voorzitter van het Lagerhuis, die de stemming van het Huis peilde – zoals zij het niet kon – naar Windsor werden gezonden Hij kende de twijfel die er was onder zijn eigen aanhangers, hij voelde de groeiende verkoeling tegen de hertog. Daarom ging er een briefje van het Lagerhuis naar Windsor Castle: 'Ik acht het mijn plicht Uwe Majesteit te waarschuwen dat de situatie ernstig wordt...'

De hertog wist wat ze deed en sloot er zijn ogen voor, dat werd overal in het Lagerhuis gefluisterd. De sprekers van de regering sloegen een pover figuur. Adam, Greenwood, kolonel Gordon, de minister van Oorlog en zijn ambtenaren kwamen aan met papieren, documenten, dossiers die allemaal niets anders bewezen dan dat er promoties waren verleend en in de Staatscourant waren vermeld. En nog altijd was het enige wapen dat de regeringspartij gebruikte: de kroongetuige, mevrouw Clarke, in diskrediet brengen, zodat haar karakter, door besmeurd te worden, zou doen twijfelen aan de waarheid van haar verklaringen. Onder de getuigen à charge die in de tweede week van het proces waren opgeroepen, bevonden zich meneer John Reid, eigenaar van het hotel in St. Martin's Lane, en Samuel Wells, kelner. Beiden verklaarden dat de dame die de nacht van donderdag op vrijdag bij meneer Dowler was geweest, zich altijd mevrouw Dowler had genoemd en dat ze durfden zweren dat ze nooit hadden vermoed dat ze geen recht had op die naam. Daarna kwam meneer Nicols, bakker, die hetzelfde verklaarde. Meneer Dowler was herhaaldelijk in zijn huis toen mevrouw Clarke daar woonde. Ze had zich eerst voorgedaan als weduwe, maar had hem later verteld dat ze met meneer Dowler getrouwd was. Ze had hem nooit huur betaald, maar hij had enkele muziekinstrumenten van haar en ook enkele brieven die ze eens naar beneden had gestuurd om te verbranden, maar die, vergeten, ergens in een kast lagen. Deze brieven wilde hij echter liever niet tonen, tenzij het Lagerhuis erop stond. Hij kreeg het bevel zich uit de zaal te verwijderen, terwijl het Huis beraadslaagde of de brieven zouden worden gelezen of niet. De voorzitter van het Huis moest snel nadenken. Wanneer de brieven ten nadele van mevrouw Clarke zouden zijn, zou de goede zaak triomferen en alles best zijn. Maar ze konden evengoed mededelingen ten nadele van de hertog bevatten en dan werd de zaak anders, dan konden ze de tegenpartij steunen. Ten slotte kwam meester Perceval na rijp beraad tot de conclusie dat het risico te groot was en deelde mede dat er geen aanleiding bestond om de brieven te bestuderen, alleen maar omdat ze aan mevrouw Clarke hadden toebehoord. Kolonel Wardle vermoedde dat die brieven inderdaad dingen bevatten die voor de oppositie van grote waarde zouden zijn en protesteerde dus heftig tegen het besluit van de voorzitter. Na veel gekrakeel werden de brieven ter tafel gebracht en hardop voorgelezen. De eerste bleek er een te zijn van Samuel Carter; de arme Sammy, ver weg in West-Indië, niet vermoedend dat zijn brief die hij in 1804 uit Portsmouth had geschreven, ooit in het Lagerhuis zou worden voorgelezen. Er waren nog twee brieven van Sammy. Het Huis was verbijsterd en geshockeerd nu het bij toeval vernam dat mevrouw Clarkes lakei tot vaandrig was benoemd.

Er waren twee brieven van baronesse Nollekens – een welbekende naam in diplomatieke kringen – waarin ze mevrouw Clarke bedankte voor ontvangen gunsten en haar verzocht haar dank over te brengen aan Zijne Koninklijke Hoogheid.

Drie brieven van generaal Clavering waarin hij om een onderhoud verzocht en mevrouw Clarke vroeg haar invloed bij de opperbevelhebber aan te wenden om toestemming te verkrijgen voor het werven van enkele nieuwe bataljons. De regeringspartij keek sip, de oppositie straalde. Hoewel de brieven, die door louter toeval aan vernietiging ontsnapt waren, geen bijzonderheden over tot stand gebrachte transacties bevatten, bewezen ze wel dat er gunsten waren verleend. Kolonel Wardle verzocht mevrouw Clarke het schrift te identificeren, hetgeen ze deed. De inhoud van de brieven was ze allang vergeten, ze wist niet beter of ze waren verbrand.

Kolonel Wardle maakte gebruik van zijn voorsprong door haar uitvoerig uit te horen over bijzonderheden aangaande die brieven. Had ze Samuel Carter zijn benoeming bezorgd? Had ze er de hertog om verzocht? Had Zijne Koninklijke Hoogheid geweten dat het dezelfde man was die hem aan tafel in Gloucester Place bediende? Had de hertog hem nog gezien, nadat hij was aangesteld? Had ze met de hertog gesproken over het verzoek van baronesse Nollekens? Mary Annes antwoorden voldeden hem in hoge mate.

'Herkent u het handschrift van generaal Clavering?' ging hij voort. 'Ja, en ik heb vanmorgen een brief van de hertog gevonden, waarin ook melding wordt gemaakt van kolonel Clavering en zijn bataljons.'

De brief werd overhandigd en voorgelezen; het lezen werd telkens onderbroken door uitbarstingen van gelach.

"O, mijn engel, geloof me dat nooit een vrouw zo is aanbeden als jij bent door mij. Elke dag, elk uur schenkt me meer en meer de overtuiging dat mijn hele geluk van jou alleen afhangt. Ik kijk vol ongeduld uit naar overmorgen, maar het zal nog twee nachten duren voor ik jou, mijn lieveling, weer in mijn armen kan drukken. Clavering vergist zich, mijn engel, als hij denkt dat er nieuwe regimenten zullen worden opgeroepen; dat is niet het plan. Alleen worden er bataljons aan de bestaande korpsen toegevoegd. Je doet beter hem dat te zeggen, want het heeft geen zin daarnaar te solliciteren. Duizendmaal dank, liefste, voor de zakdoeken; ik behoef je wel niet te verzekeren met hoeveel blijdschap ik ze zal gebruiken en hoe ik steeds zal denken aan de lieve handen die ze voor me hebben geborduurd. De reis die ik heb gemaakt en de toestand waarin ik alles heb aangetroffen hadden niet meer voldoening kunnen schenken. Ik heb gisteren de hele dag gebruikt om de verdedigingswerken in Dover te bezoeken, de troepen daar te inspecteren en de kust tot aan Sandgate te bezichtigen. Ik ga nu dadelijk de kust naar Hastings langsrijden en in het voorbijgaan de verschillende korpsen inspecteren. Adieu, mijn liefste, liefste schat."

De brief was, nogal wonderlijk, geadresseerd aan George Farquhar Esq. en niet aan mevrouw Clarke – een feit dat aan de aandacht van de leden van het Lagerhuis ontsnapte. De onthullingen in de Hampstead-brieven schokten het vertrouwen van de regeringssupporters aanmerkelijk en de zestiende februari verhief zich de voorzitter van het Huis, in de hoop het vertrouwen in de hertog van York te herstellen door een belangrijke verklaring af te leggen met betrekking tot de benoeming van majoor Tonyn. Mevrouw Clarke had enige dagen geleden verklaard dat Tonyns naam haar door kapitein Sandon was opgegeven. Kapitein Sandon had dit toegegeven, maar had een belangrijk feit verzwegen, dat nu, buiten het Lagerhuis, aan het licht was gekomen. Dit feit – ontdekt door meneer Adam – was dat kapitein Sandon brieven van mevrouw Clarke in zijn bezit had, en er was in het bijzonder melding gemaakt van een brief die betrekking had op majoor Tonyn en zijn bevordering, welke brief afkomstig heette te zijn van de hertog zelf. Meneer Adam had daar met Zijne Koninklijke Hoogheid over gesproken en deze had onmiddellijk verklaard dat die brief een vervalsing was.

'Ik wens te constateren', zei de voorzitter, 'dat als deze brief kan worden voortgebracht en zal blijken een vervalsing te zijn, hij tevens zal bewijzen dat mevrouw Clarke niet alleen met woorden, maar ook door het vervalsen van een handtekening in staat is geweest tot bedrog. Indien daarentegen die brief authentiek is, zal hij de beschuldigingen versterken. Ik ben echter zo vast overtuigd dat het eerste waar is, dat ik niet aarzel de zaak aan het Lagerhuis ter discussie voor te leggen en voor te stellen kapitein Sandon als getuige op te roepen.'

Kolonel Wardle was het hiermee eens. Hij had nooit gehoord van een brief of brieven in Sandons bezit. Maar laten ze die maar tonen, hij was er zeker van dat ze de beschuldigingen zouden bevestigen en mevrouw Clarke niet zouden benadelen. Kapitein

Sandon verscheen en ontkende, tot grote verbazing van de voorzitter en de gehele commissie, dat hij iets van het bewuste briefje afwist. Het kon best zijn dat het ooit bestaan had, hij herinnerde het zich echter niet. In elk geval bestond het nu niet meer, het was vernietigd. Hij kon zich de inhoud niet meer herinneren. Het briefje was verdwenen. Zijn houding van angstig schuldbesef was zo opvallend dat niet alleen meester Perceval, maar het gehele Huis na een half uur van streng verhoor beval hem in hechtenis te nemen en men kwam unaniem overeen dat hij onder politiegeleide naar zijn woning zou worden gebracht en dat daar een onderzoek zou worden ingesteld naar de vermiste brief. Terwijl men wachtte op zijn terugkeer werd mevrouw Clarke opnieuw door meester Perceval ondervraagd.

'Herinnert u zich dat kapitein Sandon u in 1804 gesproken heeft over majoor Tonyn?'

'Ik herinner me dat kapitein Sandon door majoor Tonyn daarvoor werd gebruikt, dat weet ik zeker.'

'Herinnert u zich of u ooit door bemiddeling van kapitein Sandon een boodschap hebt gezonden aan majoor Tonyn?'

'Dat kan ik me niet herinneren; het kan wel zijn, het is al zo lang geleden.'

'Herinnert u zich of u ooit een of ander papier door bemiddeling van kapitein Sandon aan majoor Tonyn hebt gezonden?'

'Wat voor soort papier?'

'Beschreven papier, door u of door iemand anders?'

'Dat geloof ik niet. Ik ben altijd zeer voorzichtig geweest met het uit handen geven van beschreven papier.'

'Indien u een dergelijk papier via kapitein Sandon aan majoor Tonyn zou hebben gezonden, is het dan mogelijk dat u het bent vergeten?'

'Nee, ik weet zeker dat ik niets van dien aard, dat ooit aan de hertog van York heeft toebehoord, zou zijn vergeten.'

'Zou kapitein Sandon een zeker percentage ontvangen van het bedrag dat majoor Tonyn na zijn benoeming aan u zou betalen?'

'Dat denk ik wel, want ik had de indruk dat majoor Tonyn een royaal man was en dat kapitein Sandon zich niet zoveel moeite zou geven als hij niet rekende op een beloning.'

'Was u enigszins op de hoogte van de aard van het verhoor dat kapitein Sandon hier vanavond zou worden afgenomen?'

'Absoluut niet.' De houding van getuige was steeds natuurlijk en oprecht geweest. Indien er werkelijk een dergelijke brief bestond, bleek duidelijk dat ze het bestaan ervan vergeten was. Het Huis wachtte met ongeduld op de terugkeer van kapitein Sandon en zijn begeleider. Hij werd na meer dan een uur weer voor de balie gebracht en onmiddellijk door de voorzitter aan een verhoor onderworpen.

'Hebt u het papier gevonden?'

'Ja, Edelachtbare.'

'Hebt u het bij u?'

'De bode heeft het bij alle andere brieven die betrekking op de zaak hebben.'

De bode gaf een bundel papieren af. De bundel bevatte een pakje brieven en bovenop lag het bewuste briefje. In volslagen stilte overhandigde meester Perceval het aan de voorzitter, die het hardop voorlas: 'Ik heb zojuist je briefje ontvangen, Tonyns zaak zal blijven zoals die is. God zegene je.' Er stond geen ondertekening onder en het was geadresseerd aan George Farquhar Esq., 18 Gloucester Place. Een gemompel steeg uit de banken op. Wat betekende dat? Was dat briefje inderdaad afkomstig van de hertog? Maar wie was George Farquhar?'

'Welke reden had u om dit briefje achter te houden?' vroeg meester Perceval aan kapitein Sandon.

'Geen enkele, ik schaam me over mezelf.'

'Had iemand u opgedragen het te verbergen?'

'Nee.'

'Heeft mevrouw Clarke u, toen ze u dat briefje gaf, gezegd dat het door de hertog van York was geschreven?'

'Ik herinner me de juiste woorden niet, maar ze heeft wel gezegd dat het van hem kwam.'

'Kent u het handschrift van de hertog van York?'

'Ik heb het nooit eerder gezien.'

'Denkt u dat het handschrift van dit briefje van mevrouw Clarke afkomstig is?'

'Nee.'

'Wie is George Farquhar, aan wie dit briefje is geadresseerd?'

'Ik heb geen flauw idee.'

Kapitein Sandon trok zich terug en mevrouw Clarke werd

weer voor de balie geroepen en door de procureur-generaal ondervraagd.

'Herinnert u zich dit papier ooit eerder te hebben gezien?'

'Ik moet het wel gezien hebben, want het is het handschrift van Zijne Koninklijke Hoogheid. Ik zou niet weten hoe het in het bezit van die man daar gekomen zou zijn, als ik het hem niet had gegeven.'

'Bekijkt u het zegel van het briefje eens. Kent u dat?'

'Het is het privé-zegel van de hertog van York. Ik heb er veel zo thuis. De inscriptie erop luidt: Nooit afwezig.'

'Wie is George Farquhar?'

'Die bestaat nu niet meer. Hij was een van mijn twee broers die bij de marine dienden, beiden zijn gesneuveld. De hertog gebruikte altijd die naam als hij me schreef.'

'Hebt u wel eens het handschrift van iemand nagemaakt?'

'Niet om het te gebruiken. Ik heb het misschien wel eens voor de grap gedaan, als ik een spelletje speelde met een paar vriendinnen.'

'Kunt u het handschrift van de hertog van York nabootsen?'

'Ik weet het niet. Dat zal hij het best zelf kunnen beoordelen. Ik heb wel eens waar hij bij was, geprobeerd te schrijven als hij. Hij vond dat ik zijn naam Frederik bijna net zo kon schrijven als hij, maar ik heb er nooit gebruik van gemaakt. Als ik dat wel had gedaan, zou dat al lang tegen me zijn uitgespeeld.'

'Schrijft u altijd op dezelfde manier?'

'Ik kan niet zeggen hoe ik schrijf, meestal schrijf ik in grote haast.'

'U hebt de hand van uw moeder geleid op de wissels van uw broer die op de zitting van de krijgsraad zijn getoond. Is dat niet een heel ander schrift?'

'Ik schrijf niet zo vlug als ik haar hand moet leiden. Ik beschouw het als mijn handschrift en niet als het hare, want haar hand is vrijwel machteloos.'

'Om kort te gaan: u kunt twee verschillende handschriften schrijven.'

'Ik zie er niet veel verschil tussen.'

'U ziet geen verschil tussen uw eigen handschrift en dat op die wissels?'

'Ik vind niet dat er veel verschil tussen is... Wilt u insinueren dat het handschrift op de wissels vervalst is?'

'Ik insinueer niets van dien aard. U houdt dus uw moeders hand vast en leidt die?'

'Ze houdt de pen vast, ik duw de hand misschien iets naar beneden en leid die dan. U kunt ons zien schrijven, wanneer u dat wilt.'

'Dus het handschrift op de wissels is geheel het uwe?'

'Als u dat zo wenst uit te drukken, ga uw gang. Ik maakte gebruik van mijn moeders hand en het is mijn handschrift, vermoed ik.'

De zitting werd nu verdaagd, nadat overeen was gekomen dat er een commissie zou worden aangewezen om de andere brieven van mevrouw Clarke, die met de vermiste brief in de kamers van kapitein Sandon waren gevonden, te onderzoeken en de volgende dag rapport uit te brengen. De zeventiende februari, nadat de brieven waarvan ze alleen de enveloppen mocht lezen en niet de inhoud, door mevrouw Clarke waren erkend als door haar te zijn geschreven, werd een aantal daarvan aan het Huis voorgelezen. Ze lagen niet in volgorde en de meeste waren gedateerd in de zomer van 1804.

In elke brief werd de hertog van York, ronduit of zijdelings, genoemd in verband met de promotie van verschillende heren – majoor Tonyn inbegrepen.

'Laat Spedding solliciteren naar wat hij hebben wil, de H. zegt dat dat het beste is.' ... 'Wilt u weer solliciteren naar de aanstelling als luitenant in India? De H. verzekert me dat er twee plaatsen te koop zijn. '... 'Ik heb die majoorsplaats tegen de H. genoemd. Hij is heel welwillend. Zoudt u me vast honderd kunnen geven?' ... 'Ongelukkig genoeg had lord Bridgewater al naar die vacature gesolliciteerd, zelfs voor die er was. Maar Z.K.H. zal zien wat hij doen kan.' ... 'Het bedrag is werkelijk te klein, u moet Bacon en Spedding zeggen dat ze elk tweehonderd moeten geven. Ik moet hierop antwoord hebben, daar ik er met Hem over wil spreken en ik al gezegd heb dat u met me onderhandelt... De Hertog heeft bevel gegeven dat Tonyn bevorderd moet worden...'

Het voorlezen van deze brieven maakte diepe indruk op het Huis. Alle leden beseften dat de brieven bij toeval waren ontdekt en dat mevrouw Clarke evenmin als kolonel Wardle had geweten dat ze in het bezit van kapitein Sandon waren. Als ze het wel geweten hadden, zouden de brieven reeds veel eerder als bewijsstukken zijn voorgebracht. Meester Perceval vroeg nu aan generaal Gordon, minister van Oorlog, of volgens hem het handschrift van de brief waarmee de hele geschiedenis begonnen was – 'Ik heb zojuist je briefje ontvangen, Tonyns zaak zal blijven zoals die is. God zegene je.' – van de hertog was.

'Ik kan niet meer zeggen dan dat het er zeer sterk op gelijkt, maar of het het is, durf ik niet beweren.'

'Hebt u met de hertog van York over deze zaak gesproken?'

'Jazeker.'

'Wat is er besproken?'

'Het laatste onderhoud vond plaats vanmorgen om halfelf, toen ik voor mijn gewone onderhoud naar de hertog van York ging.

Het eerste dat hij tot me zei was: "Daar u vanavond bepaalde vragen in het Huis zult moeten beantwoorden, wil ik niet met u over de kwestie spreken; ik kan alleen vaststellen wat ik reeds eerder heb gezegd, dat ik er niets van af weet en dat ik het als een vervalsing beschouw".' Er werden andere getuigen ondervraagd, doch geen van hen kon met zekerheid vaststellen of het briefje door de hertog was geschreven of niet. Onder hen bevond zich een bediende van de Coutts Bank die verklaarde dat het handschrift veel geleek op dat van de hertog, maar dat hij zonder diens handtekening niet kon zweren dat het dat inderdaad was. In een laatste poging om mevrouw Clarke van valsheid in geschrifte te beschuldigen, liet de voorzitter meneer Benjamin Towan komen.

'Welk beroep oefent u uit?'

'Ik ben schilder op fluweel.'

'Kende u mevrouw Clarke in Gloucester Place?'

'Ja.'

'Kunt u zich herinneren of ze ooit iets tegen u gezegd heeft over handschriften?'

'Ja. Ze heeft eens gezegd dat ze de naam van de hertog precies na kon maken en ze liet me dat zien op een stuk wit papier. Ik kon geen verschil zien tussen het handschrift van de hertog en het hare.'

'Bedoelt u dat ze er zelf over begon en onmiddellijk het handschrift in uw aanwezigheid nabootste?'

'Ja.'
'Liet ze u een handtekening van de hertog zien?'
'Ja, op een stuk papier. Het was Frederik, of York, of Albany, ik weet het niet precies meer.'
'Hebt u er een opmerking over gemaakt?'
'Ik zei dat het gevaarlijk was.'
'En wat zei zij?'
'Ze lachte.' Lord Folkestone stond nu op om de getuige te ondervragen.
'Welke onderwerpen leert u schilderen?'
'Bloemen, landschappen, figuren, fruit.'
'Leert u uw leerlingen ook letters tekenen, met krullen en zo?'
'Jazeker.'
'Heeft mevrouw Clarke gezegd dat ze alleen maar de handtekening van de hertog kon namaken of zijn hele handschrift?'
'Ze sprak alleen over zijn handtekening.'
'Nam mevrouw Clarke u geheel in vertrouwen?'
'Nee.'
'Hoe lang is het geleden dat u haar les hebt gegeven?'
'Dat zou ik in mijn boeken moeten nazien.'
'Bent u als goede vrienden uit elkaar gegaan?'
'Ze staat bij mij in de schuld.'
'Heeft ze u alles betaald wat ze u schuldig was?'
'Nee.
De getuige trok zich verward terug en de zitting werd verdaagd nadat men besloten had Tonyns brief te tonen aan iemand die verstand van handschriften had, opdat diens oordeel het Huis zou kunnen helpen op een volgende zitting een mening uit te spreken.

5

Telkens als Mary Anne haar ogen sloot, zag ze de twee wissels voor zich liggen en hoorde ze haar moeder knorrig zeggen: 'Waarom moet ik mijn naam zetten? Wat betekent het?' en haar ongeduldige antwoord: 'In hemelsnaam, doe wat ik u zeg. Charley heeft geld nodig en hij kan het krijgen met deze wissels op Russell Manners. Het ziet er beter uit als u ze tekent dan dat ik het doe.'

En toen had ze haar moeders hand gegrepen en haar handtekening leiding gegeven.

'Betekent het dat ze bij mij om geld zullen komen? Ik kan Charley geen geld sturen.'

'Nee, natuurlijk niet. Wees niet zo dom.'

Die ellendige wissels waren naar Charley gezonden, geïnd en daarna teruggestuurd; voor de krijgsraad gebracht en besproken; vergeten, omdat hij van die aanklacht was vrijgesproken; en nu weer te voorschijn gesleept in het Lagerhuis. Er rustte een vloek op die wissels. Had ze verkeerd gedaan? Was het onwettig geweest? Was het valsheid in geschrifte als je iemands hand vasthoudt bij het schrijven? Ze kon onmogelijk met de hand op de bijbel zweren dat haar moeder werkelijk geweten had wat ze tekende. Ze was veel te zwak en beverig om zoiets ingewikkelds als wissels of cheques of geld te begrijpen en evenmin wist ze wat haar dochter in Old Burlington met Russell Manners had uitgehaald. Als ze haar moeder eens als getuige opriepen en ondervroegen? De gedachte alleen al maakte haar wanhopig – haar moeder aangeblaft en afgesnauwd door de procureur-generaal. Mary Anne woelde en draaide in haar bed en drukte haar handen tegen haar ogen. Hoe lang zou die marteling nog duren? Wanneer zou er een eind aan komen? Er was niets goeds uit voortgekomen, alleen laster, schande, leugens en het opwoelen van vuiligheid. Ze nam de voorgeschreven poeder in en huiverde. Twee dagen in bed. Geen bezoek van vrienden of familie. Dat was doktersvoorschrift en ze had hem gehoorzaamd. Maar ze vond geen rust nu die nieuwe beschuldiging van valsheid in geschrifte tegen haar was uitgebracht. Er werd op de deur geklopt. Het was Martha zeker weer om haar kussens op te schudden.

'Wat is er, Martha? Kun je me niet laten slapen?'

'Lord Folkestone heeft bloemen voor u gebracht.'

'Zet ze maar in water.'

'Hij hoopt dat u zich beter voelt, mevrouw, en zendt u veel liefs.'

'Heeft hij gezegd dat hij me wilde spreken?'

'Niet met die woorden.'

Ze geeuwde en keek op de klok. Pas halftien. Hoe kwam ze al die uren nog door, slapen kon ze niet. Het zou haar wat afleiden als ze met Folkestone kon praten. Hij was werkelijk zeer attent en tamelijk aantrekkelijk, en klaarblijkelijk tot over zijn oren verliefd – hij had zijn vrouw verloren en daar niet overheen kunnen komen, maar een dergelijk verlies kon de zinnen doen rijpen, dat had ze al meer gemerkt. Ze richtte zich op, greep een sjaal, sloeg die om haar schouders, maakte haar gezicht wat op en sprenkelde wat parfum op haar kussen.

'Laat mylord maar boven komen.' Martha verliet de kamer. Mary Anne leunde, bleek en kwijnend, achterover in haar kussens. De lamp naast het bed was laag gedraaid, dat was altijd flatteus. Het tikje op de deur was zelfbewust, een beetje geheimzinnig – het was maanden geleden sedert een man zo had aangeklopt, ze was het bijna vergeten.

'Binnen,' zei ze, en haar stem klonk niet meer verveeld, maar smachtend, uitnodigend.

'Hoe lief van je om te komen, ik was zo alleen.'

'Ik blijf maar even. Zweer dat je je beter voelt.'

'Natuurlijk voel ik me beter. Waarom ben je zo ongerust?'

'Toen dokter Metcalfe in het Lagerhuis zei dat je ziek was en vandaag niet kon komen, was ik het liefst meteen weggegaan. Het heeft me moeite gekost tot het eind van de zitting te blijven. Ik heb hem voor de balie geroepen om hem te ondervragen en hij verklaarde dat je werkelijk ziek was, maar dat maakte me nog meer verlangend om je te zien. Heb je iets nodig? Iets dat ik je kan brengen? Weet je zeker dat je dokter goed is of zal ik je mijn eigen arts zenden?'

'Ik ben volkomen in orde, alleen maar doodmoe. Ik dacht dat rust me goed zou doen, maar dat is niet het geval. Hoe is het gegaan?'

'Schitterend. De hele dag zijn er schriftdeskundigen gehoord. Twee mannen van het hoofdpostkantoor zijn met microscopen gekomen en nog een ander van de Coutts Bank en drie kerels van de Bank van Engeland. Ze hebben allemaal hetzelfde soort antwoord gegeven, al deed Perceval zijn best het te verdraaien.'

'Wat was hun mening?'

'Sterke gelijkenis, maar ze konden niet zweren dat het hetzelfde handschrift was, maar dat was dan ook alles. Ze keken nogal ontdaan toen ik vroeg of ze de commentaren in de kranten hadden gelezen over het al of niet echt zijn van het handschrift. Natuurlijk moesten ze toegeven dat ze die hadden gelezen, hetgeen dus betekende dat ze allen met een zeker vooroordeel het handschrift waren gaan beoordelen, dat ze reeds vooruit aannamen dat het niet echt zou zijn.'

'Dus de regering is niets verder gekomen?'

'Beslist niet. We zijn nog precies even ver en er zal geen beslissing vallen voor de stemming. Nadat de experts waren weggegaan, kregen we de generaal – de ouwe Clavering – die gehoopt had te kunnen volhouden dat hij je niet kende. Maar dat liep mis toen hij je verschillende brieven zag. Het was bepaald amusant. Sam Whitbread ondervroeg hem zo scherp en legde hem het vuur zo na aan de schenen, dat hij blij was toen hij weg kon gaan. Zijn getuigenis had wel geen invloed op de aanklachten, maar het Huis kon aan de manier waarop hij zijn antwoorden mompelde wel merken dat hij met jou in contact was geweest over promoties. Daarna werden Greenwood en Gordon voorgeroepen. Niets bijzonders. Ze kwamen met een massa onbeduidende papieren aan. Iedereen kreeg er langzamerhand genoeg van en alle belangstelling verdween toen ze hoorden dat jij niet zou komen.'

'Wat gemeen van hen om ervan te genieten als ik gemarteld word. Een prooi die voor de leeuwen geworpen wordt.'

'Helemaal niet. Jij maakt nooit de indruk van een slachtoffer, je ziet eruit of je van elk moment geniet. De procureur-generaal is de beer en jij bent de plaaggeest. Het hele Huis is verrukt van je, de regeringspartij incluis. Zelfs Wilberforce heeft zijn negerslaven vergeten en praat over niets anders. Ik hoorde hem tegen een van zijn vrienden zuchten: "Eronder is ze goed".'

'Onder wat?'

'Onder de oppervlakte. "Ze is in verkeerde handen gevallen," zei hij.'

'Hij heeft waarschijnlijk gelijk. Ik ben volgens de pamfletten in zoveel handen geweest, er kan niet veel van mezelf meer zijn overgebleven. Heb je ze gelezen?'

'Ik zou me schamen die smeerboel te lezen. Maar vermoei ik je niet?'

'Helemaal niet, je geeft me rust.'

'De historie van de brief is heel wonderlijk. Weet je wat ze in de wandelgangen zeggen? Dat Sandon begreep dat de brief door de hertog was geschreven en de beschuldiging zou bevestigen, en dat hij daarom deed of hij hem kwijt was, geen ogenblik vermoedend dat Adam hem in het Huis zou voorbrengen.'

'Waarom heeft Adam dat gedaan? Het kon hen alleen maar schaden.'

'Klaarblijkelijk omdat hij er geen flauw idee van had dat de brief werkelijk echt was, hij dacht dat het een vervalsing was. En omdat Sandon het zo hopeloos verknoeid had, moesten ze niet alleen hem voorlezen, maar al die andere brieven ook – en daar zijn zij mee aangekomen. Daarom is dat briefje zo'n triomf voor ons geweest. Perceval kan zichzelf wel voor zijn hoofd slaan en de anderen ook. Ik wed dat Zijne Koninklijke Hoogheid er Adam morgen flink van langs zal geven.'

'Hij is veel te bang voor hem om hem ervan langs te durven geven. Adam heeft hem helemaal in zijn klauwen, dat heb ik altijd gezegd.'

'Je koestert helemaal geen wrok, wat vind ik dat prachtig.'

'Och, wat heb je nu aan wrok? Het is toch te laat.'

'Het gerucht gaat nog rond – maar niemand gelooft het – dat Kent in zeker opzicht achter ons staat. Ik weet hoe dat praatje in de wereld is gekomen, omdat jij eens bij het verhoor hebt verklaard, dat je Dodd, de privé-secretaris van Kent, kende. Maar iedereen kent Dodd.' Ze gaf geen antwoord, ze wist dat ze moest oppassen. Folkestone, de idealist, had geen flauw vermoeden van het complot achter dit onderzoek.

'Ken je hem goed?' vroeg lord Folkestone.

'Wie, Dodd? Goeie hemel, nee. Hij is stomvervelend, maar hij is toevallig een buurman. Hij woont in Sloane Street en als hij er de kans toe krijgt, komt hij me bezoeken.'

'Ik zou hem maar wat op een afstand houden als ik jou was. Alle hovelingen houden van kletspraatjes. Dat vond ik zo verkwikkend toen ik in Frankrijk woonde – voor de terreur natuurlijk, toen hadden de mensen nog idealen. Ze voelden zich werkelijk als herboren, veel van die lui, toen de tirannie was overwonnen en ze een toekomst hadden om voor te leven.'

Goddank, hij zat weer op zijn stokpaardje! Het gevaar was geweken, voorlopig althans. Over een minuut of tien misschien wat brandy ter afleiding en dan mocht hij, als ze ervoor in de stemming was, op de rand van haar bed komen zitten.

De afleiding kwam, maar niet in de vorm van brandy. Martha verscheen met de mededeling: 'Kolonel Wardle en majoor Dodd zijn er om u te spreken.'

Stilte. Een afschuwelijk moment, daarna grote verbazing: 'Wat vreemd!

Zijn ze samen gekomen? Waarvoor zou dat zijn?'

'Kolonel Wardle hoopt dat u hem zult ontvangen.'

'Dan hoopt hij vergeefs.'

Lord Folkestone stond op: 'Zal hij het niet vreemd vinden als je mij wel ontvangt en hem niet?'

'Laat hij het maar vreemd vinden. Ik kan ontvangen wie ik wil.'

'Ik vind het nogal pijnlijk. Doe me het genoegen en ontvang hem. Als hij weet dat ik hier ben, zouden er misschien dwaze praatjes worden rondverteld.'

Zo, was zijn lordschap bang dat hij zich zou compromitteren? Haar goede mening over hem zakte. Zijn aantrekkingskracht verdween.

'Goed, we zullen hem boven laten komen.'

Lord Folkestone ontspande. Kolonel Wardle werd in de slaapkamer gelaten.

In plaats van het verwachte zelfvoldane grijnsje, de por in de ribben, de opmerking: 'Je bent me de baas,' en dubbelzinnige toespelingen op slaapkamergezelschap, zag het lid van Okehampton eruit of hij helemaal niet op zijn gemak was. Hij mompelde een paar woorden en ging toen zwijgend zitten. Er was iets niet in orde. Ze voelde de veranderde stemming en zei: 'Lord Folkestone heeft me zojuist over vandaag verteld. Ik kreeg de indruk dat alles goed is gegaan, maar dat er niets is beslist.'

'Ja. De stemming was goed en ten gunste van ons. Dat is een van de redenen waarom ik u nu ben komen opzoeken. Ik geloof dat het het beste zou zijn, als u gebruik maakte van het feit dat u zich niet goed voelt en dat aanvoerde als excuus om verder de zittingen in het Lagerhuis niet meer bij te wonen.'

'Niets liever, het zou een hele opluchting zijn.

'Lord Folkestone staarde Wardle ongelovig aan: 'Je bent gek. Mevrouw Clarke is onze troef. Haar aanwezigheid alleen al is voldoende om het hele Huis op onze hand te krijgen.'

'Dat ben ik niet met je eens.'

'Wil je beweren dat de verklaringen die zij heeft afgelegd onze zaak meer kwaad dan goed hebben gedaan? Bespottelijk! Zonder haar hadden we geen schijn van kans gehad.'

'Begrijp me niet verkeerd, Folkestone. Natuurlijk is mevrouw Clarke een grote hulp geweest, maar ik ben van mening dat ze alles heeft gezegd wat ze te zeggen had. Als ze weer in het Huis komt, zal ze worden ondervraagd over allerlei andere dingen die bezwarend zouden kunnen zijn.' Dus Wardle had ook de praatjes gehoord over het aandeel dat de hertog van Kent in de zaak had gehad. Daarom was hij met Dodd meegekomen. Ze haalde de schouders op. Ze moesten het maar met elkaar uitvechten, het kon haar niet schelen.

'Wacht eens even,' zei Folkestone, 'wat steekt hierachter? Is er iets gaande dat je nog niet hebt verteld? Zit er waarheid in dat gerucht over Kent?'

'Geen sprake van.'

'Waar gaat het dan allemaal over?'

'Het is alleen maar bezorgdheid dat mevrouw Clarke onaangenaam behandeld zal worden.'

'Het kan niet erger worden dan het al geweest is, dat weet je evengoed als ik, en ze heeft ze allemaal gemakkelijk aangekund. Wat zouden er nog voor andere onderwerpen zijn die ons kunnen benadelen?'

Kolonel Wardle keek zijn kroongetuige om hulp vragend aan. Ze nam er geen notitie van, sloot haar ogen en geeuwde. Hij wendde zich weer wanhopig tot lord Folkestone.

'Nu, goed dan, ik zal ronduit spreken. Dit is een persoonlijke kwestie, iets dat te maken heeft met mij en mevrouw Clarke. Ik zou je zeer verplicht zijn als je ons vijf minuten alleen wilde laten.'

Lord Folkestone stond stijfjes op: 'Natuurlijk, als je het zo stelt heb ik geen keus.'

Hij liet hen beiden alleen. Kolonel Wardle vroeg zenuwachtig: 'U hebt toch niets over de hertog van Kent tegen Folkestone gezegd?'

'Natuurlijk niet.'

'Hij koestert achterdocht. Daarom is hij u natuurlijk komen opzoeken.'

'Nonsens, hij is me bloemen komen brengen.'

'Alleen maar een voorwendsel. Ik waarschuw u, we moeten voorzichtig zijn. Er gaan geruchten. Als de regering lont ruikt, is onze zaak verloren en worden al onze beschuldigingen in een kwaad daglicht gesteld.'

'Folkestone hoort niet tot de regeringspartij.'

'Dat maakt niets uit. Als hij alles wist zou hij zich daarbij aansluiten.'

'Schaamt u zich dan over het complot dat achter die aanklachten zit?'

'Er is geen sprake van schamen en er is ook geen complot. Het is een kwestie van ingewikkelde politiek.'

'Ingewikkeld, dat is het juiste woord. En u hebt mij in de rotzooi laten belanden. Niet alleen moet ik oppassen voor de regering, maar ook voor Folkestone, de man die het hardst zijn best heeft gedaan om me te helpen.'

'Het spijt me, het is heel jammer, maar in de politiek zijn onze beste vrienden soms degenen die ons onopzettelijk verraden.'

'Wat wilt u dan dat ik doen zal?'

'Folkestone verzekeren dat Kent nu achter ons staat. Zeg desnoods dat u en ik intieme vrienden zijn en dat ik doodsbang ben dat het schandaal zal uitlekken.'

'Ik zou je danken!'

'Die suggestie zal hem op een afstand houden en hem beletten meer vragen te stellen.'

'Waarom zou ik hem op een afstand houden? Ik vind hem wel aardig.'

'Vertel hem welke leugen u wilt, maar niet de waarheid.'

Ze ging overeind in bed zitten, duwde de kussens in haar rug, wierp nog eens een blik in de spiegel en verschikte haar sjaal.

'Voor een patriot bent u bijzonder indrukwekkend, kolonel Wardle. Jammer dat de procureur-generaal u niet hoort.'

'Mijn lieve mevrouw, politieke maatregelen...'

'Politiek... klets! Praat me niet van politiek, die stinkt. Goed, ik zal zijn lordschap wel wat wijsmaken, wees maar gerust; en als ik weer naar het Lagerhuis word geroepen, zal ik gaan. Ik zal niets verraden, dus maak u niet benauwd... En zoudt u nu maar niet liever weggaan en aan zijn lordschap zeggen dat ons tête-à-tête afgelopen is?' Alle bezorgdheid viel plotseling van Wardle af. De bedrukte uitdrukking op zijn gezicht en het gefronste voorhoofd verdwenen. Hij verliet de kamer en ze hoorde hem in de salon praten. Ze kon zich de situatie precies voorstellen: Folkestones nieuwsgierigheid, Dodd en Wardle sluw-terughoudend en de hemel mocht weten hoeveel lasterpraat over haar. Eindelijk hoorde ze een deur dichtslaan en voetstappen op straat. Ze waren weg en ze kon gaan slapen. Ze stond op het punt haar sjaal af te doen en de lamp uit te draaien toen er weer aan de slaapkamerdeur werd geklopt.

'Binnen!' Wat had Martha nu weer? Maar het was Martha niet – het was weer lord Folkestone die nogal koortsachtig en steels deed.

'Ze zijn weg. Ik heb ze allebei afgescheept,' zei hij en hij liep op zijn tenen naar het bed en vatte haar hand. O, goeie genade... ook dát nog! Haar stemming van een halfuur geleden was totaal veranderd. Het moment was voorbij en ze wilde alleen nog maar slapen. Ze onderdrukte een geeuw en probeerde te glimlachen.

'Ik dacht dat jij ook was vertrokken?'

'Ik kom je goedenacht zeggen.'

Ze wist wat dat betekende – dat had ze tientallen malen meegemaakt. Niet met de radicale lord, maar met anderen. Vijf minuten lang was het altijd hetzelfde liedje: een strelen van handen, gemompel en gefluister en dan een haastig verzoek. Het beste was, het maar zo gauw mogelijk af te handelen en hem dan naar huis te sturen. Een extatische vermoeidheid voorwenden had meestal het gewenste succes. Hij zou dan uit bed glippen in de overtuiging dat hij de wereld veroverd had.

'Zal ik het licht uitdraaien?' fluisterde hij.
'Als je dat liever wilt.'
Ze keek op de klok. Kwart voor elf. Als hij om kwart over elf wegging, en dat was optimistisch gerekend, zou ze nog acht uur kunnen slapen voor ze om zeven uur haar thee kreeg... Maar als – en haar instinct waarschuwde haar dat dat hoogst waarschijnlijk het geval zou zijn – deze Frans-gezinde lord ervaring miste, alleen belofte en geen daden, dan drong de tijd en was het een kwestie van *faites vos jeux* en *allons-y.*

6

Woensdag de tweeëntwintigste februari was de laatste dag waarop de getuigen werden gehoord en kolonel Wardle maakte plaats voor de voorzitter van het Huis, na te hebben verklaard dat hij het niet nodig achtte nog meer getuigen op te roepen, daar de brieven, die in het bezit van kapitein Sandon waren gevonden, voldoende bewezen dat de hertog van York medeplichtig was geweest in de promotie-affaire.

Meester Perceval begon te zeggen dat hij elk misverstand dat er zou kunnen bestaan, in zake het zo laat voor de dag komen met de bewijzen van kapltein Sandon en het briefje over majoor Tonyn, uit de weg wilde ruimen. Er hadden geruchten onder de oppositiepartij de ronde gedaan dat kapitein Sandon van personen, die zeer bevriend waren met de hertog van York, bevel had gekregen de brief te vernietigen. Dit was volkomen bezijden de waarheid.

De oppositie ontving deze mededeling zwijgend. Het viel haar, evenals de leden van de regeringspartij, op dat er niets meer werd gezegd over de mogelijkheid dat het briefje vals was en dat er geen grafologen meer bij werden gehaald.

In een laatste poging om mevrouw Clarke in diskrediet te brengen, liet de voorzitter mevrouw Favoury, huishoudster, als getuige voorkomen, erop hopend dat ze minachtend over haar meesteres zou spreken. Martha werd, met ogen groot van verbazing, overgelaten aan de procureur-generaal.

'Bent u in Gloucester Place de huishoudster van mevrouw Clarke geweest?'

'Ja.'

'Kostte de huishouding veel geld?'

'Jazeker. Er waren soms drie koks in de keuken als er een diner werd gegeven, en als Zijne Koninklijke Hoogheid ergens aanmerkingen op had, liet ze er nog een bij komen.'

'Ontving mevrouw Clarke geregeld bezoek van andere heren?'

'Ja, er kwamen geregeld heren over de vloer.'

'Kwam Samuel Carter, voor hij als lakei bij mevrouw Clarke in dienst kwam, met een zekere kapitein Sutton bij haar thuis?'

'Kapitein Sutton bracht hem wel eens mee, maar hij nam Sam niet mee in de salon.'

'Weet u ook of mevrouw Clarke ooit heeft samengewoond met meneer Ogilvie?'

'Ik ken meneer Ogilvie wel, maar ze woonde niet met hem samen. Hij kwam gewoon op bezoek toen we nog in Tavistock Place woonden. Een aardige man.'

'Kent u iemand die Walmsley heet?'
Martha bloosde en keek de procureur-generaal verwijtend aan. Sir Vicary Gibbs boog voorover. Zeker alweer een minaar om toe te voegen aan de lijst van mevrouw Clarkes veroveringen? De naam Walmsley gonsde langs de banken. De procureur-generaal hief, stilte verzoekend, zijn hand op.

'Als u', zei hij tegen Martha, 'iets over meneer Walmsley kunt vertellen, zal ik dat graag horen.'

Martha zocht naar haar zakdoek. Als ze de waarheid niet vertelde, kon die procureur-generaal haar wel eens in de gevangenis stoppen.

'Mevrouw Clarke weet ervan,' antwoordde ze. 'Ik ben met die man getrouwd geweest en hij wás al getrouwd. Hij heeft me belogen, ik wist er niets van. Toen ik het hoorde, wilde ik niet meer bij hem blijven. Ik ben in de kerk van Woolwich met hem getrouwd. Hij was kolenhandelaar en mevrouw Clarke zei dat ik me niet met hem moest inlaten, maar ik wou niet luisteren.'

Een luid gelach klonk door de zaal. De procureur-generaal stond zijn verwarde getuige, met een blik op meester Perceval, toe te vertrekken en riep mevrouw Mary Anne Clarke voor haar laatste verhoor op.

'Wist u dat van die Walmsley?'

'Ja, ik had dikwijls over de man gehoord. Ik vernam dat hij een dief was en ik miste wat soepborden; mijn bedienden dachten dat hij die gestolen had. De man had een slecht karakter en de hertog vond het het beste dat zij niet langer bij me in dienst bleef.'

'Hoe lang daarna hebt u haar weer in dienst genomen?'

'Ik nam haar pas weer terug toen ik haar hard nodig had. Mevrouw Favoury kent al mijn zaken en ik geloof dat ze mijn geheimen ook bewaart. Ik heb nooit gemerkt dat ze ook maar in iets oneerlijk was.'

'Blijft u bij uw vorige verklaring dat u eens een lange lijst namen hebt ontvangen en die aan Zijne Koninklijke Hoogheid hebt getoond?'

'Ja. Hij stak de lijst in zijn portefeuille en later zag ik die lijst weer terug en waren sommige van de namen doorgestreept. Ik vermeld dit alleen, omdat ik een heer aan mijn rechterhand juist hoorde zeggen dat ik misschien wel zijn zakken had gerold.' Ze wierp een beschuldigende blik op de zondige Tory en er klonk een spottend geroep van: 'Foei!' aan de oppositiezijde.

'U hebt bij een vorige zitting gezegd dat u majoor Dodd kent. Wanneer hebt u hem het laatst gesproken?'

'Dat herinner ik me niet meer. Ik schaam me niet voor majoor Dodd, en ik durf te zeggen dat majoor Dodd zich niet voor mij schaamt. Behalve misschien op dit ogenblik.'

'Kent u een zekere meneer Ogilvie?'

'Ja.'

'Hoe lang kent u hem al?'

'Dat weet ik niet precies. Enkele jaren.'

'Vier jaar?'

'Misschien wel.'

'Zes jaar?'

'Dat geloof ik niet.'

'Hoe lang hebt u meneer Ogilvie gekend voor u met de hertog van York ging samenwonen?'

'Een paar maanden. Zijn zaken waren juist failliet gegaan toen ik hem leerde kennen.'

'Hebt u ooit met hem samengewoond?'

'Ik heb met geen enkele andere man samengewoond dan met de hertog van York.'

Toejuichingen en gefluit. De getuige luisterde ernaar zonder haar gezicht te vertrekken. De procureur-generaal haalde zijn schouders op. Lord Folkestone staarde naar zijn voeten. Kolonel Wardle wiste zijn voorhoofd af. En toen, tot grote teleurstelling van het Lagerhuis, kondigde de procureur-generaal aan dat hij de getuige geen verdere vragen te stellen had.

De zitting werd besloten met de verklaring van twee militaire sprekers voor de regering – de minister van Oorlog en Sir Arthur Wellesley.

'Wat de toestand van het leger betreft,' zei Sir Wellesley, 'kan ik met kennis van zaken verklaren dat het in elk opzicht materieel zeer verbeterd is. De discipline van de soldaten is vooruitgegaan, de officieren zijn beter geïnstrueerd, de staf is beter dan ze geweest is en veel uitgebreider, de cavalerieofficieren zijn beter dan ze geweest zijn, de uitrusting van het leger, de inwendige economie van de regimenten en alles wat betrekking heeft op de militaire discipline van de soldaten en de militaire bekwaamheid van het leger zijn in hoge mate vooruitgegaan sedert Zijne Koninklijke Hoogheid de hertog van York, tot opperbevelhebber is benoemd.'

Nadat deze laatste verklaring was aangehoord, stelde meester Perceval voor, daar de notulen de volgende maandag pas gedrukt zouden zijn, de verdere behandeling van de zaak tot de volgende dinsdag uit te stellen. Kolonel Wardle ging hiermee akkoord. Het onderzoek naar het gedrag van de hertog van York was afgelopen. Het debat dat van donderdag drieëntwintig februari tot vrijdag zeventien maart zou duren, moest nog komen.

7

Ze zat met een gevoel van anticlimax, van diepe depressie in de salon van Westbourne Place. Het onderzoek, hoe onaangenaam ook, was toch opwindend geweest. Nu kon ze niets anders doen dan wachten op de uitspraak. Het scheen er weinig op aan te komen aan welke kant het vonnis zou worden geveld. Ze voelde geen wrok nu, geen boosheid. Zelfs de zitting van de krijgsraad was ze vergeten. Adam was de schuld van alles – Adam en Greenwood. Ze nam het ochtendblad op en las de brief die de hertog van York naar het Lagerhuis had gezonden.

"Geachte heren, ik heb met het grootste ongeduld gewacht tot de commissie, welke het Lagerhuis heeft benoemd om een onderzoek in te stellen naar mijn gedragingen als opperbevelhebber van Z.M.'s leger, dit onderzoek zou hebben beëindigd en ik hoop dat u het niet onbehoorlijk zult vinden dat ik deze brief door uw tussenkomst tot het Lagerhuis richt.

Ik vind het bijzonder jammer dat gedurende het proces mijn naam is verbonden aan transacties van misdadige en onterende aard en ik zal altijd blijven betreuren dat er ooit enige relatie heeft bestaan met iemand die op deze wijze mijn karakter en eer heeft blootgesteld aan openbare kritiek."

Jawel, betreur het maar. Dat heb je anders vroeger niet gedaan. Je hebt het niet betreurd toen je beloofde voor mijn kinderen te zullen zorgen. Je betreurde het alleen toen je je geblaseerde ogen liet vallen op mevrouw Carey en ik je in de weg stond. En als je toen je belofte had gehouden, zou ik je gespaard hebben. Ze raapte de krant op en las verder:

"Wat betreft mijn beweerd vergrijp, dat aanleiding zou kunnen worden dat ik van mijn officiële functie word ontheven, betuig ik hierbij plechtig, bij mijn eer als prins, mijn onschuld; niet alleen door te ontkennen dat ik ooit een corrupt aandeel heb gehad aan de schandelijke transacties welke in het Lagerhuis zijn besproken of ooit zulke dingen oogluikend zou hebben toegelaten, maar ook dat ik ooit het geringste vermoeden heb gehad dat ze bestonden."

God moge je vergeven! En die oorringen dan, die ik bij Parkers heb gekocht, en de paarden en rijtuigen en mijn toiletten en het zilver met het erin gegraveerde wapen? Denk je dat ik dat alles heb kunnen betalen van die tachtig guinjes per maand die je me had toegezegd?

"In het bewustzijn van mijn onschuld spreek ik vol vertrouwen de hoop uit dat het Lagerhuis, na de gehoorde verklaringen, geen maatregelen zal nemen die mijn eer en karakter zullen schaden. Mocht echter het Lagerhuis aan mijn onschuld twijfelen, dan eis ik dat ik niet zonder verhoord te zijn zal worden veroordeeld en dat mij niet de bescherming der wet zal worden onthouden waarop elk Brits burger volgens de grondwet recht heeft.

w. g. Frederik."

Zou hij dat zelf geschreven hebben of zou het zijn opgesteld door zijn secretaris Herbert Taylor, met misschien Adam op de achtergrond?

Volgens Folkestone had de brief weinig indruk gemaakt.

'En wat gaat er nu gebeuren?'

Ze legde deze vraag aan de samenzweerders voor toen deze haar kwamen bezoeken; die samenzweerders waren Wardle, Dodd en Glennie, het drietal dat de zaak aan het rollen had gebracht.

'We kunnen geen plannen vooruit maken,' zei Wardle, plotseling erg gewichtig doende, 'uw toekomst en de onze hangen van het Huis af. De volgende weken zal ik het buitengewoon druk hebben. Het hele gewicht van het debat zal op mij neerkomen.'

'Krijgt u dan geen steun van de rest van de oppositie?'

'Natuurlijk wel. Maar als aanklager ben ik de verantwoordelijke persoon.

Ik sta in het voetlicht, iedereen kijkt naar mij.'

'Dat is juist wat u graag wilt, mijn uitgestreken, onberispelijke patriot.'

'Mijn lieve mevrouw Clarke, die scherpe tong staat u helemaal niet.'

'In het Lagerhuis hebt u haar toch maar bewonderd.'

'Dat was heel wat anders. Daar gebruikte u haar tegen de regering; wij zijn uw vrienden.'

'Over de regering gesproken...' zei Dodd en ze zag de beide mannen blikken van verstandhouding wisselen.

'We hebben gisteravond met Sir Richard Phillips over u gesproken.'

'Die uitgever in Bridge Street?'

'Juist. Een groot bewonderaar van u, dat zei hij althans.'

'Zo. En wat wil hij?'

'Waarom zou hij wat willen? Hij prees uw charme.'

'De ondervinding heeft me allang geleerd, majoor Dodd, dat geen enkele man ooit bewondering uitdrukt, tenzij hij iets wil van de persoon die hij bewondert.'

'Wat een buitengewoon cynische opvatting.'

'Ik ben een cynische vrouw.'

Kolonel Wardle kwam tussenbeide.

'De kwestie stond in verband met Phillips' zaken. U staat nu in het middelpunt van de belangstelling – heel Londen spreekt over u – en daarom hoopt hij dat u uw memoires zult willen schrijven. De vraag ernaar zou, volgens hem, enorm zijn.'

'Mijn memoires?... Memoires waarover?'

'Over uw leven met de hertog, over alle mensen die u ontmoet hebt, over al de praatjes en schandalen. U zoudt er natuurlijk een fortuin mee verdienen. U zoudt voor uw leven verzorgd zijn.'

'Maar ik dacht dat u dat allemaal al had geregeld? Dat de hertog van Kent me een pensioen zou geven?' Er volgde een pijnlijke stilte. Toen zei Dodd: 'Natuurlijk, dat komt in orde als het debat in het Lagerhuis achter de rug is en we weten hoe de zaken staan. Intussen hebt u alles te winnen en niets te verliezen door uw boek zo gauw mogelijk te laten verschijnen.'

'Met uw talent, uw geest, uw charme en het gemak waarmee u zich uitdrukt zou het slechts een kwestie van weken zijn,' zei Wardle.

'Phillips kent een broodschrijver die het wel in de juiste vorm zal gieten. Een zekere Gillingham.'

'Ik ben bereid te helpen,' zei majoor Dodd.

'Ik heb een vlotte pen, mijn vrouw zei altijd dat als ik er maar tijd voor had, ik best een roman zou kunnen schrijven. Zijne Koninklijke Hoogheid de hertog van Kent heeft hetzelfde gezegd.'

'Waarom schrijft hij dan zijn memoires niet? Ze zouden beter verkopen dan de mijne. Hoe hij madame de Laurent voor het eerst heeft ontmoet, met alle details. En hoe de troepen in Gibraltar hem in de vorm van Guy Fawkes verbrand hebben.'

'Als u uw memoires schrijft,' zei kolonel Wardle, trachtend van onderwerp te veranderen, 'moet natuurlijk het voornaamste doel zijn de hertog te bekladden, maar tegelijkertijd moet het een aanval zijn op de huidige regering. Rakel alle praatjes op, daarmee helpt u de vrijheid en ons allen.'

'Ik moet dus de vuile was van de regering doen en u de moeite besparen.'

'Ik heb het te druk, ik heb geen tijd om te schrijven.'

Goeie hemel, wat walgde ze van dat zootje. Ze gebruikten haar als werktuig om hun plannen te bevorderen. Het kwam er niet op aan hoe zij zichzelf besmeurde, hun handen bleven schoon zolang ze maar afstand bewaarden.

'Ik zal u wat zeggen,' zei ze. 'Ik zou een boek kunnen schrijven over het privé-leven van alle mannen die ik gekend heb. U erbij inbegrepen, en u ook majoor Dodd.'

'Mevrouw, onze levens zijn van dien aard dat ze elk onderzoek kunnen verdragen. Vraag het aan onze vrouwen.'

'Goed. Hoe staat het met dat pseudoniem "meneer Brown"? En het koffiehuis aan het eind van Cadogan Square?'
Kolonel Wardle werd paarsrood en knipperde met zijn ogen.

'Wat bedoelt u eigenlijk?'

'Onderzoek uw geweten maar eens áls u er een hebt, hetgeen ik betwijfel.

Het kamermeisje drinkt in de keuken thee met Martha. En wat majoor Dodd betreft, er is een eethuis in Drury Lane met een roodharig meisje achter het buffet. Mijn broer dineert er wel eens – hij is dol op het toneel.'

Majoor Glennie grinnikte: 'En wat weet u van mij?'

'Ik vraag me alleen af hoe u uw tegenwoordige veilige baantje als wiskundeleraar in Woolwich hebt gekregen. Ik dacht dat alle artillerie-experts in Spanje nodig waren.'

Stilte. Toen een luid, geforceerd geschater en kijken op de horloges – ze moesten opeens allemaal naar huis.

'Als u over die memoires mocht denken, mevrouw Clarke, dan is Sir Richard juist de man die u moet hebben, een zeer actief uitgever.'

Zo actief dat er met de volgende post al een dringend verzoek van hem kwam om een onderhoud. Ze had een gesprek met Sir Richard in zijn kantoor in Bridge Street en terwijl ze rondkeek, gingen haar gedachten tien jaar terug toen ze, niet in zijn kantoor maar in andere kantoren die erop leken, haar schandaalberichtjes voor de halve-stuivers pamfletten had verkwanseld.

Tien shilling per kolom was de prijs in die dagen, geld dat Joseph in de kroeg opmaakte. Meneer Jones in Paternoster Row zei altijd: 'Het is niet smerig genoeg, het publiek wil iets hebben dat sist, dat het gehemelte prikkelt.'

Maar nu waren de shillings duizenden geworden.

Sir Richard Phillips begon met haar te prijzen over de wijze waarop ze zich in het Lagerhuis geweerd had.

'Mijn waarde mevrouw Clarke, het hele Huis lag aan uw voeten.'

'Waarschijnlijk met uitzondering van de procureur-generaal. En de voorzitter is ook nooit op zijn knieën gevallen. En ik heb ook niet gezien dat al die zittende gedaanten in de regeringsbanken zich verroerden.'

'Maar ze waren evengoed onder de indruk, dat verzeker ik u. U bent veel te bescheiden. Maar nu die memoires van u: hoe staat het daarmee?'

'Wat bedoelt u?'

'Hebt u er al iets van op papier?'

'Geen regel.'

'Maar ik meen te hebben gehoord dat u verleden zomer voor het onderzoek begon enkele notities hebt gemaakt over uw leven in Gloucester Place, gesprekken met de hertog, bijzonderheden van particuliere aard over de koninklijke familie, enzovoort. Zulke dingen moet ik hebben. Kan ik ze soms eens zien?'

'Dat hangt ervan af wat u van plan bent ermee te doen.'

'Publiceren natuurlijk, met bepaalde aanvullingen. Een toetsje hier en daar door een geroutineerd vakman, terwijl u het materiaal en de brieven levert. Gepeperd, daar twijfel ik niet aan. Ik ken die prinsen, het is het Duitse bloed, ze hebben geen notie van terughouding, van zelfbeheersing. Ik zal u goed voor de rechten betalen, mevrouw Clarke.'

'Ik verkoop geen rechten, Sir Richard.'

'Verkoopt u die niet – wat is dan uw bedoeling?'

'U kunt de memoires drukken en ze verkopen als u wilt, maar u blijft alleen de verkoper. De rechten geef ik niet uit handen.'

'In dat geval kunnen we geen zaken doen, mevrouw Clarke.'

'Dat is dan jammer. Ik zal wel iemand anders vinden, ik heb geen haast.'

Ze stond op om te vertrekken, doch hij verzocht haar nog even te blijven.

'Als ik het boek niet zelf uitgeef kan ik u in contact brengen met een uitstekend man die op het punt staat uitgever te worden, een zekere meneer Gillet, die al een poos in het vak zit. Hij is toevallig hier, ik zal hem aan u voorstellen.' Ze doorzag het spelletje direct. Radertjes die in elkaar grepen. Er was iemand anders die 'toevallig was komen binnenlopen', maar die in werkelijkheid natuurlijk vol spanning wachtte op het belletje dat hem zou binnenroepen.

'En toevallig is hier ook juist een boekhandelaar uit Kent die een bloeiende zaak heeft in Maidstone, een zekere Sullivan. Eén blik op u en hij zal een bestelling doen. Smeed het ijzer terwijl het heet is, is mijn motto.'

Entree van meneer Gillet en meneer Sullivan! Meer vleiende woorden en complimentjes over haar charme, daarna gekrabbel van cijfers op een stuk papier.

'Een eerste editie van twaalfduizend exemplaren. Ik neem aan dat we die in een paar weken kwijt zijn.'

'Een portret van de schrijfster voorin? En getekend natuurlijk – als de naam er niet bij staat heeft het geen waarde.'

'Hoe staat het met Ierland, de markt in Dublin?'

'De Ieren betalen niet zoveel, maar ze zullen het boek zeker willen hebben.

Ik denk zo dat mevrouw Clarke er een tweeduizend guinjes van zal opstrijken.'

Ze luisterde zwijgend en stelde toen een vraag.

'En hoe staat het met een voorschot voor het boek is uitgegeven?'

Doodse stilte. Toen zei meneer Gillet: 'Het is de gewoonte dat het manuscript eerst wordt afgeleverd.'

De beide anderen vielen hem bij.

'O, juist. Dan kan ik beter nu naar huis gaan en beginnen met schrijven.'

Dat was een opluchting voor de drie mannen. Het onderhoud was afgelopen, er was door geen van beide partijen iets zwart op wit gezet – geen ondertekeningen van contracten, niets bindends, maar een literaire toekomst en een fortuin waren beloofd. Ze zou hen geloven als ze het geld in handen had; dán zou pas blijken of al hun mooie woorden gemeend waren geweest. Terug naar Westbourne Place. Een vel papier... En dan? Memoires van M.A. Clarke – was dat een goede titel? Klonk zo droog als zand. Mijn opkomst en val leek beter geschikt, maar die opkomst zou heel wat onthullingen vereisen en heel wat sensatie verwekken. Beter geen slapende honden wakker maken en er een sluier voor laten hangen tot de meisjes getrouwd waren en George generaal was. Mijn leven met de hertog? Dat stond allemaal in de notulen en werd op het moment in het Lagerhuis uit elkaar geplukt. Ze zouden er natuurlijk een heleboel dingen niet in vinden. Wat hij droeg (of niet droeg), zijn voorliefde voor bepaalde gerechten, zijn stemming aan het ontbijt, het zingen in de badkuip, zijn afkeer van een beddenpan, het geeuwen midden in de nacht.

Ze zouden natuurlijk zeggen dat ze loog – dat was de moeilijkheid – en haar ter verantwoording roepen wegens laster. Wilde het boek werkelijk overtuigend zijn, dan moest ze er zijn brieven in opnemen: die konden niet ontkend of weggepraat worden. Ze bewaarde ze allemaal in die trommel, samengebonden met een lint, behalve die paar die ze mee naar het Lagerhuis had genomen; de brieven wilde het publiek juist hebben. Niet de minnebriefjes, zoals er enkele in het Lagerhuis waren voorgelezen, maar de brieven waarin hij uitpakte over zijn familie.

De koning die whist speelde in zijn kamerjas (bijgenaamd Snuffie), terwijl de premier, meneer Pitt, op een audiëntie zat te wachten... De koningin die zo geweldig aan het protocol vasthield dat iedereen plat op zijn gezicht viel als ze naderde... De bevalling van de prinses van Wales met vreemde bijkomstigheden... De gewoonten en liefhebberijen van zijn broers, vooral van Cumberland, met overal spiegels in St. James en wonderlijk uitziende kamerdienaars...

Ja, die brieven waren heel wat waard als ze eenmaal gebonden, in kalfsleer met gouden letters, zouden worden uitgestald. Maar of Sir Richard, Gillet of die vent uit Maidstone evenveel voor het bezit ervan zouden betalen als de koninklijke hand die ze had geschreven, was een open vraag – en verdiende eens te worden nagegaan. Het was amusant te bemerken dat een algemeen gevoel van onbehagen vele van haar vrienden scheen te hebben aangegrepen. James Fitzgerald uit Ierland was een van de zenuwachtigsten – en met reden, als ze aan zijn brieven dacht.

Hij was niet de enige die haar smeekte om, wanneer ze er ooit over zou denken haar memoires te schrijven – het gerucht was dus al tot Dublin doorgedrongen! – ter wille van hun oude vriendschap hem erbuiten te houden. Als zijn brieven niet verbrand waren, zou ze hem die dan alsjeblieft willen terugsturen? Ze kon ze niet terugsturen en ook niet verbranden, want ze zaten in het pakje dat Nicols in Hampstead had gevonden en ze berustten nu in het Lagerhuis. Dit nieuws had tot gevolg dat hij Willie, zijn zoon, op een dag om zes uur 's morgens met tranen in de ogen naar haar huis stuurde.

'Wat is er in hemelsnaam gebeurd? Is je vader dood?' De gordijnen werden haastig dichtgetrokken, het vuur opgerakeld, warme koffie en eieren voor hem neergezet; zijzelf trok snel een peignoir aan.

'Mary Anne, we staan voor de ondergang. Jij alleen kunt ons redden.'

'Ik heb nauwelijks vijf guinjes in huis. Ik zal wel iemand naar mijn stoffeerder sturen, die zal me wel wat voorschieten.'

'Nee, dat is het niet, het gaat niet om geld...'

'Maar wat is er dan?'

Hij zag eruit als een ontsnapte krankzinnige. Hij had zelfs stro in zijn haar (van de boot van Dublin), hij had zich niet geschoren en zijn nagels niet schoongemaakt.

'Mijn vader heeft je briefje vijf dagen geleden ontvangen. Ik ben direct hierheen gereisd... je moet de brieven terug zien te krijgen.'

'Hoe kan ik dat? Ze liggen verzegeld in het Lagerhuis.'

'Je moet direct een verzoek richten tot Perceval.'

'Daar luistert hij natuurlijk niet naar. Hij zal waarschijnlijk het zegel al verbroken hebben en ze allemaal lezen.'

'Besef je niet in welke positie we zullen verkeren als we onteerd worden?

Mijn vader zal zijn hoofd nooit meer durven opheffen, mijn zuster zal haar verloving moeten verbreken en ik...'

'Ik weet het, ik weet het, het is ellendig. Er is een brief bij waarin James me vraagt om mijn agent te mogen worden in Ierland, ik meen zo ongeveer in 1805 geschreven, en waarin hij zegt dat hij de prijzen voor vaandrigs zou kunnen opjagen. Het zal een beroerde indruk maken als dat wordt voorgelezen voor de commissie.'

'En daar lach je om... ?'

'Wat kan ik anders doen? Ik heb de brieven niet. Ga er Perceval zelf om vragen, maar hij zal wel niet naar je luisteren voor het debat is afgelopen.'

'Zul je ze niet in je memoires vermelden?'

'Ik beloof niets. Eet nu maar je ontbijt.'

Hoe had ze hem ooit amusant kunnen vinden in Worthing? Het moest zijn jong, blond uiterlijk zijn geweest, gecombineerd met het feit dat ze zich verveeld had en het een warme julimaand was geweest.

Ze kreeg opeens een inval: 'Ik zal je zeggen wat je doen kunt,' zei ze, 'je hebt me verteld dat je de graaf van Moira en de graaf van Chichester goed kent. Ik heb ze ontmoet met jou. Mijn naam is nu natuurlijk besmeurd in hun ogen, maar dat doet er niet toe. Ze zijn jarenlang persoonlijke vrienden van de hertog van York geweest. Strooi rond dat ik mijn memoires ga publiceren met alle brieven van de hertog erin, maar dat ik misschien van gedachten zal veranderen als iemand me zou overhalen het niet te doen.'

Dat was toch zeker duidelijk genoeg en liet alle deuren open.

En gedurende die weken in maart, terwijl de debatten dag in dag uit voortgingen, met lange, eindeloze redevoeringen – de voors en tegens, de lof en de laster, het hemelhoog prijzen en het in de grond trappen – krabbelde de kroongetuige van Wardle maar steeds in notitieboekjes: bekentenissen, indrukken, uitweidingen en alle mogelijke andere dingen. Er was geen tijd voor iets anders, zelfs niet voor de kinderen (die veilig ver weg op het land zaten met haar moeder); zelfs geen moment voor Bill, die in Uxbridge op zijn oude vader paste die een beroerte had gekregen. Een enkele keer pauzeerde ze even, wanneer zijn radicale lordschap, opgewonden van het debat in het Lagerhuis, haar clandestien kwam bezoeken. Dan hoorde ze al het nieuws. Hoe het ging met de oorlog der idealen; hoe iemand haar een heks en een ander haar een hoer had genoemd en een derde een arme, miskende vrouw, die hunkerde naar genade van de hemel.

'Wie wint?'

'Het loopt op het eind.'

'Wordt het een nek aan nek finish?'

'Nee, een regeringsvoorsprong, maar een voorsprong waar ze liever niet naar kijken.'

'Dat betekent?'

'Ontslag!'

'Voor wie?'

'Voor je dappere opperbevelhebber.'

Ze voelde geen blijdschap of triomf – alleen maar pijn in haar hart en een gevoel van schaamte. Ik zal vergelden, zegt de Heer – dat stond in de versleten bijbel van haar moeder; maar al wat die wraak bereikt had was een nare smaak in haar mond.

'Mag ik blijven?'

'Als je wilt.'

En zelfs dat was anders, een niet begeerde daad; de oude ervaring gedeeld zonder vuur, zonder dwaasheid.

Het Lagerhuis bleef de hele nacht van zestien maart bijeen voor het tot stemming kwam. Het debat dat drie weken had geduurd, was eindelijk afgelopen en de laatste redevoeringen voorspelden al hoe het Huis zou stemmen.

Eerst gaven de voorzitter en de procureur-generaal als hun mening te kennen dat er geen noodzaak bestond Zijne Koninklijke Hoogheid uit zijn ambt te ontzetten, een ambt dat hij zo uitstekend vervulde. Wanneer men mevrouw Clarke kon geloven, dan waren de beschuldigingen bewezen, maar haar verklaringen schenen één weefsel van verzinsels te zijn. Het was de plicht van het Huis hem vrij te spreken van de lage beschuldigingen die tegen hem waren uitgebracht.

Sir Francis Burdett van de oppositie zei dat het hem ten hoogste verbaasde te ontdekken dat de voorzitter van het Huis, meester Perceval, die tevens het ambt van minister van Financiën bekleedde, Sir Vicary Gibbs, procureur-generaal, en alle rechtsgeleerden van de kroon, wier plicht het was delinquenten te straffen, zich ditmaal schaarden aan de zijde van de aangeklaagde partij.

De bedoeling was geweest al de verklaringen van mevrouw Clarke te weerleggen, en verbazingwekkend was de consequente wijze geweest waarop zij die verklaringen had afgelegd. Allen die trachtten haar erin te laten lopen en op tegenspraak te betrappen, werden steeds weer teleurgesteld. De procureur-generaal werd telkens overtroefd.

Wat die hoogstaande principes van de hertog van York betrof: hij had zonder enig gewetensbezwaar zijn maîtresse afgedankt en haar blootgesteld aan armoede en laster. Het toegezegde jaargeld werd niet uitbetaald, hetgeen genoeg zegt over de waarde van de koninklijke belofte. De hoge rang van de prins had niets met de zaak te maken; het ging in deze zaak om het recht in Engeland en om het volk van Engeland, dat verwachtte dat het Lagerhuis recht zou spreken. Naar zijn mening was het onmogelijk, na al wat men gedurende de laatste weken in het Lagerhuis had gehoord, dat de hertog van York zijn positie als hoofd van het leger zou kunnen behouden. Onder enorme opwinding van alle aanwezigen ging men tot stemming over en het resultaat was zoals lord Folkestone had voorspeld. Hoewel de hertog van York werd vrijgesproken van persoonlijke corruptie en medeplichtigheid, was de meerderheid te zijnen gunste toch niet meer dan tweeëntachtig. Op papier, in cijfers, waren de beschuldigingen dus weerlegd, in de ogen van de publieke opinie was de hertog van York veroordeeld en het resultaat was een triomf voor de oppositie. Toen het nieuws vrijdagavond bekend werd, heersten er vreugde en gejuich in de straten van Londen. Kolonel Wardle werd een nationale held, mevrouw Clarke een weldoenster van het Britse volk en in plaats van dat de straatjongens stenen door haar vensters gooiden, stond er nu een menigte uit de achterbuurten van Chelsea en Kensington voor haar huis te wachten tot ze op haar stoep zou verschijnen en hen toelachen. Die avond ging ze naar het Heymarket-theater, waar een weldadigheidsuitvoering werd gegeven voor de acteurs en actrices van Drury Lane. Ze was in gezelschap van Charley, May Taylor en lord Folkeston en toen ze haar loge betrad en men haar ontdekte, stegen uit het hele theater applaus en gejuich op.

'Dit vergoedt alles wat je hebt doorgemaakt, hè?' fluisterde Charley. Zijn zuster glimlachte, boog en wuifde naar de menigte.

'Nee,' zei ze en glimlachte en wuifde weer.

'Wat wil je dan nog meer? Een verontschuldiging in het openbaar?' Ze lachte.

'Ik zal mijn tijd afwachten,' antwoordde ze. 'Wacht maar. Binnenkort zal ik afrekenen met Vicary Gibbs.'

'Als ze je nu al zo toejuichen,' mompelde lord Folkestone, toen het applaus wegstierf en het publiek ging zitten, 'wat zal het dan wel worden als je je memoires gepubliceerd hebt?'

'Een auteur wordt gelezen, niet bekeken,' fluisterde Mary Anne.

'Het is bovendien best mogelijk dat ik ze helemaal niet zal publiceren.'

'Maar dat moet je doen...' Hij keek verbaasd.

'Ik hoorde van Sir Richard Phillips dat alles al geregeld is. Het boek zal een nieuwe spaak zijn in het wiel van de regering en de oppositie nog meer populariteit verschaffen.' Mary Anne haalde haar schouders op. De lichten werden verduisterd.

'Als je denkt dat dat me iets kan schelen, heb je het mis,' zei ze. 'Vechten jullie je eigen ruzies maar uit.'

'Waarom heb jij dan zo hard meegevochten?'

'Voor de toekomst van mijn kinderen.'

Het scherm ging op en het werd stil in de zaal. De titel van het stuk was: Wittebroodsweken. Het auditorium stond halverwege de voorstelling unaniem op en juichte toen een van de hoofdrolspelers een tirade besloot met: 'Het zal natuurlijk vervelend zijn om me aan het eind van de maand terug te trekken, maar evenals andere grote mannen die een ambt bekleden, moet ik van de tijd gebruikmaken en uit mezelf weggaan voor ik eruit word gegooid.'

Weer wendden alle hoofden zich naar de rechtse loge en werd er gewuifd en geroepen. De triomf was volmaakt.

De volgende zaterdagmorgen diende Zijne Koninklijke Hoogheid de hertog van York zijn ontslag als opperbevelhebber van het leger in, hetgeen door Zijne Majesteit minzaam werd aanvaard. De opwinding die hierop volgde, duurde tot na Pasen, en alle redevoeringen van de oppositie in Westminster werden luidruchtig bejubeld. De eerste april werd kolonel Wardle uitgeroepen tot ereburger van Londen en de burgemeester, die tegen dit voorstel in verzet was gekomen, werd door het gepeupel uitgejouwd en zijn rijtuig werd met modder bekogeld.

Diezelfde dag had de kroongetuige in het proces tegen de hertog van York een onderhoud met drie heren: de graaf van Moira, de graaf van Chichester en Sir Herbert Taylor, privé-secretaris van Zijne Koninklijke Hoogheid de hertog van York.

Bij deze bespreking – welke werd bijgewoond door haar advocaat, meester Comrie, haar broer, kapitein Thompson, en twee vrienden, William Dowler en meneer William Coxhead-Marsh – stemde mevrouw Clarke erin toe haar memoires, waarvan reeds enkele duizenden exemplaren gedrukt en in handen van de uitgever, meneer Gillet waren, niet te publiceren. Meneer Gillet zou vijftienhonderd guinjes schadeloosstelling ontvangen zodra hij alle exemplaren had vernietigd. Voor het terugnemen van de memoires en het overhandigen aan de graaf van Chichester van alle in haar bezit zijnde brieven van de hertog van York zou mevrouw Clarke de som van tienduizend guinjes contant ontvangen, benevens een jaargeld voor het leven van vierhonderd guinjes en tweehonderd per jaar voor elk van haar dochters. Haar eigen jaargeld zou na haar dood op haar dochters overgaan. De graaf van Chichester en meneer Cox van Cox en Greenwood garandeerden de uitbetalingen. Mevrouw Mary Anne Clarke ging daarna zitten en tekende de volgende overeenkomst:

"Akkoord gaande met de mij genoemde voorwaarden beloof ik, Mary Anne Clarke, 2 Westbourne Place, Londen, hierbij alle brieven, bescheiden en papieren welke in mijn bezit zijn en betrekking hebben op de hertog van York of een der andere leden van het koninklijk huis, af te staan; speciaal ook alle brieven of andere schrifturen die door de hertog geschreven of ondertekend zijn. Ook beloof ik alle brieven welke zich niet meer in mijn bezit bevinden doch door mij aan anderen zijn toevertrouwd, te overhandigen aan de vriend van de hertog. Indien dit wordt verlangd, ben ik bereid een plechtige verklaring onder ede af te leggen dat ik alle brieven en andere geschriften die de hertog aan mij heeft gericht, voorzover dit in mijn vermogen is en ze in mijn bezit zijn, heb afgestaan en dat mij geen andere bekend zijn. Tevens beloof ik, van de drukker en de personen die bezig zijn om een beschrijving van mijn leven voor publicatie gereed te maken, elk document dat in hun bezit is en alle exemplaren van het werk die reeds gedrukt mochten zijn, te vorderen. Verder beloof ik, geen enkel artikel over de verhouding tussen mij en de hertog of enige anekdote, schriftelijk of mondeling, die door de hertog ter mijne kennisse zijn gekomen neer te schrijven, te drukken of te publiceren. Verder stem ik erin toe dat, wanneer ik in gebreke mocht blijven aan de verschillende hierboven vermelde bepalingen te voldoen, het jaargeld dat mij levenslang zal worden uitbetaald en na mijn dood aan mijn dochters zal toevallen zal worden ingetrokken. Ik zal alle brieven afgeven, maar de manuscripten en al wat daarvan is gedrukt zullen worden verbrand in bijzijn van een daartoe aangewezen persoon. Ik beloof ook geen enkele kopie of kopieën van een van de brieven van de hertog van York of een manuscript of deel daarvan te behouden. Gedateerd de eerste april 1809. Getekend: Mary Anne Clarke."

Haar advocaat, meester James Comrie, tekende als getuige. Ze reed naar Westbourne Place terug en gaf een feest... maar ze dacht aan de lege stoel in het hoofdkwartier. Toen al haar vrienden vertrokken waren, ging ze voor het venster in haar salon staan. Alleen Bill was gebleven met Charley en May Taylor. Bill kwam naast haar staan en nam haar arm.

'Het einde van een tijdperk,' zei hij. 'Vergeet het nu. Een ongelukkige periode uit je leven is nu voorbij en afgedaan.'

'Helemaal niet voorbij en afgedaan. Hoe staat het nu met de toekomst?'

'Je hebt gekregen wat je hebben wilde, je kinderen zijn veilig.'

'Daar dacht ik niet aan. Ik dacht aan de beloften van Wardle.'

'Wat had hij je beloofd?'

'Kastelen en rijtuigen met vier paarden, en de hertog van Kent als koetsier met de zweep op de bok.' Ze lachte en wilde er niets meer over zeggen.

Ze dronken de laatste wijn van het royale cadeau van meneer Illingworth.

'Is je niet een bijzonder vreemde weglating in dat gewichtige document dat ik vandaag getekend heb, opgevallen? Ik beloofde dat ik geen woord over mezelf en de hertog en ons samenleven zou publiceren. Maar die belofte betrof alleen mij en niet mijn erfgenamen.'

'Denk je dat de kinderen...?' begon Bill.

Ze haalde de schouders op.

'Ik vind die weglating vreemd,' zei ze, 'dat is alles.'
Ze dronk op de toekomst en ledigde haar glas.

DEEL 4

1

Ze kwamen allemaal op hun beurt en overlaadden haar met verwijten: Wardle, Dodd, Folkestone en ten slotte, natuurlijk, Will Ogilvie, en allen vroegen ze hetzelfde: 'Waarom? Waarvoor?'
En ze gaf aldoor hetzelfde antwoord: 'Zekerheid. De kinderen.'

'Maar wij hadden de kaarten in handen,' hield Wardle vol.

'Onze overwinning was volmaakt en de publicatie van je memoires met de brieven van de hertog zou voor onze zaak van enorm voordeel zijn geweest.'

Ze haalde de schouders op.

'Uw zaak interesseert me niet. Ik heb voor u gevochten in het Lagerhuis, dat was genoeg.'

'De brieven,' jammerde majoor Dodd, 'die kostbare brieven! Het weinige dat u me van de inhoud hebt verteld, zou de hertog al voorgoed in de ogen van het publiek onmogelijk hebben gemaakt, om nog maar te zwijgen van zijn eigen familie. De hertog van Kent zou in zijn plaats zijn gekomen en zou door zijn eerlijk, bezadigd karakter in één ogenblik een vereerd en bewierookt man geworden zijn, terwijl hij nu...'

'Terwijl hij nu', vulde ze aan, 'nog op zijn achterste in Ealing zit en Sir David Dundas opperbevelhebber is.'

De radicale lord, bekommerd en teder, boog zich dicht naar haar toe en schudde weifelend zijn hoofd.

'Je had me beloofd me over elk punt te raadplegen,' zei hij verwijtend.

'Ik begrijp je verlangen naar veiligheid, maar om deze kansen weg te gooien, dat was werkelijk waanzin. De publicatie van die memoires en de brieven zou een enorm effect hebben gehad op het politieke leven, niet alleen door een breuk te veroorzaken in de gehele Tory-partij, verdeeldheid te brengen in het ministerie en de zo welkome frisse republikeinse adem door de banken te laten waaien, waar...'

'Waar frisse lucht hoog nodig is,' voltooide ze voor hem de zin. 'Veeg je Huis schoon, maar doe het zelf. Ik ben geen politicus en wil het nooit worden ook. Ga naar huis. Jullie gezichten vervelen me.'

Ze lieten haar alleen en de eenzaamheid bracht, zoals maar al te vaak het geval was, een terugslag, een anticlimax. Ongetwijfeld was ze een idioot geweest – dat zou alleen de tijd kunnen uitmaken – maar ze had ten minste geld op de bank voor Mary en Ellen en een appeltje voor de dorst voor zichzelf. Ze was niet langer afhankelijk van mannelijke grootmoedigheid. Die eeuwige angst voor de toekomst was voorgoed verbannen. Maar wat bleef erover? Zich terugtrekken en zich nergens meer mee bemoeien op haar drieëndertigste jaar? Met die verandering van stemming kwam de twijfel boven en ze kwam in botsing met Will Ogilvie.

Hij zei direct, zonder aanloopje: 'Je hebt me in de steek gelaten.'

Ze antwoordde: 'Ik heb je al lang geleden gezegd: al wat ik doe, doe ik voor mijn kinderen.'

'Nonsens. Je zou een bom duiten aan die memoires hebben verdiend en de meisjes zouden rijke erfgenamen zijn geworden. Nu heb je niet meer gekregen dan voor elk tweehonderd guinjes per jaar levenslang, een armzalige fooi; en wat die tienduizend voor jezelf betreft, jouw manier van leven en je dure smaak kennende, zul je er binnen een paar jaar doorheen zijn. En wat het grotere resultaat betreft...'

'Je bedoelt daarmee dat het paleis Buckingham Palace leeg zal staan en de Brunswijkers verspreid?'

'Zo zou je het kunnen zeggen.'

'Ronduit gezegd, Will, ik houd van pracht en praal, van rode jassen en blinkende kurassen, gepoetst koper, de koning met een kroon op zijn hoofd al is hij niet wijs en zit er stro in zijn hersenpan. Ik heb romantische ideeën over blauw bloed en Gods gezalfden.'

'O nee, helemaal niet, dat is maar een smoesje. Diep in je vrouwenhart wil je hem terug.'

'Wie?'

'Je hertog van York. Daarom heb je de brieven afgestaan en de memoires verbrand. Je denkt op je onlogische, vrouwelijke manier dat je daarmee een soort van groots gebaar hebt gemaakt. Dat zijn hart nu getroffen zal zijn, dat hij naar je terug zal verlangen en dat een dezer dagen zijn rijtuig voor je deur zal stilhouden en hij aan de bel zal trekken.'

'Dat is niet waar.'

'Lieg niet. Ik ken al je gedachten. Doof dat vuurtje nu maar en gauw ook. Hij zal nooit bij je terugkomen, hij wordt al misselijk als hij je naam hoort. Onteerd in de ogen van de wereld en alleen door jou.'

Ze stoof op: 'Ik werd opgestookt door een chanterende, failliete agent... Mijn God, je hebt je genoeg bemoeid met mijn zaken. Ik wou dat ik je nooit gezien had.'

'En waar zou je dan nu zijn? Op je rug in Brighton, in een of ander smerig logies. Driemaal per nacht voor dronken vakantiegangers, vijf shilling per keer. Of, bij gebrek aan beter, ergens door de trouwe Dowler geïnstalleerd in een achterafhuisje, klein en benauwd, dicht bij zijn huis. Zelf koken, verslonzen, de arme Dowler zaterdagsnachts met tegenzin plezieren.'

'Integendeel, ik zou mevrouw Fitz verdrongen hebben en in Carlton House resideren of ik zou in zaken zijn gegaan. O, ik haat je, Will, je bent mijn duivel geweest.'

'Ik ben je redder geweest, maar dat wil je niet toegeven. De vraag is: wat nu?'

'Op mijn lauweren rusten. Mijn dochters manieren leren.'

'En ze uithuwelijken aan dominees met een hongerloon. Je zult walgen van je onberispelijke leven... Hoe staat het met minnaars?'

'Die heb ik niet nodig met tienduizend contant en vierhonderd per jaar. Ik ben trouwens misselijk van mannen, ze zijn te veeleisend.'

'Bedoel je die radicale lord?'

'Ik bedoel niemand in het bijzonder – ik bedoel de hele soort. Ik heb mijn verzekerde positie verkregen door mijn eigen pogingen, niet dankzij jou of Wardle. Tussen twee haakjes, waar blijft die beloofde schenking? De villa met de torens en het rijtuig met vier paarden?'

'Je kunt dat beter aan het parlementslid van Okehampton vragen. Hij zal, net als ik, zeggen dat je hem in de steek hebt gelaten en dat je door de uitgave van je memoires op dit belangrijke moment stop te zetten, ons ons beste wapen, waarop wij gerekend hadden, uit handen hebt geslagen. Met andere woorden: hij heeft je verder niet nodig, je kunt niets meer voor hem doen.'

'En Kent?'

'Kent? Die zit in doodsangst dat hij ontmaskerd zal worden. Ik moet bekennen dat ik de man verkeerd beoordeeld heb, ik dacht dat hij karakter had, maar hij is een slappeling. Hij zal nooit het baantje van zijn broer of van iemand anders krijgen.'

'Dus we zijn even ver als eerst?'

'Je slaat de spijker op zijn kop. Al is Wardle dan de held van de dag en ben jij algemeen bekend... je gezicht staat op aardewerk; als spotprent, afgebeeld in bed, hang je in elke drukkerswinkel – wat wil je nog meer?'

'Een woord van dank dat ik het Lagerhuis heb gevuld, dat ik de gedachten van de mensen heb afgeleid van de oorlog in Spanje.'

'Dat heb je met veel succes gedaan, inderdaad, mijn complimenten! Heel Engeland weergalmt van de naam Clarke. Het is jammer dat dat niet lang meer zal duren. Nu de memoires verbrand zijn, zul je uit de mode raken. Er is niets zo vervelend als een teruggetrokken leven.' Ze keek naar die onaandoenlijke ogen, die nooit knipperden. Hoeveel van wat hij zei had ten doel haar te tarten, op te hitsen; in welk geniaal deel van zijn brein broedde venijn? 'Ik haat ondankbaarheid,' zei ze, 'en verbroken beloften.'

'Als ze door idioten worden gegeven,' zei hij, 'door verwaande idioten.' Zo, dus hij had ook een hekel aan Wardle? Ze begreep het nu. Zijn plannen waren niet in vervulling gegaan, zoals hij gehoopt had. Ergens had Wardle met al dat geïntrigeer een flater begaan en Ogilvie, die in het geheim zijn web had geweven, had zijn winst in rook zien opgaan... Het web was aan flarden gescheurd.

'Als je zelf actief zou zijn, in plaats van werktuigen te gebruiken, zou je succes hebben,' zei ze. 'Mijn fysiek is van dien aard dat het actief zijn me tegenstaat.'

'Is het dat? Ik heb me dikwijls afgevraagd...' Maar er volgde geen onthulling over zijn verborgen leven. Waar ging hij heen voor genoegen of bevrediging? In elk geval nooit naar mij, dacht ze gebelgd. Hetgeen een band had gevormd – én een scheiding.

Misschien las hij, zoals gewoonlijk, haar gedachten, want hij lachte, kuste haar hand en zei goedenacht.

'Nou goed,' zei hij, 'ik vergeef je dat je die memoires hebt verbrand. Maar tienduizend guinjes zijn gauw op. Tracht ze te verdubbelen nu je er nog de kans toe hebt. Bovendien heb je alleen voor je dochters gezorgd. Heeft het hele geslacht Mackenzie geen geld nodig?'

Hiermee nam hij afscheid. Maar hij had haar stemming gepeild en haar gedachten de richting uitgestuurd die zijn doel het best zou dienen en ze wist het.

De onrustige gedachten waarmee hij haar had achtergelaten eindigden in een nare, slapeloze nacht, een zenuwmiddeltje 's ochtends en boze woorden tegen Martha.

'De blauwe japon, niet de witte.'

'De blauwe is gescheurd.'

'Waarom heb je die dan niet laten maken?'

'Er is geen tijd voor geweest, mevrouw, u had hem gisteren aan.'

'De blauwe zijden, niet de satijnen... Neem mijn blad nog niet weg, ik ben nog niet klaar. Is er post gekomen? Wie is er geweest? Waar zijn mijn brieven?'

'Ze liggen daar allemaal, mevrouw, op het blad. U had ze opzijgeschoven.'

'Ik dacht dat het rekeningen waren. Het zijn rekeningen. Neem ze weg.

Mag ik vragen wat die bos verlepte madelieven betekent?'

'Bloemen van meneer Fitzgerald, ze zijn vanmorgen bezorgd.'

'Welke Fitzgerald, vader of zoon?'

'Meneer William, mevrouw.'

'Op zijn zesentwintigste jaar hoorde hij met wat beters voor de dag te komen. Zijn vader zond altijd rozen. Het geslacht degenereert of het Ierse bloed wordt koud, het een of het ander. Niemand geweest?'

'Meneer Wright is beneden.'

'Wrigt, de stoffeerder?'

'Ja, mevrouw, hij is hier al van zeven uur af.'

'Wie dacht hij op zo'n onmogelijk uur te pakken te krijgen?'

'Dat heeft hij niet gezegd... Hij zei iets over kolonel Wardle.'

'De hemel verhoede dat ik die hier tot zeven uur bij me zou

houden. Heb je ooit kolonel Wardle op mijn kussen gezien?'
'Nooit, mevrouw... Shocking...'
'Ja, shocking is het juiste woord. Als hij me zou aanraken zou ik doodblijven. Dat kun je Wright met mijn complimenten gaan vertellen. En ga nu mijn bad klaarmaken en houd op met kletsen.'

Francis Wright had, zoals iedereen, de kranten gelezen en wist dus dat er tienduizend guinjes aan mevrouw Clarke waren toegezegd. Alles secuur en solide, zei de *Morning Post*. De zaken gingen dus weer goed of begonnen in elk geval te floreren, en hij was nog niet betaald voor al de meubels.

Ze zweefde met uitgestrekte handen de salon binnen.

'Lieve meneer Wright, wat kan ik voor u doen?'

'Ja, ziet u, mevrouw Clarke, het gaat over het huis.'

'Het huis?'

'U hebt het nu al vijf maanden.'

'Dat weet ik en het bevalt me best.'

'Ik dacht zo dat u, nu uw omstandigheden zo veranderd zijn, misschien iets groters en voornamers zoudt willen hebben?'

'O nee... mijn smaak is zeer eenvoudig, zoals u weet. En bovendien: er is geen verandering gekomen, alleen een beetje speldengeld voor mijn dochters.'

'O juist. Ja, in dat geval...' Hij haalde zijn rekening te voorschijn. Vellen en vellen vol allemaal keurig onder elkaar geschreven cijfers.

'Deze rekening loopt van eind oktober verleden jaar, en daar is het bewaargeld nog niet eens bij. Zal ik de verschillende posten voorlezen?'

'Ik zou het ellendig vinden als u uw stem daardoor zou verliezen, u bent toch al wat hees. Dat komt ervan als je zo vroeg op pad gaat – dat is heel slecht voor gevoelige kelen. U moet wat wijn drinken.'

Meneer Wright was niet gewend om kwart voor tien wijn te drinken.

Tegen halfelf was hij opgeblazen en beneveld, praatte over zijn jongensjaren in Greenwich, en stak de rekening weer in zijn zak. Maar hij was toch ergens voor gekomen? Wat was het ook alweer? Hij staarde Mary Anne verward aan, zoekend naar woorden, hakkelend.

'Mijn broer en ik zijn het eens dat we nu eindelijk ons geld eens moeten krijgen.'

'Uw broer heeft volkomen gelijk en ik sta pal achter u. Wend u tot kolonel Wardle die beloofd heeft u te betalen. Was er niet een soort van overeenkomst met een wijnhandelaar Illingworth?'

'Ja, maar die is nooit nagekomen.'

'Wat vreselijk nalatig... Ik kan u in het striktste vertrouwen, *entre nous*, meedelen dat kolonel Wardle zich schandelijk heeft gedragen en heus niet alleen tegenover u. Hij heeft geen enkele belofte die hij mij heeft gedaan, gehouden. Herinnert u zich wat hij allemaal in november gezegd heeft?'

'Ik geloof van wel, ik ben er niet zeker van.'

'O jawel. Die invloedrijke vrienden, de nieuwe dageraad die voor Engeland zou aanbreken, herinnert u zich dat niet?'

'Ik meen dat hij de meubels in mijn magazijn bewonderde, maar ze erg duur vond.'

'Ja, duur misschien wel, maar noodzakelijk voor mijn behoeften en noodzakelijk voor de rol die hij wenste dat ik zou spelen. Daarom beloofde hij te zullen betalen en heeft hij u zijn woord gegeven.' Wright schudde zijn hoofd.

Zijn hersens begonnen helderder te worden.

'Ik betwijfel of we een penny van hem los zullen krijgen.'

'Bent u bereid er een rechtszaak van te maken?'

'Als het een eerlijke zaak is.'

'Natuurlijk, volkomen eerlijk. Schrijf hem en vraag om uw geld, en als hij weigert, laat de rest dan maar aan mij over. Ik zal wel zorgen dat hij er zo niet van af komt. De populaire man verdient van zijn voetstuk te vallen, meneer Wright.'

Meneer Wright weigerde nog meer sherry en kon vertrekken. De volgende bezoeker was Metcalfe, haar dokter. Hij had haar gedurende de laatste tien maanden zo nu en dan behandeld en haar door de moeilijke weken van het proces heen geholpen; hij had bovendien in momenten van spanning een en ander te horen gekregen.

'Uw dienaar, mevrouw Clarke, en mijn gelukwensen.'

'Waarmee?'

'Met het nieuws van vanmorgen. Ik heb gelezen dat vrienden van de hertog u tienduizend guinjes hebben toegezegd en een levenslang jaargeld voor u en de meisjes.'

'O dat... een bagatel dat beletten zal dat we niet van honger omkomen.'

'Juist, ja... Niet helemaal wat u gehoopt had. Hoe teleurstellend. De kwestie is...'

'Ja?'

'Ik had al mijn hoop op uw toekomst gevestigd. U hebt me enige maanden geleden gesproken over verwachtingen van geheel andere aard, waarin ik, als ze in vervulling kwamen, mijn aandeel zou hebben.'

De duivel hale alle dokters die zo vertrouwelijk aan je bed zitten. Een aanval van migraine en een hemelbed veranderen elke ziekenkamer in een biechtstoel. Ze herinnerde zich nu de momenten van indiscretie, de toespelingen die ze zich onder de invloed van een sympathieke stem had laten ontvallen, geruchten over Dodd en Wardle, de hertog van Kent... een rooskleurige toekomst voor al haar intieme vrienden. Ze had hem zelfs eens in januari met zijn vrouw te dineren gevraagd om Dodd en Wardle te ontmoeten. Er was zelfs sprake geweest van overvloed – de wijn had rijkelijk gevloeid – van begunstiging, van sensatie in de medische wereld. Dokter Metcalfe had zichzelf niet langer gezien als een bescheiden huisarts die baby's ter wereld hielp, maar geïnstalleerd in Windsor, de stethoscoop op de longen van dankbare prinsessen.

'Het spijt me,' zei ze. 'Om u de waarheid te zeggen, we zijn gedupeerd.

Niet alleen u en ik, maar anderen ook. Al die beloften vóór het proces hadden alleen maar ten doel mij in het Lagerhuis te krijgen; zonder mij zou er geen proces geweest zijn en dat wisten ze heel goed. En nu het allemaal achter de rug is, vergeten ze hun beloften. Ze hebben me niet meer nodig en mijn vrienden evenmin.'

'Maar mijn lieve mevrouw Clarke, majoor Dodd heeft het me zelf verzekerd.'

'Hij heeft mij wel honderd dingen verzekerd, maar nooit schriftelijk. U kunt de menselijke stem nooit als bewijs aanvoeren, dokter Metcalfe, alleen het gedrukte of geschreven woord heeft waarde. Ik geloof dat ik boven nog een paar briefjes van hem heb die hem nog wel eens benauwde ogenblikken kunnen bezorgen.'

'En kolonel Wardle?'

'Is momenteel de afgod van het publiek. Maar alleen maar op het ogenblik, die fase gaat voorbij. Er is niets beter geschikt om een populair idool van zijn voetstuk te doen vallen, dan hem een beetje belachelijk te maken – en laat dat maar aan mij over.'

'Maar mijn vooruitzichten, mevrouw Clarke, mijn verlopende praktijk? Ik moet toegeven dat ik de laatste maanden wat laks ben geweest, nu ik zulke prachtige vooruitzichten had. Mijn vrouw is niet gezond, zoals u weet, ik heb zoveel onkosten gehad...'

De oude geschiedenis. De pil met het suikerlaagje.

Ze zouden allemaal als gieren aan komen vliegen om de brokken op te pikken. Ze krabbelde haastig een cheque, gaf hem die, bracht hem naar de deur en klopte hem op de schouder. Will Ogilvie had alweer – zoals gewoonlijk – gelijk gehad. Tienduizend guinjes wás een armzalig bedrag, het hadden er twintigduizend moeten zijn. De volgende bezoeker was Charley, nijdig schoppend tegen de poten van de nog niet betaalde meubels.

'Wat gaat er met mij gebeuren nu het allemaal voorbij is?'

'Ik zal zorgen dat je een baan krijgt.'

'Maar wat voor soort baan? Ik bedank ervoor om afhankelijk te zijn en naar andermans pijpen te dansen. Hoe staat het met dat gepraat over annuleren van het vonnis van de krijgsraad en een nieuwe aanstelling als officier?'

'Lieverd, we moeten onder ogen zien dat die ellendelingen maar gebluft hebben.'

'Nou, kun jij daar dan niets tegen doen, ze aan de kaak stellen?'

'Ik heb nog geen tijd gehad erover na te denken... Laat me in godsnaam met rust. Eerst Wright, toen Metcalfe en nu jij, allemaal komen jullie mijn hulp inroepen. Ik dacht dat Coxhead-Marsh je een baantje had aangeboden in Loughton?'

'Hij zei iets over een betrekking als rentmeester – zoiets als je ondergeschikten aanbiedt. Ik ben opgeleid voor officier en ik mag hangen als ik een ondergeschikt baantje accepteer; ik, met mijn capaciteiten, behoor een leidende functie te hebben. Je kent toch zeker wel iemand die de juiste kanalen kan aanboren? Apropos, ik heb geld nodig, ik heb geen penny meer.' Gelukkig was May Taylor geholpen – er was door Samuel Whitbread in het

Lagerhuis een collecte gehouden voor haar en haar zuster Sarah, en alle leden van de oppositie hadden daaraan meegedaan. En ten slotte kwam George, die nu niet meer cadet in Chelsea was en wiens geliefde uniform in een koffer was gepakt. Hij keek zijn moeder met grote, vertrouwende ogen aan.

'Ik begrijp niet goed waarom al die herrie is. Waarom moet ik naar een andere school?'

'Omdat er een geweldig militair schandaal is geweest, mijn engel. Zijne Koninklijke Hoogheid is niet meer opperbevelhebber en daarom ook niet meer president van het Chelsea-instituut. Iedereen weet in welke relatie je tot hem stond en het zou nu niet meer gaan. Ik moet je ergens anders heen sturen waar niet gekletst wordt.'

Ze zag opeens Charley in hem, gemelijk, koppig, nu nog meer dromen over het geslacht Mackenzie verstoord waren.

'Ik wed dat u alles met uw stomme geruzie bedorven hebt. Alles is anders geworden sinds we van Gloucester Place weg zijn.'

'Dat weet ik, schat. Moeder kan het je niet uitleggen. Later misschien, als je ouder bent, zul je weten wat er gebeurd is.'

Zijn antwoord was een pruillip, een nijdig jongensachtig schokken van zijn schouders en plotseling de eerste blik van wantrouwen, van twijfel in zijn ogen.

'Kan ik nog onder dienst gaan? Dat hebt u me beloofd. U hebt me dat op mijn vijfde verjaardag, toen u bij me op bed zat, gezworen.'

'Ik zweer het nog. Ik breek nooit mijn woord.'

Gevangenis, de pijnbank, de schandpaal, martelingen – ze zou naar de brandstapel willen gaan voor George en de vervulling van zijn hartewens.

Maar nu: terug naar de realiteit, en genoegdoening zien te krijgen van Wardle, Dodd & Co. De beide heren werden te dineren gevraagd. Ze deden zeer ontwijkend en na een uurtje maakten ze haastig dat ze wegkwamen. Toen ze hun vroeg om nog eens terug te komen, zochten ze uitvluchten. Ze gaf hun drie weken speling, daarna schreef ze een brief en zond die op veertien mei naar kolonel Wardle:

"Geachte heer, toen ik u onlangs met majoor Dodd uitnodigde om u te vragen wat u van plan was te doen inzake het nakomen van uw beloften, scheen u niet bereid te zijn toe te geven dat ze onvoorwaardelijk gegeven waren hetgeen ik volhoud.

De enige verklaring die ik hiervan kan geven, is dat u destijds uw grote verplichtingen jegens mij besefte en dat u en majoor Dodd meenden daaraan te ontkomen door toekomstbeloften te doen, die even onoprecht als vaag waren. Ik wil u hierbij nogmaals herinneren aan die beloften en mijn verwachtingen die u, wanneer u zichzelf als mannen van eer beschouwt, zult moeten erkennen. Evenmin zult u kunnen beweren dat ik iets anders verlang dan datgene waar ik het volste recht op heb – niets minder dan vijfhonderd guinjes per jaar; en daar mijn kinderen evengoed als ik geleden hebben door de publieke opinie, daar ze de dochters zijn van een zo indiscrete moeder, eisen ze van mij al wat ik kan of behoor te krijgen. En daar zij aan de vijfhonderd per jaar voor mezelf – hetgeen te weinig is – niets zullen hebben, vind ik dat ik u er genadig af laat komen met tienduizend guinjes, hetgeen nog niet de helft is van de mij beloofde bedragen. Ik verwacht dus dat u en majoor Dodd samen zult overeenkomen – zoals u ook samen die beloften hebt gedaan – mij die tienduizend guinjes binnen twee jaar te betalen en mij tot die datum vijfhonderd per jaar uit te keren, te beginnen de laatste maart en dat u bovendien Wright de rest van zijn rekening zult betalen. Dit is alles en het is stellig niet wat me beloofd is, namelijk: dat mijn zoon, die destijds onder bescherming van de hertog van York stond en natuurlijk die bescherming verloor zodra ik tegen de hertog ben gaan ageren, dezelfde bescherming zou krijgen van de hertog van Kent. Ik heb mijn zoon van school genomen en zit nu met hem opgescheept. Verder was me nog beloofd, ten eerste: een nieuwe aanstelling voor kapitein Thompson of genoeg geld om hem te onderhouden of, ingeval de hertog van Kent opperbevelhebber zou worden, zijn herbenoeming in het leger. Hij is nog steeds niet verder. Ten tweede: de uitbetaling van de achterstallige jaarlijkse toelagen, welke de hertog van York mij had toegezegd, het betalen van mijn schulden, zowel die welke gemaakt werden terwijl ik met de hertog van York samenwoonde, als die welke ik later heb gemaakt. Ten derde: de betaling van twaalfhonderd guinjes, welke ik meester Comrie, mijn advocaat, schuldig ben en waarvoor hij mijn juwelen in onderpand heeft. Ten vierde: de afbetaling van mijn tegenwoordig huis en meubilair,

waarvan slechts een gedeelte door u en Dodd is betaald. Mag ik u, gezien dit alles, vragen of de tienduizend guinjes ook maar bij benadering de helft is van al die beloften, welker vervulling u me plechtig hebt toegezegd? Ik zal hier niet veel meer aan toevoegen, maar zelfs al zou deze som uit uw eigen zak moeten komen, dan zou dit nog, gezien de goede reputatie die u door mijn toedoen hebt gekregen, niet meer zijn dan waarop ik het volste recht heb. Ik geef u veertien dagen de tijd om hierover na te denken. Daarna zal ik mij de vrijheid veroorloven van de kopie van deze brief gebruik te maken op de wijze die mij goeddunkt. Ik blijf, geachte heer, hoogachtend,
Mary Anne Clarke."

Ziezo, meneer de ereburger van Londen, nu kun je dit briefje ergens in een la wegstoppen, maar je zult wel anders piepen als je het gedrukt in de *Times* ziet staan.

2

'Wat heb je met Wardle uitgevoerd?'

'Waarom vraag je dat?'

'Ik heb hem gisteren in het Lagerhuis gezien, voor ik hierheen kwam. Ik noemde toevallig je naam en hij werd grauwbleek, mompelde een woord dat ik niet kan herhalen en maakte dat hij wegkwam.'

'Een woord dat begint met een h en eindigt met een r?'

'Nu je het toch geraden hebt... ja! Ik vloog hem bijna aan. Na al wat je voor die vent gedaan hebt! Het is gewoon onbegrijpelijk! Hij heeft zijn belachelijke populariteit alleen aan jou te danken, hij kon op z'n minst wel wat meer gevoel tonen.'

'Dat is het 'm juist. Hij voelt te véél. Geen wonder dat hij bleek ziet.'

'Bedoel je dat hij je minnaar wilde worden en dat jij hem hebt afgewezen?'

Lord Folkestone ging wat makkelijker liggen. Hij was een van die mannen die er beter uitzien als ze gekleed zijn. In zijn ondergoed maakte hij door zijn hoekige vormen een onvoordelige indruk. Wat had de verbeelding haar een heel wat mooier beeld voorgetoverd toen ze hem 's morgens om halfelf in haar salon had zien staan in een fluwelen jas en met goed opgevulde schouders...!

'Nee, geen sprake van, maar hij is me geld schuldig.'

Ze ging op haar zij liggen, geeuwde eens en nam een slokje water. De radicale lord begreep tot zijn teleurstelling dat zijn nacht voorbij was. *Rien ne va plus, la suite au prochain numéro...*

'Dus je bent zijn maîtresse geweest?'

'Nooit. Hij wist dat hij zijn proces niet zonder mij zou kunnen winnen en datzelfde geldt voor de oppositie die zulke aardige dingen over me heeft gezegd twee maanden geleden.'

Zo stonden de zaken dus. Wat vervelend.

'Als je die memoires maar had gepubliceerd...' begon hij.
'Mijn memoires hebben niets met gedane beloften te maken.'
'Heeft Wardle je werkelijk iets gegarandeerd?'
Ze steunde op haar elleboog en draaide de lamp hoger.
'Luister nu eens, mijn jeugdige protagonist. Acht je het waarschijnlijk dat ik me door de modder zou laten halen, mijn reputatie aan stukken zou laten scheuren en mijn persoonlijk leven in elke kroeg over de tong zou laten gaan als ik er geen voordeel bij had?'
Zijn scherp, mager gezicht staarde haar verbaasd aan.
'Nee... Maar ik dacht dat er een of ander wraakmotief achter zat, wrok over de manier waarop de hertog je behandeld heeft... en dan ook: de gemeenschappelijke goede zaak...!'
'Welke gemeenschappelijke goede zaak in hemelsnaam?'
'Het welzijn van het volk, de toekomst van Engeland...!'
'De toekomst van Engeland? Nonsens! Je bedoelt mijn toekomst! Geld, veel geld voor Mary Anne Clarke. Ik dank God dat ik geen hypocriet ben, zoals jullie allemaal. Ik weet wat ik hebben wil en ik heb geprobeerd het te krijgen. Soms is het me glansrijk gelukt, soms heb ik de kous op de kop gekregen. Ik heb je vriend Wardle gesteund omdat ik dacht dat hij er me voor zou betalen. Nu laat hij me in de steek, net als de hertog van Kent.'
Zijn ogen begonnen te fonkelen. Even later zat zijn verwarde haar glad en onberispelijk en was het vest over zijn smalle borst dichtgeknoopt. De charme keerde terug – helaas te laat!
'Goeie hemel, dus het verhaal was waar?'
'Natuurlijk was het waar, en alleen idealisten als jij en Francis Burdett hebben al dat geleuter over de vrijheid van Engeland geslikt. Alles is vanaf het begin doorgestoken kaart geweest. Kent hoopte opperbevelhebber te worden met die goeie, brave kolonel Wardle als minister van Oorlog. Wat Dodd zou krijgen weet ik niet, waarschijnlijk een of ander baantje met pensioen, denk ik. En ik zou zoveel huizen krijgen als ik maar wilde en rijtuigen en duizenden en duizenden op de bank en meer "zaken" dan ooit.'
Hij was nu geheel gekleed en gereed om te vertrekken. De betovering was verbroken, de wereld van idealen om hem heen ingestort. Het was maar goed dat het Lagerhuis binnenkort op reces zou gaan. Daarna zouden de geruchten wel verstomd zijn en

had hij de tijd gehad om zijn positie te bepalen. Hij mocht nooit in een of ander schandaal worden betrokken.

'Ga je een aanklacht indienen?' Hij trok zijn jas aan.

'Vraag dat aan kolonel Wardle. Je zei dat hij zo bleek was.'

'Dus je bent van plan het in de kranten te zetten?' Ze glimlachte, de handen achter haar hoofd gevouwen.

'Ik weet het nog niet zeker. Hij heeft nog niet op mijn brief geantwoord.'

'Ik zweer je dat ik onschuldig ben. Mijn enige gedachte is altijd het welzijn van het volk geweest.' Hij stond uiterst nerveus bij de deur, gereed om afscheid te nemen.

'Je énige gedachte? En je medelijden dan? Er kwam toch ook ergens, meen ik, een gevallen vrouw bij te pas?' Ze keek hem lachend aan.

Hij opende de deur, maar de waardigheid waarmee hij had willen vertrekken werd aanmerkelijk bedorven door het feit dat hij op zijn kousen liep. Hij had uit voorzichtigheid zijn schoenen beneden in de hal laten staan...

'Wanneer zie ik je weer?' Hij scheen wat verlegen.

'Ik moet binnenkort de boer op.'

'Ja, dat dacht ik al. Het is er in juni altijd verrukkelijk. Rozen en aardbeien – ik ben er dol op.'

'Ik zal je natuurlijk schrijven.'

'Maar is dat niet wat riskant? Ik kon het wel eens in mijn hoofd halen je brieven te publiceren.'

Hij was weg. Ze hoorde hem op zijn tenen de trap afsluipen, in het donker naar zijn laarzen tasten en het huis uitglippen.

Ziezo, dat was dat. Weer een naam doorgeschrapt op de lijst en in de prullenmand geworpen. Niet dat het haar wat kon schelen – deze liaison verveelde haar allang – maar burggraven groeien niet aan de bomen en contact met hen kon nuttig zijn en een zeker cachet geven. Bovendien was de aanstaande graaf van Radnor weduwnaar. Enfin, die kans was verkeken.

Intussen kwam er geen antwoord van kolonel Wardle. Francis Wright kwam haar berichten dat op zijn bescheiden verzoek om het populaire parlementslid even te mogen spreken de bediende de deur voor zijn neus had dichtgesmeten en gezegd dat zijn meester niemand kende die Wright heette en het druk had met regeringszaken.

'Wat moet ik nu doen?' vroeg de bezorgde neringdoende.
'Zend uw rekening, meneer Wright, en sluit er dit briefje bij in.'
Het volgende briefje werd aan het huis van kolonel Wardle afgegeven:

"Francis Wright neemt, met zijn eerbiedige groeten aan de kolonel, de vrijheid hierbij ingesloten zijn rekening te presenteren. Daar hij ernstige tegenslagen heeft gehad en bovengenoemde artikelen op rekening werden gekocht, zal hij de kolonel dankbaar zijn indien hij het bedrag zou willen voldoen. Voor dat doel zal hij hem morgenochtend om elf uur komen bezoeken."

Geen antwoord. Het lid voor Okehampton was niet thuis.
'Wat nu, mevrouw?'
'Nu gaan we naar een advocaat.'
Meester Stokes, deelgenoot van de firma Comrie, Stokes & Zoon, die mevrouw Clarke al jaren kende, was bereid de zaak ter hand te nemen. Ze was safe. Als er vuile was gedaan moest worden, zou het alleen die van Wardle zijn.
De tweede juni diende Francis Wright, stoffeerder, een aanklacht in tegen Gwyllyn Lloyd Wardle, St. James Street, ten einde betaling te verkrijgen van tweeduizend guinjes welke hem verschuldigd waren voor meubilair van hem gekocht en door hem afgeleverd aan mevrouw M.A. Clarke, Westbourne Place en besteld door bovengenoemde Gwyllyn Wardle. De zaak zou de derde juli in Westminster Hall voorkomen. Paniek, verwarring en angst in St. James Street. De nieuwsgieren bazuinden het nieuwtje in de kranten uit. De nationale held beefde en zag zijn populariteit in rook opgaan, en het Britse publiek wreef zich de verbaasde ogen uit. Was het mogelijk dat de man die de corruptie had uitgeroeid, die had gestreden voor eer en waarheid, lemen voeten had? Dat de lieveling van het volk, de ereburger van Londen, had getracht zich aan de betaling van een winkeliersrekening te onttrekken? Vergeten was de oorlog, dit was prikkelend nieuws. Het deed een verontwaardigde Dowler spoorslags uit Uxbridge overkomen.
'Mary Anne... je moet krankzinnig zijn.'
'Waarom? Wat is er aan de hand?'

‘Om weer zo op de voorgrond te treden, juist nu je de kans had dat het schandaal in het vergeetboek zou raken.’

‘Maar ik heb niets te verliezen en die arme gebroeders Wright willen hun geld hebben.’

‘Daar gaat het niet om. Hun rekening had uit je toelage betaald kunnen worden. Coxhead-Marsh en ik hadden dat in een ogenblik kunnen regelen.’

‘Wright betalen van mijn toelage? Wat een mal idee, als iemand anders ervoor kan worden aangesproken. Ik ben Wright geen penny schuldig. Wardle heeft de meubels besteld, alles wat je hier ziet, spiegels en tapijten en gordijnen, ik heb er niets mee te maken gehad.’

‘Mijn liefste meisje, wil je dat ik dat verhaal slik?’

‘Het is waar, mijn advocaat kan het getuigen.’

‘Met jou in de getuigenbank?’

‘Natuurlijk, als ze me oproepen. Ik heb het er de vorige keer ook niet slecht afgebracht. Bovendien is de mop dat... nee, ik geloof niet dat ik je dat zal vertellen.’

‘Er is niets grappigs aan de hele geschiedenis, het is schandalig. Ik zat in Uxbridge – mijn arme vader is vrijwel stervende – en mijn enige troost was de gedachte dat jij en de kinderen nu rustig en zonder zorgen konden leven, en ik hoopte dat ik misschien in het najaar een villaatje niet ver van mijn huis voor je zou kunnen vinden en jullie allemaal daar installeren. En dan de lange winteravonden...’

‘Houd je mond of ik ga gillen. Ik zit niet veilig en rustig hier en ik denk er niet aan me op het land te gaan begraven, en wat die lange winteravonden betreft, ik mag hangen als ik die zal doorbrengen met suffen en gapen en me vervelen.’

‘Best. Maar kom dan niet bij me aan om hulp als je weer in moeilijkheden zit.’

‘Ik zal bij je komen wanneer en zo vaak ik verkies. En kom nu gezellig hier naast me zitten en zet niet langer zo’n gezicht – je ziet eruit als een stijve dominee. Haalt iemand wel eens je haar door de war daar in de achterlanden van Uxbridge?’ Klaarblijkelijk niet. Dat was een van de genoegens die behoord hadden bij gelukkiger tijden en de hoogtepunten in Hampstead. Er werd niet meer over de aanklacht gesproken. Bill Dowler keerde zwijgend maar zachtgestemd naar Uxbridge terug en zij genoot alleen van de leukste mop, en die was natuurlijk: dat de aanklager tegen Wardle in zijn functie bij het Hoog Gerechtshof haar gewezen tegenstander, de procureur-generaal zou zijn. Haar komst in zijn kamers in Lincoln's Inn – in gezelschap van meester Comrie en Francis en Daniel Wright in hun zondagse pakken – maakte alle narigheid, doorstaan in het Lagerhuis, goed. Sir Vicary Gibbs, zijn *pince-nez* op het puntje van zijn neus, ontving hen joviaal. Er werden formaliteiten gewisseld, vragen gesteld en beantwoord, aantekeningen gemaakt en wettelijke kwesties tussen de rechtsgeleerden besproken.

Meester Comrie, die om vijf uur een andere afspraak had, nam om vier uur met zijn compagnon meester Stokes afscheid, bijna onmiddellijk gevolgd door de gebroeders Wright. De kroongetuige bleef nog. De procureur-generaal sloot zijn deur, glimlachte en richtte zich in zijn volle lengte van één meter zestig op.

'Een meesterlijke zet,' zei hij, 'mijn gelukwensen!' Hij nam zijn *pince-nez* en trok een fles brandy open.

'Te vroeg op de dag?'

'Nee, eerder te laat. Ik had zoiets best die eerste februari kunnen gebruiken.'

'Als ik het geweten had, zou ik u een fles gestuurd hebben. Maar ik dacht dat u door de oppositie wel van het nodige voorzien zou worden.'

'Die is nooit verdergegaan dan koffie en glazen water.'

'Dat is het ergste van die Whigs, ze willen hun handen niet in hun zakken steken. Maar Folkestone zal u toch wel verwend hebben?'

'Die zei het met bloemen.'

'Daar heb je niet veel aan op een lege maag en met afgeknapte zenuwen.

Geen greintje doorzicht bij die radicalen. Maar ik verbaas me dat Folkestone, die toch in Frankrijk is opgevoed, zich niet met meer distinctie gedragen heeft. De fout van de jeugd! Voor dat soort dingen is een rijper oordeel nodig.'

'Als de jeugd eens wijs was...'

'O, is ze dat niet? Wat betreurenswaardig. Ik dacht dat dat de enige uitrusting van de jeugd was. De Tories zullen verrukt zijn. Mag ik uw gezegde aanhalen?'

'Vindt u dat niet erg unfair? We hebben allemaal onze fouten.'

'Tot hun eer moet worden gezegd dat de Whigs gewoonlijk de spieren hebben. Wij hebben de hersenen, daarom regeren wij het land. Vertel me eens, was u erg uitgeput na alles wat u in het Lagerhuis hebt doorgemaakt?'

'Ik ben toen tien pond afgevallen.'

'Dat verwondert me niets. We hebben u lelijk onder handen genomen en u week geen haarbreed. Ik was zelf ook aardig uitgeput – maar u ziet er zeer goed uit.'

'Ik bezit veel veerkracht.'

'Dat moet wel. Waar zit Barrymore tegenwoordig?'

'Die goeie Cripplegate? Ergens in Ierland. Braaf getrouwd natuurlijk en bezig met zijn paarden.'

'Ik heb Jamie Fitzgerald ook goed gekend.'

'James heeft het benauwd. Hij leeft voortdurend met de angst dat ik zijn brieven zal publiceren en blijft me maar steeds uit Dublin schrijven.'

'Zouden die brieven onderhoudende lectuur zijn?'

'Voor de regering wel, niet voor het publiek. Protestantse opvattingen, als gezien door een Iers lid van het parlement.'

'Probeer het eens bij Christie. Ik zal erop bieden.'

'Hij heeft de meeste brieven al terug. Ik ben van huis uit niet hebberig, het is alleen dat ik voor de kinderen moet zorgen.'

'Nog een glaasje brandy?'

'Waarom niet?'

Er werd geklopt. Sir Vicary Gibbs trok zijn toga en zijn pruik recht.

'Wie is daar?'

Een stem buiten zei: 'Lord Ellenborough wacht beneden in zijn rijtuig, Sir, hij komt u halen. U zou met hem dineren en hij vraagt of u het vergeten bent.'

'Nee, nee, zeg mylord dat ik te voet zal volgen.'

Hij wendde zich tot zijn bezoekster.

'Wilt u me zover meenemen in uw rijtuig, als het niet te lastig is. U komt er langs op uw weg naar Chelsea.'

'Met genoegen, wanneer u maar wilt.'

'Bijzonder vriendelijk van u. De bisschoppen geven een diner ter ere van Ellenborough. Ik mag niet te laat komen, maar als ik er tegen halfzeven ben... Ik heb niet elke dag zo'n aangename ontmoeting als nu.'

Hij keek op de klok en dronk zijn glas leeg.
'Is die stoffeerder-geschiedenis helemaal zuiver?' vroeg hij.
'We hebben Wardle geheel in onze macht,' antwoordde ze, 'hij kan zich er niet uitdraaien.'
'Heeft hij beloofd te zullen betalen?'
'Hij beloofde verleden jaar november maar raak.'
'De sterren van de hemel, ik begrijp het, maar dit zaakje?'
'Ik heb al mijn spitsvondigheid gebruikt, hij komt er nu niet meer onderuit.'
'Dat is prachtig. Ik vermoed dat hij ons niet veel moeite zal geven. Een uitspraak ten gunste van Wright en de volksheld heeft afgedaan. Ik vrees dat u er niets uit zult halen, behalve nog meer ruchtbaarheid. Doet u het daarom?'
'Lieve hemel, nee! Die heb ik meer dan genoeg gehad.'
'Waarom dan?'
Ze zette haar glas neer, streek haar japon glad en keek uit het raam.
'Ik wilde u ontmoeten,' zei ze, 'en er was geen andere manier. Mevrouw Clarke en Sir Vicary Gibbs vormen een goede combinatie.'
De procureur-generaal kwam een halfuur te laat aan het diner... In de loop van juni trachtte het parlementslid voor Okehampton de zaak buiten de rechtszaal om te regelen. Hij had er geen succes mee, de eiser wilde de aanklacht niet intrekken. En de getuige van de aanklager vond de voorbereidingen erg prettig, de bezoeken aan Lincoln's Inn bijzonder lonend. Alles welbeschouwd werd het een amusante zomer, het was een nieuwe ervaring om de rechtbank lichte verstrooiing te kunnen verschaffen. En heel wat minder vermoeiend dan de kussens voor Folkestone te moeten opschudden. Deze jeugdige lord noemde zich nog steeds haar bewonderaar, maar schreef vanuit de verte – een pennenvriendschap was veilig en binnen zekere grenzen.
Hij vergat dat het altijd onvoorzichtig was na het diner te schrijven. De pen ging er dan gemakkelijk vandoor, de gedachten kwamen sneller. Een briefje dat te middernacht werd gekrabbeld was nooit hetzelfde in de morgen als het bij het ontbijt werd gelezen door een dame die alle correspondentie bewaarde, en de brief van zevenentwintig juni zou hem eens de das omdoen. Haar scherpe ogen gleden haastig over de bladzijden die

op zekere avond in Coleshill House waren beschreven.

"...Ik wou dat ik je wat nieuws kon melden in antwoord op je onderhoudende brief, maar van deze afgelegen plek kun je dat niet verwachten. Sinds ik hier ben, heb ik niets anders gedaan dan buiten ronddwalen en aardbeien eten, dingen die op zichzelf heel gezond zijn, maar niet interessant genoeg om te vermelden. Daarentegen is jouw brief vol interessante nieuwtjes waar een kluizenaar als ik hier ben – hij mag dan een beschouwende aard hebben of niet – dagenlang op kan teren. Uit wat je schreef, maak ik op dat de poppen aan het dansen zullen gaan als de zaak voorkomt. De hele kwestie moet openbaar worden gemaakt en de Koninklijke Broeder, Dodd en Wardle moeten aan de kaak gesteld worden. Ik betreur het dat ze dit niet voorzien en het éclat voorkomen. Ik vraag me af wat Wardle van plan is te doen. Ik vermoed dat hij erop zal vertrouwen dat zijn populariteit hem er wel doorheen zal helpen, maar dat zal niet lukken; want al is zijn aandeel niet zo gemeen als dat van de andere twee, toch is het een lelijke streek geweest en heeft hij zich door de anderen als werktuig laten gebruiken. De kwestie zal echter geen goeddoen aan de koninklijke familie, want al zullen de vrienden van de hertog trachten jouw verklaringen te weerleggen, er zijn zoveel dingen en omstandigheden die jouw woorden bevestigen en zoveel mensen kennen talrijke dergelijke gevallen, dat het publiek niet zal willen aannemen dat je aanklacht vals is. Ik vermoed dat de dagbladen zullen proberen mij in verband te brengen met het bovengenoemde drietal, maar dat is onmogelijk. Whitbread, Burdett en ik kunnen er in geen enkel opzicht in gemengd worden – ik twijfel er tenminste niet aan dat hun geweten even zuiver is als het mijne. Ik zou al deze intriges geamuseerd en met filosofische onverschilligheid kunnen gadeslaan als ik niet bang was dat jij de dupe zult worden van dit alles. Ik vraag me bezorgd af of jouw financiën nu wel geregeld zullen worden. Ik vrees dat ik je heb verveeld met dit gekrabbel, dat bijna onleesbaar is. Laat me van je horen als er iets gebeurt en je tijd hebt om te schrijven. Zend je brieven als gewoonlijk naar Harley Street. Adieu!

Als altijd je Folkestone."

In de trommel, vastgebonden met lint. De derde juli kwam bij het gerechtshof voor civiele zaken in Westminster Hall de zaak Wright versus Wardle voor. Er zat opwinding in de lucht. De zaal was propvol. Het leek wel Drury Lane bij een première. Mevrouw Clarke, in het wit met een luchtige strooien hoed schuin op het hoofd, maakte onder gedempt applaus haar entree. Haar publiek – hoofdzakelijk mannelijk, want de dochters en de vrouwen trachtten nog in Palace Yard door het gedrang heen te komen – boog zich met glanzende ogen voorover (het waren voornamelijk leden van het Lagerhuis en nog Tories ook), maar wat hen verbaasde, was dat de procureur-generaal er zo merkwaardig jong uitzag. Die man was opeens wel twintig jaar jonger en zo monter en joviaal geworden. De dreigende stem die rillingen langs iemands ruggengraat had doen lopen, had nu een andere, mildere klank.

'Een eerlijke, arbeidzame, neringdoende is opgelicht. Een vrouw en moeder is bedrogen !'

Goeie hemel. De opperrechter lord Ellenborough wiste zijn voorhoofd af.

Was de oude zure Gibbs vroom geworden of ijlde hij? Een hete julidag, natuurlijk had hij wat gedronken. Maar wat was dat allemaal over ratten en vrouwelijke zwakheid? Slangen aan Cleopatra's boezem... vergif... ondankbaarheid? Vrouwen die alles gaven wat ze bezaten? Baby's in de goot? De opperrechter kreunde – wat een volte face! Wat een verschil met februari in het Lagerhuis. Zijn vriend de procureur-generaal moest zich vergissen. Retorica ging over in scherts en mylord ontspande. Dit was meer zoals vroeger, de oude, bekende hatelijkheden, bedekte toespelingen, het opwrijven van de *pince-nez*, een tong als een tweesnijdend zwaard die door de verdediging heen brak. De arme gedaagde was gekrompen tot de grootte van een mus en het was zijn verdiende loon voor zijn schandelijke aanklachten. De man verdiende te worden gegeseld en het land uitgebannen – maar toch deed het de opperrechter pijn de procureur-generaal zo kwistig met zijn gebaren te zien, een pauw in volle vederdos; zoiets verlaagde het cachet van de rechtbank en getuigde van slechte smaak. Als dit het resultaat was van het contact tussen de getuige en de procureur-generaal, dan veroordeelde de opperrechter dat hartgrondig. En dat gegrinnik van het publiek, de knikjes, het elkaar aanstoten, dat alles verried een wuftheid die in hoge mate misplaatst was. Lord Ellenborough gebood 'stilte' en tikte met zijn hamer. Een nijdig fronsen in de richting van Sir Vicary Gibbs maakte een eind aan diens redevoering. Straks een paar woorden in de raadkamer zou elk gevoel van vijandigheid wegnemen en intussen moest het hof ervoor zorgen dat de rechter de beslissing in handen hield. In het begin de getuige een steek geven, dat zou meteen haar positie bepalen, dat zou misschien een blos op haar kaken brengen en zo het evenwicht herstellen. Mary Anne liep heupwiegend naar de getuigenbank onder goedkeurend gefluister en gelach. Iemand riep: 'Geef 'm er van langs!' De opperrechter verstrakte en tikte weer met zijn hamer.

'Wanneer er geen volkomen stilte heerst, zal de zaal ontruimd worden.'

Het gemompel stierf weg. De getuige werd beëdigd en wachtte. Lord Ellenborough nam haar eens streng op en zei met nadruk: 'Onder wiens bescherming staat u nu, mevrouw?'
De getuige sloeg haar ogen op en antwoordde zachtjes: 'Ik dacht, mylord, dat ik onder uw bescherming stond.'

Dit gaf voor de gehele zitting verder de doorslag. Het gelach, waarmee de jury begon, bleef gedurende de behandeling van de zaak onderdrukt aanhouden.

De procureur-generaal gaf zijn getuige met grapjes de antwoorden in de mond... De zaal applaudisseerde. De opperrechter kon hun niet het zwijgen opleggen. Het tweetal speelde een spel waar geen speld tussen te krijgen was, ze goochelden met dubbelzinnigheden, genoten van elkaars geestige zetten en dat alles ten koste van de gedaagde.

'Dus kolonel Wardle is naar het magazijn gegaan, nietwaar, mevrouw Clarke? Vertel ons eens wat over hem, welke meubelen werden er uitgezocht? Zo zo, bewonderde kolonel Wardle een buffet? Zat er een spiegel in? En wat was dat voor een groen en rood karpet dat kolonel Wardle met alle geweld in de slaapkamer wilde hebben? Het was te groot voor Westbourne Place? En moest er op bevel van kolonel Wardle een stuk afgesneden worden? Moeilijkheden met het bed? Ontbraken de poten? Kolonel Wardle stelde omgekeerde lampenstandaards voor. Dat was volkomen veilig, als er tenminste geen druk op werd uitgeoefend. Had Francis Wright dat voorstel goedgekeurd? Maar

Francis Wright was ongehuwd en woonde samen met zijn broer, Daniel; ze sliepen elk in een apart bed en konden er dus niet over oordelen. Maar kolonel Wardle wist dat lampenstandaards er geschikt voor waren, hij had in een koffiehuis in Cadogan Square gewoond – persona grata – waar zulke dingen werden gebruikt. Met normale voorzorgsmaatregelen kon er niets gebeuren. Had kolonel Wardle een marmeren beeld bewonderd? Ja, Aphrodite oprijzend uit het schuim en een miniatuur bronzen beeldje van Leda's zwaan. Beide werkten zeer decoratief op een schoorsteenmantel, wanneer men ze van ter zijde bekeek, dat zei kolonel Wardle althans. Mevrouw Clarke durfde ze eigenlijk niet goed te nemen, om de kinderen – zulke jeugdige gemoederen worden zo gauw beïnvloed – maar kolonel Wardle was buitengewoon temperamentvol en kon geen speeches samenstellen zonder inspiratie. Dus Westbourne Place was zijn tweede thuis geweest? O ja, beslist. Niet op verzoek van getuige. De kolonel kwam altijd op de meest ongelegen ogenblikken opdagen. Op een ochtend had haar kamenier hem om acht uur bezig gevonden Leda's zwaan met een vergrootglas te bestuderen.' Enzovoort, enzovoort, tot de opperrechter zijn hand ophief, 'stilte' gebood en de zaal liet ontruimen. De getuige trok zich terug en het proces werd voortgezet. Daniel Wright legde met eenvoudige woorden ernstig zijn verklaring af en toen de verdediger, meester Park, opstond om zijn pleidooi te houden, wist hij al vooruit dat de zaak verloren was. Kolonel Wardle stotterde, zocht naar woorden, haperde en zijn: 'Dat ontken ik', dat hij telkens en telkens weer herhaalde, werd nauwelijks verstaan. Wanhopige briefjes gingen van de ene advocaat naar de andere. De getuigen Glennie en Dodd werden niet eens voorgeroepen – hun verklaringen konden de zaak, die toch al verloren was, niet meer redden. De jury besliste in het voordeel van Francis Wright. De opperrechter veroordeelde de beklaagde Gwyllyn Wardle tot het binnen drie maanden betalen van tweeduizend guinjes aan eiser. De patriot had verloren en Old Palace Yard, het schouwtoneel van zijn vorige triomf, lag verlaten. De menigte die hem in april had toegejuicht was naar huis. Kolonel Wardle reed in zijn gesloten rijtuig weg. De procureur-generaal begeleidde zijn getuige naar de wachtkamer.

'Hij zal natuurlijk in hoger beroep gaan of een klacht tegen jou indienen.'

'En wat dan?'
'Dan zal ik je verdedigen.'
'Hoe kun je dat doen als officier van justitie?'
'Lieve kind, ik doe wat ik wil. Ik kan de rollen omdraaien.'
'Maar is dat niet nogal unfair?'
'Het geeft variatie.'
'De procureur-generaal die verandert in advocaat?'
'Ja, het verzacht het gemoed en helpt een bredere kijk op alles te krijgen. Als je liever iemand anders hebt, ga dan gerust je gang.'
'O nee, eendracht maakt macht. Zullen we dezelfde rechter krijgen?'
'Eddie Ellenborough? Waarschijnlijk wel. En als dat zo is zullen we een beetje op onze manieren moeten letten. We zouden een tweede keer wel eens niet zoveel succes kunnen hebben. Zoals de zaken nu staan voorzie ik een zekere koelheid, het waren alleen zijn Tory-principes die hem vandaag hebben belet de jury ten gunste van Wardle te beïnvloeden.'
'Die borstelige wenkbrauwen...! Hoe is hij thuis?'
'Mopperig en verduiveld onverdraagzaam.'
'Misschien is dat maar schijn en heeft hij behoefte aan begrip.'
'Je mag je krachten op hem beproeven, hij is een koele ouwe baas.'
'Alle rechters moeten koel zijn, dat ligt in hun aard. Als ze het niet waren zou er geen Britse justitie zijn. Ik denk dat ze zodra ze tot rechter zijn benoemd kloosterallures krijgen... Als een man...'
'Moeten we daar nu over praten? Mag ik je thuisbrengen?'
'Maar ik houd van gesprekken over de rechtbank.'
'Ik haat ze. Ik herhaal mijn vraag.'
'Die vraag is niet begrepen. Je moet haar anders inkleden.'
'Staat getuige de advocaat toe haar enkele instructies te geven?'
'Bij u of bij mij?'
'Waar je wilt.'
'Wat zou je er dan van zeggen om in Westbourne Place te dineren en uw edelachtbare mening te zeggen over Leda's zwaan?'

In St. James Street stelde de gedaagde Gwyllyn Wardle, alleen en verbitterd, een brief op die hij adresseerde aan het volk van het Verenigd Koninkrijk.

3

"Daar mijn gedrag in het parlement door zovele van mijn landgenoten is geprezen, voel ik me door een gebeurtenis die gisteren heeft plaatsgevonden geroepen mij tot u te richten en wel ter verdediging van mijn karakter, dat aan aanvallen is blootgesteld door de uitspraak van de jury inzake de aanklachten van mevrouw Clarke en meneer Wright, de broer van de stoffeerder, in een zaak waarbij ik de gedaagde was.

De details van de aanklacht zult u in de dagbladen vinden. Het is echter mijn taak te constateren dat mijn advocaten, overtuigd als ze waren dat de jury op zulke aanklachten geen reden zou vinden mij te veroordelen, geen gevolg hebben gegeven aan mijn dringend verzoek, meermalen gedurende de rechtszitting schriftelijk en in de krachtigste termen tot uiting gebracht, om majoor Dodd, meneer Glennie en andere respectabele getuigen te horen, daar ik wist dat hun verklaringen op waarheid zouden berusten en in lijnrechte tegenspraak zouden zijn met hetgeen tegen mij onder ede was uitgebracht. Onder zulke omstandigheden is een uitspraak verkregen. Mij blijft dus thans niets anders over dan voor God en mijn land te verklaren dat die uitspraak alleen door meineed verkregen is en ik verbind mij plechtig dat te bewijzen zodra de wet me dat toestaat. Met verlangen zie ik daarom naar dat ogenblik uit en ik vertrouw dat het publiek zijn oordeel tot zolang zal willen opschorten. Met gevoelens van de diepste dankbaarheid en respect blijf ik altijd uw toegewijde dienaar,
G. L. Wardle."

Deze brief werd op vijf juli in elke krant gepubliceerd en druk besproken. Zou iemand erop antwoorden? Zestien juli publiceerde M.A. Clarke een open brief in de *National Register:*

"Aan het volk van het Verenigd Koninkrijk! Daar mijn getuigenis in het Lagerhuis het vertrouwen heeft gekregen van het grootste gedeelte der bevolking en onlangs is gesanctioneerd door een jury van mijn landgenoten, voel ik mij geroepen, na tijd genomen te hebben voor rustig overleg, mij tot u te wenden in verband met de rechtszaak waarin meneer Wright, een stoffeerder, de eiser en kolonel Wardle de gedaagde was en waarin meneer Daniel Wright, broer van eiser, en ik de getuigen waren. Het is bekend dat de kolonel werd veroordeeld – en dit tot voldoening van elke eerlijke handelsman en, zo mag ik wel zeggen, van iedereen in de rechtszaal.

Kolonel Wardle, over het paard getild door een populariteit welke even onverwacht was als – naar men zal ontdekken – onverdiend, had zich ten onrechte verbeeld dat diezelfde populariteit hem zou beschermen tegen het toepassen van het recht in dit land. Teleurgesteld over de uitspraak heeft hij met zijn voorzichtigheid ook zijn kalmte verloren en zonder zich tijd tot nadenken te gunnen, het ongewone beroep gedaan op het volk van het Koninkrijk om tegen het vonnis van de jury in appel te komen.

Indien hij er zich mee tevreden had gesteld de schuld van zijn tegenslag te verwijten aan zijn raadslieden, zou het mij niet aangaan, zij zijn volkomen in staat zichzelf te verdedigen, maar om beschuldigd te worden van een zo schandelijke en verachtelijke daad als meineed door iemand die, beter dan wie ook, moet weten hoe alle valsheid en onoprechtheid mij vreemd zijn, dat is werkelijk té erg.

Mij rest daarom slechts voor God en mijn volk te verklaren dat al wat ik gezegd heb de strikte waarheid is en dat mijn zogenaamde intimiteit met kolonel Wardle alleen heeft bestaan in zijn beloften en mijn aanklacht.

Ik zie daarom verlangend uit naar het ogenblik waarop de vergeefse pogingen van kolonel Wardle om het tegendeel te bewijzen op hemzelf en anderen zullen neerkomen. Ik vertrouw dat men tot zolang zijn oordeel over kolonel Wardles heftige en onbekookte beschuldiging zal willen opschorten. Hoewel het mij misschien niet, zoals kolonel Wardle, past uitdrukking te geven aan mijn dankbaarheid voor het medeleven van het publiek, toch hoop ik dat het zelfs mij vergund is te zeggen hoe bedroefd ik zou zijn indien bij die gelegenheid zou blijken dat ik hun afkeuring verdiende. Ik heb de eer te zijn met het grootste respect

M.A. Clarke."

Of het Britse volk werkelijk zoveel om die hele geschiedenis gaf, valt te betwijfelen, maar ze vormde een geschikt onderwerp van gesprek aan de eettafel. Gastvrouwen begonnen er al bij de vis over en als de port rondging en de dames zich hadden teruggetrokken, werd het bij de brandy weer hervat. De vraag: 'Wie zou haar nu onderhouden?' werd druk besproken. Nu het parlement met zomerreces was gegaan en alle leden her en der verspreid waren, was het geen wonder dat de luiken in Westbourne Place gesloten bleven. Zou ze de stad uit zijn? Ik weet het niet. Ze zeggen dat ze in Brighton zit. Werkelijk? Tubb Clifton zegt dat ze in Southampton is gezien. Aan het strand of in zee? Welnee, ze is naar de Solent, ze is dol op vissen... Hoogstwaarschijnlijk... Wedden dat ze op een fregat zit? Och wat, de vloot ligt in Gibraltar en er is in Portsmouth zelfs geen pinas te bekennen... In werkelijkheid zat mevrouw Clarke met de kinderen in Cowes. De lucht van het eiland was gezond en met de vele jachten op de rede, excursies naar Ventnor en picknicks in Wootton bleken de lange zomerdagen bijzonder plezierig te zijn. Als de brieven er maar niet geweest waren! James Fitzgerald bleef er haar vanuit Ierland mee bestoken. Hij hoopte haar in augustus terug te zien. Was het waar dat ze een paar van zijn intieme brieven had bewaard? Kon ze zweren dat ze ze allemaal aan zijn zoon had overhandigd? Wat Willie betrof, zijn vader maakte zich bezorgd over hem. De jongen scheen in moeilijkheden te zijn geraakt. Had zij er soms iets over gehoord? Inderdaad, dat had ze. Voor ze de stad uitging had ze een hele avond met een huilende Willie opgetrokken, die haar hulp kwam inroepen. Een jonge vrouw was door hem in moeilijkheden geraakt – haar toestand werd zichtbaar en haar echtgenoot kon elk ogenblik van het vasteland terugkomen. Kende mevrouw Clarke soms een dokter? En wat rekende die ervoor? Ze liet onmiddellijk de Metcalfes komen en hen geheimhouding beloven. De dame werd onderdak aangeboden, maar Willie werd niet toegelaten; de toestand van de dame was van dien aard dat onthouding geboden was. En dat allemaal terwijl Mary Annes kinderen elk ogenblik thuis konden komen en ze nog moest pakken voor Cowes.

'Wat ik toch allemaal niet voor mijn vrienden moet doen,' zuchtte Mary Anne, toen de jonge vrouw, in dekens gewikkeld, met mevrouw Metcalfe in een postkoets was gezet. Twee minuten later arriveerden de meisjes met Martha, de gezichten opgewonden tegen de portierraampjes gedrukt en om het hardst wuivend.

'Vergeet de brieven die je me in 1805 hebt geschreven,' schreef ze naar James Fitzgerald, 'en houd een oogje op Willie, dat is hard nodig.'

Als ze wilde gaan uitpakken over die slome Fitzgeralds zou ze er een boekdeel mee kunnen vullen, maar niemand zou het willen lezen. De reacties op de Wright-Wardle affaire bleven in de kranten verschijnen. Het leek waarschijnlijk – althans zo vanuit het veilige Cowes bekeken – dat in het najaar de wraakneming zou volgen. Kolonel Wardle had geen tijd verloren laten gaan en onmiddellijk hoger beroep aangetekend. Begin december zou de zaak Wardle versus Wright voorkomen. Het was dus noodzakelijk de juiste kaarten vast te houden en uit te spelen. Het was daarom een geweldige bof dat opperrechter Ellenborough een breuk kreeg en zijn dokter liet roepen en dat – daar deze op reis was – diens vervanger dokter Metcalfe bleek te zijn. Zijn behandeling deed in een week wonderen, die stipt werden overgebracht, en natuurlijk heerste er in Cowes vreugde. Hoop laat zich nu eenmaal niet onderdrukken. Wat kon er niet allemaal bereikt worden? Ze had goede relaties in de justitiële wereld en nu lord Ellenborough beschermheer van de dokter was...! Er ging een brief vanuit Cowes naar Thomas Metcalfe:

"Ik heb een plan bedacht dat, naar ik meen, wel de moeite waard is om aan uw vriend en beschermer te worden voorgelegd. Het zou u in staat stellen uw bekwaamheid als arts op nog ruimer schaal uit te oefenen en u ook verder een rijker bestaan te bezorgen. Of het plan al of niet doorgaat: u zult in elk geval begrijpen dat ik door dit te schrijven toon groot vertrouwen in u te stellen en dat dit een geheim tussen ons moet blijven. Maar als ik een paar maal in gezelschap zou kunnen zijn van uw beschermer, weet ik zeker dat ik slagen zal, want het enige dat ik verlang is zijn belangstelling voor een kwestie die mij betreft en die belangstelling kan ik niet verkrijgen als ik niet heel erg vriendelijk tegen hem ben. U begrijpt me wel.

Wanneer hij, als uw vriend, een klein huis voor u zou willen huren en inrichten, wat hem niet meer dan vijfhonderd guinjes zou kosten (en wat betekent zo'n bagatel voor hem?) zal ik uw huisgenote of uw patiënte worden en daarvoor mevrouw Metcalfe een zeker bedrag betalen dat haar in staat zal stellen de huishouding te bekostigen, terwijl u gebruik zult kunnen maken van mijn rijtuig, want zonder rijtuig komt een dokter niet ver.

Al wat hij te doen heeft is, met uw toestemming, een of twee maal per week, als het al schemerdonker is, een paar spelletjes piket te komen spelen of elk ander spel waarin zijn edelachtbare goed is.

Denk hier eens goed over na, wilt u? En schrijf me vooral morgen.

Uwe M.A. Clarke

P.S. Uw beschermer zal niet elke dag zo'n belangeloos aanbod krijgen – hij is al oud, ziet u – maar het is prettig een paar grote mannen op sleeptouw te hebben."

Het was nog prettiger de opperrechter op haar hand te hebben en de procureur-generaal aan het lijntje.

Maandag, de tiende december, kwam de zaak Wardle versus Wright en Clarke voor. Opperrechter was lord Ellenborough. De spelletjes piket hadden succes gehad.

Verdediger was de procureur-generaal, wiens merkwaardige gerechtelijke ommezwaai druk werd besproken. Zij die het weten konden zeiden dat daar politiek achter zat, dat de zaak niet was Wardle versus Clarke, maar Whig versus Tory en dat het ministerie niet kon toelaten dat Wardle zou winnen. Het publiek op de galerij dat gehoopt had op een herhaling van de tonelen in juli was teleurgesteld dat mevrouw Clarke niet als getuige zou verschijnen. Ze zat, discreet gesluierd, naast haar advocaat die ze voortdurend briefjes toeschoof.

Meester Alley, de verdediger van kolonel Wardle, leidde de aanklacht in. Hij begon met een lang relaas over Scylla en Charybdis, over drijfzand en de gevaren voor zeelieden, sprak daarna over een vrouw die, naar hij beweerde, had geleefd met Engelsen, Ieren, Schotten, bewoners van Wales, soldaten, zeelieden, lords en burgers – men zag hoe mevrouw Clarke ze op haar vingers aftelde – om na een lange opsomming van alle gebeurtenissen in Engeland sedert de Normandische verovering, over te gaan op het onderwerp corruptie, Corsicaanse bandieten en oplichters die naar de hoogste posities streefden.

Toen hij zover gekomen was, viel de opperrechter hem in de rede:

'Meneer Alley, vindt u dat dit alles iets te maken heeft met de zaak die hier wordt behandeld?'

'Dat vind ik zeer zeker, mylord. Ik tracht aan te tonen dat deze zaak zijn oorsprong heeft in corruptie.'

Lord Ellenborough zuchtte: 'Tja, meneer Alley, als u werkelijk gelooft dat het recapituleren van de geschiedenis van Bonaparte en de tegenwoordige algehele toestand van Europa er iets mee te maken heeft, zal ik u moeten aanhoren, maar volgens mijn mening is het verband ver te zoeken.'

Meester Alley praatte nog twintig minuten door en eindigde met de woorden: 'De veiligheid van het Britse Imperium is op het ogenblik toevertrouwd aan de twaalf mannen van de jury. Ik twijfel er niet aan of ze zullen handelen volgens de woorden die onze onsterfelijke held bij zijn dood heeft uitgesproken. "Engeland verwacht dat elke man zijn plicht zal doen".' Hij ging hevig transpirerend zitten. Geen applaus. De procureur-generaal sprong onmiddellijk op.

'Voor wij nader op deze zaak ingaan, zou ik gaarne willen dat mijn geleerde collega, meester Alley, me meedeelt wie hij bedoelde met de oplichter die een hoge positie wenst in te nemen waarop hij, noch door geboorte, noch door opvoeding of kennis recht heeft?' Men kon mevrouw Clarke horen fluisteren: 'Niet zo lichtgeraakt zijn!' De opperrechter fronste het voorhoofd en schudde het hoofd.

'Ik geloof niet dat ik in dit stadium van het proces mijn geleerde collega om een nadere verklaring kan vragen.'

De behandeling ging voort. De notulen van het juli-proces werden voorgelezen. Kolonel Wardle werd voorgeroepen en alle oude koeien werden uit de sloot gehaald: het bezoek aan het magazijn, het uitzoeken van gordijnen en tapijten.

Maar ditmaal was er geen sprake van een luchtige toon, Sir Vicary Gibbs sprak streng en afgemeten. De naam van de hertog van Kent werd herhaaldelijk genoemd.

'Hebt u bij uw eerste bezoek aan mevrouw Clarke, in november van het vorige jaar, niet tegen haar gezegd dat de hertog van Kent op de hoogte was van de aanklachten die tegen de hertog van York waren uitgebracht?'

'Ik heb dat noch bij mijn eerste, noch bij mijn tweede bezoek gezegd.'

'Wilt u zweren dat de naam van Zijne Koninklijke Hoogheid de hertog van Kent niets te maken had met uw actie tegen Zijne Koninklijke Hoogheid de hertog van York?'

'Ik zweer dat die er niets mee te maken had.'

'Kunt u me mededelen of majoor Dodd onder de hertog van Kent een of andere functie bekleedde?'

'Ik geloof van wel.'

'Welke functie?'

'Ik meen die van privé-secretaris.'

'Was dat niet een vertrouwenspositie?'

'Ongetwijfeld.'

'U, majoor Dodd en majoor Glennie, hebben mevrouw Clarke meegenomen om de Martello Torens te bekijken, is het niet?'

'Ja.'

'Was het de bedoeling informaties bij haar in te winnen over de hertog van York?'

'Ja.'

'Had u geen andere bedoelingen?'

'Nee.'

'Heeft mevrouw Clarke de hertog van Kent genoemd?'

'Ze noemde dikwijls de namen van leden van het koninklijk huis, maar ze zei niet dat de hertog van Kent iets van het proces afwist.'

'Dus de naam van de hertog van Kent is door u niet gebruikt in verband met enige belofte of als geïnteresseerd zijnde in enige belofte aan mevrouw Clarke gedaan?'

'Nooit.'

'Hebt u mevrouw Clarke wel eens geld gegeven?'

'Toen ze me beloofde dat ze me bepaalde papieren zou overhandigen, heb ik haar honderd guinjes gegeven om haar slager en bakker te betalen.'

'En hebt u haar toen beloften gedaan?'

'Geen enkele, alleen dat zij in mij ook een trouwe vriend zou vinden, indien zij een trouwe vriendin van het volk wilde zijn.'

'Wilt u daarmee beweren dat er geen andere beloften aan haar zijn gedaan dan dat ze door het volk zou worden beschouwd als weldoenster?'

'Ik heb nooit andere beloften gedaan, van welke aard ook.'

Kolonel Wardle mocht zich terugtrekken en majoor Dodd nam zijn plaats in. Hij verklaarde dat hij noch kolonel Wardle, mevrouw Clarke ooit iets beloofd had en dat, voor zover hij wist, kolonel Wardle ook nooit op zich had genomen de meubilering van Westbourne Place te betalen. De procureur-generaal luisterde met over elkaar geslagen armen en gesloten ogen; hij nam niet eens de moeite zelf de getuige een kruisverhoor af te nemen, maar liet dit over aan een jonge advocaat.

'Ik meen dat u een hoge functie hebt bekleed onder Zijne Koninklijke Hoogheid de hertog van Kent?'

'Ik was de privé-secretaris van de hertog.'

'Bekleedt u die functie nog?'

'Nee.'

'Wanneer bent u ontslagen?'

'Ik kan niet zeggen op welke dag ik mijn functie heb neergelegd, ik acht dit ongepast.'

'Toen u mevrouw Clarke voor het eerst ontmoette, had u toen niet voortdurend toegang bij Zijne Koninklijke Hoogheid? Ging u niet steeds heen en weer van Westbourne Place naar Zijne Koninklijke Hoogheid en omgekeerd?'

'Ja. Ik was dikwijls bij Zijne Koninklijke Hoogheid of in Westbourne Place.'

'Hebt u Zijne Koninklijke Hoogheid nooit medegedeeld dat u en kolonel Wardle bij die zaak tegen zijn broer betrokken waren?'

'Nee.'

'Had hij er niet het geringste vermoeden van, ook niet dat u dagelijks in de zaak gehoord werd?'

'Nee, ik achtte het onkies om dat onderwerp tegen Zijne Koninklijke Hoogheid aan te roeren.'

De verdediger wendde zich tot de opperrechter: 'Indien u het nodig acht te onderzoeken waarom deze heer uit zijn functie is ontslagen, zijn wij bereid daartoe over te gaan.'

Lord Ellenborough keek ernstig.

'Dat kan ik niet toestaan, het kan onmogelijk verband houden met deze zaak.'

Majoor Dodd trok zich terug en majoor Glennie werd voorgeroepen.

'Bent u bij toeval in deze zaak gemengd?' vroeg pleiter.

'Ik had begrepen dat kolonel Wardle informaties van de dame wilde verkrijgen. Hij wilde een eind gemaakt zien aan de corrupte praktijken in het leger.'

'Dus u wenste ook dat aan die corruptie een eind zou komen? Bent u naar de Martello Torens gegaan met het plan daarop kritiek uit te oefenen?'

'Ik ben erheen gegaan om me te overtuigen van het nut van die fortificaties, niet om ze te bekritiseren. Ik had een boek over dat onderwerp gepubliceerd.'

'Hebt u aantekeningen gemaakt op die tocht?'

'Ja.'

'Over de Martello Torens?'

'Nee, over een ander onderwerp.'

'Welk onderwerp?'

'Eerlijk gezegd over hetgeen mevrouw Clarke ons over de koninklijke familie vertelde.'

'Hebt u niets weggelaten dat naar uw mening beledigend kon zijn voor de betrokken personen?'

'De opmerkingen werden gemaakt over baronnen en peers en over verschillende gebeurtenissen in de koninklijke familie.'

Tot zijn eigen verbazing en teleurstelling – het éclat van getuige te zijn had hem aangevuurd – werd majoor Glennie gelast zich terug te trekken. Nadat andere getuigen waren ondervraagd – onder hen bevonden zich de wijnhandelaar uit Illingworth en Sir Richard Phillips, de uitgever – begon de procureur-generaal zijn pleidooi. Na de voorafgaande verklaringen te hebben doorgenomen, kwam hij te voorschijn met zijn enige getuige en troefkaart, mevrouw Clarkes eigen advocaat, meester Stokes.

Meester Stokes die bij aanklager, verdediging en rechtbank bekendstond als een uiterst integer jurist, verklaarde dat hij in februari, gedurende het proces in het Lagerhuis, een onderhoud had gehad met kolonel Wardle over de raadzaamheid Francis Wright al dan niet als getuige voor mevrouw Clarke op te roepen en dat hij, meester Stokes, dit sterk had afgeraden, daar dan zeer waarschijnlijk bij een kruisverhoor zou uitkomen dat kolonel Wardle een huis voor mevrouw Clarke had ingericht, hetgeen de regering als omkoperij zou beschouwen, wat de zaak van kolonel Wardle zou schaden. Stokes zei dat hij er geen ogenblik aan twijfelde of kolonel Wardle had inderdaad op zich genomen het huis in Westbourne Place in te richten en te betalen.

Deze verklaring veroorzaakte sensatie in de zaal en meester Alley stond uiterst verbaasd op.

'Ik moge uw lordschap doen opmerken dat de zojuist door meester Stokes afgelegde verklaring volkomen onverwacht is gekomen, niet alleen voor mij, maar naar ik meen ook voor het gehele hof. Ik moet u daarom verzoeken mij toe te staan kolonel Wardle opnieuw te horen.'

De opperrechter stond dit verzoek toe en kolonel Wardle verscheen opnieuw om door zijn advocaat te worden ondervraagd. Hij zei dat hij zich heel goed herinnerde ten tijde van het proces een onderhoud met meester Stokes te hebben gehad en dat Francis Wright niet was opgeroepen omdat zijn verklaringen gevaarlijk hadden kunnen zijn voor mevrouw Clarke en zeker niet omdat ze gevaarlijk zouden zijn geweest voor hem, kolonel Wardle. Nu richtte de procureur-generaal opnieuw het woord tot het hof: 'Men heeft kolonel Wardle opgeroepen om meester Stokes' verklaring te weerleggen. Vergelijk de wijze waarop deze beide mannen hun verklaring hebben afgelegd eens met elkaar en let op de duidelijke, overtuigende wijze waarop meester Stokes dit deed. Dat kolonel Wardle meester Stokes zou tegenspreken is begrijpelijk. Als hij dat niet van plan was geweest, had hij beter naar Yorkshire kunnen gaan. U hebt gehoord wat meester Stokes heeft gezegd en ik acht het niet mogelijk dat u, na het horen van zijn verklaring en die van meneer Wright, zult aarzelen die te geloven. U zult zich tevens willen herinneren dat dit alles gebeurd is lang voor er enig geschil bestond tussen Francis Wright en kolonel Wardle.'

Meester Alley hield daarop een lang, droog betoog ter verdediging van zijn cliënt en eindigde met de woorden: 'De buitengewone lengte waartoe deze zitting is uitgelopen, belet me alles te zeggen wat ik in het voordeel van beklaagde zou willen zeggen. Ook al om het vergevorderde uur zal ik er mij toe bepalen mijn dank uit te spreken voor het geduld waarmee zijn lordschap, het hof en de leden van de jury me hebben willen aanhoren. Ik wil er slechts deze opmerking aan toevoegen: De ogen van het Verenigd Koninkrijk zijn op u gevestigd.'

De ogen van de opperrechter waren gesloten geweest, nu gingen ze open. Zijn samenvatting kon moeilijk onpartijdig worden genoemd. De weegschaal sloeg ver door tegen kolonel Wardle. De opperrechter merkte op dat het moeilijk viel te begrijpen waarom kolonel Wardle ooit naar het magazijn van de stoffeerder was gegaan. Wanneer een man niet met een dame naar een dergelijke zaak ging met de bedoeling voor haar te betalen, begaf hij zich ongetwijfeld in moeilijkheden. Zijn lordschap besloot met te zeggen dat de beslissing in handen van de jury lag en dat hij er niet aan twijfelde of hun oordeel zou rechtvaardig zijn. Na zich tien minuten voor beraad te hebben teruggetrokken keerde de jury terug en verklaarde Francis Wright en mevrouw M.A. Clarke onschuldig. Voor de tweede maal in vijf maanden had het parlementslid voor Okehampton een nederlaag geleden. Dat men hem eens zo bewierookt had was vergeten, het getij was gekeerd. Het grillige publiek maakte een lange neus en geeuwde. Er zat voor Gwyllyn Lloyd Wardle niets anders op dan zich weer terug te trekken op de achterste bank van de oppositie uit welker obscuriteit hij zo kort geleden op de voorgrond was getreden.

'En u?' vroeg de procureur-generaal zijn cliënte, 'heeft het hof u genoegzaam voldoening geschonken of verlangt u nog meer?' Ze haalde glimlachend de schouders op.

'Dat hangt af van mijn vrienden en hoe ze me zullen behandelen.'

'Deze uitspraak is in elk geval een aardig kerstcadeau voor u geweest.'

'Dankzij meester Stokes.'

'Niet dank zij uw raadsman?'

'Ja, misschien ook wel – en dankzij de rechter. En ook een beetje dankzij Scylla en Charybdis en drijfzand en de gevaren voor zeelieden. Ik ben blij dat die arme Francis Wright zijn geld krijgt, maar ik ben er geen penny beter van geworden – en dat is wel jammer.'

'Ik dacht dat u een grote som had gekregen voor het terugtrekken van uw memoires?'

'Niet groot genoeg. Ik heb soms spijt dat ik er ooit in heb toegestemd. En dat brengt me op een idee – u kunt me daarin raad geven. Zou de regering het me kwalijk nemen als ik de feiten die vandaag bij de behandeling van de zaak tegen Dodd en Wardle zijn uitgekomen, publiceerde? En ook de manier waarop ik ben overgehaald in het Lagerhuis te verschijnen?'

'De oppositie zou verrukt zijn, maar uw Whig-vrienden zullen woest worden, ik waarschuw u vooruit.'

'Ik geef geen steek om die lui, behalve om Folkestone. En die is erg afgekoeld en verdient een lesje.'

'Ga uw gang.

Het ministerie weet van niets.'

In januari 1801 stond er een bordje: 'Te huur' boven de deur in Westbourne Place. De zaakwaarnemers van mevrouw Clarke en haar beide dochters vonden dat zij een zo groot huis niet kon bekostigen, ze moest bezuinigen. Een klein huisje in Uxbridge? Nee, maar wel zou een villaatje in Putney, niet ver van Fulham Lodge amusant zijn. De hertog leende de Lodge nog steeds aan tijdelijke favorieten uit en reed zijn paarden af op Putney Heath en wie weet of hij niet, door een vreemd verlangen gedreven, weer eens een vroege ochtendrit zou maken. Niet dat ze er veel hoop op had, maar de gedachte was wel prettig.

Ze installeerde zich daar – de oren gespitst of ze geen hoefgetrappel hoorde – met papier en pen en de blikken trommel vol brieven; laat in het voorjaar was het resultaat gedrukt en uitgegeven door meneer Chapple, 66 Pall Mall.

Titel: *De rivale van de prinses*, door Mary Anne Clarke.

4

De eerste editie van *De rivale van de prinses* was binnen drie weken uitverkocht. Een tweede uitgave volgde, aangevuld met nog meer brieven en een voorwoord, waarin de heren van de pers werden bedankt dat ze het voor een beledigde vrouw hadden willen opnemen onafhankelijk van enige partijpolitiek. De uitgevers van *The Times, The Post, The Sun, The Courier* en *The Pilot* kregen wat hun toekwam; meneer Bell van The Weekly Messenger kreeg een afstraffing, omdat hij had durven zeggen dat het een schandelijk boek was dat verdiende door de beul in de vlammen te worden geworpen. Meneer Bell, zei de schrijfster vinnig, had nog nooit een schuld betaald voor hij gearresteerd werd; kolonel Wardle moest daarom van geluk spreken dat hij betaald werd. De schrijfster kende verschillende merkwaardige anekdoten over het privé-leven van meneer Bell, en het was best mogelijk dat zij, indien hij haar nog meer beledigde, er toe zou overgaan die te publiceren – hetgeen ook een methode was om slechte kritieken te behandelen.

Het was leuk geweest het boek te schrijven. Niemand was gespaard. De heren Wardle, Dodd en Glennie sloegen een belachelijk figuur; Sir Richard Phillips uit Bridge Street kookte van woede; de wijnhandelaar Illingworth werd tot een karikatuur gemaakt. De bezoeken aan Romney Marsh en de Martello Torens en de avonden in Westbourne Place werden uitvoerig beschreven. Men kreeg kijkjes achter de schermen van het proces en de vriendschap met de radicale lord werd vluchtig genoemd. Het boek begon met de eerste kennismaking met Wardle en eindigde met zijn nederlaag in Westminster Hall. In het voorwoord werd even de hertog van York genoemd, doch op zulk een manier dat niemand er aanstoot aan kon nemen en zo bleven de tienduizend guinjes gewaarborgd. De schrijfster zei dat haar vroegere koninklijke vriend al zijn tegenslagen te wijten had aan de afstammeling van iemand die door Eva misleid was, lang, lang geleden, door middel van een appel. Ze wilde geen namen noemen, het hof kon ervan denken wat het wilde. Een giftige tong had het koninklijke oor vergiftigd, want het koninklijke hart was niet in staat iemand onrecht aan te doen. De schrijfster was genoodzaakt geweest voor haar rechten op te komen, anders had ze moeten sterven aan de voeten van haar jeugdige kinderen.

Zijne Koninklijke Hoogheid de hertog van Kent werd niet gespaard. In antwoord op Mary Annes aantijgingen publiceerde hij op ruime schaal een *Verklaring* bevattende de vragen, gesteld aan majoor Dodd, zijn gewezen privé-secretaris.

In deze *Verklaring* ontkende majoor Dodd ooit de naam van zijn meester te hebben genoemd als zou deze een aanval op diens broer hebben aangemoedigd. De nu ontslagen secretaris beweerde zelfs dat in de tien jaar van zijn functie Zijne Koninklijke Hoogheid, welke diens gevoelens ook mochten zijn geweest, nooit een klacht had geuit. Toen pamfletten zijn broer hadden veroordeeld en hem geprezen, had de hertog van Kent gehuiverd en het hoofd gebogen. Wat betreft het goedkeuren van de aanslagen op de eer van zijn broer, zoals beschreven werd in een kort geleden uitgekomen boek *De rivale van de prinses*, een dergelijke lage aantijging kon niet onopgemerkt blijven en moest ieder eerlijk mens met afschuw vervullen.

In de eerste editie was slechts één brief van lord Folkestone aan de schrijfster afgedrukt, doch dat was genoeg om de radicale lord de schrik op het lijf te jagen. Hij schreef onmiddellijk een betuiging van spijt aan Wardle waarin hij zei dat hij het boek zelf niet gelezen had, maar dat hij elke kritiek die hij het vorige jaar mocht hebben geuit nu geheel terugnam. Die meningen waren het gevolg geweest van de verkeerde voorstellingen die mevrouw Clarke van de zaak had gegeven. Hij hoopte dat majoor Dodd het zou begrijpen en hoewel hij er een afkeer van had zijn naam in druk te zien, mochten beide heren gebruik van deze brief maken. Hij werd prompt de volgende dag, dertien juni 1810, in de Morning Chronicle afgedrukt. Hij publiceerde echter niet een volgende meer intieme brief, die hij diezelfde dag aan zijn vriend, meneer Creevy, had geschreven. De inhoud daarvan luidde als volgt:

"Is de brief die ze heeft laten afdrukken een erg dwaze? Kom ik erdoor in een belachelijk daglicht te staan? Is het de brief waarin ik schreef: 'Het zal de koninklijke familie geen goed doen'? Hoe denkt men erover en wat is jouw mening? Neem me deze vragen niet kwalijk, maar na die buitengewone nervositeit waarvan je in december getuige bent geweest, zul je je er niet over verbazen. Heeft de snol er toespelingen op gemaakt dat ik met haar heb geslapen of zegt ze iets anders over me?"

Het was maar goed voor lord Folkestone dat de schrijfster deze brief nooit onder ogen kreeg, anders zou ze het hem betaald hebben gezet. Nu las ze alleen de *Morning Chronicle* en in de tweede editie van haar boek drukte ze negen brieven van lord Folkestone af, met enkele raadselachtige commentaren erbij.

De tweede uitgave was nog vlugger uitverkocht dan de eerste. Exemplaren vol ezelsoren werden meegesmokkeld naar de achterste banken en in de rookkamers doorgesnuffeld, er werd om gegrinnikt in afgelegen hoekjes en, hoewel de grote aanval was gericht op de oppositie, kwamen de leden van de regeringspartij er ook niet heelhuids af. Er werd geen woord geuit tegen Sir Vicary Gibbs, maar de secretaris van de admiraliteit, meester Croker, die met de procureur-generaal in 1809 zo vijandig tegen de schrijfster was opgetreden, kreeg er twaalf bladzijden van langs. Zijn nederige afkomst werd geopenbaard en de haat die hij op zich had geladen ten gevolge van zijn onverkwikkelijke activiteit als deurwaarder in Ierland.

Drie of vier maanden lang werd het boek besproken en toegejuicht, hoewel velen vonden dat het van afschuwelijk slechte smaak getuigde; toen, zoals dat gaat met opzienbarende tijdelijke dingen, stierf de belangstelling uit en werd de kwestie totaal vergeten. Er kwamen andere dingen de aandacht vragen: de oorlog en, in koninklijke kringen, de dood van de geliefde dochter van de koning, prinses Amelia. Dit was de laatste strohalm. Zijne Majesteit, George de Derde, werd krankzinnig verklaard. In 1811 werd de prins van Wales regent. Een van zijn eerste daden was de hertog van York in zijn functie van opperbevelhebber te herstellen. Het grote proces en *De rivale van de prinses* werden oud nieuws, niemand gaf er meer iets om. Ze hadden evenals het deuntje van verleden jaar of de mode van het vorige seizoen hun tijd gehad en konden nu begraven worden. De enige die de begrafenis betreurde was mevrouw Clarke zelf. Het maakte het leven zo saai. Ze zei: 'Ik heb nog genoeg brieven in mijn oude blikken trommel om een dozijn boeken te vullen en mijn fortuin te maken. Waarom die laten vergaan en niet overdragen aan het nageslacht?' Dat was voor een vergadering van haar beheerders, de heren Dowler en Coxhead-Marsh inbegrepen. Van de tienduizend guinjes waren er nog vijfduizend over en binnen een paar jaar zou er niets meer over zijn.

'Een goede reden om van schrijven mijn beroep te maken. De meisjes kunnen leven van hun jaargeld en ik kan een royaal bestaan hebben van mijn royalties. Zijn jullie het niet met me eens?' Charley Thompson knikte. Hij was de derde beheerder en alles wat het inkomen van zijn zuster zou vergroten, had zijn broederlijke goedkeuring, want ze gaf hem altijd de helft. De heren Dowler en Coxhead-Marsh dachten er anders over. Ze waren hevig ontsteld over *De rivale van de prinses* – op elke bladzijde een schotschrift en doodsbang voor een herhaling. Ze was er één keer goed doorheen gekomen, maar dat zou niet weer gebeuren. Bovendien was niemand door haar pen gespaard en wie wist welke dwaze krabbeltjes van hen nog in die blikken trommel zaten?

'Ik vind dat je beter onze raad kunt opvolgen,' zei Coxhead-Marsh, 'en je een poos koest houden en je bemoeien met de opvoeding van je dochters.'

'Die uitstekende school in Uxbridge', zei Bill Dowler, 'kost maar vijftien guinjes per kwartaal, Franse lessen inbegrepen.'

'Er kan geld beschikbaar worden gesteld voor de opvoeding, maar niet voor aanvallen op de society,' zei Coxhead-Marsh, 'daar zijn Dowler en ik het volkomen over eens. Als je wilt dat je dochters goede huwelijken doen, moet je hun kansen niet bederven. Zoals het nu is...'

'Zoals het nu is', viel Dowler hem in de rede, 'zal wat in 1809 gebeurd is toch al een nadeel voor hen blijken te zijn. Ik heb je telkens en telkens weer gezegd dat het het beste zou zijn als je je ergens op een rustig plekje buiten zou terugtrekken. Een villatje in Chalfont St. Peter...' Ze viel uit: 'Worden er cursussen over het huwelijk gegeven op die school in Uxbridge? Ik bereid ze daar liever zelf op voor, Frans inbegrepen... De meisjes moeten in Londen wonen en ik ook, met een buitenverblijf in Brighton of misschien in Ramsgate, en als George weer in het leger komt gaan we mee – er zullen kornetten bij de vleet zijn voor Mary en Ellen en een of andere kranige cavaleriekolonel voor mij.'

Er volgde een stilte bij het noemen van Georges naam, ze ving de blik op die de beheerders samen wisselden.

'Wat is er?' vroeg ze.

Bill gaf geen antwoord. Charley haalde zijn schouders op. Het werd aan Coxhead-Marsh overgelaten de stilte te verbreken: 'Ik zou wel eens moeite in de city kunnen doen voor George een baan te vinden,' begon hij.

'Maar dat heeft nog de tijd.'

'George gaat in het leger,' antwoordde ze. 'Dat is zijn wens en dat is hem beloofd.'

'Dat zal niet makkelijk gaan.'

'Waarom niet?'

'De reden ligt voor de hand. De zoon van een vrouw die de carrière van de opperbevelhebber kapot heeft gemaakt, zal in geen enkel regiment welkom zijn. Elke sollicitatie zal van de hand worden gewezen. Hij heeft geen kans.'

'Ik heb je gewaarschuwd,' zei Charley.

'Het is mij niet gelukt en het zal hem ook niet lukken. Dat proces heeft alles voor ons bedorven. Als George zijn naam verandert, heeft hij misschien nog een kans, maar niet in het leger van de koning, dat is absoluut zeker.'

Ze kreeg plotseling een driftbui. Stomme idioten, allemaal!

'Als iemand in de weg staat, weet ik hoe te vechten. Ik heb een brief van de hertog van York, waarin hij belooft dat hij George op zijn vijftiende jaar een aanstelling zal geven. Als ik die eens bij het gerecht overlegde?'

De beheerders zuchtten. Weer voor het gerecht, weer naar Westminster Hall? Publiciteit – gevaarlijk, fataal voor iedereen. Het zou Georges kansen en die van de meisjes volkomen verspelen. Kon niemand haar dan het zwijgen opleggen?

'Als je met dreigementen begint, bederf je de toekomst van je kinderen,' zei Coxhead-Marsh.

'Het jaargeld voor jezelf en de meisjes zal worden ingetrokken en je zult geen penny meer krijgen.'

'Behalve dat ik wéét dat ik met mijn hersens en mijn pen kan verdienen en wat zal heel wat meer zijn dan welk jaargeld ook.'

Ze stormde het gebouw uit, hen beduusd en ongerust achterlatend. Ze konden doen wat ze wilden met het verminderde kapitaal, maar alleen zij kon een aanval beginnen.

Pas toen ze thuiskwam en haar trommel doorzocht, herinnerde ze zich dat de brief van de hertog over George niet meer in haar bezit was. Ze had die tijden geleden aan James Fitzgerald in veilige bewaring gegeven.

Ze had in maanden niets van de Fitzgeralds gehoord. James had zich dit jaar uit de politiek teruggetrokken en Willie was zeer snel opgeklommen en was nu Iers minister van Financiën en lid van de kroonraad. Ze schreef hun onmiddellijk. Ze waren beiden in Ierland en ze twijfelde er niet aan of Willie zou in zijn nieuwe functie, ondanks alle tegenstand, George een aanstelling kunnen bezorgen.

Er kwam geen antwoord, noch van de vader, noch van de zoon. Ze schreef nog eens. Eindelijk kwamen er een paar korte woorden van James.

'De brief waar u op doelt is reeds lang vernietigd.'

Vernietigd, haar kostbaarste bezit! Dacht hij dat die brief hem zou besmetten? Of was hij bang om ook maar een enkel papier te bewaren dat zijn relatie tot de beruchte mevrouw Clarke zou kunnen bewijzen?

Een hernieuwd beroep op Willie had geen succes, ze kreeg bericht dat William Fitzgerald, minister van Financiën, niet door mevrouw Clarke wenste te worden lastiggevallen. Het was het beste die vroegere connectie te vergeten en niet te hernieuwen. De Ierse minister weigerde om enige stappen te doen ten behoeve van mevrouw Clarkes zoon.

Eerst was ze als versuft. Ze kon de waarheid niet geloven. Het was volslagen onmogelijk dat de Fitzgeralds, die tien jaar lang haar beste vrienden waren geweest, zich nu tegen haar keerden, nadat ze zoveel geheimen en zoveel leed hadden gedeeld. Willie, die haar vanaf zijn studietijd in Oxford al zijn moeilijkheden had verteld, die net als Charley altijd om hulp en raad bij haar was gekomen; James, die honderden keren zijn hart bij haar had uitgestort, die haar zijn politieke en persoonlijke problemen had verteld. Ze wensten de kennismaking niet te hernieuwen... een afgesloten hoofdstuk – en niets kunnen doen voor George...

George werd in de steek gelaten.

Haar ontroering veranderde in boosheid, haar boosheid in woede, haar woede in een blind verlangen naar wraak. Zoals ze in het verleden had gedaan, wendde ze zich ook nu weer om raad tot Ogilvie.

'Wat zal ik doen? Hoe kan ik ze het hardst treffen?'

Gedurende de laatste vier jaar was veel verkeerd uitgepakt. Ogilvies verwachtingen waren één voor één de bodem ingeslagen. Het regentschap had alle hoop op een verdeeld land, op revolutie, in duigen doen vallen. De Tories waren nog aan de macht en er was geen uitzicht dat daarin verandering zou komen; daarom was elk wapen dat de minister in diskrediet kon brengen welkom. Animositeit tussen Engeland en Ierland kon worden aangewakkerd, tweedracht diende altijd een nuttig doel en hier was iets om aan te pakken en aan te moedigen.

'Toen je *De rivale van de prinses* publiceerde, heb ik je gezegd dat je het veel krasser had moeten maken. Nu heb je je kans. Begin aan een serie pamfletten waarin de regering wordt aangevallen, te beginnen met William Fitzgerald. Stel hem aan de kaak. Het zal een schandaal geven en hij zal zijn ontslag moeten indienen. Weet je nog hoe belachelijk je Croker hebt gemaakt? Het is een bittere teleurstelling voor het volk geweest dat je nooit bent doorgegaan met de rest onmogelijk te maken.'

'Denk je dat wat ik zeg gewicht in de schaal legt?'

'Natuurlijk. Toen je De rivale schreef had je het publiek op je hand, maar je liet het moment voorbijgaan en daarom raakte je het kwijt. Je weet niet half hoeveel macht je in je pen bezit, trouwens in je tong ook. Twee mannen zijn in ongenade gevallen alleen door jou, de hertog van York en Wardle. Probeer het nu ook met de derde. Zorg dat die Ierse minister eruit geschopt wordt; het volk zal achter je staan.'

Die woorden waren honing voor haar gretige oren. Will zei al de dingen die ze zo verlangde te horen. Zijn voorstel wond haar op. Een serie pamfletten die de wereld die zij gekend had, aanviel; een nieuwe kans om te bewijzen dat ze niet vergeten was, dat ze nog de macht bezat een man te breken.

De strijd was opnieuw aangebonden. Ze sloot zich in haar kamer op en begon te schrijven...

De brief aan William Fitzgerald besloeg twintig bladzijden en werd door een zekere meneer Mitchell in pamfletvorm uitgegeven. Meneer Chapple van Pall Mall had geweigerd. Hij raadde de publicatie af, het was gevaarlijk, maar Mary Anne wilde niet luisteren.

'Gevaarlijk voor William Fitzgerald, niet voor mij.' Meneer Chapple schudde zijn hoofd. De brief was vitriool, zonder mildheid van humor of geest.

"Ik wens de Ierse natie te waarschuwen tegen een van de laaghartigste en losbandigste mannen die op het moment, wonderlijk genoeg, de financiën van die natie beheert en in het parlement haar spreektrompet is. Ik word hiertoe gedwongen door het algemene beginsel dat mij mijn gehele leven geleid heeft: nooit te dulden dat ondankbaarheid, deze zwartste aller zonden, ongestraft blijft of huichelarij wordt verbloemd en niet aan de kaak gesteld. U, meneer Fitzgerald, zult het bewijs zijn, dat niemand, hoe hoog hij ook in rang moge zijn, straffeloos kan spelen met mijn gevoelens en onthoud dat ik, wanneer ik beledigd word, genoegdoening zal eisen niet alleen van de zoon van de koning, maar van de koning zelf. Tot nu toe heb ik niemand voor het volk ontmaskerd die dat niet dubbel en dwars verdiende, dit is de enige wraak die ik wens te nemen op hen die mij slecht behandeld hebben. De volgende feiten zijn een frappant voorbeeld van de laagheid en het verraad van de geraffineerde intrigant, uw vader, aan wie ik een brief van de hertog van York, geschreven kort na onze scheiding, toevertrouwde; een brief waarin de hertog zich zolang hij leefde aansprakelijk stelde voor de opvoeding en verzorging van mijn zoon. Ik verzocht uw vader mij deze brief te willen terugsturen. Op dit verzoek antwoordde hij: 'Ik heb hem vernietigd'. Woorden zijn ontoereikend om de verontwaardiging uit te drukken die ik gevoelde over deze verraderlijke houding tegenover een onschuldig kind, dat voor zijn levensonderhoud afhankelijk is van die brief en die nu laaghartig wordt beroofd van die enige steun, om nog niet te spreken over zijn schandelijke ondankbaarheid tegenover mij, die hem en zijn gehele familie heeft behoed voor schande en ondergang door zijn onzedelijke correspondentie geheim te houden. Na deze enkele opmerkingen over het karakter van uw laaghartige vader zal ik nu mijn aandacht op het uwe vestigen. Uw vader schrijft het feit dat u slecht kunt zien toe aan een erfelijke kwaal, maar het is te wijten aan uw nachtelijke gokpartijen, welke in uw geval absoluut niet te excuseren zijn daar het geen geldnood is die u naar de speeltafel drijft. Afgezien van deze overheersende passie in uw leven vraag ik me af wat de wereld zal denken van een man die opzettelijk de vrouw van zijn intieme vriend verleidt en door het gebruik maken van corrupte invloeden zorgt dat de echtgenoot naar een ongezond klimaat wordt overgeplaatst in de hoop dat ziekte hem daar spoedig naar het graf zal slepen; die dan toegeeft aan zijn ongebreidelde hartstocht en wanneer de gevolgen daarvan duidelijk worden, het bewusteloze slachtoffer van zijn uitspattingen een drank toedient opdat met gevaar voor haar leven, zijn angst zal worden weggenomen en het onschuldige bewijs van zijn zonde gedood wordt. Het duurde niet lang voor een doodgeboren kind – een zo vreselijk schouwspel, dat zelfs een medische pen ervoor zou terugdeinzen het te beschrijven – de giftigheid van de fatale drank, waardoor de ongelukkige moeder zelf aan de rand van het graf was gebracht, ten duidelijkste bewees. U beweerde dat u niet met een zo onteerde vrouw kon trouwen, ook al was u zelf oorzaak van die ontering, zoals u ook het bloed van de Fitzgeralds niet hebt willen bezoedelen door een verbintenis aan te gaan met een van de dochters van lord Dillon, omdat zij bastaards waren. Eenzelfde bezwaar deed u een dergelijk aanbod van markies Wellesley afwijzen. Maar welke zijn uw geboorte of rang of talenten die u het recht geven met zoveel minachting op de kinderen van de edelste families neer te zien? Dit alles ontbreekt u – u, wiens grootvader de schurkachtige Billy Fitzgerald van Ennis, een arm advocaatje van kwade zaken, was; wiens vader zijn opkomst alleen te danken heeft aan smerige politieke intriges; wiens tante een gewone prostituee is; en wiens neef werd opgehangen voor het stelen van paarden; wiens hele gedrag sedert u voor het eerst een rol ging spelen in de maatschappij één weefsel van leugens en schandalen is geweest? Ik zal aantonen door welke middelen u de onderscheidingen hebt verkregen waar u nu zo fier mee te koop loopt en die, volgens de berichten, nog zullen worden bekroond met een pairschap. U denkt misschien dat hermelijn een passende mantel zal zijn voor uw morele misvormingen en dat het bezit van een kroontje het gebrek aan enige verdienste zal compenseren, maar veroorloof me te vragen of u in staat zult zijn het dier dat op uw blazoen zal prijken te bezien zonder u uw lage afkomst te herinneren? Ik laat nu de brieven volgen die ik van uw vader en u heb ontvangen en die nog in mijn bezit zijn; en het blijft te bezien, Sir, of het volk van Groot-Brittannië en Ierland, uw ware karakter kennende, nog langer zal dulden dat zulk een losbandig parvenu de baas over hen speelt. Het staat te bezien of het de aanstelling van een armzalige politieke avonturier in een der hoogste en meest lucratieve functies in het land zal toejuichen en of het zich niet zal afvragen of het beheer van de financiën van het Imperium niet aan bekwamer en reiner handen moet worden toevertrouwd dan aan die van iemand wiens nachten worden doorgebracht aan de speeltafel en die schuldig is bevonden aan het vermoorden van zijn eigen ongeboren kind."

Zo was de gehele toon van de gepubliceerde brief en ze voegde er in een voetnoot bij dat er nog meer zouden volgen.

"Ik kondig hierbij mijn voornemen aan om binnen korte tijd twee of drie boeken te publiceren, welke nog gevolgd zullen worden door andere, indien de noodzaak daartoe zich voordoet. De schrijfster."

Zekere getrouwe dienaren van de kroon voelden zich allesbehalve op hun gemak bij dat vooruitzicht. Een paar van de lords waren bepaald benauwd. Men had lord Liverpool zelfs horen zeggen: 'Snoer die vrouw de mond voor ze nog meer kwaad sticht. We zullen er allemaal uitgesmeten worden als dit zo doorgaat.'

Het eerste slachtoffer raadpleegde zijn rechtskundige adviseurs en diende een aanklacht in. Op maandag zeven februari 1814 werd mevrouw Mary Anne Clarke aangeklaagd wegens het uitgeven van een schotschrift tegen en het verspreiden van laster over de Ierse minister van Financiën, Right Honourable William Fitzgerald, parlementslid voor Ennis. Ze zat voor de derde en laatste maal in de rechtszaal van King's Bench en keek naar de zee van gezichten die alle naar haar waren toegewend, doch Sir Vicary Gibbs was er nu niet meer om haar te verdedigen, hij was precies twee jaar geleden rechter geworden. De opperrechter lord Ellenborough was ook afwezig. Zijn plaats was ingenomen door rechter Le Blanc. Nu geen spelletjes piket voor het proces begon. Geen gezellige samenkomsten in Lincoln's Inn, geen zwaan van Leda.

'Zorg Henry Brougham als verdediger te krijgen en let niet op de kosten,' had de voormalige procureur-generaal tegen Mary Anne gezegd.

'Ik verafschuw zijn politiek, maar hij is de enige man ter wereld die jou er misschien uit zal kunnen draaien. Maar ik zal hem echter vooruit waarschuwen dat het niet makkelijk zal zijn.' Op advies van de verdediger bekende de beklaagde schuld. Mary Anne had eindelijk haar doel voorbijgestreefd.

5

Het proces duurde slechts kort. Er werden geen getuigen opgeroepen. De brief aan William Fitzgerald werd in de rechtszaal voorgelezen en zwijgend aangehoord. De beklaagde voerde geen enkel bewijs aan, doch bracht in een beëdigde verklaring als verzachtende omstandigheid het verraderlijk gedrag van de Fitzgeralds naar voren. Vader en zoon Fitzgerald hadden vele waardevolle papieren vernietigd welke zij aan hen had toevertrouwd en waaronder zich er één bevond van een zeer gezaghebbend persoon die daarin had beloofd voor haar enige zoon te zullen zorgen. Ze deed met de volgende woorden een beroep op de barmhartigheid van het gerechtshof: 'Dat gedaagde twee dochters heeft, waarvan één bijna volwassen; dat zij hen tot nu toe onder vele ongunstige omstandigheden en tegenslagen een goede opvoeding in eer en deugd heeft gegeven en dat, indien het hof in zijn wijsheid genoemde dochters van haar bescherming zou beroven, deze geheel berooid zullen achterblijven; dat ze nederig hoopt dat met deze omstandigheden – de staat van haar gezondheid en het feit dat ze in het onderhavige geval niet gedreven werd door motieven van politieke aard, doch uitsluitend door de behandeling die ze van eiser had ondervonden – door dit edelachtbaar hof rekening zal worden gehouden.' De procureur-generaal noemde het schotschrift het schandelijkste dat het gerecht ooit onder ogen had gekregen. Hij zei dat het geen twijfel leed of het was uitgegeven met de bedoeling geld af te persen – inderdaad werd wraak als motief voor het pamflet genoemd. Hij hoopte dat het vonnis dat het hof zou vellen beklaagde zou leren zich voortaan stil te houden en af te zien van het schrijven van smaad. Meester Henry Brougham (die zes jaar later koningin Caroline zou verdedigen) pleitte voor verzachtende omstandigheden, doch hij wist dat hij weinig voor mevrouw Clarke zou kunnen doen.

'Dit is niet een geval van een opzettelijke en niet uitgelokte aanval op het karakter van een persoon, alleen om in het openbaar toe te geven aan de zucht tot lasteren,' protesteerde hij heftig.

'Het publiceren van die brief is het gevolg van een langdurige relatie tussen partijen, een relatie die veertien jaar heeft bestaan. Mijne heren, ik dring niet aan op vergoelijking van het misdrijf omdat beklaagde die aan deze gevoelens van ergernis heeft toegegeven een vrouw is, opdat niet gezegd zal worden dat wanneer sekse niet langer terughoudendheid oplegt die ook ophoudt bescherming te bieden, maar ik wil u, mijne heren, dringend verzoeken na te denken over de gevolgen die haar bestraffing zal hebben voor hen die ze in eer en deugd heeft grootgebracht, door hen die opvoeding te geven en die gewoonten bij te brengen, waarvan zij het gemis nog eenmaal zal gevoelen, zo ze dit reeds niet doet.

Wanneer het hof deze dingen in aanmerking neemt, hoop ik dat gij, mijne heren, bij het vaststellen van de gerechtelijke straf, ook genadig rekening zult willen houden met de belangen van de onschuldigen.'

Meester Brougham had zijn best gedaan. Maar het hof bleef vijandig. De hoge heren waren – en niet zonder reden – van mening dat een vrouw die zulke beschuldigingen kon schrijven tegen hooggeplaatsten, gemuilkorfd diende te worden. Het zou stellig verkeerd zijn haar vrij te laten, ze zou dan over een paar weken opnieuw beginnen. Nog pas vijf jaar geleden was een prins van den bloede door haar geschandvlekt. Vrouwen van dat soort waren gevaarlijk.

Beklaagde had zelfs die dag gedurende het proces haar gewone luchthartigheid en onverschilligheid tentoongespreid. Ze had gelachen om het verouderde uiterlijk van meneer Mitchell, de zeventigjarige drukker en medegedaagde, en was zover gegaan een spottende, diepe buiging te maken aan het eind van de rede van de procureur-generaal. Rechter Le Blanc was besloten streng op te treden.

'Er valt niet te twijfelen', zei hij, 'aan de lasterlijke tendens van de publicatie, en het lijdt evenmin twijfel dat het motief van de brief en het dreigement dat er nog drie zullen volgen, duiden op het verlangen om door die pamfletten of door het inhouden daarvan geld te bemachtigen. Laat dit een waarschuwing voor de wereld zijn, hoe licht men overhaaste en onvoorzichtige connecties aanknoopt. Wat de beklaagde betreft: ik hoop en vertrouw dat de eenzame opsluiting, waartoe het gerechtshof verplicht is haar te veroordelen, haar aanleiding zal geven op haar verleden terug te zien en berouw te krijgen van de dwalingen welke haar in haar huidige toestand hebben gebracht. Het is altijd pijnlijk genoodzaakt te zijn de zonden der vaderen te bezoeken aan de kinderen, maar in sommige gevallen kan de scheiding van ouders en kinderen weldadige resultaten afwerpen. Of dat in dit geval zo zal zijn, is niet aan het hof om te beoordelen. Alle omstandigheden in aanmerking nemend, veroordeelt het gerechtshof beklaagde, Mary Anne Clarke, tot negen maanden gevangenisstraf in de King's Bench gevangenis. Na afloop van die periode zal ze tegen borgtocht in vrijheid worden gesteld, te weten tweehonderd guinjes door haar te betalen en twee borgstellingen elk van honderd guinjes, en ze zal gevangengehouden worden tot die bedragen zijn betaald.' Aller ogen richtten zich op beklaagde Clarke, die staande het vonnis had aangehoord. Haar advocaat had wel gezinspeeld op gevangenisstraf, maar ze had hem geen seconde geloofd. Boete, misschien een paar duizend guinjes, daarvoor zouden haar effecten verkocht kunnen worden en dan zou het vervolg op *De rivale van de prinses* verschijnen – raak en waar – maar eerst goed onderzocht of het geen laster bevatte.

Maar negen maanden gevangenisstraf! De kinderen alleen, en George die de volgende week zestien zou worden! Ze keek ongelovig rond. Niemand glimlachte. Charley en Bill staarden naar de grond. Dus het was waar. Geen kans om te ontkomen. Geen verzachtende omstandigheden. Rinkelende sleutels, koude gevangenismuren, een cel. Ze boorde haar nagels in haar handpalmen om haar zelfbeheersing te bewaren. The Times besloot zijn verslag met deze zin: 'Toen rechter Le Blanc het vonnis uitsprak, liet haar vrolijkheid haar in de steek en stortte ze enkele tranen.' Haar vrienden mochten afscheid van haar nemen vóór ze naar King's Bench gevangenis werd gereden. Ze drong haar tranen terug en kwam glimlachend naar hen toe.

'Ik ben altijd van plan geweest eens dieet te gaan houden en nu krijg ik de kans. Het is zo goed voor je gezicht en figuur als je achtendertig bent. Het water van Marshalsea moet zoveel beter

zijn dan dat van Bath en je logeert er de helft goedkoper... Willen jullie alsjeblieft aan Martha vragen de noodzakelijke dingen in te pakken, alleen maar voor een paar dagen, tot ik mijn kwartier heb geïnspecteerd! Ik heb zo het gevoel dat ik geen avondtoiletten nodig zal hebben, alleen wollen kleren. Boeken? Wie wil me geregeld van boeken voorzien? Ik reken op jullie allemaal. Met Gibsons *Decline and fall* en de *Odyssee* zal ik een heel eind komen... Nog voorstellen? Ik zal stellig dinsdags en donderdags thuis zijn. Alle bezoekers zijn welkom, maar breng eigen stoelen en krukjes mee. Coxy, let jij op de meisjes en inviteer ze in Loughton en alsjeblieft, probeer in hemelsnaam een baantje voor Charley te vinden. Bill, lieveling, geef me een zoen, gauw, en ga dan weg. Ik zou me anders als een idioot gaan aanstellen en je een gek figuur laten slaan. Je weet wat je met George moet doen, zeg het hem voorzichtig. Zeg dat hij helemaal niet ongerust over me hoeft te zijn en dat ik het vreselijk amusant vind – dat ik gewoon niet kan wachten tot ik eens de binnenkant van een gevangenis zal zien. Is meneer Brougham daar? Ik wil hem bedanken.'
Henry Brougham kwam naar haar toe en greep haar hand. Hij zag door het vrolijke masker heen en begreep hoe hevig haar spanning was. Hij zond haar vrienden weg en toen ontspande ze pas.

'Het zal heel hard zijn,' zei hij, 'ik moet u voorbereiden.'

'Ja,' antwoordde ze, 'zeg me maar ineens het ergste.'

'Hoe sterk bent u?'

'Dat weet ik niet, ik ben nog nooit op de proef gesteld. Ik ben nog nooit ziek geweest.'

'U zult over enige tijd een kamer krijgen of die met iemand delen. Ik neem aan dat uw vrienden in staat zullen zijn daarvoor te betalen. Maar voorlopig zal daar geen sprake van zijn. Het vonnis luidt: eenzame opsluiting.'

'Wat betekent dat precies?'

'Er zijn twee kleine cellen of kerkers in King's Bench gevangenis. Het hof heeft beslist dat u in een daarvan zult worden opgesloten.'

'Is het daar pikdonker? Zal ik er kunnen lezen of schrijven?'

'Ik geloof dat er een klein raampje hoog in de muur is.'

'Is er iets in de cel waarop ik kan liggen?'

'Op het moment niet, alleen stro. Maar u zult een bed mogen

laten komen – ik heb al instructies gegeven.'
'Zijn er dekens?'
'Vannacht hebt u mijn eigen rijtuigdekens. Ik zal doen wat ik kan om te zorgen dat u morgen een bed en dekens van thuis krijgt.'
'Wie is de directeur van de gevangenis?'
'Een zekere meneer Jones, maar ik geloof dat niemand die ooit te zien krijgt en dat de gevangenis eigenlijk wordt beheerd door zijn assistent, een zekere Brooshooft.'
'Moet ik lief tegen hem doen?'
'Later misschien, maar nu nog niet. Bent u klaar? Het rijtuig wacht.'
'Ga ik niet in de gevangenwagen?'
'Dat wordt u in Engeland bespaard. De verdediger is toegestaan zijn cliënt naar de gevangenis te brengen.'
Ze stapte in het rijtuig, terwijl ze nog steeds zijn hand vasthield.
'We hadden over water moeten gaan, zoveel romantischer.'
'De gevangenis ligt niet aan de rivier, maar aan de overkant van de brug, niet ver van Southwark.'
'Die buurt ken ik bijna niet... Druk?'
'Er zijn veel voddenrapers en bedelaars in de gevangenis, en natuurlijk de debiteuren.'
'Zal ik iets van de Theems kunnen zien? Ik ben dol op de rivier.'
'Ik vrees van niet. De gevangenis is nogal ingesloten... Apropos, hebt u een dokter die u makkelijk kunt laten komen?'
'Mijn geliefde dokter Metcalfe is naar de Midlands verhuisd. Maar ik weet zeker dat hij direct zou komen in geval van nood. Waarom?'
'Er is geen doktershulp in King's Bench gevangenis. Niets van dien aard.
Er is ook geen ziekenzaal.'
'Wat gebeurt er dan als iemand plotseling ziek wordt?'
'Niets, tenzij een van de gevangenen medische kennis bezit. Daarom heb ik u gewaarschuwd.'
'Een gewaarschuwd mens telt voor twee. Martha moet me mijn pillen sturen.. O ja, dat herinnert me aan iets – hoe staat het met de hygiëne?'

'Ik heb gehoord dat er vuilophalers zijn, die door de directeur worden betaald, maar ze komen niet elke dag. Het hangt van de hoeveelheid vuil af. Wanneer dat tot boven een zekere hoogte komt, wordt het weggehaald.'

'Zijn er afvoerbuizen?'

'Klaarblijkelijk niet. Het vuil wordt in vaten verzameld.'

'Die voortdurend als de Niagara overstromen, hè? Martha zal een ellenlange lijst krijgen... Hoe staat het met het eten, meneer Brougham?'

'Er is een eetlokaal in King's Bench gevangenis, dat meestal gebruikt wordt door de armere schuldenaars die geen geld hebben om eten te laten komen. Veel dingen kunnen twee maal per week gekocht worden; naar wat ik gehoord heb, is het niet aan te bevelen.'

'Dus je kunt eten laten brengen?'

'Ja, tegen een bepaalde prijs. Dat regelen de cipiers. We zullen daar eens naar informeren. Ik geloof dat er veel gedronken wordt in de gevangenis, hetgeen oogluikend wordt toegestaan, maar dat zal u niet interesseren. U zult uw oren soms dicht moeten houden voor het lawaai.'

'Is het hier? Die grote poort?'

'Ja, we rijden erdoor naar het binnenplein. Als iemand u toeschreeuwt of probeert u te beledigen, neem er dan geen notitie van: de armste schuldenaren verzamelen zich altijd op het binnenplein. U kunt beter in het rijtuig wachten, terwijl ik inlichtingen ga inwinnen.'

Ze vouwde de rijtuigdekens over haar arm.

'In Bowling Inn Alley waren de dekens dunner,' dacht ze, 'maar ik had een bed en Charley om me warm te houden. Het is bovendien dertig jaar geleden en ik was toen nog niet zo kouwelijk...' Ze boog zich uit het rijtuigraampje en riep Brougham.

'Bestel een breed hemelbed en een diner voor twee personen en ik sta erop dat de champagne ijskoud is...' Hij wuifde met zijn hand.

Zodra hij in de gevangenis verdwenen was, verdrongen de debiteuren zich om het rijtuig. Ze duwden hun handen met stukjes papier door het raampje naar binnen.

'Bedplaatsen te koop, tien shilling per nacht! Bed alleen, vier personen in een kamer... Acht shilling, dame, acht shilling en het matras is pas drie maanden oud... Vier shilling, mevrouw, voor een helft van een bed, de andere een keurig, zindelijk persoon van achtentwintig jaar... Een guinje per nacht voor een kamer alleen, dame, het beste aanbod in de hele gevangenis, een guinje per nacht en elke morgen het vuil weggehaald.'

Jammer dat ze hier niet wegens schulden zat, maar als misdadigster.

'Heel vriendelijk van u allemaal', zei ze, 'om zoveel moeite te doen, maar alles is al geregeld, ik heb een kamer alleen.'

Ze staarden haar verbaasd aan.

'Dat moet een vergissing zijn, dame, er zijn geen eenpersoonskamers vrij.'

'O, jawel, u weet er niets van. De directeur heeft nog een prachtkamer vrij.'

Henry Brougham kwam terug. De schuldenaren maakten ruimte, nog altijd luid pratend en argumenterend.

'Het is nog erger dan ik dacht,' zei Brougham.

'Wat is erger? Deze mensen waren heel vriendelijk.'

'Uw cel. Ze is heel klein.'

'Maar ik heb hem alleen?'

'Ja.' Hij keek haar vol medelijden aan.

'Zal ik nu met u meegaan?'

Hij nam haar arm en leidde haar naar binnen.

'Dit is meneer Brooshooft, de assistent van de directeur.'

Een stevige man met een buikje, de hoed achter op zijn hoofd, kwam naar haar toe. Ze glimlachte en maakte een buiging. Hij nam er geen notitie van, maar wendde zich tot Brougham.

'Heeft ze een bed meegebracht?'

'Dat komt morgen. En dekens natuurlijk en een tafel en een stoel en andere dingen die nodig mochten zijn.'

'Er is alleen maar plaats voor een bed. De cel is maar drie vierkante meter.

Heeft ze kaarsen?'

'Worden die hier niet verschaft?'

'Niets wordt hier verschaft. Alleen het stro, dat is vanmorgen ververst.'

'Waar kan ik kaarsen kopen?'

'De baas van de kantine heeft er misschien wel wat. Dat is mijn afdeling niet. En vergeet niet dat ze hier zit voor misdaad. Ik heb instructies gekregen dat er geen privileges mogen worden toegestaan. Alleen het gevangeniseten.'

'En waaruit bestaat dat?'

De man haalde de schouders op: 'Dunne pap voor ontbijt, soep voor middageten. Dat varieert van dag tot dag, dat regelt de kok. De schuldenaren kunnen kopen wat ze willen in de kantine, dat hangt van hun geld af... Haar geval is anders.'

Henry Brougham wendde zich tot zijn cliënte. Ze zei: 'Wat heb ik u gezegd? Een vermageringsdieet. Ik zal er zo slank als een den uitkomen en een nieuwe mode creëren.'

De onderdirecteur had een cipier gewenkt.

'Breng de gevangene naar cel nummer twee. Haar bed komt morgen. Geen voorrechten.'

'Geen bonnen voor het koffiehuis?'

'Nee.'

Brooshooft liet zijn uitpuilende ogen onverschillig op de gevangene rusten.

'Als u ziek wordt, kunt u altijd klagen,' zei hij. 'Zend dan een briefje naar de directeur, dan wordt dat getoond als de gevangenis wordt geïnspecteerd.'

'Hoe vaak is dat?' vroeg Brougham.'

'Het moet eigenlijk tweemaal per jaar, maar dat gebeurt niet altijd. De eerstvolgende keer moet in juni zijn. Als een gevangene sterft, dan mag ik hem natuurlijk ergens anders leggen, maar dan moeten de familieleden of vrienden ervoor betalen. Ik heb in dit geval nog een concessie gedaan, omdat de gevangene een vrouw is en boven de dertig. Cel nummer twee heeft een houten vloer, nummer één een stenen en daar zit geen glas in het raampje.'

De gevangene glimlachte en nam haar dekens op.

'Hoe bijzonder vriendelijk van u. Wat ben ik u schuldig?'

'Dat laat ik aan uw vrienden over. Ik neem niet direct geld aan, dat is tegen de voorschriften, wordt als belediging beschouwd. Wilt u de cipier volgen? Rondlopen is niet toegestaan, tenzij je voor schulden hier bent of al drie maanden gezeten hebt. Goedemiddag.' Hij knikte tegen Henry Brougham en verdween. De advocaat nam de dekens van Mary Annes arm en samen volgden ze de gevangenbewaarder de gang door.

'Wat jammer', zei ze, 'dat we niet in Brighton zijn met kamers aan de voorkant en vanavond een feest.' Henry Brougham hield haar arm stevig vast. Hij gaf geen antwoord. De cipier ging hen voor door een doolhof van gangen met op de hoeken trappen waarop mensen rondhingen. Dat waren de plaatsen van bijeenkomst van de lieden die voor schuld gevangenzaten. Mannen, vrouwen en kinderen zaten of stonden op de trappen: de volwassenen aten en dronken, de kinderen speelden. In een van de gangen waren ze aan het dobbelen, ergens anders waren ze aan het kegelen met gebroken flessen. De muren van de gevangenis weergalmden van het geschreeuw, gelach en ruw gezang.

'Ik zal in elk geval niet te klagen hebben over de stilte. Maar ik vrees dat de vuilnisophalers vandaag niet geweest zijn. Die emmers zonder deksels bevallen me niet erg...' De stank in de gang was erger dan ze ooit in de dagen van Bowling Inn Alley gekend had. Of was ze het vergeten? Was er niet iets bekends in die stank? Niet geleegde vuilnisbakken van de buren... lekkende vloeren... natte muren en vingerafdrukken – veel verradende vlekken – zelfs de kreten van de kinderen om de hoek hadden die van Charley en Eddie kunnen zijn die aan het knikkeren waren.

'Herinnert u zich Maria Stuart?'

'Waarom?'

'Die heeft gezegd: mijn eind is mijn begin. Misschien is dat op ons allemaal van toepassing... Ik geloof dat we er zijn.'

De cipier stond stil aan het uiterste eind van de gang en stak zijn sleutel in een dubbel slot. Hij duwde de zware deur wijdopen.

De onderdirecteur had niet overdreven: de cel was drie vierkante meter groot. Een raampje, hoog in de muur met ijzeren tralies er voor en bedekt met spinnenwebben, gaf één meter licht. De vloer was van houten planken en in een hoek tegen de muur lag een hoop stro. Een kleine emmer van hetzelfde soort als ze in de gangen had gezien, stond naast de deur. Er was geen deksel op.

De gevangene mat de cel met uitgespreide armen.

'De moeilijkheid is', zei ze, 'dat als ik mijn bed hier heb, er werkelijk geen plaats voor iets anders zal zijn. Ik zal me moeten wassen en aankleden en eten terwijl ik schrijlings op het bed zit of op één been sta – een nieuwe houding à la flamingo!' Ze gaf met opgetrokken rokken een demonstratie. De cipier staarde. Ze wierp hem een betoverende glimlach toe.

'Daar we elkaar veel zullen zien,' zei ze, 'moeten we maar meteen goede vrienden worden.'

Ze schudde hem de hand en gaf hem een paar guinjes.

'Hoe staat het nu met de kaarsen, meneer Brougham? Over een halfuur zal het hier pikdonker zijn. En nogal koud ook – ik zie dat ik geen schoorsteen heb. Kaarsen zullen dus iets feestelijks aan de sfeer geven. Met het stro en uw dekens zal het bepaald gezellig zijn hier, en dan gloeiende soep uit het eetlokaal van de schuldenaren. Wat is er vanavond voor soep, tomaten of schildpad?'

De verbijsterde cipier keek zijn laatste gevangene verbluft aan.

'Het is altijd hetzelfde,' zei hij, 'een soort jus met aardappelschillen en een snee brood.'

'Potage parmentier, die heb ik wel eens bij Almack gegeten... Meneer Brougham, ik geloof dat het nu tijd wordt dat u weggaat.'

De advocaat kuste haar de hand.

'Als er iets is dat ik kan doen om u uit dit hol over te plaatsen naar een kamer, zal het gebeuren – dat beloof ik u plechtig.'

'Dank u duizendmaal. Komt u me af en toe eens opzoeken?'

'Wanneer het me maar wordt toegestaan. Wilt u me nu nog het adres van uw dokter geven?'

'Dat heeft Bill Dowler.'

'Hebt u nog iets nodig? Ik bedoel dadelijk?'

'Kaarsen als ze dat hebben, inkt, pennen en papier.'

'Toch niet weer een brief aan meneer Fitzgerald, hoop ik.'

'Nee, een rapport over de King's Bench gevangenis van een ooggetuige.

Dat zo nodig aan het Lagerhuis kan worden voorgelegd.'

Hij schudde lachend het hoofd.

'U bent onverbeterlijk.'

'Dat hoop ik. Wat is het leven anders waard?'

De cipier deed de deur open en Henry Brougham ging naar buiten. De deur viel met een klap dicht en de sleutel werd omgedraaid. Het gelaat van de gevangene verscheen voor het kleine tralieraampje in de deur. Ze had haar hoed op het stro gegooid en een van de rijtuigdekens om haar schouders geslagen.

Ze glimlachte hem toe, kneep één blauw oog dicht en mompelde in het ergste cockneydialect uit de steeg: 'Wie zijn billen brandt, moet op de blaren zitten!'

Ze hoorde zijn voetstappen wegsterven in de gang en verloren gaan in het lawaai en gelach. Om tien uur die avond, toen de kaarsen begonnen af te druipen, opende de cipier haar cel en bracht haar een brief. Hij was door een boodschapper van de koning aan het kantoor van de directeur bezorgd, met het bevel hem haar onmiddellijk te geven.

Ze stak haar hand uit het stro en nam de brief aan. Er was geen begin en geen eind aan, maar boven aan het papier stond: 'Hoofdkwartier Whitehall' en de datum: 7 februari 1814.

De inhoud was slechts kort:

"Het heeft Zijne Majesteit behaagd George Noel Clarke te benoemen tot kornet in het elfde regiment lichte cavalerie. Deze benoeming gaat in op zeventien maart, vier weken na de zestiende geboortedag van kornet Clarke, op welke datum hij zich moet melden."

Zijne Koninklijke Hoogheid, de opperbevelhebber, had zich zijn belofte herinnerd.

6

Ze waren altijd aan het verhuizen. Nooit bleven ze lang in hetzelfde huis. Een eeuwige onrust vervulde haar hart en geest – Ellen noemde het 'moeders goddelijke ontevredenheid' – zodat telkens weer de koffers gepakt en vastgesjord moesten worden en het drietal weer een nieuwe pelgrimstocht begon, op zoek naar een of ander onbereikbaar paradijs. Vandaag misschien Brussel, morgen Parijs, of ze hobbelden als ze een bevlieging kreeg om een plek te bezoeken waar ze nog nooit geweest was, in een diligence over de stoffige wegen van Frankrijk, het raampje gesloten, haar gretig gezicht tegen het glas gedrukt, heel wat enthousiaster dan haar dochters.

'Hotel de la Tête d'Or, daar zullen we heengaan.' Alleen omdat het vierkante, met keien geplaveide pleintje iets geheimzinnigs had en vrouwen hun wasgoed in een riviertje wasten en boeren in helblauwe kielen haar met door de zon verbrande gezichten toelachten. Bovendien was er dichtbij een kasteel op een heuvel, daar woonde de een of andere baron of graaf die ze zouden kunnen gaan opzoeken en die amusant zou blijken te zijn, want niets, ook geen Frans protocol, weerhield haar om met een visitekaartje in haar hand kennis te gaan maken met de stijfste vreemdelingen. Haar in stilte lijdende dochters zaten er dan met neergeslagen ogen bij, trots zwijgend, terwijl hun glimlachende moeder in een Frans van onbestemde origine, met een onberispelijk accent, maar een afschuwelijke grammatica, met brede gebaren zichzelf introduceerde.

'Ravi de faire votre connaissance, monsieur! En monsieur, niet zo ravi, boog. Zijn kasteel, tot nu toe ontoegankelijk, – behalve voor ongetrouwde tantes en oude priesters, werd veroverd door scherpe ogen die alle kamers bekeken en de kunstvoorwerpen taxeerden. En dan, o schande, luid gefluister achter haar hand tegen de gefolterde dochters: 'Een weduwnaar. Zou wel iets zijn voor een van jullie.'

Plombières-les-Bains, Nancy, Dieppe, badplaatsen, uitgekozen omdat ze die namen twee jaar geleden eens had horen noemen, weer was vergeten en zich nu weer herinnerde.

'Wie woont er ook weer in Nancy? Was het niet markies de Videlange? Een schat van een man. Hij heeft eens op een diner naast me gezeten – we zullen hem gaan opzoeken.' En Mary en Ellen wisselden angstige blikken en riepen: 'Moeder, dat kunnen we niet doen, hij zal erachter komen wie we zijn!'

'Maar schattebouten, wat zou dat? Dat maakt het juist amusant.'

En dan kwam ze weer aan met de oude afgezaagde anekdoten, de schandaaltjes van vroeger, de pret, de malligheden, het leven in Londen – twintig jaar geleden – nu voorbij, nauwelijks herinnerd door de twee jonge vrouwen wier levens werden overschaduwd door een visioen van gevangenismuren, van onbeschrijflijke verschrikkingen, van een doodsbleek uitgemergeld wezen dat nauwelijks meer kon staan, wier ogen glazig waren en dat, zonder te zien, voor zich uit staarde toen ze uit de hel de wereld werd ingedragen.

Was het waar wat de dokters tegen oom Bill hadden gezegd – dat de geest altijd uitwiste wat hij vreesde zich te herinneren? Of sprak ze nooit over die vreselijke maanden omdat ze zich die wel herinnerde en hun pijn wilde besparen? Zelfs onder elkaar werd er nooit over gesproken, en als hun moeder over het verleden begon, de anekdoten vertelde waar ze zo van hield, de rechtbank van toen belachelijk maakte, verstrakten ze in paniek. Maar wanneer een tactloze vreemde erover zou beginnen, als die het woord 'gevangenschap' zou laten vallen, wat dan? Zouden dan plotseling al die vreselijke herinneringen wakker worden? De meisjes voelden zich nooit gerust. Ze lieten haar dus maar toegeven aan haar invallen, het vasteland door trekken, altijd hunkerend naar nieuwe tonelen, nieuwe avonturen, een zomer hier, een winter ergens anders, omdat, zoals ze tegen haar dochters zei, omdat je nooit kon weten... Misschien zou een Spaanse hertog een oogje laten vallen op Mary of zou een Russische prins zijn roebels in Ellens schoot werpen. Verder dus weer, van het ene logies naar het andere, zo goed en zo kwaad als het ging rondkomen van de drie jaargelden. Dikwijls bleven rekeningen onbetaald, werden relikwieën uit het verleden te gelde gemaakt, ringen over de toonbank gereikt, armbanden verkocht aan dubieuze juweliers.

'Ik verzeker u dat deze halsketting heeft toebehoord aan de overleden koningin Charlotte.'

'Madame, *je regrette infiniment...*'

'Hoeveel geeft u er dan voor?' Vijftig louis! Vijftig louis voor een collier dat vijfhonderd waard is? De Fransen waren een ras van rovers, het schuim der aarde, ze wasten zich nooit, hun huizen stonken. Maar als ze eenmaal weer op straat stonden, werd het geld haastig geteld, beet ze in de geldstukken om zeker te zijn dat ze niet vals waren en riep ze met een glimlach en een wenk van haar parasol een passerend huurrijtuig aan om hen naar huis te rijden – het tijdelijke 'thuis', zijnde een klein armzalig hotelletje, schappelijke prijzen, in de Faubourg Poissonière.

'Lievelingen, we zijn weer rijk, laten we het allemaal uitgeven.' En dan werden er japonnen besteld, een diner gegeven en een gemeubileerd appartement voor twee maanden gehuurd.

'Maar moeder, dat kunnen we niet betalen.'

'Doet dat er wat toe?' De Fransen waren opeens niet langer dieven en het schuim der aarde, maar engelen met smachtende ogen, haar toegewijde dienaren. Haar levensgeschiedenis werd onmiddellijk aan de portier verteld, haar liefdeshistories werden besproken met het kamermeisje. Parijs was de enige stad in de wereld – totdat het geld op was en ze verdertrokken. En nog steeds verschenen er geen Spaanse hertogen of Russische prinsen voor de zwakke Mary en de boekenwurm Ellen. Ze zag ze al gedoemd om oude vrijsters te worden en noemde hen 'mijn Vestaalse maagden', waarmee ze haar tienderangsvrienden en oude kennissen dol amuseerde, maar mogelijke schoonzoons afschrikte. George, die erg deftig was geworden, sprak zijn afkeuring uit.

'De meisjes zullen nooit trouwen als u zich niet ergens vestigt. En Parijs is daar al helemaal niet de geschikte plaats voor. Ik vind het een naar idee dat u zonder mij rondzwerft.'

Overheerst en gecommandeerd door haar zoon, keek ze aanbiddend naar hem op. Wat zag hij er knap uit in zijn mooie uniform en altijd de beste van zijn regiment.

'Mijn zoon is bij het zeventiende lanciers. Hij is pas zevenentwintig en nu al kapitein.'

Maar wat haar het meest beviel: hij had geen oog voor vrouwen, ze hoefde zijn verloftijd niet te delen met een afschuwelijke schoondochter; zijn moeder was nummer één in zijn leven. Dat het zo mocht blijven!

Maar de meisjes – ze bleef hopen op hertogen of op vreemdelingen met miljoenen of alleen maar op mannen. (Die verschenen eindelijk op het toneel, maar ze hadden geen van beiden vooruitzichten. Een zekere Bowles voor Mary, die hield van haar en liet haar weer in de steek, en een zorgeloze Fransman voor Ellen, een zekere Busson du Maurier.) Maar toen ze de middelbare leeftijd bereikte, een ontheemde, een bannelinge op vreemde bodem, keerden toch – hoezeer ze ook onderdook in het heden en actief belang stelde in de dagelijkse gebeurtenissen, partijen gaf en vrienden schreef – haar gedachten terug naar het verleden.

'Ik herinner me...' Dan hield ze op. Herinneringen vervelen de jeugd. Wie kan het nog wat schelen dat de dandy's in Vauxhall op hun tenen hadden gestaan om haar voorbij te zien komen? Wat deed het ertoe dat een gapende menigte eens op de wielen van haar rijtuig was geklommen in Palace Yard? Of dat ze in het Lagerhuis als enige vrouw onder al die mannen getroond had? 'Je kunt die dingen maar beter vergeten,' had George gezegd, 'ze zijn in het regiment allemaal even geschikt tegen me, waarom de zaak nu niet in de doofpot stoppen?' Ze begreep de wenk. Maar soms, 's nachts als ze alleen was, overviel haar een vreemd, hunkerend verlangen naar vroeger, voelde ze zich afschuwelijk alleen en dacht: 'Er is niemand meer die er ook maar iets om geeft. De wereld die ik gekend heb, is er niet meer.'

Was alles dan verloren? Bleef er niets meer over? Was er geen fragment meer overgebleven in een donker hoekje dat daar wachtte tot het door andere handen werd opgeraapt? Het ene ogenblik was haar broer Charley een jongen die aan haar rokken hing in Bowling Inn Alley; het volgende kwam er een rekening van een dikke zeventig guinjes met een brief: 'Geachte mevrouw, hierbij de nota voor de gerechtelijke kosten gemaakt voor identificatie van het lijk van Charles Farquhar Thompson.'

Wie van die twee was de Charley die zij gekend had en liefgehad? En welk verband bestond er tussen een verminkt lichaam, bij een riool in de Theems gevonden, en een jongen?

Bill, die haar bij de gevangenis had afgehaald, die haar handen had vastgehouden, haar reis naar Frankrijk had bekostigd; Bill, niets veranderd, had gezegd: 'Wanneer je me ook nodig mocht hebben, ik zal onmiddellijk komen.' Wat voor betekenis hadden die woorden als hij die belofte niet kon nakomen? Bill, zo sterk, zo betrouwbaar, die geworden was: 'Uwe lieve vriend, die zo plotseling van ons is weggenomen... Gerespecteerd door iedereen... De stad Uxbridge...' Waar waren al die tederheden, al dat geduld gebleven? Weg, met de 'diep betreurde' in het graf gegaan. Of zou hij ergens in de duisternis om haar heen zijn, trouw en standvastig?' 'Moeder verft haar haar. Ik wou dat ze dat niet deed.'

'Het maakt haar zo goedkoop. George moest het haar verbieden.'

'Een vrouw behoort met gratie oud te worden en haar leeftijd te aanvaarden.'

Dit gesprek tussen Mary en Ellen had ze afgeluisterd. Maar wat was gratie en wanneer was je oud? De ochtenden roken hetzelfde, dauwfris en opwindend, en de zee bij Boulogne schitterde even prachtig als die in Brighton. Schop uit je schoenen! Zand tussen je tenen. Spartel met je voeten in het water. Kreten van: 'Moeder!', de Vestaalse maagden toesnellend met parasols... Maar dat was leven, die plotselinge extase, dat zonder reden oplaaien van het temperament dat het bloed in beweging zette, of je nu acht jaar was of tweeënvijftig. Het overviel haar ook nu zoals het altijd gedaan had: een overweldigend gevoel, een wilde onrust. Dit moment is het enige dat telt. Geen ander. De Grande Rue in Boulogne is Ludgate Hill, is Brighton Crescent, is Bond Street in de morgen; ze zou een hoed gaan kopen of een mandje peren of een kluwen gekleurd touw, het deed er niet toe, het ging om de mensen, de mensen en hun gezichten. Die oude man met een kruk, die huilende vrouw, die jongen met een drijftol, die glimlachende geliefden, allemaal waren ze een deel van iets dat zij gekend, gedeeld had, dat zij zich herinnerde. Het kind dat in de goot viel was zij en ook het meisje dat uit een bovenraam wuifde.

'Zo ben ik eens geweest, ik ben al die mensen geweest,' – dat pijnlijk hart, die uitbarsting van vrolijkheid, die tranen van woede, die opwelling van begeerte! Het leven was nog altijd een avontuur, zelfs nu nog. Vergeet morgen en de uren van eenzaamheid. Er kan morgen een brief uit Engeland komen, of een Engelse krant. Er kan iemand op doorreis naar Parijs haar komen bezoeken.

'Wat gebeurt er allemaal in Engeland? Wat zijn de laatste nieuwtjes, de laatste schandalen? Is het waar? Ziet hij er erg oud uit? Maar ik herinner me toch...' Terug in het verleden, het leven van vroeger, de voorbije dagen.

'Wat hebben we een pret gehad! Wat leken de zomers toen lang! ' Enzovoort, enzovoort, tot het bijna middernacht was en de bezoeker op de klok keek en zich moest haasten om zijn postkoets nog te halen. Een vreemd, leeg gevoel overviel haar dan als hij weg was, gemengd met iets van verbijstering. Ze had hem het laatst gezien als een vrolijke jonge kerel met begerige ogen, nu was hij dik, had een stierennek en grijzend haar. Er was een schakel gebroken. Die verouderde man was niet de jongen die zij gekend had. Waren al haar vrienden en tijdgenoten nu zo zwaarwichtig, zo pompeus, zo bedachtzaam; kauwden ze allemaal zo traag hun voedsel? Was de vitale vonk met de jaren geblust? Als dat zo was, dan was het beter te worden uitgeblazen als een kaars, gedoofd, verwaaid. Even een bekoorlijk licht verspreiden, één ogenblik slechts, dan... uit!

Op een morgen in januari hadden de kranten uit Engeland zwarte randen en waren de kolommen donker omlijnd. Mary en Ellen wilden ze voor haar moeder weghouden, haar emoties besparen, de plotselinge ommekeer van stemming, die ze kenden en vreesden, voorkomen. Het lukte niet. Die onderzoekende ogen hadden direct de zwarte randen gezien en begrepen wat die betekenden. Er hadden haar al geruchten bereikt, maar toch kwam het nieuws nog als een schok toen ze boven, alleen in haar slaapkamer met de deur op slot, de Times opensloeg.

5 januari, 1827
"Om tien minuten over negen is gisteravond in Rutland House, Arlington Street, Zijne Koninklijke Hoogheid Frederik, hertog van York en Albany overleden op de leeftijd van vierenzestig jaar."

Alleen maar dat, meer niet. En terugdenkend herinnerde ze zich hoe ze vroeger deze krant altijd haastig had doorgesnuffeld naar de korte aankondiging van zijn agenda voor die dag. 'Zijne Koninklijke Hoogheid, de opperbevelhebber, heeft vandaag het veertiende regiment lichte cavalerie geïnspecteerd en heeft zich later naar Zijne Majesteit begeven.' Ze placht dan 's avonds lachend tegen hem te zeggen: 'En nog later naar mevrouw M.A. Clarke, Gloucester Place.' Ze had tientallen boeken vol knipsels met onderschriften die ze daar zelf met inkt onder gekrabbeld had en die niet voor herhaling vatbaar waren.

Ze zocht in de krant naar zijn levensbeschrijving, het laatste oordeel: 'De overleden prins, wiens minzaamheid hem bij zijn leven zo populair heeft gemaakt en zijn overlijden zo diep doet betreuren, hield van – zoals men dat noemt – een goed leventje.

Hij hield van wijn en van spel en had nog andere liefhebberijen, waaraan hij, helaas, maar al te vaak toegaf en die men gemakkelijker vergeeft aan personen uit andere klassen der maatschappij, dan aan een prins.

Behalve dit toegeven aan tafelgenoegens, aan wedden op de paardenrennen en elders en aan een ander soort immorele uitspattingen welke, zonder dat we deze behoeven te noemen, genoegzaam bekend zijn, had Z.K.H. helaas geen begrip van de waarde van geld. We zouden liever niet terugkomen op het pijnlijke proces van zeventien jaar geleden, ware het niet, ten eerste dat de merkwaardige feiten waarop we zinspeelden zullen voortleven in onze geschiedenis en een smet zullen werpen op onze regering en ten tweede dat het gevolg ervan opvallend gunstig is gebleken voor het leger en het gehele koninkrijk. De teleurgestelden hebben opgehouden te schreeuwen en te protesteren, de afgunst fluistert niet langer dat promoties werden verkregen door geheime en onzuivere tussenkomst.

De hertog van York was in het privé-leven terecht zeer bemind: hij was een opgewekt, hartelijk en edelmoedig man, een trouw vriend, dankbaar voor vriendelijkheid, menselijk en vergevingsgezind, meelevend met allen wier leed hij kon verzachten.

De herinnering aan Z.K.H. zal nog lang blijven voortleven bij allen die oprecht belangstellen in de eer, het welzijn en de bloei van het Britse leger.'

Een latere editie gaf nog het volgende bericht:

'De wacht bij het koninklijk paleis in St. James wordt in plechtig zwijgen voortdurend afgelost, daar duizenden zich daar verzameld hebben zodra het overlijden van de hertog van York was bekendgemaakt. Wij vernemen nog dat het stoffelijk overschot van Z.K.H. twee dagen in statie opgebaard zal blijven in het koninklijk paleis St. James, en wel donderdag en vrijdag, de achttiende en de negentiende van deze maand. De volgende dag zal het worden overgebracht naar Windsor om daar in de koninklijke grafkelder te worden bijgezet. De teraardebestelling van de betreurde hertog zal plaatsvinden in zijn kwaliteit van kroonprins en opperbevelhebber, niet in die van veldmaarschalk.'

Ze vertelde Mary en Ellen niets van haar plan. Ze zouden trachten haar tegen te houden. De verbanning uit Engeland, welke haar door de beheerders van haar geld was opgelegd en waaraan ze zich steeds gehouden had nadat ze de gevangenis had verlaten, had nu geen betekenis meer. Charley was alleen naar zijn zelfmoordenaarsgraf gegaan en Bill rustte bij zijn ouders in Uxbridge. Will Ogilvie, in de rug geschoten door onbekende hand, was zonder gebed de eeuwigheid ingegaan; maar dit was anders.

Haar koppige, aangeboren trots dreef haar ertoe nog eenmaal het Kanaal over te steken en de loodgrijze lucht te trotseren, zich madame Chambres te noemen, met accent te spreken en haar gezicht, dat niemand meer zou herkend hebben, te verbergen achter een lange rouwsluier.

Ze raakte verloren in de menigte, werd voor- en achteruit geschoven, vocht, werkte met haar ellebogen. Niemand regelde de mensenmassa in Pall Mall, de steigerende paarden, de rijen en rijen voertuigen, het was een hopeloze verwarring. Tienduizend, twintigduizend mannen, vrouwen en kinderen, en nog steeds kwamen er meer bij. Ze wilden zich niet laten terugdringen en boven hun hoofd deinden de sombere banieren van de marcherende soldaten met de woorden 'De soldatenvriend', gevolgd door de kadetten van Chelsea, gevolgd door vijfhonderd kleine jongens, bleek en ernstig, de jongsten vergezeld van hun kindermeisjes met haar zwarte strooien hoedjes en rode jurken, zoals Martha die ook in 1805 gedragen had.

Ze werd met de menigte meegevoerd naar St. James, haar sjaal was afgegleden, haar sluier afgerukt. Iemand schreeuwde iets in haar oor, een bewusteloos kind werd boven de hoofden uit getild, een vrouw op kousen werd onder de voeten gelopen.

Achteraan steeg gemompel op: 'Ze zullen de deuren sluiten... we komen er nooit meer in!' Méér paniek, meer verwarring, hoofden die alle kanten uitdraaiden, wankelende lichamen.

'Doorlopen...!'

'Achteruit!... Ze roepen de politie...!' En nog steeds drong zij naar voren, haar sjaal was allang verdwenen, ze had nog maar één schoen. Het kon haar niet schelen, ze was vastbesloten binnen te komen, ze mochten schreeuwen zo hard ze wilden.

Nu waren ze op het binnenplein van St. James en werden opgestuwd naar de trap, die afgezet was door soldaten en de leden van de lijfwacht met krip om hun hoeden en hellebaarden, krip ook om hun zwaarden.

Over allen kwam een wonderlijk-plechtige stemming en in het paleis was het doodstil, de statievertrekken werden flauw verlicht door kaarsen. Ze merkte plotseling dat ze strak naar zijn zwaard staarde. Het lag op het lijkkleed naast zijn kroon en staf, maar dat waren koninklijke attributen die behoorden bij zijn plichten; het zwaard was iets persoonlijks, een deel van de man die zij gekend had. Ze dacht: 'Wat heb ik het dikwijls in mijn handen gehouden,' en verbaasde zich erover dat het er nu in het kaarslicht zo dreigend en streng uitzag, en ook wonderlijk eenzaam, zo misplaatst. Ze hoorde het weer rinkelen op de trap tegen ontbijttijd, of in de hal neergooien; ze zag weer dat het Ludo vick werd toegeworpen om schoon te maken, of rechtop in zijn kleedkamer staan, of uit de schede genomen worden om het aan George te tonen. Het hoorde daar niet op dat lijkkleed – het zwaard was een deel van het leven, niet van rouw en dood. Daar lagen zijn ridderorden, daar het lint van de Orde van de Kousenband, maar iemand duwde haar voort en ze kon niet omkeren. Te veel mensen drongen vooruit – ze moest met honderden anderen weer de trap af. Eén blik op zijn zwaard, meer niet – een vreemd vaarwel! Ze stond weer buiten, door de mensenmassa meegevoerd in de richting van Charing Cross en ze dacht: 'Wat nu? Ik heb gedaan waar ik voor gekomen ben. Waarom nog langer blijven, het bezoek is voorbij.'

Ze ging op de treden van de St. Martinskerk zitten, omgeven door mopperende mannen en vermoeide vrouwen; huilende kinderen duwden tegen haar knieën aan; allen zaten tegen elkaar aangedrongen om warm te worden, om zich te beschutten tegen de windvlagen en slagregens. Een vrouw naast haar bood haar brood en kaas aan en een man aan de andere kant een slok bier.

'Op jullie gezondheid,' riep ze en iemand lachte; de zon brak door en iemand begon te zingen. Ze dacht aan de Vestaalse maagden in Boulogne en aan George in zijn regiment, stijf en gewichtig, en opeens kwam niets er meer op aan, zelfs George niet; ze was thuis, ze was waar ze hoorde, in het hart van Londen.

'Kom je van ver?' vroeg haar buurvrouw, aan een sinaasappel zuigend.

'Nee, hier vlak om de hoek,' zei ze, 'uit Bowling Inn Alley.'

De klokken van St. Martin begonnen te luiden, maar zij bleef daar zitten, at haar brood met kaas, gooide de korstjes naar de duiven die de stoeptreden bevuilden en keek naar de duizenden spreeuwen hoog in de lucht.